KB152003

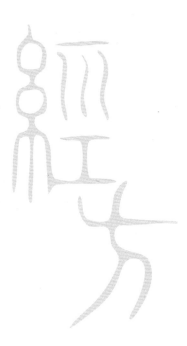

HUANGHUANG JINGFANG
SHIYONG SHOUCE

황황교수의 **임상의를 위한 근거기반**

상한금궤
처방 매뉴얼

넷째판 1쇄 인쇄 | 2022년 5월 13일
넷째판 1쇄 발행 | 2022년 5월 31일

지 은 이   황황(黃煌)
옮 긴 이   조희근
발 행 인   장주연
출 판 기 획   김도성
출 판 편 집   이민지
편집디자인   양은정
표지디자인   김재욱
발 행 처   군자출판사(주)
　　　　　　등록 제 4-139호(1991. 6. 24)
　　　　　　(10881) **파주출판단지** 경기도 파주시 회동길 338(서패동 474-1)
　　　　　　전화 (031) 943-1888   팩스 (031) 955-9545
　　　　　　www.koonja.co.kr

* 파본은 교환하여 드립니다.
* 검인은 저자와의 합의 하에 생략합니다.

ISBN 979-11-5955-884-9

정가 40,000원

서문

이 책이 처음 나온 지 10년이 지났다. 10년 전 표준화된 투약 및 간편한 경방 활용을 위해 필자는 자주 쓰이는 40여수 경방의 관련 지식을 적용 환자군, 병증 및 경전원문 등으로 편집하여 "경방 사용수첩"이라는 3만 단어의 짧은 책으로 출간했다. 이것이 이 책의 원형이다.

이 책자는 간결하고 실용적이어서 젊은 학생들에게 매우 인기가 있었다. 필자는 지속적인 내용 보충과 조정을 거쳐 《黃煌經方使用手冊》이라는 이름의 원고를 완성하여 중국과 독일의 두 출판사에서 출간했다. 2010년 5월 독일의 Andreas Kalg가 번역한 이 책의 독문판이 뮌헨에서 처음 출판되었으며, 같은 해 8월에는 중국 중의약출판사에서 중문판을 출간 및 배포하였다. 2011년에는 인민위생출판사가 캐나다의 Susan Robidoux가 번역한 영문판을 출간하였으며, 2012년에는 한국의 옴니허브 출판에서 한글판을 출간하였다. 지난 8년간 이 책자의 중문판은 세 차례나 재판되었고 열다섯 차례 중쇄되었으며 누적발행부수는 75,000권에 이르렀다. 초판에서는 경방 66수를 다루었으나 개정판에서는 87수로 늘어났고 부록의 저자경험방도 10수에서 14수로 늘어났으며 내용도 크게 보강되었다. 이번 제4판은 3판을 기준으로 백두옹탕, 대반하탕, 대건중탕, 복령음, 지실해백계지탕, 의인부자패장산, 속명탕, 온비탕 등 8수의 경방과 보중익기탕, 십전대보탕, 육군자탕 등 3수의 후세명방을 추가하였다. 이외에 개인 경험방인 삼황사역탕도 추가하였다. 따라서 이 책은 91수의 상용경방과 15부의 부록처방을 다룬다. 이번 개정의 특징은 독자가 참조할 수 있도록 840개의 근거기반 연구 결과를 부록으로 추가한 것이다(한글 번역본에서는 독자의 편의를 위하여 상단의 부록들을 모두 번역하여 본문의 각 주로 첨부하였다. – 역자). 근거기반의학은 의료의 과학적 필요이자 발전 동력이므로, 경방의학은 근거기반의학과의 결합을 통해 더욱 우수해질 수 있다. 이 책에서 권고하는 적응증에는 모두 경방의 효능을 객관적이고 정확하게 반영하기 위해 근거기반의학에서의 근거 수준을 표시하였다.

이 책이 끊임없이 개정되고, 발행부수도 계속 늘어난다는 사실은 경방의 강한 생명력은 물론 고전의 재발견을 통한 임상이 중요시되는 최근 학계의 경향을 시사한다. 경방은 수천년 간의 천연물 의약품 사용 경험의 결정체로 중의학 학술의 표준규범이다. 중의학의 발전은 경방과 뗄 수 없으며, 필자의 작업은 주된 선율에 음표를 추가한 것에 지나지 않는다.

어떤 학술분야이건 그 표준규범이 가장 중요하다. 경방은 중의 임상용약의 표준지침이다. 경방 응용에 있어서의 표준을 제정하여 보다 정밀하고 실용적인 투약이 가능하며, 이를 통해 얻는 안정적인 임상효과는 중의의 생명력을 더욱 강하게 만들 것이다. 또한,

중의는 인류에 더 많은 공헌을 할 수 있을 것이다. 1800년 전 장중경은 초인적인 지혜와 용기로《傷寒雜病論》을 저술했고, 이는 경방의 경전표준이 되고 있다. 그러나 이 표준은 더 개선되어야 하며 현대 임상과 관련된 응용, 개선, 지원방안이 필요하다. 이것이 저자가 소책자를 편집, 출판하는 이유이다. 경방의 문헌연구 및 임상연구가 부족하며 경방의 임상 빅데이터가 아직 완비되지 않았기 때문에 현 시점에서 경방의 임상활용을 위한 엄격한 표준을 마련하기란 매우 어렵다. 따라서, 이 책은 필자 개인의 견해로만 받아들여져야 하며, 이는 절대 겸손의 표현이 아니다.

본서의 초고 이후 지속적인 개정작업은 필자와 함께하는 경방 연구팀의 노력과 지혜가 있었기 때문이다. 이 개정판에서는 陆雁 선생과 夏豪天 선생이 경방에 대한 근거기반정보를 제공하였으며, 周小舟 선생은 방증의 대표적인 얼굴 이미지를 그려 이번 판의 모습을 새롭게 하였다. 필자는 이 매뉴얼을 진심을 다해 준비했다. 우리 모두가 고전을 덮고있는 먼지를 털어내고 이 보물이 다시 빛날 수 있기를 바란다. 경방은 현대화되어야 하고 많은 환자들에게 쓰여야 하며 현대 인류의 건강과 보건에 완벽하게 이바지할 수 있어야 한다. 경방은 혜민의학(惠民醫學)이 되어야 한다.

南京中醫藥大學 國際經方學院 黃煌

2019년 11월 1일

옮긴이의 말

의약품을 이루는 3가지 구성요소에는 적응증, 주요 소재, 작용 기전이 포함됩니다. 이 중 한의사 선생님들이 한약을 처방할 때 가장 고민하게 되는 주제는 '적응증'과 관련된 것이 아닐까 합니다. 고된 한의과대학 공부를 마치고 국가시험을 통과한 한의사라면 누구나 중요한 한약처방의 구성과 기전을 잘 이해하고 있을 것입니다. 또한, 예전과 달리 최근에는 정말 많은 한의학 관련 논문과 전문서적이 출간되고 있기 때문에 한약과 관련한 학술정보는 전혀 부족하지 않은 상황이라 할 수 있습니다. 그럼에도 처음 진료에 임하시는 한의사 선생님이나 임상실습 연차에 갓 들어선 한의과대학 학생의 입장에서 '어떤 임상소견을 어떻게 관찰하여 한약 처방의 적응증을 구성할 것인가'에 대해 고민했던 경험을 많은 분들이 공유하고 있습니다.

한약은 기본적으로 소재가 함유하는 다성분(multi compound)이 인체의 다표적(multi target)에 작용하는 의약품입니다. 한편, 대다수의 한약 처방은 약물간의 조합을 통해 여러 성분에 상호작용에 의한 시너지 효과가 극대화될 수 있도록 설계되어 있습니다. 이런 특징들 때문에 단일 성분 – 단일 표적에 기반한 합성약품과 비교할 때 진료시에 고려해야 할 정보가 훨씬 많을 수밖에 없습니다. 또한, 한약을 포함한 모든 한의진료가 환자 개개인에 맞는 개인맞춤의학(personalized medicine) 기반 전략을 구사한다는 점은 모두가 동의하는 한의학의 특성입니다. 이때 변증(pattern idenfificatipion)이란 한의진료의 방향을 결정할 때 대량의 임상데이터를 처리하는 과정을 조금이라도 더 단순화하기 위한 도구라고 할 수 있을 것입니다. 이런 관점에서 보면 꽤 난해하게 보이는 한약 관련 의사결정 기술이 임상 한의사의 암묵지(tacit knowledge)로 완전히 스며들기까지 오랜 시간과 경험이 필요함은 너무 당연한 것이 됩니다.

이 책은 많은 정보를 동시에 표현하는 한의학 전문서적의 함축적 언어에 완전히 익숙해지지 않은 초보 임상 한의사들을 위한 것입니다. 저자는 고전 자료의 난이도 높은 학술적 개념을 많이 활용하지 않으면서 간결하게 한약 처방의 적응증에 대해 설명합니다. 또한, 동양의학 특유의 전통적인 정보 – 사진(四診) 소견이나 변증 등 – 와 현대적 시각에 따른 정보를 균형있게 다룬다는 점도 이 책의 중요한 장점이라고 하겠습니다. 특히 이번에 소개하는 4번째 개정판에서는 한약의 적응증에 대한 예시가 이전 판에 비해 훨씬 상세하게 추가되었으며, 이와 함께 많은 최근 연구로 형성된 근거(evidence)들을 별도로 요약하여 주석으로 제공한다는 점이 돋보입니다. 원서에서 이 주석은 인터넷 파일로만 열람할 수 있었습니다만, 한국어판에서는 독자의 편의를 위하여 주석을 모두 번역하여 본문에 첨부하였습니다. 이 책이 담고 있는 정보는 한의약 임상진료를 위해 익혀야 할 전반적인 내용 중 입문의 수준을 넘지 않습니다. 하지만 긴 시간이 필요한 한약 학습의 초입에 서있는

한의과대학 학생과 한의사 선생님들께 이 책 특유의 세심한 배려
는 분명 많은 도움이 될 것이라 생각합니다.

이 책이 한의약이 우리 사회에 얼마나 기여할 수 있는지에 대한
영감을 제공하는 단초가 되기를 바랍니다.

2022년 5월
역자 조희근

조희근
───
한방재활의학과 전문의, 한의학 박사, 통계학 석사. 현대적 언어로 표현할 수 있는 한약의
적응증, 핵심 소재 및 작용 기전 연구에 관심을 갖고 있다.

일러두기

　경방은 경전 처방의 약자이자 세대를 거쳐 전해지는 경험처방의 약자이다. 경방은 중국인들이 수천년 동안 천연물을 의료에 적용한 경험의 결정이며 중의학의 임상 규범이다. 오랜 세월 동안 경전을 연구하지 않은 명의는 없었으며, 경방을 능수능란하게 활용하지 못하면서 임상의 대가에 이른 사람도 없었다. 그러나 경방의 임상적용은 결코 쉬운 일이 아니다. 경방의 방증이 상세하지 않고, 현대적 적응증의 범위도 불분명하다는 점은 경방을 대중화하고 널리 알리는데 악영향을 끼친다. 이에 필자는 30년 넘게 경방의 현대적인 진료에 주력하여 경험을 쌓았다. 이 소책자에는 경방을 활용해온 필자의 기준과 경험이 많이 반영되어 있다.

　이 책자에 수집된 처방은 한(漢)대의 의학서적인 《傷寒論》과 《金匱要略》 등 경전의 처방 위주이다. 소수의 후세경험방은 배오(配伍)가 치밀하고 분명한 치료효과가 있어 오랫동안 쓰여온 것들로 필자 스스로도 자주 사용하는 처방들을 수록하였다. 10여수의 필자경험방은 실제 경방의 합방이나 가감방들로 비교적 분명한 적용 범위가 있으나 경방과 동열에 둘 수는 없으므로 부록으로 두었다.

　경방을 사용하기 위해서는 '경전배방' 및 '경전방증'을 잘 알고 있어야 한다. 《傷寒論》 및 《金匱要略》에 기재된 처방들은 수천 년 동안 수많은 사람들이 몸소 시험해본 것들이다. 고대인들은 각 약물의 분량, 탕전 방법, 복용 방법, 복용 후 반응 등에 대해 엄격한 규정을 확립해두었다. 그러므로 경방에는 반드시 그 방증이 있어야 하며 경전 원문은 경방의 안전하고 효과적인 사용을 위한 임상적 근거를 기록한 것이다. 이는 수천 년간의 천연물의약품 사용 경험의 결정체이며 경방응용의 암호이다. 경방을 잘 사용하기 위해서는 경전 원문을 자세히 읽어야 한다. 경전의 원문은 비교적 간략하지만 실질적인 정보를 담고 있으므로 경방을 배우고 응용하기 위해서는 이를 잘 따라야 한다.

이 책에서는 독자들이 경방을 잘 응용할 수 있도록 복용량을 변환하였다. 기본적으로는《傷寒論》및《金匱要略》에서의 1냥을 5 g으로 환산하고 실제 임상에서의 경험에 따라 용량을 권고하였다. 일부 후세방의 경우 임상에서 활용하는 통상 용량에 근거하여 기준을 제시하였다. 하루 복용량은 성인 1일 복용량을 기준으로 하였고, 노인 복용량은 일반적으로 성인 복용량의 2/3, 3-6세 어린이의 복용량은 성인 복용량의 1/3, 6-12세의 복용량은 성인 복용량의 1/2로 두었다. 환자의 연령, 체격, 기후, 지역, 질병, 의약품의 품질 및 가공, 약물의 배오 및 제형, 투약 방법 및 기타 여러 요인을 포함하는 처방용량 문제의 복잡성이 있으므로 이 책의 권장 용량은 임상에서 참고만 하고 실제 진료에서의 투약 시에는 개별 환자의 사정에 따라 조절하도록 한다. 특히 부자, 마황, 세신, 대황, 망초 등 작용이 비교적 강한 약물을 포함한 경방의 활용에 있어서는 복용량을 신중하게 검토할 필요가 있다.

본서의 각 섹션에는 '방증제요' 및 '적용 환자군', '적용 병증',

'가감 및 합방', '주의사항' 등의 내용을 경방의 현대적 응용에 적합하도록 평이하게 서술했다.

'방증제요'는《傷寒論》및《金匱要略》원문을 요약하고, 후세의 응용경험을 보충한 것이다. 간결한 내용으로 정리하여 눈에 띄고 쉽게 기억할 수 있도록 하였다.

'적용 환자군', '적용 병증'은 경방의 방증을 현대적으로 서술한 것이다. '적용 환자군'에는 각 처방의 적용 환자군의 체형, 용모, 심리적 특성, 발병에 의한 맥진(脈診), 복진(腹診), 설진(舌診) 소견상 특징과 함께 망, 문, 문, 절의 진료형태를 반영했다. 이 책에서는 독자가 각 방제와 관련하여 나타나는 특징을 쉽게 기억할 수 있도록 하기 위해, 각 방증 아랫부분에 증상을 나타내는 그림을 첨부했다. '적용 환자군'에는 경방의 안전한 사용을 위한 중요 참고사항을 서술하였다. 특히 만성질환의 치료에서 경방의 장기투여가 가능하도록 중요한 지침이 될 수 있는 내용들을 제시하였다.

'적용 병증'은 각 처방을 적용할 수 있는 질병들을 제안한 것이다. 각 질병에 맞는 적절한 처방의 투약은 경방의 효능을 보장하기 위한 전제 조건이다. 필자는 먼저 각 처방별 방증의 특성, 적용 환자군의 조건이 충족되는 경우에 처방할 것을 권장한다. 그 다음으로 독자들은 근거기반의학에 기반하여 현대의학적 병명에 따라 경방을 투약할 수도 있다. 이 책에서 권고등급은 모두 기존 처방의 효능을 객관적이고 정확하게 반영하기 위해 근거기반의학에서 사용하는 근거의 강도를 나타낸 것이다. 현대 의학에 비해 경방에 대한 근거기반 연구는 비교적 늦게 시작되어 아직 그 규모가 작기 때문에 이 책에서는 현대 의학과는 다소 다른 근거 등급 기준을 제시하였다. 이 책에 나열된 적용 가능한 질병은 적어도 필자의 임상경험 및 증례보고(등급 C근거, 특별한 표시 없음)를 기반으로 한다. 연속증례연구, 단일군 연구 및 후향적 연구에 기반한 근거는 등급 B 권장 사항으로 표시, 메타분석 및 전향적 무작위 대조연구에 기반한 근거는 등급 A 권장 사항으로 표시하였다(표). 임상의 복잡성을 고려하여 '가감 및 합방'에서는 일반적으로 사용되는 가감법을 소개하였다. 합방은 2개 또는 여러 개의 처방을 조합하여 사용하는 치료법으로 그 목적은 복잡하고 변하기 쉬운 임상소견에 적합한 치료를 위함이며, 경방의 일반적인 활용법이다. 합방을 할 경우 각 처방을 함께 달여 한꺼번에 복용할 수도 있고, 별도로 달여서 따로 복용할 수도 있다.

표. 본서에서의 근거기반의학적 권장등급표

	임상경험, 개별보고	연속증례, 단일군연구, 후향적 연구	메타분석, 전향적 무작위 대조시험
등급 A	V	V	V
등급 B	V	V	X
등급 C	V	X	X

주의사항: 안전하고 효과적인 투여를 위한 주의사항이다. 일부 경방을 복용한 후 부작용에 대한 임상보고는 많지 않으며, 개별적인 현상일 수도 있으나 충분한 주의가 필요하다.

목록

ㄱ

갈근금련탕

경전의 열리(熱利)처방으로 해표청열(解表淸熱)방으로 활용되어 왔다. 열을 식히고 설사를 멎게 하는 효능이 있다. 현대 연구에서는 해열, 항균, 항바이러스, 항산화, 혈당강하, 지질대사의 조절, 항경련, 위장관 운동 억제, 장내미생물 조절, 항부정맥 등의 작용이 확인되었다. 설사를 하면서 땀이 나고 목덜미와 등이 뻣뻣하게 긴장되며 맥은 활삭(滑數)한 소견이 특징적인 질환에 적용한다.

[경전배방]
갈근 半斤, 감초 二兩(炙), 황금 三兩, 황련 三兩, 이 네 가지 약물을 물 八升과 같이 달이는데, 갈근을 먼저 달여 二升으로 줄인다. 나머지 약을 넣고 二升을 취한다. 찌꺼기를 제거하고 남은 약을 따뜻하게 두 차례에 나누어 복용한다.(《傷寒論》)

[경전방증]
태양병으로 (계지탕증에 의사가 반대로 사하시켜) 설사가 멈추지 않고 맥이 급하며 숨이 가쁘고 땀이 난다(《傷寒論》 34조).

[추천 처방]
갈근 40 g, 황련 10 g, 황금 10 g, 자감초 10 g, 이들 약물을 물 900 mL와 같이 달여 200 mL가 되도록 하여 두 차례에 나누어 따뜻하게 복용한다.

[방증제요]

목덜미와 등이 뻣뻣하면서 아프고 설사, 번열과 함께 땀이 많이 나면서 입이 마르고 맥은 활삭(滑數)한 경우

[적용 환자군]

체격이 건장하거나 비만한 편이다. 얼굴이 붉고 입술과 설질이 검붉은 색이며 결막이 충혈되어 있으면서 얼굴 전체에 기름기가 번들거린다. 더운 것을 싫어하며 땀이 많고 땀냄새가 심하다. 온몸이 피곤하고 무거우며 특히 목덜미와 등이 뻣뻣하고 아픈 것이 잘 풀리지 않는 특징이 있다. 어지러움, 피로감, 등허리의 시리고 무거운 느낌, 등의 종기, 하지의 무력 등의 증상이 있다. 설사가 잦아 음주 후에 설사를 하고 평소에 풀어지는 변을 본다. 냄새가 심한 대변을 보며 변비가 있는 경우도 있다. 식욕은 왕성하여 항상 배가 고프며 입이 마르거나 입안이 쓰고 미각 이상이 뚜렷하게 나타난다. 술과 음식을 많이 먹고 업무량도 많은 중장년 남성에게서 자주 보이며 검사상 혈당과 혈압 및 혈중지방 수치의 상승, 빈맥 또는 부정맥 등 소견이 다수 관찰된다.

[적용 병증]

아래의 병증과 위에 서술한 환자군의 특징이 부합하는 경우에 처방의 투약을 고려할 수 있으며, 또한 근거기반의학적 근거에 따

른 진단을 통해서도 처방을 활용할 수 있다.

1. 설사가 나타나는 질환. 급성장염, 이질, 소아의 바이러스성 장염, 급성 위장관염, 당뇨병성 설사, 숙취 등

2. 두통, 발열이 나타나는 질환. 홍역, B형뇌염, 인플루엔자, 구강궤양, 치주염, 치주낭종 등

3. 어지러움 및 등허리의 무거운 느낌이 나타나는 질환. 당뇨병(B)[1], 고혈압, 지방간, 관상동맥질환, 부정맥, 경추통 등

[가감 및 합방]

1. 입이 마르고 입안에 쓴맛이 돌면서 식욕이 왕성하고 혈당이 높은 경우 황련의 투여량을 증량한다.

2. 번조와 두통, 변비와 함께 대변에서 심한 냄새가 나거나 고혈압, 출혈경향, 치주농양, 치통 등이 보이는 경우 대황 10 g을 더한다.

3. 당뇨로 인한 허리와 대퇴부의 무력감, 하지피부의 변색, 성기능장애 등에는 회우슬 30 g을 더한다.

4. 심하비와 함께 오심, 구토가 있으면 강반하 15 g을 더한다.

[주의사항]

권태감이 있고 맥이 침완(沈緩)한 경우 신중히 투약한다.

[각주]

1. 중국에서 실시된 한 무작위 대조 연구에서는 2형당뇨병으로 습열증에 해당하는 환자들에 대해 갈근금련탕 용량에 따른 효과를 비교하였다. 15명은 고용량(갈근 120 g, 황금 45 g, 황련 45 g, 자감초 30 g, 건강 7.5 g), 19례는 중간용량(갈근 72 g, 황금 27 g, 황련 27 g, 자감초 18 g, 건강 4.5 g), 20례는 저용량(갈근 24 g, 황금 9 g, 황련 9 g, 자감초 6 g, 건강 1.5 g)의 갈근금련탕을 투약하였다. 추가로 불면에는 산조인(초), 변비에는 대황(주초), 간양상항에는 하고초, 조구등, 고지혈증에는 홍국, 고요산혈증에는 위령선을 가미할 수 있도록 했다. 매일 하루분 용량을 아침 및 저녁식사 전 두 차례에 나누어 복용하도록 하여 12주간 투약하였다. 그 결과 고용량 군의 혈당 조절 유효율은 80%로 중간용량 군과 저용량 군(각각 47%, 30%)에 비해 유의하게 높았다. 고용량 군의 한 환자는 복통이 있었으나 식후에 시험약을 복용하도록 조정한 후 부작용이 소실되었다. 다른 뚜렷한 부작용은 없었다. [Tong X L, Zhao L H, Lian F M, et al. Clinical observations on the dose−effect relationship of gegen Qin Lian Decoction on 54 out−patients with type 2 diabetes. Journal of Traditional Chinese Medicine, 2011;31(1):56−9.]

갈근탕

경전의 태양병(太陽病) 처방이며 해기(解肌), 산한(散寒), 승청(升淸)방으로 활용되어 왔다. 발한을 촉진하며 목덜미와 머리, 눈의 증상 및 설사를 치료하는 효능이 있다. 현대 연구에서는 해열, 진통, 항염증, 항알러지, 항응고, 두부(頭部)에 대한 혈액공급 개선, 항피로, 항부정맥 등 작용이 확인되어 있다. 오한이 있고 땀이 나지 않으며 목덜미와 등허리 부위의 긴장성 통증, 과다수면장애 등을 특징으로 하는 질환에 적용한다.

[경전배방]

갈근 四兩, 마황 三兩(去節), 계지 二兩(去皮), 생강 三兩(擘), 감초 三兩(炙), 작약 二兩, 대조 十二枚(擘). 이 일곱가지 약물을 물 一斗와 같이 달인다. 먼저 마황, 갈근을 달여 二升 분량의 물이 줄어들면 흰 거품을 제거하고 남은 약을 더 넣어 三升이 될 때까지 달인다. 찌꺼기를 제거하고 一升을 따뜻하게 복용한다. 약간 땀이 나면 다시 복용한다.(《傷寒論》《金匱要略》)

[경전방증]

태양병으로 목과 등이 뻣뻣해지고 땀이 나지 않으면서 오풍(惡風)이 있다(《傷寒論》 31조). 태양과 양명의 합병(合病)인 경우에 저절로 설사를 하게 된다(《傷寒論》 32조). 태양병으로 무한(無汗)

인데 오히려 소변이 적게 나오고 가슴으로 기가 치받아오르며 입을 벌릴 수 없어 말을 못하는 것은 강경(剛痙)이 생기려는 것이다 (《金匱要略》二).

[추천처방]

갈근 30 g, 생마황 10 g, 계지 10 g, 백작약 10 g, 자감초 5 g, 생강 15 g, 홍조 20 g. 이들 약물을 물 1,100 mL와 같이 달여 300 mL가 되도록 달인 뒤 두세 차례에 나누어 따뜻하게 복용한다. 탕액은 담갈색이고 맛은 맵고 떫으며 약간 달다.

[방증제요]

목덜미와 등이 뻣뻣하고 설사가 있으며 땀은 없고 근육경련이 나타나는 경우

[적용 환자군]

체격이 강건하며 근육이 두껍고 충실하다. 특히 목덜미의 근육이 두껍거나 솟아올라있으며 맥상은 유력하다. 육체노동자 또는 청장년층에게서 많이 보인다. 안색은 어두운 누런색이나 검은색이며 피부가 거칠고 건조하여 등에서 얼굴에 이르는 부위에 여드름이나 피부백선이 자주 발생한다. 평소에 땀이 잘 나지 않으며 여러 질환이 땀이 나면 개선되는 경향이 있다. 병세가 여름에 개선되었다가 겨울에 악화되며 피로감이나 노곤함, 기면 등을 자주 호소한다(A).[1,2] 외부자극에 대한 반응은 둔한 편이다. 머리와 목덜

미 및 등허리의 긴장성 통증, 어지러움, 이명 및 청력저하, 많은 콧물로 인한 코막힘, 설사 및 풀어지는 대변이 자주 보인다. 여성의 경우 월경량의 감소, 월경주기연장, 또는 무월경이나 월경통과 같은 이상월경증상이 많이 보인다.

[적용 병증]

아래의 병증과 위에 서술한 환자군의 특징이 부합하는 경우에 처방의 투약을 고려할 수 있으며, 또한 근거기반의학적 근거에 따른 진단을 통해서도 처방을 활용할 수 있다.

1. 발열이 있으면서 땀이 나지 않는 증상을 나타내는 질환. 감기(A)[3], 폐렴, 기관지염, 두드러기, 두창, 뇌막염, 림프결핵, 단독, 성홍열, 유선염 초기, 정창초기, 감기 예방(B)[4]

2. 목과 등, 허리, 대퇴부의 긴장성 통증이 나타나는 질환. 경추질환(B)[5], 낙침, 견관절주위염(B)[6], 요추간판탈출증, 급성요추염좌, 만성요통 등

3. 근육경련성 질환. 경련성항배통[7], 경련성마비, 파상풍, 소아마비, 척수공동증 등

4. 머리와 얼굴의 만성염증. 피부염, 급만성습진, 두드러기, 여드름, 모낭염, 치주농종, 치수염, 코막힘(B)[8], 축농증, 알러지 비염[9], 중이염 등

5. 감각이상 관련 이비인후과 질환. 돌발성 난청, 안면신경마비, 측두하악관절 장애 증후군(TMJ)

6. 어지러움 및 머리의 무거움을 소견으로 보이는 질환. 고혈

압, 동맥경화, 뇌경색, 숙취, 백내장수술 후 홍채모양체염(A)[10,11]

7. 월경이상이 발생하는 질환. 다낭성난소증후군, 월경부조, 무월경, 생리통 등

8. 급성결장염, 이질초기에 동반되는 이급후중 및 맥부삭이견(浮數而堅)

[가감 및 합방]

1. 비염, 축농증에 천궁 15 g, 신이화 10 g을 더한다.

2. 여드름, 다낭성난소증후군, 뇌경색, 경추증 등에서 얼굴이 누렇고 목덜미와 등이 뻣뻣하며 어지럽고 피곤해하는 경우 계지복령환을 합방한다.

3. 무월경, 희발월경, 두통, 뇌경색 등에서 얼굴이 누렇고 무른 변이 나오며 설질의 색이 옅은 경우 당귀작약산을 합방한다.

4. 머리와 얼굴의 부스럼, 돌발성 난청, 치통, 두통, 변비 등에서 얼굴에 기름기가 많아 번들거리는 경우 사심탕을 합방한다.

5. 감기, 요통, 돌발성 난청, 무월경 등에서 극도의 피로가 보이는 경우 마황부자세신탕을 합방한다.

[주의사항]

1. 여윈 체형으로 체력이 약하고 잔병치레가 많은 경우, 얼굴이 창백하고 땀이 많이 나는 경우, 심장기능에 이상이 있거나 부정맥이 있는 경우에는 신중히 투약한다.

2. 이 처방을 복용한 후 가슴이 두근거리고 땀이 많이 나면서

허약감이 드는 경우 투약 용량을 줄이거나 복용을 중단하게 한다.

　3. 이 처방은 식후에 복용하도록 한다.

　4. 방증과 관련하여 전형적인 복증은 없는 경우가 많다. 그러나 오오츠카 요시노리(大塚敬節)는 많은 갈근탕 환자의 배꼽 위(수분혈 주변)에 국소압통이 발견된다고 했으므로, 갈근탕을 처방하기에 앞서 참고해볼만 하다.

[각주]

1. 일본에서 진행된 한 무작위 이중맹검 시험에서는 갈근탕이 수면방해(sleep deprivation) 후 졸음에 미치는 영향을 조사하였다. 저자는 건강한 여학생 7명을 대상으로 수면방해 상태를 조성한 후 다음날 갈근탕 또는 유당을 투여하고 졸음 정도와 CFF, MSLT, 혈압, 심박수, 체온, EEg를 평가했다. 저자는 졸음이 갈근탕 투여군에서 훨씬 가벼웠으며, 정량적 EEg에서도 상당한 변화를 보여 갈근탕이 수면 부족으로 인한 졸음을 완화시킬 수 있다는 결론을 제시했다. [萩野宏文, 金英道, 倉知正佳, ほか. 定量脳波からみた葛根湯のヒトの断眠後の眠気に及ぼす影響について. 脳波と筋電図, 1995(23):361−7.]

2. 일본에서 일본의 한 무작위대조연구에는 53명의 두드러기 환자가 참여하였다. 10명의 환자가 갈근탕을 복용하였고, 복용 7일 후 관해율은 31.6%였고, 옥사토미드 복용군 21명에서는 관해율이 68.8%였다. 단, 옥사토미드 복용군에서 10%의 환자는 무기력 등 이상반응이 있었다. 남은 22명의 환자들은 갈근탕과 옥사토미드를 동시복용하였는데, 이들의 유효율은 68.2%였으나 졸음에 대한 부작용이 없었다. [田中信. 蕁麻疹に対するオキサトミド(セルテクト)の臨床効果 −オキサトミド 30 mg/day とツムラ葛根湯の併用療法−. 薬理と治療, 1991(19):5029−31.]

3. 일본에서 온라인을 통해 감기에 걸린 후 해열 진통제나 갈근탕을 복용한 20−69세 응답자의 개선율을 설문조사하였다. 연구 결과 해열 진통제가 두통, 콧물, 코막힘, 재채기 및 가래의 기침 증상에 더 효과적이며 감기 후 어깨와 허리 통증에는 갈근탕이 더 효과적임이 드러났다. [Okabayashi S, goto

M, Kawamura T, et al. Non−superiority of Kakkonto, a japanese herbal medicine, to a representative multiple cold medicine with respect to anti−aggravation effects on the common cold: a randomized controlled trial. Internal Medicine, 2014(53):949−56.]

4. 일본의 연속증례 연구에서는 인플루엔자 환자와 밀접 접촉이 있었던 임산부 5명의 치험을 보고하였다. 이들은 갈근탕을 예방적으로 복용하였는데, 1례에서만 열이 발생하였고 이 환자에 대한 병리검사 결과도 음성으로 나타나, 갈근탕의 인플루엔자 예방 효과가 좋은 것으로 나타났다고 보고하였다. [田中秀則. インフルエンザ患者に浓厚接触した妊娠への葛根湯の予防投与について. 日本東洋医学雑誌, 2018;69(3):291−4.]

5. 일본에서의 한 후향적 연구에서는 목, 어깨, 상지 통증이 있으며 위장의 불편감, 홍조, 다한증 등 증상이 없는 124명의 환자를 대상으로 갈근탕의 효과를 검토하였다. 환자들의 갈근탕 복용 후 전체적인 통증 완화의 효과율은 82.3%였으며, 81명의 환자에서 상당한 통증 완화(50% 이상 감소)가 있었다. [中永士師明, 廣嶋优子, 横井彩, 等. 頸肩腕痛に対する葛根加术附湯の有効性について. 日本東洋医学雑誌, 2011;62(6):744−9.]

6. 일본에서의 한 단일군 시험에서 어깨결림 환자 19명을 대상으로 갈근탕을 투여한 결과, 관해율은 21.1%, 유효율은 42.1%였으며, 15.8%의 참여자에서 경미한 완화 효과가 있었다. 유효 사례에서는 목의 체표면 온도가 갈근탕에 의해 유의하게 상승하여, 갈근탕의 작용기전이 국소 혈액순환 개선과 관련이 있음이 시사되었다. [矢久保修嗣, 小牧宏一, 八木洋, 等. 葛根湯の肩こりに対する改善効果とサーモトレーサーによる検討. 日本東洋医学雑誌, 1997;47(5):795−802.]

7. 중국의 한 증례보고에 따르면 경련성 사경이 있는 환자가 갈근탕가감방(갈근 60 g, 생마황 9 g, 계지 30 g, 백작약 90 g, 자감초 15 g, 전갈 9 g)을 10일분 복약한 후 경과가 호전되었다. [吴义春, 仝小林. 仝小林治疗痉挛性斜颈1例. 中医杂志, 2009;50(11):1045−6.]

8. 일본의 한 연속증례 연구에서는 정신분열증과 망상으로 HP, LP 등 향정신성 약물을 복용하다 코막힘이 발생한 환자 5명의 치험을 소개했다. 갈근탕을 복용한 후 2례에서 코막힘의 뚜렷한 호전, 2례에서 중간정도의 개선이 있었다. [黑河内彰. 抗精神病薬の副作用としておこる鼻閉に対する葛根湯の有効性について. 日本東洋医学雑誌, 1992;43(2):319−24.]

9. 일본의 한 증례보고에서 연구자들은 비강 음향반사 측정을 사용하여 갈근탕가천궁신이가 알러지성 비염 환자의 비강기도에 미치는 영향을 평가했다. 연구 결과, 약 복용 1시간 후 비강 환기 개선과 함께 기도환기 관련 지표도 개선되었으나, 1시간 후에는 점차 효과가 사라지는 것을 확인할 수 있었다. [山际干和. Acoustic Rhinometry で証明しえた葛根湯加川芎辛夷の鼻閉塞に対する即時的効果. 日本東洋医学雑誌, 1995;46(1):83-9.]

10. 일본에서 실시한 무작위 대조 연구에서는 백내장 노인 환자 54명을 대상으로 10명에게 수술 3일 전부터 7일 후까지 갈근탕을 복용하도록 했다. 그 결과 외과적 치료만 받은 20명의 환자에 비해 갈근탕 투여군에서의 방수흐림이 현저하게 감소하였음이 나타났다. 이는 갈근탕이 백내장 수술 후 홍채 모양체염을 개선할 수 있음을 보여준다. [Ikeda N, Hayasaka S, Nagaki Y, et al. Effects of traditional Sino-Japanese herbal medicines on aqueous flare elevation after small-incision cataract surgery. Journal of Ocular Pharmacology and Therapeutics, 2001(17):59-65.]

11. 일본에서 실시한 한 무작위 대조 연구는 복합 백내장 수술을 받은 22명의 환자를 대상으로 수술 전 3일부터 수술 후 7일까지 12명의 환자에 대해 갈근탕을, 10명의 환자에게는 시령탕을 투여하였다. 그 결과 갈근탕 투여군에서의 방수혼탁이 줄었다. [Ikeda N, Hayasaka S, Na gaki Y, et al. Effects of kakkon-to and sairei-to on aqueous flare elevation after complicated cataract surgery. The American Journal of Chinese Medicine, 2002;30;347-53.]

감강영출탕

경전의 신착병(腎着病) 처방이며 온중이수(溫中利水)방으로 활용
되어 왔다. 한습(寒濕)을 제거하여 허리의 찬기운과 배의 무거운
느낌 및 유뇨 등을 치료하는 효능이 있다. 허리가 무겁거나 차가
운 감각이 느껴지는 증상, 부종, 요실금 등을 특징으로 하는 질환
을 적용한다.

[경전배방]

감초, 백출 각 二兩, 건강, 복령 각 四兩. 이 네 가지 약물을 물
五升과 같이 달여 三升이 되도록 한 뒤 세 차례에 나누어 따뜻하
게 복용한다. 허리가 금방 따뜻해진다.(《金匱要略》)

[경전방증]

신착병(腎着病)은 그 사람의 몸이 무겁고 허리가 차가워 마치
물속에 앉아있는 것 같은 것이다. 이는 수상(水狀)인데 도리어 목
이 마르지 않고 소변이 잘 나오며 음식도 잘 먹으므로 병이 하초
(下焦)에 속한다. 몸이 피로하고 땀이 나서 옷속이 차고 습한데 이
것이 오래되면 허리 아래가 차고 아프며 무겁기가 오천돈(五千錢)
무게의 무거운 것을 매달고 있는 것 같다(《金匱要略》十一).

[추천 처방]

자감초 10 g, 백출 15 g, 건강 20 g, 복령 20 g. 이들 약물을 물 1,000 mL와 같이 달여 300 mL가 되면 두세 차례에 나누어 따뜻하게 복용한다. 탕액은 담황색으로 맛이 맵다.

[방증제요]

몸이 노곤하고 무거우며 허리와 배가 차고 소변이 무력하게 나오면서 갈증이 없는 경우

[적용 환자군]

안색은 누렇거나 흰색이며 붉은빛이 없다. 배는 부드럽고 아래로 쳐진 경우가 많으며 보통 허리와 배의 냉통 및 무거운 느낌과 무력한 소변 또는 요실금 등을 호소한다. 갈증이 없고 입안에 침이 가득하며 맑은 소변이나 물같은 대변, 대하, 콧물 등과 같이 묽고 냄새가 없는 분비물이 많이 나온다. 설체는 통통하고 커서 치흔이 있고 설태는 희고 두껍거나 미끌거린다. 식사를 정상적으로 할 수 있으며 식욕도 좋다.

[적용 병증]

아래의 병증과 위에 서술한 환자군의 특징이 부합하는 경우에 처방의 투약을 고려할 수 있으며, 또한 근거기반의학적 근거에 따른 진단을 통해서도 처방을 활용할 수 있다.

1. 허리의 냉통이 나타나는 근골격계 질환. 급성요추염좌, 요추부근긴장, 요추추간판탈출증, 좌골신경통, 골관절염, 비복근 경련 등

2. 복부의 냉통이 발생하는 기타 질환. 신결석, 만성골반염, 임신부종 등

3. 묽은 분비물이 보이는 질환. 대하, 음순의 부종, 알러지 비염, 만성기관지염, 급성위장염, 만성대장염, 급성습진, 궤양, 누공 등

4. 대소변장애, 무력, 실금 등이 나타나는 질환. 전립선비대, 치루, 탈항, 요실금(B)[1] 등

[가감 및 합방]

1. 기력이 없고 목덜미와 허리에 시린 통증이 있으면 갈근탕을 합방한다.

2. 부종이 있고 땀이 많이 나면 방기황기탕을 합방한다.

3. 등허리와 관절에 심한 통증이 있고 오한, 설사, 사지의 냉증, 맥침(沈)이 있는 경우 부자 10 g을 더한다.

[주의사항]

이 처방의 탕액은 맛이 매우므로 복약이 어려운 경우가 있다. 이때 적당량의 설탕을 넣어 복용하게 할 수 있다.

[각주]

1. 일본의 후향적 연구에서 요통(스트레스성 요실금, 산후요실금, 척수원추증후군으로 진단)을 동반한 요실금 3례의 치험을 소개했다. 이들은 감강령출탕 복용 후 요실금이 완화되었다. [柴原直利, 八木清貴, 関矢信康, 等. 甘姜苓术湯が有効であつた尿失禁の3例. 日本東洋医学雑誌, 2009;60(5):545-50.]

감맥대조탕

경전의 장조증(臟躁症) 처방이며 안신양심(安神養心)방으로 활용되어 왔다. 심리적 우울감, 불안, 긴장 등을 완화하는 효능이 있다. 현대 연구에서는 항우울, 수면상태의 개선, 진정 등의 작용이 보고되어 있다. 정신기능 저하, 기분장애 등을 특징적 소견으로 하는 정신심리질환에 적용한다.

[경전배방]

감초 三兩, 소맥 一升, 대조 十枚. 이 세가지 약물을 물 六升과 같이 달여 三升을 취한 뒤 세 차례에 나누어 따뜻하게 복용한다.(《金匱要略》)

[경전방증]

부인이 장조증(臟燥症)에 걸리면 기뻐했다가 슬퍼하고 상심하여 울기도 하니 신들린 사람 같다. 자주 하품을 하거나 기지개를 켜기도 한다.(《金匱要略》二十二)

[추천 처방]

자감초 10-20 g, 부소맥 혹은 회소맥 30-100 g, 홍조 10 g. 이들 약물을 물 1,000 mL와 같이 달여 300 mL가 되도록 달인 뒤 두세 차례에 나누어 따뜻하게 복용한다.

[방증제요]

심인성 질환, 기분장애

[적용 환자군]

몸이 여위었으며 얼굴과 용모가 초췌하여 혈색이 돌지 않고 빈
혈기가 있어보인다. 여성에서 자주 보이며 아동에게서도 볼 수 있
다. 정신이 산만하고 말과 행동이 정상적이지 않으며 이유없이 슬
퍼한다. 끝없이 눈물을 흘리거나 울부짖는 일이 잦고 피로를 느끼
고 하품을 하는 일이 많은데, 대부분 소스라치게 놀랐거나 좌절감
을 느꼈기 때문이다. 어지러움, 가슴두근거림, 불면, 다몽증, 도한
과 자한, 이상운동, 경련 등이 보이기도 한다. 전신의 근육 긴장이
나 사지의 강직 소견이 보이기도 하며 복직근은 널빤지처럼 뻣뻣
하기도 하고 연약한 경우도 있다. 식사는 정상적으로 하며 복부의
불편감도 없고 단음식을 좋아한다. 설질은 옅은 붉은색이며 설태
에 광택이 있고 맥은 허세(虛細)하다.

[적용 병증]

아래의 병증과 위에 서술한 환자군의 특징이 부합하는 경우에
처방의 투약을 고려할 수 있으며, 또한 근거기반의학적 근거에 따
른 진단을 통해서도 처방을 활용할 수 있다.

1. 정신기능 저하, 기분장애, 갑작스러운 조증이 특징적 소견인
질환. 우울증(A)[1], 불안장애(A)[2], 강박증, 외상후스트레스증후군,
정신분열증, 심인성 질환, 신경증, 갱년기장애, 소아야제 등

2. 자한, 도한 소견이 보이는 질환. 질병 후 자한증, 자율신경장애 등

3. 이상운동, 근육경련이 나타나는 질환. 경련성 기침, 위장경련성 복통(B)[3], 전간증, 안면경련, 틱장애, 소아뚜렛증후군 등

[가감 및 합방]

1. 증상에 대한 호소가 구체적이지 않고 매우 많으면서 세맥(細脈)인 경우 백합 30 g을 더한다.

2. 복부의 두근거림이 있으며 식은땀이 나고 꿈을 많이 꾸는 경우 용골 15 g, 모려 15 g을 더한다.

3. 정신이 산만하고 불안하며 불면, 도한, 두통이 있는 경우 산조인탕을 합방한다.

4. 불안초조하며 가슴과 배의 두근거림이 있고 땀이 많이 나는 경우 시호계지건강탕을 합방한다.

5. 가슴이 답답하면서 인후이물감이 있는 경우 반하후박탕을 합방한다.

6. 불안초조 등 공황소견이 있고 불면과 함께 악몽을 많이 꾸는 경우 온담탕을 합방한다.

7. 설질이 붉고 초췌하며 피부가 건조하고 월경량이 적은 경우 백합지황탕을 합방한다.

[주의사항]

처방에 포함된 감초의 용량이 많은 편이므로 위산역류, 복부의 팽만감, 부종, 혈압상승 등 부작용이 발생할 수 있다.

[각주]

1. 2014년의 뇌졸중 후 우울증 치료에 대한 메타분석은 13개의 무작위 대조 연구를 바탕으로, 감맥대조탕이 뇌졸중 후 우울증에 효과적이라는 사실을 발견했다. [Jun J H, Choi T Y, Lee J A, et al. Herbal medicine (gan Mai Da Zao decoction) for depression: A systematic review and meta-analysis of randomized controlled trials. Maturitas, 2014;79(4):370-80.]

2. 89명의 피험자가 포함된 브라질의 한 무작위 대조 임상시험에서는 30명의 피험자에 감맥대조탕을 투여하고 다른 30명은 위약 대조군, 나머지 29명은 무처치 대조군에 배정하였다. 연구결과 3주간의 감맥대조탕 투약이 참여자의 스트레스 및 불안을 크게 줄일 수 있다는 사실이 확인되었다. [Sato K L F, Teresa T R N, gisele K, et al. Chinese phytotherapy to reduce stress, anxiety and improve quality of life: randomized controlled trial. Revista da Escola de Enfermagem da USP, 2016;50(5):853-60.]

3. 일본의 연속증례보고에서는 기분의 변화에 영향을 받는 복통환자 두 사람에 대한 증례를 소개하였다. 이들에게 계지가작약탕, 소건중탕은 효과가 없었으나 감맥대조탕을 복용한 후에는 뚜렷한 효과가 나타났다. [津曲淳一, 田园英一, 矢野博美, 等. 甘麦 大棗湯により改善した腹痛の二例. 日本東洋医学雑誌, 2015;66(1):8-12.]

감초사심탕

경전의 호혹병(狐惑病) 처방이며 청열해독이습(淸熱解毒利濕)방으로 활용되어 왔다. 점막을 수복하고 설사와 번조를 멎게 하는 효능이 있다. 현대 연구에서는 항염증, 항바이러스, 구강 및 위장관 점막의 보호, 흰쥐의 장내세균총 불균형에 대한 교정 등 효과가 보고되어 있다. 소화기, 생식기, 안구 등 점막의 충혈, 미란, 궤양이 특징적 소견인 질환에 적용한다.

[경전배방]

감초 四兩(炙), 황금 三兩, 인삼 三兩, 건강 三兩, 황련 一兩, 반하 半升(洗), 대조 十二枚(劈), 이 일곱가지 약물을 물 一斗와 같이 달여 六升이 되도록 한 뒤 찌꺼기를 제거하여 다시 달여 三升을 취한다. 一升씩 따뜻하게 하루 세 차례 복용한다.(《傷寒論》《金匱要略》)

[경전방증]

환자가 하루에 수십 번씩 설사를 하고 음식물이 소화되지 않으며 뱃속에서 우뢰와 같은 소리가 나면서, 심하에 비경(痞硬), 창만(脹滿)이 있고 구역질을 하며 가슴이 답답하여 편히 있을 수 없다(《傷寒論》 158조). 호혹병(狐惑病)은 상한과 비슷하면서 말없이 자고 싶어하나 정작 눈을 감고 편히 잠들 수 없으며 누우나 앉으나 불안해 견디기가 어렵다. 인후부위가 병으로 상한 것이 혹(惑)이고 음부가 병으로 상한 것을 호(狐)라 한다. 음식 냄새를 맡기 힘들어하며 얼굴은 때에 따라 붉기도 하고 검거나 희기도 하다. 상후(上喉)를 상하여 목이 샌다.(《金匱要略》三)

[추천 처방]

강반하 10 g, 황금 15 g, 건강 10 g, 당삼 15 g, 자감초 20 g, 황련 5 g, 홍조 20 g. 이들 약물을 물 1,100 mL와 같이 달여 300 mL가 되도록 한 뒤 두세 차례에 나누어 따뜻하게 복용한다.

[방증제요]

구강, 인후, 직장, 음부 점막의 미란

[적용 환자군]

마른 청장년환자에서 많다. 입술은 암홍색이며 결막충혈이 있다. 구강, 인후, 직장점막의 미란이 잦으며 질염, 외음부궤양, 피부손상이 나타나기도 한다. 소화기 증상이 잦아 설사, 상복부불쾌감, 위산역류, 트림, 입냄새 등이 잦다. 대부분의 환자가 불안 초조해하며 긴장상태이고 가슴의 두근거림이나 수면장애를 호소한다. 상복부를 누르면 탄력이 없고 복직근의 긴장이 있다.

[적용 병증]

아래의 병증과 위에 서술한 환자군의 특징이 부합하는 경우에 처방의 투약을 고려할 수 있으며, 또한 근거기반의학적 근거에 따른 진단을 통해서도 처방을 활용할 수 있다.

1. 구강과 음부의 궤양이 나타나는 질환. 베체트병, 재발성 구강궤양, 수족구병, 자궁경부미란, 치질 출혈 등

2. 설사가 나타나는 질환. 궤양성대장염, 크론병, 대장궤양, 대장염, 위궤양, 에이즈 등

3. 불면, 번조가 나타나는 정신질환. 정신분열증, 우울증, 불안증, 몽유병, 신경증, 갱년기장애 등

4. 홍반, 삼출물이 보이는 피부점막질환. 습진, 대상포진, 건선, 결절성 홍반, 포진, 구진, 여드름, 다형홍반, 농피증 등

[가감 및 합방]

1. 변비가 있고 설태가 두꺼우며 고혈압이나 코피가 나는 경우 대황 10 g을 더한다.

2. 어지러움, 피로감 및 무기력, 어깨 통증, 입마름에는 갈근 30 g을 더한다.

3. 발열과 피부소양감이 있는 경우 시호 15 g을 더한다.

[주의사항]

처방 중의 감초 용량이 비교적 많으므로 위산역류, 복창만, 부종, 혈압상승 등 부작용이 발생할 수 있다.

계지가갈근탕

경전의 태양병 처방이며 조화영위(調和營衛), 해기승청(解肌升淸)방으로 활용되어 왔다. 땀을 멎게 하고 목덜미와 등의 긴장 및 머리와 눈의 증상을 완화시키는 효능이 있다. 현대 연구에서는 머리와 얼굴로의 혈류 증가, 목덜미와 등부위 근경련을 해소하는 작용 등이 확인되었다. 머리와 목의 뻣뻣한 통증과 자한이 특징적 소견인 질환에 적용한다.

[경전배방]

계지 五兩, 생강 八兩, 감초 二兩(炙), 갈근 八兩, 작약 三兩, 대조 十二枚. 이 여섯가지 약물을 잘라 물 七升과 같이 달여 二升半이 되도록 하여 八合을 하루 세 차례 복용한다. 복용 후 이불을 덮고 땀을 내도록 한다.(《外臺秘要》)

주: 《傷寒論》에서의 이 처방은 갈근탕과 같은데, 송대의 林億 등의 오류로 생각되며 계지가갈근탕으로 보아야 한다(이 처방은 《外臺秘要》卷第十四에 수록).

[경전방증]

태양병으로 뒷목과 등이 심하게 뻣뻣해지는데 오히려 땀이 나고 오풍이 있다(《傷寒論》14조). 중풍, 신체번동, 오한, 자한출, 두항통급(《外臺秘要》).

[추천처방]

갈근 40 g, 계지 25 g, 백작약 15 g, 자감초 10 g, 생강 40 g,
혹은 건강 10 g, 홍조 20 g. 이들 약물을 물 1,100 mL와 같이 달여
300 mL가 되면 두세 차례에 나누어 복용하고 바람을 피하도록
한다.

[방증제요]

땀이 나고 오풍이 있으며 전신의 통증 및 머리와 목덜미의 통증
이 있는 경우

[적용 환자군]

체격은 보통이거나 마른편이며 중년층 또는 고령자에게서 많이
보인다. 안색이 창백하거나 누런빛을 띄며 초췌하고 광택이 없다.
설질은 옅은 붉은색이거나 어두운 보라색 또는 어두운 붉은색이며
싱싱한 느낌이 들지 않는다. 맥은 부약(浮弱)하여 살짝 누르면 느
껴지나 깊게 누르면 잡히지 않는다. 가슴 두근거림, 복부 대동맥
의 뚜렷한 박동감이 항상 있다. 어지러움, 두통이나 머리와 목덜
미의 뻣뻣한 긴장 및 무력, 손발의 이상운동이나 경련, 사고기능
및 언어능력 저하, 불면, 다몽, 건망증, 번조, 구안와사, 시야혼탁,
이명, 난청 등 증상이 잦다.

[적용 병증]

아래의 병증과 위에 서술한 환자군의 특징이 부합하는 경우에 처방의 투약을 고려할 수 있으며, 또한 근거기반의학적 근거에 따른 진단을 통해서도 처방을 활용할 수 있다.

1. 두통과 어지러움이 나타나는 질환. 고혈압, 뇌경색, 뇌혈류 부족, 불면 등

2. 목덜미와 등의 뻣뻣한 긴장감이 나타나는 질환. 경추질환, 목과 어깨의 근막동통증후군, 요추질환 등. 약물의 추체외로 부작용에도 투약할 수 있다(B).[1]

[가감 및 합방]

1. 두드러지게 여윈 체격이 아니거나 피부가 탄력이 없고 늘어지면서 하지가 붓는 경우에는 감초를 제외하고 황기 30 g을 더한다.

2. 피부색이 어두운 누런빛이고 피부가 거친 경우 마황 5 g을 더한다.

3. 두통과 어지러움에는 천궁 15 g을 더한다.

4. 변비가 있고 설태가 두꺼우면 대황을 5-10 g 더한다.

[주의사항]

이 처방의 복용 후 치통, 허약감, 배고픔, 머리와 얼굴의 열감, 변비 등이 발생할 수 있다. 기존의 적응증에 대한 투약이 계속 필요하다면 처방을 변경하지 말고 용량을 줄이면 된다.

[각주]

1. 중국의 한 연속증례에서는 메토클로프라미드 사용 후 추체외로 증상이 있는 4명의 환자의 치험례를 소개하였다. 환자들은 모두 목덜미의 경직감, 통증, 발한, 메스꺼움 등의 증상을 보였다. 한 환자에게서는 사경(torticollis)이 관찰되었고, 두 환자는 양쪽 눈을 치뜨는 소견을 보였으며, 다른 두 환자는 혀가 뻣뻣하여 말이 잘 나오지 않으면서 어지러움이 있음을 호소하였다. 이 외에 냉담한 표정으로 눈을 크게 뜨고 지속적인 안검경련 및 전신의 떨림이 나타나는 환자도 있었다. 이들에 대해 계지가갈근탕을 투여한 결과 약 30분만에 "약간 땀이 나고, 증상이 점차 완화되고, 잠시 휴식을 취하고 잠에서 깨어나니 정상인과 같았다." [吕波, 刘卫中. 桂枝加葛根汤治疗胃复安药物反应4例. 中医杂志, 1997(10):612.]

계지가부자탕

경전의 태양병 처방이며 온경회양(溫經回陽)방으로 활용되어 왔다. 강장과 함께 땀을 멎게 하며 통증을 진정시키는 효능이 있다. 현대 연구에서는 항피로, 심근허혈의 개선, 항산화, 항염증 등 작용이 확인되었다. 땀이 많이 나고 찬기운을 싫어하며 전신에 통증이 있으면서 맥이 약한 소견이 특징적인 질환과 발한과다에 의한 망양증에 적용한다.

[경전배방]

계지 三兩(去皮), 작약 三兩, 감초 二兩(炙), 생강 三兩(切), 대조 十二枚(擘), 부자 一枚(炮, 去皮, 破八片). 이 여섯가지 약물을 물 七升으로 달여 三升이 되게 만든 후 찌꺼기를 제거하고 물 一升을 따뜻하게 복용한다.(《傷寒論》)

[경전방증]

태양병으로 땀이 줄줄 흐르고 오풍(惡風)이 있으며 소변이 원활하지 않고 사지가 살짝 뻣뻣하여 굽히기가 어렵다(《傷寒論》20조).

[추천 처방]

계지 10 g, 육계 5 g, 백작약 15 g, 자감초 10 g, 생강 15 g, 혹은 건강 10 g, 홍조 20 g, 법제부자 10 g. 이들 약물을 물 1,000 mL와

같이 달인다. 부자는 30분 이상 선전하고 남은 약물을 넣어 같이 달인다. 탕액이 300 mL가 되도록 하여 두세 차례에 나누어 따뜻하게 복용한다.

[방증제요]
땀이 멎지 않고 오풍과 관절통증이 있으며 맥이 침(沈)한 경우

[적용 환자군]
환자는 계지탕체질로 안색이 흙빛이거나 창백하며 정신적으로 무기력하다. 맥이 침세(沈細)하거나 공대무력(空大無力)한 소견이 보인다. 관절통증이 있거나 땀이 많이 나는 편이며 배뇨장애가 있는 경우도 있다.

[적용 병증]
아래의 병증과 위에 서술한 환자군의 특징이 부합하는 경우에 처방의 투약을 고려할 수 있으며, 또한 근거기반의학적 근거에 따른 진단을 통해서도 처방을 활용할 수 있다.

1. 발한제의 오용에 의한 과다발한 이후의 허탈, 서맥, 심근경색, 심근염 등과 같은 각종 쇼크. 개흉술 이후의 과다발한과 통증에도 투약할 수 있다(A).[1]

2. 관절의 통증이 나타나는 질환. 만성요통, 요추부 척추증, 요추염좌, 요추추간판탈출증, 관절염, 경추증 등. 또한 반신불수, 소아마비, 폐의 사르코이도시스(sarcoidosis) (A)[2], 복통(B)[3]에도 투약

할 수 있다.

3. 땀이 끊임없이 나면서 찬 기운을 싫어하는 소견이 보이는 질환. 감기, 알러지성 비염, 천식, 갱년기증후군 등

[가감 및 합방]

1. 과다발한 및 가슴두근거림이 있으면 용골 15 g, 모려 15 g을 더한다.

2. 얼굴빛이 누렇고 무른변을 보며 오한과 피로감이 있는 경우 백출 20 g을 더하거나 진무탕을 합방한다.

[각주]

1. 일본의 무작위 대조 연구에서 개흉술을 받은 20명의 환자를 대상으로 수술 후 일상적인 통증완화요법과 함께 수술 후 7일째부터 7례에는 계지가출부 탕을, 6례에는 계지가출부탕합작약감초탕을 투여하도록 했다. 그 결과 수술 후 통증이 더욱 개선되고 진통제 투여량이 감소하고, 다한(多汗)증이 현저 하게 개선된 것으로 밝혀졌다. 특히 계지가출부탕합작약감초탕이 더 효과 적이었다. [井齋偉矢. 開胸術後の疼痛と発汗に対する漢方製剤の効果. 痛み と漢方, 1997(7):29-32.]

2. 일본에서 실시한 무작위 대조 연구에서는 폐사르코이도시스증 환자 9명에 대해서 피로, 수족랭, 관절통 등의 증상에 입각해 4례에 대해 1년간 계지가 출부탕을 투여하였다. 그 결과 환자의 글루코코르티코이드 복용 여부에 관 계없이 계지가출부탕 복용군에서는 폐사르코이도시스증의 활성도가 현저 히 감소되었음을 확인할 수 있었다. [稲垣護, 中沢次夫, 道又秀夫, ほか. 肺 サルコイドーシスに対するツムラ桂枝加朮附湯の使用経験. 和漢医薬学会誌, 1990(7):316-7.]

3. 일본에서의 한 연속증례보고에서는 한증의 복통을 주요 증상으로 하는 환 자 4명의 치험을 소개했으며, 모두 계지가영출부탕으로 치료되었다. [関矢 信康, 笠原裕司, 地野充時, 等. 桂枝加苓朮附湯の関節外症状への応用. 日 本東洋医学雑誌, 2009;60(4):465-9.]

계지가용골모려탕

경전의 허로처방이며 정기(精氣)의 고섭과 양기(陽氣)의 수렴 및 조화영위(調和營衛)방으로 활용되어 왔다. 몽정, 정신이상 소견, 두근거림, 이상발한을 치료하는 효능이 있다. 가슴과 배의 두근거림이 있고 쉽게 놀라며 불면과 다몽이 동반되고 맥이 대(大)하면서 무력한 소견을 특징으로 하는 질환에 적용한다.

[경전배방]

계지, 작약, 생강 각 三兩. 감초 二兩, 대조 十二枚. 용골, 모려 각 三兩. 이 일곱가지 약물을 물 七升과 같이 달여 三升이 되도록 한 뒤 세 차례에 나누어 따뜻하게 복용한다.(《金匱要略》)

[경전방증]

실정(失精)이 있으면 아랫배가 활시위처럼 긴장되며 성기가 차가워지고 눈앞이 어지러우며 머리카락이 빠진다. 맥이 매우 허(虛)하고 규지(芤遲)한 것은 심한 설사나 출혈에 의한 것인데 실정맥(失精脈)은 모두 규맥(芤脈)이면서 살짝 긴(緊)하며, 남자는 실실정(失精)이 생기고 여자는 몽교(夢交)가 생긴다.(《金匱要略》六)

[추천 처방]

계지 10 g, 육계 5 g, 백작약 15 g, 자감초 10 g, 생강 15 g, 혹은 건강 5 g, 홍조 30 g, 용골 15 g, 모려 15 g. 이들 약물을 물 1,100 mL와 같이 달여 탕액이 300 mL가 되면 두세 차례에 나누어 따뜻하게 복용한다.

[방증제요]

허약체질로 정신적 흥분, 가슴과 배의 두근거림이 보이고 잘 놀라며 불면, 다몽, 자한, 도한 몽교실정 등 증상이 잦으면서 맥은 부대(浮大)하면서 무력한 경우

[적용 환자군]

체격이 여윈 편이며 피부가 희고 촉촉하다. 머리카락은 가늘고 연하며 노란빛을 띠고 머리숱이 적으면서 잘 빠진다. 공황, 번조, 불안, 정신착란 등이 잦으며 불면, 악몽, 소아의 야제 등도 흔히 보인다. 쉽게 피로해지므로 육체노동을 견디지 못하며 땀도 잘 나는데 특히 도한이 잦다. 복직근은 긴장되어 있고 배꼽과 심첨부위 주변에 박동감이 느껴진다. 맥은 부대(浮大)하면서 속이 비어있는데 가볍게 눌러야 잡히고 깊이 누르면 잡히지 않는다. 남자는 조루증, 유정, 몽정, 정자활동성저하 및 정자감소증이 많으며 여자는 몽교(夢交), 대하 등이 많다. 이런 체질의 형성은 선천부족과 관련이 있으며 후천적으로는 과로, 영양부족, 철과 아연의 결핍, 일조부족, 운동부족, 과다발한, 수면부족, 설사, 대량의 출혈, 과

도한 성생활, 심한 공황장애 등과 관련이 있다.

[적용 병증]

아래의 병증과 위에 서술한 환자군의 특징이 부합하는 경우에 처방의 투약을 고려할 수 있으며, 또한 근거기반의학적 근거에 따른 진단을 통해서도 처방을 활용할 수 있다.

1. 성기능과 생식기능 장애가 나타나는 질환. 발기부전, 유정, 성적인 꿈, 만성전립선염, 정자감소증/활동성 저하, 고령환자의 치매와 관련한 이상행동에도 투약할 수 있다.

2. 가슴 두근거림이 나타나는 질환. 선천성 심질환, 류마티스성 심질환, 심장판막증, 바이러스성 심근염, 관상동맥질환, 협심증, 심낭염, 심낭삼출, 부정맥, 저혈압 등

3. 불면과 자한이 나타나는 질환. 갱년기증후군, 불안증 등

4. 숨이 차고 어지러운 소견이 나타나는 질환. 기관지천식[1], 폐기종, 심장성천식, 빈혈 등

5. 자한, 도한, 탈모, 경련발작이 나타나는 질환. 소아의 칼슘부족, 간질, 뇌성마비, 대뇌발달장애

6. 방사선피부염(B)[2]

[가감 및 합방]

1. 숨이 차오르고 땀이 많이 나는 경우 오미자 10 g, 산수유 15 g, 인삼 10 g, 맥문동 20 g을 더한다.

2. 식욕부진에는 산약 30 g을 더한다.

3. 갱년기장애로 얼굴색이 누렇고 부종이 있으며 혀가 두툼하고 큰 경우에는 진무탕을 합방한다.

[주의사항]

본 방은 탕제로만 쓴다. 산제로 쓰게 되면 복부창만, 식욕부진이 나타날 수 있다.

[각주]

1. 일본의 한 증례보고에서는 불안과 관련한 중년의 남성 천식 환자 1례의 치험을 소개했다. 본 환자는 진정제, 항불안제, 호르몬 흡입제를 복용한 후에도 별다른 호전이 없었다. 이에 저자는 심인성천식으로 추정하고 환자의 신체허약, 심계, 조열, 불면, 복진상 제상동계, 제하계 증상을 바탕으로 계지가용골모려탕을 주방으로 투약하고, 반하사심탕, 감맥대조탕 등을 병용했다. 복약 후 환자의 천식은 점차 감소하여 소실되었다. 두근거림, 불면, 우울 등의 자각증상도 동시에 개선되었다. 환자는 다시 양약을 복용하지 않았다. [宮崎瑞明. 桂枝加黄耆湯及び桂枝加竜骨牡蛎湯が奏効した成人 気管支喘息の二症例. 日本東洋医学雑誌, 1998;49(1):51-7.]

2. 일본의 연구자들은 《傷寒論》에서 "화박겁지(火迫劫之)" 목적으로 계지거작약가촉칠모려용골구역탕을 사용한 것에 착안하여, 방사선치료를 받은 폐암환자 9명에게 계지가용골모려탕으로 방사선성 피부염을 예방할 수 있는지 확인하였다. 3명의 환자에게 방사선치료와 함께 계지가용골모려탕을 복용하게 한 결과 피부염이 발생한 증례가 없었으며, 6명의 환자는 방사선치료만 받았는데 4명의 환자에게서 중증의 방사선성 피부염이 발생하였다. [笹岡彰一, 上林淑人. 放射線皮膚障害に対する桂枝加竜骨牡蛎湯の使用経験. 日本東洋医学雑誌, 1999;50(3):451-4.]

계지복령환

경전의 부인과 질환 처방이며 활혈화어(活血化瘀)방으로 활용되어 왔다. 징하(癥瘕), 충역(衝逆), 복통(腹痛), 붕루(崩漏)를 치료하는 효능이 있다. 현대 연구에서는 혈액점도의 감소, 혈중지질 감소, 죽상동맥경화증 억제, 미세혈관 확장, 말초 혈액순환 개선, 성호르몬 분비 조절, 배란 촉진, 전립성 증식 억제, 신장의 조직병리학적 변화 및 신장기능의 개선, 항염증, 항종양, 종양 혈관신생의 억제 등 작용이 확인되어 있다. 기가 치받아 오르고 소복급결(少腹急結)이 있으며 피부가 거칠고 비늘처럼 일어나는 소견이 특징적인 질환에 적용한다.

[경전 배방]

계지, 복령, 목단피(去心), 작약, 도인(去皮尖, 熬) 등분. 이 다섯가지 약물을 가루내어 꿀과 같이 빚어 환을 만든다. 토끼똥 크기 정도로 하여 매 식전 一丸씩 복용한다. 효과가 없다면 三丸까지 복용할 수 있다.(《金匱要略》)

[경전방증]

부인에게 오래된 징병(癥病)이 있는데 월경이 그치고 3개월이 못되어 다시금 자궁의 하혈이 멈추지 않는다(《金匱要略》二十).

[추천 처방]

계지 15 g, 복령 15 g, 적작약 15 g, 목단피 15 g, 도인 15 g. 이들 약물을 물 1,000 mL와 같이 달여 300 mL가 되도록 달인 뒤 두세 차례에 나누어 따뜻하게 복용한다. 전통 제형을 참고하여 환으로 복용하거나 캡슐제로 복용한다.[1]

[방증제요]

안색은 붉거나 자홍색이며, 복부가 충실하고 좌하복부를 만지면 저항감이 있거나 압통이 있다. 두통과 어지러움, 불면, 답답함, 두근거림 등을 호소한다. 설질은 어둡고 자반이 있는 경우도 있다.

[활용 대상군]

체격이 비교적 건장하며 안색은 붉거나 홍조를 띤 경우가 많고 검붉거나 푸르스름한 경우도 있다. 간혹 얼굴의 피부가 거칠고 코 주변의 모세혈관이 확장되어 있으며 눈 주변의 피부가 거무튀튀한 경우가 보인다. 입술색은 검붉은 색이며 설질은 검보라색이거나 어둡고 옅은색을 띤다. 설질 주변은 보랏빛이며 설하정맥의 노창(怒脹)도 보인다. 피부는 건조하고 자주 인설이 일어나며 특히 하지의 피부에서 이같은 소견이 더 뚜렷하다. 하퇴부의 근경련, 정맥류 등이 있고 오래 걷지 못하며 하지가 모두 붓거나 한쪽 다리만 붓기도 한다. 하지 근육의 긴장감이나 하지 피부가 검은색으로 변색되는 소견, 무릎 아래의 냉감과 잦은 동상, 발바닥의 갈라짐, 사마귀 등의 소견도 관찰되는 경우가 있다. 배가 대체로 크고 탄력이 있는데 아랫배와 배꼽주변, 특히 배꼽좌측 등이 탄력이 강하고 압진 시의 저항감도 뚜렷하며 소견이 나타나는 위치도 고정되어 있다. 대부분의 환자가 압통을 주소증으로 호소하며[2,3] 가끔 압통 부위에서 응결이나 종괴를 만질 수 있다. 변비, 요통, 대퇴부 통증, 치질, 충수염, 골반염, 전립선비대 등이 자주 보인다. 조열(潮熱), 두통, 불면, 답답한 느낌, 분노발작, 기분장애, 어지러움, 기억력과 사고력 및 언어기능의 저하 등도 흔히 보인다. 이런 종류의 체질은 남녀를 불문하고 성인에게서 많이 관찰되며 중년층과 고령층에서 더 흔하다.

[적용 병증]

아래의 병증과 위에 서술한 환자군의 특징이 부합하는 경우에 처방의 투약을 고려할 수 있으며, 또한 근거기반의학적 근거에 따른 진단을 통해서도 처방을 활용할 수 있다.

1. 과다월경이 나타나는 부인과 질환. 지속되는 산후출혈, 잔류태반, 자궁내막증 등

2. 복통이 나타나는 부인과 질환. 월경전증후군(B)[4], 생리통, 자궁내막증, 자궁선근증(A)[5], 만성골반염, 만성부속기염 등

3. 종괴와 무월경이 나타나는 부인과 질환. 유선증식증(B)[6], 난소낭종(B)[7], 자궁경부낭종, 자궁근종(A)[8], 다낭성난소증후군, 난소암(B)[9,10] 등. 또한 출산유도에 사용할 수 있다.[11]

4. 가슴이 답답하고 숨이 차오르는 소견이 보이는 질환. 기관지천식, 만성폐쇄성폐질환, 폐동맥고혈압, 흉막염, 흉막삼출 등

5. 혈액점도의 상승이 특징적 소견인 질환.[12] 당뇨, 고혈압, 고지혈증, 뇌경색(A)[13,14], 심근경색, 하지심부정맥혈전증(A)[15], 이코노미증후군 등. 심방세동환자의 혈전형성 예방(B)[16]

6. 변비가 나타나는 신장질환. 급성신기능부전, 만성신질환, 당뇨병성 신증, 통풍 등

7. 변비와 요통을 동반하는 장 및 항문질환. 치질, 항열, 습관성 변비 등

8. 국소부위의 검보라빛 변색이 나타나는 얼굴의 만성 감염성 질환. 여드름, 주사비, 맥립종, 모낭염, 습진[17], 진행색소피부병 (Schamberg disease) [18] 등

9. 피부의 건조 및 인설이 특징적 소견인 질환. 건선, 탈모 등

10. 요통 및 대퇴부 통증과 보행장애가 나타나는 근골격계 질환. 요추간판탈출, 갱년기 비특이성 요통(A)[19], 좌골신경통, 골관절염, 골다공증(A)[20,21] 등

11. 요통과 변비가 나타나는 남성질환. 전립선비대, 정계정맥류 (B)[22], 발기부전, 난임 등

12. 하지부에 통증과 부종, 궤양이 나타나는 질환. 당뇨발, 하지궤양, 정맥류 등

13. 홍조 및 냉증이 주요 소견인 질환. 난소기능조기부전, 갱년기증후군(A)[23-25]. 전립선암에 대한 호르몬 치료 후 남성호르몬 감소로 인한 안면홍조에도 쓸 수 있다.

14. 불안초조감 및 우울소견이 나타나는 정신신체질환(psycho-somatic disease). 긴장성 두통 등(B)[26]

[가감 및 합방]

1. 무월경, 다낭성난소증후군, 자궁내막증, 지속되는 분만 후 출혈, 요추질환, 치질 등에서 얼굴이 검붉은 빛이고 복통과 변비가 있는 경우 법제대황 10 g, 회우슬 30 g을 더한다.

2. 만성폐쇄성폐질환, 천식, 간질성 폐렴, 폐섬유화증, 심장질환 등에서 얼굴이 검붉고 입술은 보라빛이며 가슴이 답답하고 숨이 차오르는 경우 당귀 10 g, 천궁 15 g을 더한다.

3. 관상동맥질환, 협심증, 심부전에서 얼굴빛이 어둡고 누런색이며 가슴과 배가 답답하고 그득하면 지각 20 g, 진피 30 g, 생강 20 g을 더한다.

4. 천식, 뇌경색, 당뇨, 고혈압, 고지혈증, 대사증후군에서 상반신의 체격이 건장하고 윗배가 충실하면서 압통이 있으면 대시호탕을 합방한다.

5. 여드름, 모낭염, 고혈압, 고지혈증 등에서 얼굴이 검붉고 기름기가 돌며 변비가 있으면 사심탕을 합방한다.

6. 여드름, 다낭성난소증후군, 뇌경색, 경추질환 등에서 얼굴이 누렇고 어두운 빛이며 목덜미와 등이 뻣뻣하고 어지러우며 피곤하고 기운이 없는 경우 갈근탕을 합방한다.

7. 만성기 당뇨병, 관상동맥질환, 뇌경색, 심방세동, 만성신염, 신증후군, 경추증 등에서 배가 부드럽고 힘이 없는 환자가 자주 배가 고프고 부으며 땀이 많이 나는 경우 황기계지오물탕을 합방한다.

8. 요통이나 복통 또는 통풍의 통증이 극심한 경우 마황부자세

신탕을 합방한다.

9. 바이러스성 간염, 만성신장질환, 결합조직질환 및 생식기질환에서 피로가 주요 소견인 경우 일본의 의사들은 보통 보중익기탕을 합방한다.

[주의사항]

1. 이 처방은 과다월경이나 응고기전장애가 있는 경우에는 신중히 투약하거나 투약을 금한다. 헤파린, 아스피린 등의 항응고제를 병용중인 경우 용량을 줄여서 투약해야 한다.

2. 일부 환자들은 복약 후 설사를 할 수 있다.

3. 임산부에게는 신중하게 투약하거나 투약을 금한다.

4. 일본에서는 처방에 포함된 계지로 인한 약인성 간기능이상이 보고되었다.[27]

[각주]

1. 일본에서의 약리연구에 따르면 계지복령환을 탕으로 제형을 변경할 경우 구성성분에 뚜렷한 변화가 있어 환제에 비해 효과가 떨어질 수 있다는 견해가 있다. [鳥居塚和生, 寺澤捷年, 本間精一, 等. 桂枝茯苓丸の製剤学的検討. 日本東洋医学雑誌, 1985;35(3):185-9.]

2. 일본의 한 임상연구에서는 안면홍조와 족부냉증이 있는 여성 8명과 족부가 차고 안면홍조가 없는 8명의 여성에 대해 체열 그래프를 사용하여 체표면 온도를 연구한 결과, 홍조와 냉증이 있는 환자의 경우 상복부-하복부의 온도차이가 더 컸음이 확인되었다. 두 군 여성 모두에게 계지복령환을 투여한 결과, 60분 후 족부냉증만 있는 여성의 상하복부 온도가 모두 하락한 반면, 홍조가 있는 여성에서는 상복부 온도가 감소하고 하복부 온도는 상승하여 온도차가 감소하였다. 이는 계지복령환이 홍조를 동반하는 냉증 환자

를 치료하는 기전이 상반신의 피부모세혈관 확장 및 하복부혈류량 증가를 통해 골반어혈을 개선하는 것과 관련이 있음을 보여준다. [塩谷雄二, 嶋田 豊, 后藤博三, 等. 桂枝茯苓丸の急性投与による腹部皮膚表面温度の変化. 日本東洋医学雑誌, 2000;50(5):851−60.]

3. 일본의 한 증례보고에서는 골반어혈증후군을 가진 여성의 치험을 소개하였다. 환자는 왼쪽 난소정맥 및 자궁주위정맥이 확장되어 있었으며, 왼쪽 아랫배 통증을 호소하였다. 계지복령환 복용 후 증상이 완화되었다. [德毛敬三.骨盤内うつ血証候群 に桂枝茯苓丸が有効であつた1例. 日本東洋医学雑誌, 2016;67(3):296−301.]

4. 일본의 한 연속증례 연구에서 월경전증후군 환자 4명의 치험을 소개했는데, 계지복령환 투여 후 2례에서 뚜렷한 효과가 있었고, 나머지 2례에서도 일정한 효과가 있었다. [落合和德, 松本和紀, 寺島芳輝. 月経前証候群(PMS)に対する桂枝茯苓丸エキス剤の効果. 日本東洋医学雑誌, 1994;45(2):365−9.]

5. 중국에서 실시한 한 무작위 대조 연구에서는 자궁선근증 환자 205명을 대상으로 52명에게는 계지복령환, 50명에는 게스트리논을 투약했고, 103명에는 두 약물을 병용하였다. 6개월간의 치료기간 후 계지복량환 복용군의 총 유효율은 게스트리논 복용군에 비해 높았다(92.3% 대 66.0%, P<0.01). 계지복령환 단독 투여군과 병용투여군의 효과는 유사하였다. 계지복령환은 자궁선근증 환자의 통증을 크게 완화하고 혈청 CA125를 낮출 수 있었다. 게스트리논은 증식한 자궁내막조직을 크게 줄일 수 있지만 약물 중단 후 재발이 잘 나타나는데, 이때 계지복령환의 병용이 재발을 억제하였다. 게스트리논을 복용하면 안면홍조, 발한, 여드름, 유방 축소, 소화기 증상 및 하지 부종과 같은 부작용이 발생하기 쉽다. 계지복령환 투여군에서는 이와 같은 부작용이 없었다. [廖英, 郭英, 贾春岩, 等. 桂枝茯苓丸方对孕三烯酮胶囊治疗子 宮腺肌病的增效作用. 中医杂志, 2014;55(5):396−9.]

6. 일본의 한 연구자들은 계지복령환이 유선증식증을 치료하는데 효과적일 수 있다고 보고 유방암과의 감별을 위한 진단성 치료로 계지복령환 투여를 시도하였다. [古妻嘉一, 土方康世. 桂枝茯苓丸の乳 癌診断における診断治療的内分泌療法への応用. 日本東洋医学雑誌, 2000;51(1):35−42.]

7. 중국의 한 단일군 연구에서는 300례의 난소낭종 환자에 대하여 계지복령환 가미방(계지 15 g, 복령 15 g, 목단피 15 g, 적작약 15 g, 도인 15 g, 황약자 30 g,

계내금 15 g, 수질 15 g, 여지핵 15 g, 오약 15 g)과 대황자충환을 3−4개월간 병용투약하였다. 그 결과 완전치유군 255례(85%), 호전군 30례(10%)인 것으로 나타났다. [王惠兰. 桂枝茯苓丸加味治疗卵巢囊肿临床观察. 中医杂志, 1994;35(6):355−6.]

8. 2014년 발표된 메타분석에 따르면 계지복령환은 자궁근종의 치료에서 Mesperidone 치료와 유사한 효능이 있으며, 계지복령환과 Mesperidone을 병용하면 효능이 크게 개선되고 자궁근종을 더욱 현저하게 줄일 수 있는 것으로 드러났다. 계지복령환의 효과는 근종 축소보다는 관련 증상의 개선에서 더 뚜렷하다. [Chen N N, Han M, Yang H, et al. Chinese Herbal Medicineguizhi Fuling Formula for Treatment of Uterine Fibroids: A Systematic Review of Randomized Clinical Trials. BMC Complementary and Alternative Medicine, 2014;14(1):2.]

9. 56명의 난소암 환자를 대상으로 수행한 중국의 한 무작위대조 연구에서는 이 중 28명의 환자에 대해서는 계지복령환을 병용투약하고, 나머지 환자에 대해서는 항암화학요법만을 받게 하였다. 단순 화학요법 단독 시행군과 비교하여 계지복령환의 병용투여는 항종양 유효율을 현저히 증가시키고(75.0% 대 57.14%, P<0.05) 화학요법의 부작용을 현저히 감소시킬 수 있는 것으로 밝혀졌다. [T Min. Clinical observation on the treatment of 28 cases of oophoroma with guizhifuling pills and adjuvant chemotherapy. Anti−Tumor Pharmacy, 2011;1(6):520−3.]

10. 한 기초연구에 따르면 계지복령환 자체는 항종양활성은 없으나, PI3K/AKT/mTOR 경로를 통해 다운 스트림 MDR1 및 NF−κB을 조절하여 P−gp가 암세포에서 화학요법 약물을 펌핑하는 것을 방지하고, 암세포에서 화학요법 약물의 농도를 증가시키고, TP요법에 대한 난소암세포의 민감도를 향상시켜 암치료 효과에 관여하는 것으로 보고되었다. [Han L, guo X, Bian H, et al. guizhi Fuling Wan, a Traditional Chinese Herbal Formula, Sensitizes Cisplatin−Resistant Human Ovarian Cancer Cells through Inactivation of the PI3K/AKT/mTOR Pathway. Evid Based Complement Alternat Me, 2016;2016:4651949.]

11. 일본의 한 증례 연구에서는 옥시토신 투여가 어려운 두명의 임산부의 치험례를 소개하였다. 산모들은 계지복령환 복용 후 자궁수축이 나타나 순조롭게 출산했다. [鈴木隆. 催生湯としての桂枝茯苓丸エキスの使用経験. 日本東洋医学雑誌, 2006;57(3):345−51.]

12. 일본에서 실시한 단일군 연구에서는 대사증후군 환자 49명을 대상으로 Endo-PAT2000을 사용하여 혈관내피 기능을 확인했으며 확인했으며, 계지복령환을 복용하면 혈관내피 기능이 개선되고 심혈관 및 뇌혈관질환에 도움이 될 수 있음을 보고하였다. [Nagata Y, goto H, Hikiami H, et al. Effect of Keishibukuryogan on Endothelial Function in Patients with at Least One Component of the Diagnostic Criteria for Metabolic Syndrome: A Controlled Clinical Trial with Crossover Design.Evidence-Based Complementary and Alternative Medicine, 2012;1-10.]

13. 일본에서 실시한 한 단일군 연구에 따르면 열공성 뇌경색이 있는 남성 환자 30명에 계지복령환을 투여함으로써 적혈구의 변형성과 유착을 크게 개선할 수 있었으며, 이 효과는 어혈 지수가 높은 환자에서 더 뚜렷하였다고 한다. [Hikiami H, goto H, Sekiya N, et al. Comparative efficacy of Keishi-bukuryo-gan and Pentoxifylline on RBC deformability in patients with "oketsu" syndrome. Phytomedicine, 2003;10(6-7):459-66.]

14. 일본의 한 무작위 대조 연구에서는 93명의 무증상 뇌경색 환자가 참여하였는데, 그 중 51명은 3년 동안 계지복령환을 병용투약하였고, 다른 42명은 기존 치료만을 받았다. 연구 결과 계지복령환은 무증상 뇌경색 환자의 인지 기능을 크게 향상시키고 두중감과 같은 증상을 개선할 수 있음이 드러났다. [後藤博三, 嶋田豊, 引綱宏彰, 等.無证候性脳梗塞に対 する桂枝茯苓丸の3年間投与後の効果. 日本東洋医学雑誌, 2008;59(3):471-6.]

15. 일본에서 실시한 한 무작위 대조 연구에서는 기존의 헤파린 또는 유로키나제 치료 후 와파린 경구복용 중인 하지심부정맥혈전증 환자 12명 중 6명에게 계지복령환을 투여하였다. 계지복령환을 투여받은 환자는 6개월 후 하지 부종이 뚜렷하게 감소하였다. [内田智夫. 下肢深部静脈血栓症の腫脹に対する桂枝茯苓丸の治療効果. 静脈学, 2009(20):1-6.]

16. 81명의 심방세동 환자가 참여한 중국의 한 무작위 대조 임상연구에서는 모든 환자에게 혈전증 예방을 위한 와파린을 투약하였으며, 이와 별도로 시험군 41명에 대해 계지복령환을 병용투약하였다. 중국에서 실시된 한 무작위 대조 연구는 심방세동 환자 81명을 대상으로 혈전증 예방을 위한 와파린의 일상적인 사용과 함께 추가적으로 치료군 41명에게는 계지복령환을 투여하였다. 계지복령환의 병용투약은 와파린 투여량을 대조군에 비해 뚜렷히 감소시키고(1.87±0.85 mg 대 3.75±0.64 mg) 출혈 발생률도 현저히 감

소시켰다(2.5% 대 8.7%, P<0.05). 다만, 혈전증 예방효과에는 영향이 없었다. [毛秉豫, 毛绍芬. 桂枝茯苓丸在心房颤动抗凝治疗中的应用. 中医杂志, 2009;50(1):57.]

17. 일본의 한 증례보고에서는 만성습진 환자의 치험을 소개하였다. 질병 발병 전의 허리 외상이 있었고 복진상 왼쪽 제방에 명백한 압통이 있어 계지복령환가의이인, 대황을 투여한 결과 유의한 효과를 관찰할 수 있었다. [遠田裕政. 桂枝茯苓丸の加 味方が奏効した慢性湿疹の一経験例. 日本東洋医学雑誌, 1989;37(4):43-9.]

18. 일본에서의 한 증례보고는 샴베르그 병 치험례를 소개하였다. 이 질환은 하지에 점상 자반과 갈색 피진이 혼합, 융합되는 질환으로 환자는 동반되는 만성 B형간염이 있었다. 환자의 간염 과거력 및 면역기능이상을 가능한 병리적 원인으로 보고 시령탕으로 치료를 시작하였으나, 피부 병변에 별다른 변화가 없었다. 보다 정밀하게 진찰하였을 때 혀와 맥에는 뚜렷한 어혈증이 보이지 않았고 어혈평가지표에서도 진단기준에 비해 낮은 점수를 보였으나, 피부의 전형적인 어혈 소견에 근거하여 계지복령환을 병행투여 하였다. 그 결과 피부 병변이 점차 감소하고 반년 치료 후에는 피부 발진이 현저하게 사라지고 새로운 자반이 나타나지 않았다. [岡田直己, 夏秋優, 西本隆. 自家製桂枝茯苓丸が著効した Schamberg 病の1例. 日本東洋医学雑誌, 2010;61(7):924-9.]

19. 일본에서 실시한 무작위 대조 연구에서는 갱년기 비특이성 요통 환자 37명을 대상으로, 14명에는 계지복령환을, 23명에게는 계지복령환 가 부자말(末)을 투여하였다. 그 결과 치료 12주 후 요통의 완전 및 부분 관해율은 계지복령환 군에서 21.4%와 14.3%였고 계지복령환 가 부자말군에서는 26.1%와 34.8%로 부자를 가미하면 계지복령환의 효과가 더 뚜렷해짐을 알 수 있었다. [太田博明, 牧田和也. 腰痛 -産婦人科医が女性の腰痛として最も多い と考えている不定愁訴に関連した腰痛を中心として-. 治療, 1995(77):1646-57.]

20. 일본의 한 무작위대조 임상시험에서는 난소절제술 후 골다공증이 나타난 23명의 환자에 대해 6명에게는 비타민 D_3+계지복령환을, 6명에게는 비타민 D_3만을, 11명은 공백대조군으로 두었다. 그 결과 비타민 D_3와 계지복령환의 병용은 골다공증을 보다 뚜렷하게 개선시킬 수 있는 것으로 나타났다. [太田博明, 根本謙. 卵巣全摘後骨塩量減少症に対する活性型ビタミン D_3 とツムラ桂枝茯苓丸の同時併用投与の効果. 漢方医学, 1989(13):173-9.]

21. 일본의 한 무작위대조 임상시험에서는 난소절제술 후 골다공증이 있는 여성 30명에 대해 일상적인 비타민 D_3를 기저치료로 두고 추가적으로 계지복령환 혹은 당귀작약산을 투여하였다. 10개월 후 계지복령환 및 당귀작약산 모두 골다공증 개선에서 비타민 D_3의 효능을 더욱 높일 수 있으며, 계지복령환은 실증 환자들에게, 당귀작약산은 허증 환자들에게 더 효과적일 수 있음이 드러났다. [太田博明, 根本謙.1α−hydroxyvitamin D_3 と漢方 薬の併用投与による卵摘後骨塩量減少の抑制効果 −桂枝茯苓丸と当帰芍薬散の比較検討−. 産婦人科漢方研究のあゆみ, 1990(7):65−70]

22. 중국의 한 임상연구에서는 126명의 정계정맥류 환자를 대상으로, 수술 후 계지복령환을 계속 복용하면 정자의 농도와 질이 크게 향상되고 배우자의 임신률이 높아진다는 사실이 밝혀졌다. [Chang NZ. Analysis on Semen Quality by the Combined Treatment of Operation and guizhifuling Capsule for Varicocele. Journal of Aerospace Medicine, 2013;24(1):1−2]

23. 일본에서 실시한 무작위 대조 연구에는 갱년기장애 환자 43명에 대해 계지복령환 투여군 21명, 계지복령환과 Tofisopam(자율신경조절제) 병용투여군 22명으로 나누어 경과를 관찰하였다. 연구 결과 뚜렷한 효과(33.3% 및 28.6%) 및 중간 이상의 효과(40.9% 및 36.4%)가 나타난 비율은 유사하였으나 병용투여군에서 1주 이내에 더 높은 효과(14.3% 및 36.4%)를 나타내는 특징을 보였다. [田中栄一, 斉藤英和, 広井正彦.更年期婦人の不定愁訴に対する漢方薬による治療−漢方 単独療法とトフィソパム併用療法との臨床効果の比較−. 漢方診療, 1997(16):22−4]

24. 일본에서 실시한 무작위대조 임상시험에서는 폐경 전후 및 난소절제술 후 안면홍조 및 식은땀 등 증상이 나타나는 120명의 환자를 대상으로 연구를 진행하였다. 참여자 중 40례는 계지복령환을 투약하고, 다른 40례의 환자에게는 가미소요산을 투약하였으며, 나머지 40례는 무처치대조군으로 배정하였다. 계지복령환 및 가미소요산 모두 일과성 열감의 증상을 현저히 완화시키고 IL-8 및 MIP-1β와 같은 혈관 염증 지표를 감소시키는 것으로 밝혀졌다. 기초 연구에 따르면 계지복령환은 주로 칼시토닌 유전자에 의해 매개되는 말초 안면홍조에 사용되며 가미소요산은 주로 황체형성호르몬 방출호르몬(LHRH)에 의해 매개되는 중추 안면홍조에 사용될 수 있다. [Yasui T, Matsui S, Yamamoto S, et al. Effects of Japanese traditional medicines on circulating cytokine levels in women with hot flashes. Menopause, 2011(18):85−92.]

25. 일본에서의 한 무작위대조 임상시험에서는 안면홍조를 동반하는 폐경기증후군 환자 352명을 대상으로 시험군에는 계지복령환을 투약하였고, 대조군에는 호르몬 대체 요법을 시행하였다. 계지복령환과 호르몬 대체 요법이 모두 안면홍조를 개선할 수 있었는데, 호르몬 대체 요법의 효과가 더 큰 것으로 확인되었다. 이외에 계지복령환은 뺨과 손가락 끝의 혈류량을 감소시키고 발가락의 혈류를 증가시켜 주로 하지의 오한 증상을 개선시킬 수 있었다. [Ushiroyama T, Ikeda A, Kakuma K, et al. Comparing the effects of estrogen and an herbal medicine on peripheral blood flow in post—menopausal women with hot flashes: hormone replacement therapy and gui—zhi—fu—ling—wan (keishi-bukuryo gan), a Kampo medicine. The American Journal of Chinese Medicine, 2005(33):259—67.]

26. 일본의 단일군 연구에서는 긴장성 두통이 있는 18명의 환자를 대상으로, 계지복령환을 투여한 결과 두통완화율이 44.4%라고 보고하였다. 추가적인 분석에 따르면 허증 환자들에서 계지복령환은 거의 효과가 없었으며, 중간증 및 실증 환자들에서 더 효과적이었다. [尾崎哲, 井上洋一, 森田仁, 等. 桂枝茯苓丸の筋収縮性頭痛への応用. 日本東洋医学雑誌, 1991:42(2):253—8.]

27. 일본에서의 한 연구에 따르면 계지복령환가의이인을 복용하는 환자 129명 중 76%가 쿠마린(계피 1 g당 쿠마린 3 mg)을 과도하게 섭취한 것으로 나타났다(유럽 표준은 0.1 mg/kg.d). 23명의 환자에서 간 기능 이상이 나타났으나, 과도한 쿠마린 섭취와 관련된 비정상 간 기능은 발견되지 않았다. [Naohiro I, Mosaburo K, Daisuke K, et al. The Relation between Hepatotoxicity and the Total Coumarin Intake from Traditional Japanese Medicines Containing Cinnamon Bark. Frontiers in Pharmacology, 2016;7:174.]

계지작약지모탕

경전의 관절질환 처방이며 거풍산한습열(祛風散寒濕熱)방으로 활용되어 왔다. 부종과 통증을 억제하는 효능이 있다. 관절의 종대 및 통증이 특징적 소견인 질환에 적용한다.

[경전배방]

계지 四兩, 작약 三兩, 감초 二兩, 마황 二兩, 생강 五兩, 백출 五兩, 지모 四兩, 방풍 四兩, 부자 二枚(炮). 이 약물 아홉가지를 물 七升과 같이 달여 二升이 되도록 한 뒤 七合을 따뜻하게 하루 세 차례 복용하도록 한다.(《金匱要略》)

[경전방증]

온몸의 관절이 모두 아프고 몸이 몹시 말랐으며 다리가 부어서 빠지는 것 같다. 어지럽고 숨이 가쁘며 토할 것 같다(《金匱要略》 五).

[추천처방]

계지 20 g, 백작약 15 g, 자감초 10 g, 마황 10 g, 생강 25 g, 백출 25 g, 지모 20 g, 방풍 15 g, 법제부자 10-30 g. 이들 약물을 물 1,500 mL와 같이 달이는데, 먼저 부자를 30-60분 정도 선전한 후에 남은 약을 함께 탕전한다. 탕액이 300 mL가 되면 두세 차례에 나누어 따뜻하게 복용한다.

[방증제요]

관절의 통증이 극심하여 참기 어려운 경우

[적용 환자군]

얼굴색이 어둡고 누런빛을 띠며 광택이 없다. 몸이 허약하고 차가우며 오한이 있다. 관절의 종대와 변형이 있고 견디기 어려운 통증이 있으며 심하면 붓거나 보행이 곤란해진다.

[적용 병증]

아래의 병증과 위에 서술한 환자군의 특징이 부합하는 경우에 처방의 투약을 고려할 수 있으며, 또한 근거기반의학적 근거에 따른 진단을 통해서도 처방을 활용할 수 있다.

1. 관절통증이 있는 자가면역질환. 류마티스열, 급성 알러지성 패혈증, 류마티스성 관절염(A)[1], 강직성 척추염, 전신성 홍반 루푸스, 자반성 신증, 쇼그렌증후군, 건선성 관절염

2. 관절 및 관절 주변의 연부조직 질환. 퇴행성 관절염(골관절염, 골극형성), 견관절 주위염, 건초염, 요추간판탈출증, 좌골신경통, 이상근증후군, 대퇴골두괴사, 무릎윤활막염, 무릎관절내 삼출, 턱관절장애, 통풍 등

[가감 및 합방]

1. 격렬한 관절통증으로 관절가동범위가 줄어드는 경우 처방에서 부자를 제외하고 법제천오 10–15 g, 법제초오 10–15 g, 북세신 10 g을 더한다. 이 세 약물은 한 시간 동안 선전(先煎)하며 동시에 지모의 용량을 30 g 이상으로 늘려야 한다.

2. 하지관절이 붓고 통증이 있는 경우 회우슬 15 g, 의이인 30 g 을 더한다.

3. 관절의 변형이 동반되는 극심한 통증에는 전갈, 오공을 더하여 투약할 수 있다.

[주의사항]

1. 심부전 환자에는 신중히 투여한다.

2. 관절이 붓고 통증이 있으면서 발적과 작열감이 있고 오한이나 찬기운을 싫어하는 경향이 없으며 소변색이 붉고 대변이 건조하면서 번조 및 흥분 소견을 보이고 붉은 설질과 활맥(滑脈)이 확인되는 경우 열비(熱痺)이므로 이 처방의 투약에 신중해야 한다.

3. 부자, 오두는 반드시 선전하여 해독 후 사용해야 한다.

4. 중국에서는 계지작약지모탕에 의한 간기능이상과 무월경이 보고된 바 있다.[2]

[각주]

1. 13개의 무작위대조 연구가 포함된 2017년도 메타분석에서는 계지작약지모탕이 류마티스관절염 치료에서 항류마티스 약물보다 열등하지 않음을 보여주었다. 연구에 따르면 계지작약지모탕의 주요 메커니즘은 항염증이었다. [Daily J W, Zhang T, Cao S, et al. Efficacy and Safety of guiZhi–ShaoYao–ZhiMu Decoction for Treating Rheumatoid Arthritis: A Systematic Review and Meta-Analysis of Randomized Clinical Trials. The Journal of Alternative and Complementary Medicine, 2017;23(10):756–70.]

2. 郭燕芬. 加味桂枝芍药知母汤治疗活动期类风湿关节炎的临床研究. 福建中医药大学, 2011.

계지탕

경전의 태양병 처방으로 조화영위(調和營衛)방으로 활용되어 왔다. 치받는 기운을 완화하고 자한을 멈추며, 허열을 제거하는 작용이 있다. 현대 연구에서는 해열, 항염증, 진정, 진통, 항피로 및 혈압과 심박, 위장관 운동, 면역기능, 땀샘 분비에 대한 양방향성 조절 작용이 확인되어 있다. 저절로 땀이 나면서 맥이 약한 소견을 특징으로 하는 질환과 허약체질의 관리에 적용할 수 있다.

[경전배방]

계지 三兩(去皮), 작약 三兩, 감초 二兩(炙), 생강 三兩(切), 대조 十二枚(擘). 이 다섯 가지 약물 중 세 가지 약물은 잘게 썰고 여기에 물 七升을 더해 약한 불로 달여서 三升이 되게 한다. 찌꺼기를 버리고 따뜻하게 一升을 복용한다. 복용 후 얼마 지나지 않은 때에 뜨겁고 묽은 죽을 一升 정도 마셔서 약의 기운을 돕게 한다. 몸을 따뜻하게 해서 한 시간이 지난 후 온몸이 촉촉할 정도로 땀이 조금 배어나오도록 한다. 그러나 땀이 물흐르듯 많이 나면 병이 낫지 않는다. 만약 한번 복용해서 병이 나으면 복약을 멈추었다가 다시 복용하되 모두 복용할 필요는 없다. 만약 땀이 나지 않으면 앞에서와 같이 복용한다. 그래도 땀이 나지 않으면 복약 간격을 조금 줄여서 반나절 동안 세 차례에 걸쳐 모두 복용한다. 만약 병이 심하면 밤에 한번 복용하고 하루 밤낮으로 복용하면서 지켜보아야 한다. 하루분을 다 복용해도 병이 남아있으면 다시 복용하는데 땀이 나지 않으면 이틀분이나 사흘분까지 복용한다. 날음식, 찬음식, 끈적이는 음식, 고기, 국수, 매운 음식, 술, 젖으로 만든 음식, 자극성 있는 음식을 먹지 않도록 한다.(《傷寒論》)

[경전방증]

맥을 가볍게 눌러 부(浮)한 것이 양(陽)으로 열이 스스로 나는 것이고, 맥을 깊게 눌러 침(沈)한 것이 음(陰)으로 땀이 저절로 나는 것이다. 덜덜 떨리는 오한(惡寒)과 오풍(惡風)이 있고 심하지 않은 발열과 콧소리, 헛구역질이 난다(《傷寒論》12조). 머리가 아프고 열과 땀이 나며 바람을 싫어한다(《傷寒論》13조). 사하(瀉下)를 시킨 후 그 기가 상충한다(《傷寒論》15조). 외증이 풀리지 않고 맥이 부약(浮弱)하다(《傷寒論》42조). 항상 자한이 있다(《傷寒論》53조). 환자가 장부에 별다른 병이 없는데도 수시로 열이 나고 자한이 있다(《傷寒論》54조). 맥이 지(遲)하고 땀이 많이 나며 약간 오한이 난다(《傷寒論》234조). 환자가 번열(煩熱)이 있고… 맥이 부허(浮虛)하다(《傷寒論》240조). 구토와 설사는 멈추었으나 몸의 통증이 없어지지 않는다(《傷寒論》387조).

[추천 처방]

계지 15 g, 백작약 15 g, 자감초 10 g, 생강 15 g, 홍조 20 g. 이들 약물을 물 1,000 mL와 같이 달여 300 mL가 되도록 한 뒤 두세 차례에 나누어 따뜻하게 복용한다. 약 복용 후 따뜻한 죽 한사발을

먹고 찬바람을 맞지 않도록 한다. 탕액은 담갈색이며 맛은 시고
달다.

[방증제요]

기가 상충하고 복중통(腹中痛)과 자한, 발열이 있으며 맥이 부
약(浮弱)한 경우

[적용 환자군]

여윈 체격으로 용모가 초췌하며 안색은 창백하거나 황백색으로
광택이 없다. 흉곽이 편평하며 복벽이 얇고 복직근은 얇으면서 긴
장되어 있다. 입꼬리와 입술이 어두운 보라색이며 설질은 옅은 붉
은색이나 어두운 빛을 띤다. 설체는 유연하며 표면은 습윤하기도
하고 건조하면서 찐덕거리기도 한다. 맥은 대체로 허완(虛緩)하며
가볍게 누르면 느껴지지만 세게 누르면 무력하고 속이 비어있다.
저혈압이거나 심부전이 있는 경우가 많다. 땀이 잘 나며 특히 자
한(自汗)이 많다. 가슴 두근거림, 어지러움, 배고픔, 궤양, 불면,
다몽증, 피로감, 냉기나 통증 및 배고픔을 잘 참지 못하는 증상 등
이 잦다. 이런 체질은 대부분 중증질환, 수술, 화학요법, 약물의
남용, 월경기, 출산 이후, 대량의 출혈, 창상, 심한 운동, 극도의
공포감, 찬 날씨, 배고픔 등의 외부자극과 관련이 있다. 선천품부
(先天稟賦)가 부족하거나 나이가 많아 몸이 쇠약해진 환자, 평소
에 잔병치레가 잦은 환자 등에서 흔히 볼 수 있다.

[적용 병증]

아래의 병증과 위에 서술한 환자군의 특징이 부합하는 경우에 처방의 투약을 고려할 수 있으며, 또한 근거기반의학적 근거에 따른 진단을 통해서도 처방을 활용할 수 있다.

1. 이상발한이 나타나는 질환. 산후, 수술 후 자한, 자율신경기능이상 등

2. 발열과 자한이 나타나는 질환. 감기발열, 만성열, 수술 후 흡수열(postoperative absorption fever) 등

3. 한랭과민 및 묽은 분비물이 보이는 질환. 알러지 비염, 천식 등

4. 복통이 나타나는 질환. 과민성대장증후군(A)[1,2], 알러지성 자반증, 위염, 소화성궤양 등. 알파글루코시다제 억제제 관련 소화기반응 개선(A)[3]

5. 발적이 없는 피부손상 및 국소 환부의 색조가 어둡고 옅은 피부질환. 여드름, 두드러기, 습진, 궤양불유합 등

6. 가슴두근거림, 어지러움, 약맥이 나타나는 질환. 저혈압, 배뇨성 실신, 심장질환, 빈혈 등

[가감 및 합방]

1. 복통 및 변비에는 처방의 작약 용량을 2배로 증량하는데 이를 계지가작약탕이라 부른다.

2. 가슴과 배가 그득하면서 기침과 숨참이 있고 가래가 많으면 후박 15 g, 행인 15 g을 더한다.

3. 변비와 복통이 있으면 대황 10 g을 더한다.

4. 자한, 도한이 있거나 누런땀이 나면서 붓고 소변이상이 있으면 황기 15 g을 더한다.

5. 땀이 많이 나고 식욕부진이 있으면서 맥이 침지(沈遲)하면 인삼 10 g을 더한다.

6. 어지러우면서 목덜미와 등이 뻣뻣하거나 설사가 있으면 갈근 30 g을 더한다.

7. 가슴과 배의 두근거림이 뚜렷한 경우 용골 15 g, 모려 15 g을 더한다.

8. 두드러기가 있고 피부가 건조한 경우 마황 10 g을 더한다.

[주의사항]

1. 계지탕 복용 후 따뜻한 죽을 먹고 이불을 덮어 땀을 내며 찬바람을 피해 몸을 따뜻하게 한다. 담백한 음식을 먹는다.

2. 비만한 환자, 발열과 오한이 있으면서 땀이 나지 않는 환자, 발열, 번조, 입마름, 갈증 및 설질이 붉으면서 설태는 건조하거나 누렇고 찐덕이는 소견을 보이는 환자, 혹은 피를 토하거나 코피가 나는 등 혈액응고기전 장애가 있는 환자, 빈맥이 있는 환자 등에는 신중하게 투약한다.

[각주]

1. 일본에서 시행된 무작위 대조 연구에서는 과민성 대장증후군 환자 46명을 대상으로 23명의 환자에게 시호계지탕을, 23명에는 계지가작약탕을 투여하였다. 치료 2주에서 중등도 이상의 관해율은 계지가작약탕 군에서 높았다 (74% 대 39%). 또, 계지가작약탕의 대변 증상 개선율은 50%로 그 중 설사-변비 교대형에서의 효과는 86%였다. 변증에 대한 추가 분석에서는 계지가작약탕 투여의 효과는 변증과 무관함을 확인하였다. [石井史, 飯塚文英, 長廻紘, ほか. 過敏性腸証候群に対する TJ-10 柴胡桂枝湯と TJ-60 桂枝加芍薬湯の治療効 果の比較ならびに潰瘍性大腸炎に対する TJ-114 柴苓湯の治療効果の検討. Progress in Medicine, 1993(13):2893-900.]

2. 일본에서 실시한 한 무작위 대조 연구에서는 과민성 대장증후군 환자 286명을 대상으로 148명의 참여자는 계지가작약탕 투여군, 138명의 참여자는 위약투여군으로 배정하여 4-8주 복용 후 경과를 관찰하였다. 그 결과 계지가작약탕 투여군의 전반적인 관해율은 개선 추세를 보였으나 통계적 차이는 없었다. 하위 그룹 분석에 따르면 설사 환자의 복통이 계지가작약탕 복용 후 상당히 완화되었음을 확인할 수 있었다. [佐々木大輔, 上原聡, 樋渡信夫, ほか. 過敏性腸証候群に対する桂枝加芍薬湯の臨床効果 −多施設共同無作為割付群間比較臨床試験−. 臨床と研究, 1998(75):1136-52.]

3. 일본에서 시행된 한 무작위 대조 연구에서는 식이요법과 운동요법으로도 혈당이 잘 조절되지 않는 제2형 당뇨병 환자 20명을 대상으로, 모두에게 아카보스(Acarbose)를 투여하고 추가적으로 치료군 10명에는 계지가작약탕을 투여하여 4주간 경과를 보았다. 그 결과 계지가작약탕은 아카보스의 약물 내인성을 향상시키고 4주 시점에서 환자의 팽만감, 복통, 설사 및 변비와 같은 복부 증상을 현저히 개선하며 당화 헤모글로빈을 보다 분명하게 소시킬 수 있음이 드러났다. [長谷部啓子, 町田道郎, 矢田真理子, ほか. アカルボースと 桂枝加芍薬湯併用療法の有用性について −消化器症状の軽減効果の検討−. 基礎と臨床, 1997(31):3179-86.]

교애탕

경전의 임신 중 질환 처방이며 전통적으로 양혈조경(養血調經)방
으로 활용되어 왔다. 출혈과 태동불안을 치료하는 효능이 있다.
임신 중의 복통 및 하혈에 적용하며 붕루의 치료에도 쓸 수 있다.

[경전배방]

천궁, 아교, 감초 각 二兩, 애엽, 당귀 각 三兩. 작약 四兩, 건
지황 四兩. 이 일곱가지 약물을 물 五升, 청주 三升과 같이 달여
三升이 되도록 한 뒤 찌꺼기를 제거하고 아교를 넣어 섞은 뒤 따
뜻하게 一升을 하루 세 차례 복용한다. 효과가 없으면 다시 복용
한다.(《金匱要略》)

[경전방증]

부인에게 평소부터 자궁에서 출혈이 있으며 유산을 한 후에 하
혈이 멈추지 않거나 임신기간 중 하혈이 있다(《金匱要略》 二十).
임신 중의 복통이 있다(《金匱要略》 二十). 임신 2−3개월에서 7−8
개월 사이에 갑자기 넘어져 태동불안이 있으면서 허리와 배의 통
증이 죽을 것처럼 심할 때 쓴다. 태동에 의한 분돈(奔豚)이 가슴까
지 치받아 오르고 숨이 찰 때도 쓴다(《外臺秘要》).

[추천 처방]

천궁 10 g, 아교 10 g, 자감초 10 g, 애엽 15 g, 당귀 15 g, 백작약 20 g, 생지황 20 g. 이들 약물을 물 1,000 mL 또는 물 700 mL 및 청주 300 mL로 달여 300 mL가 되도록 한 뒤 찌꺼기를 제거하고 아교를 섞어 두세 차례에 나누어 복용한다.

[방증제요]

임신복통, 하혈

[적용 환자군]

얼굴색이 창백하거나 시들시들하며 빈혈기가 있어보인다. 입술과 혀, 손톱에 핏기가 없고 피부는 건조하며 광택이 없다. 어지러움, 가슴두근거림, 불면이 있고 손발이 차거나 번열감이 있다. 복통이 있고 통증이 등허리까지 퍼지며 배는 연약하고 힘이 없다. 출혈이 있거나, 출혈 경향이 보인다. 물처럼 옅은 색조의 하혈이 지속된다.

[적용 병증]

아래의 병증과 위에 서술한 환자군의 특징이 부합하는 경우에 처방의 투약을 고려할 수 있으며, 또한 근거기반의학적 근거에 따른 진단을 통해서도 처방을 활용할 수 있다.

1. 임신 중의 출혈이 나타나는 질환. 조기유산(A)[1], 습관성유산, 태동불안, 융모막혈종 등

2. 부정기 질출혈이 나타나는 질환. 기능성자궁출혈(A)[2], 경부 파열출혈, 산후오로부절, 인공유산 후 출혈 등

3. 기타 출혈성 질환. 혈소판감소성자반증, 혈뇨(A)[3], 혈변 등

[가감 및 합방]

1. 혈색이 붉고 끈적이거나 닭의 간처럼 응고되는 경우 투약을 재고하거나 황금 15 g을 더한다.

2. 입술과 혀가 창백하고 차가운 땀이 줄줄 흐르며 맥이 미약 (微弱)한 경우 홍삼 10 g, 법제부자 10 g을 더한다.

3. 설태가 희고 배가 차면서 통증이 있으면 포건강을 10 g 더한다.

[각주]

1. 일본에서 실시한 무작위 대조 연구에서는 절박유산으로 진단된 자궁출혈 임산부 72명을 교애탕 32례, 휴식 및 hCG 투여 32례로 나누어 경과를 비교 하였다. 그 결과 교애탕이 자궁출혈 시간을 현저히 단축시키며, 대조군과 유 사한 임신유지효과가 있는 것으로 드러났다. [Ushiroyama T, Araki R, Sakuma K, et al. Efficacy of the kampo medicine xiong—gui—jiao—ai—tang, a traditional herbal medicine, in the treatment of threatened abortion in early pregnancy. American Journal of Chinese Medicine, 2006(34):731—40.]

2. 일본에서 실시된 한 무작위 대조 연구에서는 기능성 자궁출혈 환자 183명 을 교애탕 투여군 93례, 트라넥사민산, 카르바콜 및 비타민 K 복용군 90례 로 배정하여 치료 경과를 비교하였다. 그 결과 교애탕의 지혈 효과가 더 큰 것으로 나타났으며, 진단소파술에서 지혈까지 걸리는 시간은 4.29±1.54일 (서양의학 치료군: 5.45±2.13일), 1주 이내 지혈률은 94.6%(서양의학 치료군: 72.2%)인 것으로 나타났다. 추가 분석에 따르면 교애탕은 허증 및 중간증에 더 나은 효과를 나타내며, 실증에서 교애탕의 효과는 서양의학적 치료와 유사한 것으로 나타났다. 증식성 자궁내막의 경우 단순증식 환자에서 효과

가 좋았고, 안정성장기, 위축기, 분비기, 증식/분비기에서의 효과는 서양의학적 치료와 유사하였다. [岩淵慎助. キュウ帰膠艾湯による機能性子宮出血の止血効 果—西洋薬止血剤との比較—. 日本東洋医学雑誌, 2000(50):883–90.]

3. 일본에서 실시한 한 무작위 대조 연구에서는 특발성 혈뇨 환자 68명에 대해서 26명은 교애탕군, 19명은 시령탕군, 23명은 무처치대조군으로 배정하여 4주 후 경과를 비교하였다. 그 결과 교애탕은 시령탕(매우 효과적 26.3% 및 효과적 31.6%)보다 약간 나은 혈뇨개선 효과(매우 효과적 34.6%, 효과적 38.5%)를 보였으며, 교애탕군과 시령탕군 모두 무처치대조군(매우 효과적 0% 및 효과적 26.1%)보다 치료효과가 유의하게 높았다. [吉川 裕康, 池内隆夫, 甲斐祥生. 特発性顕微鏡的血尿に対するキュウ帰膠艾湯と柴苓湯の臨床 効果. 漢方と最新治療, 1997(6):55–8.]

길경탕

경전의 인후통 처방이며 청열해독이인(淸熱解毒利咽)방으로 활용되어 왔다. 인후통과 기침을 치료하고 가래를 제거하는 효능이 있다. 현대 연구에서는 항염증, 거담 작용이 보고되어 있다. 인후통 및 인후의 건조가 특징적 소견인 질환에 적용한다.

[경전배방]

길경 一兩, 감초 二兩. 이 두 약물을 물 三升과 같이 달여 一升을 취한 뒤 찌꺼기를 제거하고 따뜻하게 두 차례에 나누어 복용한다.(《傷寒論》)

[경전방증]

인통(《傷寒論》311조)

[추천 처방]

길경 10 g, 생감초 20 g. 이들 약물을 물 900 mL와 같이 달여 300 mL가 되도록 한 뒤 두세 차례에 나누어 따뜻하게 복용한다. 혹은 끓는 물에 차처럼 타서 먹어도 좋다.

[적용 병증]

아래의 병증과 위에 서술한 환자군의 특징이 부합하는 경우에 처방의 투약을 고려할 수 있으며, 또한 근거기반의학적 근거에 따른 진단을 통해서도 처방을 활용할 수 있다.

1. 급만성인후염, 편도선염, 발성장애, 기관지염 등
2. 만성췌장염(B)[1], 유즙분비부전

[가감 및 합방]

1. 발성장애가 있으면 강반하 15 g을 더한다.

2. 발적과 부종을 동반하지 않는 인후통에는 계지를 15 g 더한다.

3. 편도선의 부종이 있는 경우 연교 30 g, 생석고 30 g, 시호 15 g을 더한다.

4. 여윈 체격이면서 인후 건조감이 있는 경우 현삼 20 g, 맥문동 20 g을 더한다.

[주의사항]

인후통, 인후건조가 없다면 신중히 투여한다.

[각주]

1. 일본의 임상연구에서는 26명의 정상인을 대상으로 길경탕 복용 후 혈장 콜레시스토키닌과 세크레틴이 증가하여, 길경탕이 췌장의 외분비기능을 촉진할 수 있음이 시사되었다. 이에 만성췌장염을 개선하기 위해 길경탕을 투여한 결과, 췌장염에 의한 메스꺼움, 복통 및 설사가 개선되었다. 이는 길경탕에 대해 신농약물경에서 기술한 '주로 흉협통이 칼로 찌르는 것 같으며 복만, 장명이 부글거리고 꼬르륵거린다'는 내용과 일치한다. [新井一郎, 小松靖弘, 山浦常, 等. 桔梗湯の慢性膵炎症例に伴う腹部症状に対する 治療効果の基礎的および臨床的検討. 日本東洋医学雑誌, 1997;48(1):31-6.]

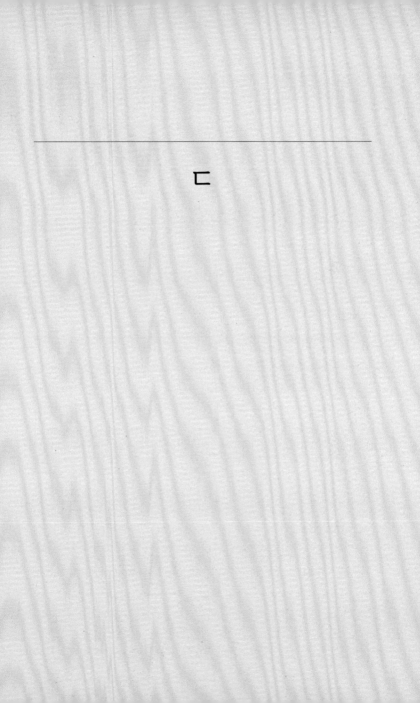

당귀사역탕

경전의 궐음병 처방으로 온경산한(溫經散寒)방으로 활용되어 왔다. 사지 냉증 및 경련성 통증을 치료하는 효능이 있다. 현대 연구에서는 말초혈관 확장, 혈소판 응집 억제, 정맥혈전 형성 억제, 혈액순환의 개선, 진통, 항염증 등의 작용이 보고되었다. 복통, 두통, 관절통, 수족냉증 및 세맥(細脈)을 특징으로 하는 질환에 적용한다.

[경전배방]

당귀 三兩, 계지 三兩(去皮), 작약 三兩, 세신 三兩, 감초 二兩(炙), 통초 二兩, 대조 二十五枚(劈). 이 일곱가지 약물을 물 八升과 함께 달여 三升이 되도록 한 뒤 찌꺼기를 제거하고 一升을 따뜻하게 하루 세 차례에 걸쳐 복용한다. 당귀사역가오수유생강탕: 위 처방에 오수유 二升, 생강 半斤을 더한다. 이 아홉가지 약물을 물 六升, 청주 六升과 같이 달여 五升이 되도록 달인 뒤 찌꺼기를 제거하고 다섯 차례에 나누어 복용한다.(《傷寒論》)

[경전방증]

수족궐냉이 있고 맥이 가늘어 끊어질 것 같은 환자(《傷寒論》351조). 설사가 있고 맥이 대(大)한 환자는 허증이며 너무 강하게 사하시켰기 때문이다. 장명(腸鳴)으로 맥이 부혁(浮革)한 것은 당귀사역탕증에 속한다(《傷寒論》 불가하편). 만약 환자가 오랫동안 한증을 나타낸다면 당귀사역가오수유생강탕을 쓴다(《傷寒論》 352조).

[추천처방]

당귀 15 g, 계지 15 g, 백작약 15 g, 북세신 10 g, 자감초 10 g, 홍조 30 g을 물 1,000 mL와 같이 뚜껑을 열고 달여 탕액이 300 mL가 되도록 한 뒤 두세 차례에 걸쳐 나누어 복용한다. 당귀사역가오수유생강탕은 위 처방에 오수유 10 g, 생강 40 g, 청주 400 mL[1]를 추가로 더하여 500 mL가 되도록 달인 뒤 하루 2-5회에 나누어 복용한다.

[방증제요]

사지가 얼음처럼 차고 보라빛이 돌며 심한 통증이 있으면서 세맥(細脈)이 있는 경우

[적용 환자군]

안색이 푸르스름한 보라색 혹은 검붉은색이거나 창백하며 광택이 없다. 사지가 얼음처럼 차가우며 손발끝이 특히 심하고 종종 저림이나 냉통을 동반한다. 손발끝은 어두운 붉은색을 띠고 심하면 푸르스름한 보라색에 이르기도 하며 눌러보면 피부색이 하얗게 변한다. 추위에 노출되면 통증이 악화되며 심하면 손톱색, 입술색, 안색, 귓바퀴까지 창백해지거나 검붉은색이 된다. 현재 동상

이 있거나 동상 과거력이 있는 경우가 많다. 많은 환자가 열증 양상을 보이며 입술이 검붉은빛이고 피부가 갈라지거나 찢어지는 경향이 있다. 치은출혈, 구강궤양 혹은 항문작열감, 출혈이 있기도 하다. 대변이 굳어서 단단하게 덩어리지고 월경색은 짙은 붉은색이며 덩어리가 진다. 관절에 통증 및 아침의 강직이 있다. 피부궤양이 있는 경우도 있다. 통증을 호소하는 경우가 많아 두통, 치통, 가슴통증, 등통증, 유방통증, 관절의 냉통, 좌골신경통, 월경통, 고환통 등을 볼 수 있다. 세맥(細脈), 부맥(浮脈), 침맥(沈脈), 약맥(弱脈), 현맥(弦脈) 등이 나타날 수 있으며 일반적으로는 완맥(緩脈)이 많이 보이고 심하면 지맥(遲脈)이 있는 경우도 있다. 복증에서는 사타구니의 경결점, 압통(B)이 있을 수 있다.[2]

[적용 병증]

아래의 병증과 위에 서술한 환자군의 특징이 부합하는 경우에 처방의 투약을 고려할 수 있으며, 또한 근거기반의학적 근거에 따른 진단을 통해서도 처방을 활용할 수 있다.

1. 통증질환[3]. 혈관신경성두통, 삼차신경통, 고혈압두통, 뇌외상두통, 건초염, 견관절주위염, 신경근 증상이 나타나는 경추질환(B)[4], 요추근육손상, 요추척추관협착증, 좌골신경통, 대퇴부 통증을 동반하는 허리 통증(B)[5,6], 소화성궤양, 장경련, 복부수술 후 통증, 담낭염, 담도회충질환, 만성복막염 등에도 처방할 수 있다.

2. 혈액순환장애 관련 질환. 냉증(A)[7-9], 레이노병, 폐색성 혈전혈관염(Thromboangiitis obliterans) (A)[10], 척추뇌저동맥증후군, 관상

동맥질환, 대동맥염, 청피반양 혈관염(Livedoid vasculitis)[11], 과민성 자반증, 만성두드러기, 동창, 경피증, 홍색사지통증(erythromelagia), 손발피부 갈라짐 등에도 처방할 수 있다.

3. 유선, 비뇨생식기 등 간경(肝經)이 지나는 부위의 질환. 유방 섬유선종, 수뇨관결석, 자궁부속기염, 자궁내막증, 급만성전립선염, 부고환염, 정계정맥류, 발기부전, 질위축증 등

[가감 및 합방]

1. 오심, 구토, 두통, 복통에는 오수유 10 g, 생강 40 g을 더한다.

2. 관절통증이 심한 경우 부자 10 g을 더하거나 마황부자세신탕을 합방한다.

3. 잇몸출혈, 구강궤양, 변비, 관절통증 등이 있으면 황금탕, 사심탕 등을 합방한다.

[주의사항]

1. 통초는 전체 처방의 효과에 영향이 없으므로 보통은 쓰지 않는다.

2. 세신은 독성이 있어서 옛사람들은 "세신은 一錢을 넘지 않는다"고 하였다. 그러나 이는 산제(散劑)를 기준으로 정한 것으로 탕제에서는 이 제한을 따르지 않는다. 단, 처방은 적응증과 금기증을 엄격히 파악하여 이뤄져야한다. 본 처방은 뚜껑을 열고 달이는데, 세신에 있는 사프롤(safrole)을 휘발시키기 위해서이다.

3. 이 처방을 복용한 후에는 대부분 손발이 따뜻해지거나 입안

이 건조해짐을 느낄 수 있는데, 이는 정상적인 반응이다.

    4. 심계항진, 부정맥 환자에는 신중히 투약한다.

    5. 일본에서는 고령자가 본 처방을 3년간 복용한 후 위알도스테론증이 발생하였다는 보고가 있다.[12]

[각주]

1. 일본의 한 증례보고에서 당귀사역가오수유생강탕가오두를 주수상반전으로 달여 치료한 2례의 관절통증 및 냉증 환자의 치험을 소개하였다. 처방은 효과가 있었으나, 한 환자에게서 뚜렷한 오두 중독증상이 관찰되었다. 연구의 저자는 추가로 약리실험을 수행하여 아코니틴 함량의 증가를 촉진한 것은 청주(淸酒)의 에탄올 농도가 아니라 청주를 가열한 후 탕액의 pH 값이라는 것을 발견했다. pH의 감소가 아코니틴의 용출을 촉진한 것이다. [長坂和彦, 引網宏彰, 名取通夫, 等. 酒煎した当帰四逆加 呉茱萸生姜湯加烏頭の使用経験. 日本東洋医学雑誌, 2001;52(1):9–15.]

2. 일본의 의사 오츠카 요시노리 선생은 당귀사역가오수유생강탕의 특이한 복증으로 사타구니의 압통이 있다고 주장한 바 있다. 테라사와 카츠토시 교수는 이를 42례의 당귀사역가오수유생강탕 복용 환자의 복진을 통해 확인하였는데, 36례에서 사타구니의 저항 및 압통이 있었다. 또 이들 환자들은 부사혈(府舍穴)의 압통이 대부분이었다. 또한 모든 사례에서 사타구니 부위의 근육 긴장이 있었으며, 이들은 당귀사역탕가오수유생강탕 투여로 압통과 긴장이 사라지거나 완화되었다. [寺澤捷年. 当帰 四逆加呉茱萸生姜湯証における鼠径部の抵抗·圧痛に関する一考察. 日本東洋医学雑誌, 2016;67(3):302–6.]

3. 일본의 한 증례보고에서 진단을 알 수 없는 심한 복통 환자를 소개하였는데, 환자의 통증이 비가 오거나 추울 때 발생하고 오한, 두통, 설사, 이명 등이 동반되며 복진상 우하복부의 압통 및 양측 사타구니의 심한 압통이 있었으므로 구한지산증(久寒之疝症)으로 변증하였다. 이 환자에게 당귀사역가오수유생강탕을 투여한 결과 2주 후 통증이 소실되었고, 전신상태가 서서히 회복되었다. 2개월 후 건강이 회복되어 치료를 종결하였다. [服部紀代子. 当帰四逆加呉茱萸生姜 湯が奏効した腹部疝痛の一例. 日本東洋医学

雜誌, 1991;42(1):37–40.]

4. 일본의 한 연속증례보고에서 신경차단치료를 받고도 효과가 낮았던 허랭증의 신경근형 척추증 환자 8명에 대해 당귀사역가오수유생강탕을 투여한 결과 3주 후에 통증 점수가 크게 감소했음을 보고하였다. 치료 3개월 후 2명의 환자에서는 통증이 완전히 소실되었으며, 모든 증례에서 부작용은 없었다. [山上裕章, 桥爪圭司, 下川充, 等. 頸椎症性 神経根症に対する当帰四逆加呉茱萸生姜湯の効果. 日本東洋医学雑誌, 1995;46(2):257–61.]

5. 일본의 한 단일군 임상시험에서는 냉증을 동반한 허리와 다리 통증이 있는 19명의 환자를 대상으로, 당귀사역가오수유생강탕을 투여하여 경과를 관찰하였다. 환자들의 진단은 요추 추간판 탈출증 3례, 요추협착증 13례, 요추전방 전위증 3례였다. 당귀사역가오수유생강탕을 1개월간 투여한 결과 겨드랑이 온도와 발의 등쪽 피부 온도가 상승하고 통증이 완화되었다. [高桥良佳, 光畑裕正, 神山洋一郎.冷えを伴う 腰下肢痛患者における当帰四逆加呉茱萸生姜湯の有用性の検討. 日本東洋医学雑誌, 2016;67(4):390–3.]

6. 일본의 연속증례연구에서 하지마비, 냉감, 허리 및 다리 통증을 동반한 요추협착증 환자 7명을 대상으로 당귀사역가오수유생강탕을 1개월간 복용한 후 환자의 증상이 호전되었던 사례를 보고하였다. 이 중 1명에서는 효과가 명확했고, 2명에서는 일정한 효과가 있었다. [山上裕章, 住田剛, 桥爪圭司, 等. 腰部脊椎管狭窄症に対する当归四逆加吴茱萸生姜汤の効果. 日本東洋医学雑誌, 1992;42(3):331–5.]

7. 사지의 궐냉 증상을 호소하는 여성 58명이 참여한 일본의 무작위 대조 임상시험에서 당귀사역가오수유생강탕의 개선효과를 확인하였다. 치료군 28명은 당귀사역가오수유생강탕을 투여했으며, 나머지 환자는 무처치 대조군에 배정하였다. 연구 결과 당귀사역가오수유생강탕 투여 후 사지냉증의 개선이 확인되었다. 당귀사역가오수유생강탕은 사지의 혈류를 개선하지만 체표면 온도에는 영향을 미치지 않는다. [Nishida S, Eguchi E, Ohira T, et al. Effects of a traditional herbal medicine on peripheral blood flow in women experiencing peripheral coldness: a randomized controlled trial. BMC Complementary Alternative Medicine, 2015(15):105.]

8. 일본의 한 단일군 임상시험에서 수족냉증증후군 환자 21명을 대상으로 당귀사역가오수유생강탕의 효과를 관찰하였다. 참여자의 기왕력에는 다발성 뇌경색, 고혈압, 당뇨병, 레이노병, 척추기형 등이 포함되었다. 연구 결과 당귀

사역가오수유생강탕 투여 후 5례에서는 손발의 냉감이 모두 소실되고 13례에서는 손이나 발 한군데의 냉감이 소실되어 전체 유효율은 85.7%로 집계되었다. 환자들의 평균 치료 시간은 36일로 피부색과 발톱형상의 개선도 동반되었다. 유효하지 않았던 3례는 탕액의 쓴맛 및 짧은 투약기간과 관련이 있었다. [岡進, 中嶋義 三. 当帰四逆加呉茱萸生姜湯の冷え症に対する効果について. 日本東洋医学雑誌, 1993;43(3):457-60.]

9. 일본의 연속증례연구에서는 노인 남성의 한산(寒疝) 2례가 소개되었다. 이들은 당귀사역가오수유생강탕 복용으로 증상이 개선되었다. 여성환자에 비해 두 남성환자는 맥과 복증이 실증에 가까웠으며, 냉증 증상은 가벼운 편이었다. 한산증의 발생은 고령, 수술, 외상과 관련이 있었던 것으로 추정된다. [矼村知子, 木村容子, 伊藤隆, 等. 当帰四逆加 呉茱萸生姜湯が有効であつた2症例−高齢男性の寒疝−. 日本東洋医学雑誌, 2016;67(3):291-5.]

10. 일본의 무작위대조 임상시험에서 폐쇄동맥경화증(arteriosclerosis obliterans)으로 인한 혈관성 간헐적 파행 환자 33명을 대상으로 1개월 및 3개월 동안 당귀사역가오수유생강탕 및 실로스타졸의 효과를 비교하였다. 연구 결과 두 치료 모두 간헐적 파행을 개선할 수 있으며 실로스타졸의 효과가 더 뛰어났다. 한편 실로스타졸 복용으로 증상이 개선된 환자가 계속 당귀사역가오수유생강탕을 복용하면 증상이 더 크게 완화되었다. [城島久美子. 当帰四逆加呉茱萸生姜湯の血管性間歇性跛行に対する臨床効果. 日本東洋医学雑誌, 2011;62(4):529-36.]

11. 일본에서의 한 증례보고에서는 하지 통증과 다발성궤양을 동반한 청피반성 혈관염 환자의 치험을 소개하였다. 환자의 하지말단의 오한, 침세한 맥상, 사타구니의 압통 및 허약체질을 근거로 하여 당귀사역가오수유생강탕을 처방하였다. 또, 배꼽 양측에 나타나는 압통과 부종을 수독 및 어혈로 판단하여 당귀작약산을 합방하였다. 또, 배농탕, 천금내탁산, 백주산 등을 번갈아 투여하였다. 그 결과 처방 4개월 후 증통성궤양이 소실되고, 오한이 경감되었다. [崛野雅子. 漢方治療が奏効したリベド血管炎に伴う下肢有痛性多発性潰瘍の一治療例. 日本東洋医学雑誌, 2010;61(1):27-31.]

12. 2万谷直樹, 岡洋志, 渡辺妙子, 等.当帰四逆加呉茱萸生姜湯と 3年間服用し 63 岁にたつて初めて偽アルドステロン症を発症した 1例.日本東洋医学雑誌, 2016;67(1):72-4.

당귀산

경전의 부인질환 처방이며 양혈청혈(養血淸血)방으로 활용되어 왔다. 안태(安胎), 이습(利濕), 지통(止痛), 조경(調經)의 효능이 있다. 임신기, 주산기 및 산욕기의 제질환 치료 및 조리에 사용된다.

[경전배방]

당귀, 황금, 작약, 천궁 각 一斤, 백출 半斤, 이 다섯가지 약물을 공이로 찧어 산(散)으로 만들어 술과 함께 방촌비 분량씩을 복용한다. 하루 두 차례 복용한다.(《金匱要略》)

[경전방증]

부인의 임신 시 상복한다. 출산을 편히 하는 효과가 있으며, 태아에게 병이 생기지 않고 산후 여러 병을 예방할 수 있다(《金匱要略》二十).

[추천처방]

당귀, 황금, 백작약, 천궁, 백출을 2:2:2:2:1 비율로 가루내어 청주나 쌀죽과 함께 1-2 g 복용한다. 하루 한두 차례 복용한다.

[적용 환자군]

체격이 중간정도이거나 마른 편이고 안색이 누렇다. 피부는 건조하며 입술과 혀는 붉다. 열기를 싫어하며 복부의 피부에 열이 있고 월경통이나 복통, 변혈이 보인다.

[적용 병증]

아래의 병증과 위에 서술한 환자군의 특징이 부합하는 경우에 처방의 투약을 고려할 수 있으며, 또한 근거기반의학적 근거에 따른 진단을 통해서도 처방을 활용할 수 있다.

1. 습관성유산, 조기유산, 임신복통, 자궁내성장지연, 산후소변불리 등

[사용상의 주의사항]

이 처방은 고대의 양태(養胎)방이지만 임산부의 불편함이나 태아의 이상이 없다면 꼭 복용할 필요는 없다.

당귀생강양육탕

경전의 한산(寒疝) 및 산후조리 처방으로 양혈산한지통(養血散寒止痛)방으로 활용되어 왔다. 복통을 멎게 하고 월경을 조절하며 허손을 보익하는 효능이 있다. 체중감소, 복통, 월경부조 등이 특징적 소견인 질환에 적용한다. 허약한 여성의 체질적 관리를 위한 처방으로도 활용할 수 있다.

[경전배방]

당귀 三兩, 생강 五兩, 양육 一斤. 이 세가지 약물을 물 八升과 같이 달여 三升이 되도록 하여 七合씩 따뜻하게 하루 세 차례 복용한다. 한증이 많은 환자들에게는 생강을 一斤 가미한다. 통증이 심하고 구역이 있다면 귤피 二兩, 백출 一兩을 더한다. 이 약물들에 생강과 물 五升을 더하여 三升二合이 되도록 달인 뒤 따뜻하게 복용한다.(《金匱要略》)

[경전방증]

한산(寒疝)이 있고 뱃속과 옆구리까지 아프며 이급(裏急)이 보이는 환자(《金匱要略》 20조), 산후에 뱃속이 갑자기 당기면서 아픈 경우와 더불어 뱃속의 한산(寒疝)과 허로부족을 다스린다(《金匱要略》 二十一).

[추천 처방]

당귀 15 g, 생강 25 g, 양육 100 g. 이들 세 약물을 물 1,300 mL
와 같이 달여 450 mL가 되도록 한 뒤 두세 차례에 걸쳐 나누어 따
뜻하게 복용한다. 탕액 본래의 맛은 약간 쓰고 떫기 때문에 총백
이나 술, 소금 등을 조미료로 넣고 고기가 물러질 때까지 달여서
복용하도록 한다.

[방증제요]

허로부족, 복중통

[적용 환자군]

여윈 체형이며 안색이 창백하고 초췌하다. 오한이 있고 찬 기운
을 싫어하며 허리와 무릎이 시리면서 힘이 없다. 설사를 하거나
풀어지는 대변을 본다. 배꼽 주변이나 하복부에 쥐어짜는 듯한 통
증이 있고 통증이 허리와 옆구리까지 뻗친다. 환부에 선풍기 바람
을 맞은 것처럼 찬기운이 돌며 통증이 심하면 구역질을 하기도 한
다. 산후에 많이 보이며 월경불순, 희발월경이나 빈발월경, 월경
량이 적고 색이 검거나 옅은 증상 등이 나타난다. 설질은 옅은 보
라색이며 세맥(細脈)이 있다.

[적용 병증]

아래의 병증과 위에 서술한 환자군의 특징이 부합하는 경우에
처방의 투약을 고려할 수 있으며, 또한 근거기반의학적 근거에 따

른 진단을 통해서도 처방을 활용할 수 있다.

　　1. 유산, 산후복통, 자궁퇴축 지연 등 임신전후의 질환

　　2. 빈혈, 월경통, 난임 등이 나타나는 허로 체질의 개선

[가감 및 합방]

　　1. 묽은 토사물을 토할 경우 생강의 용량을 늘린다.

　　2. 복부에 창만 및 통증이 있을 경우 진피 10 g, 백출 10 g을 더한다.

　　3. 통증이 심할 경우 법제부자 10 g을 더한다.

　　4. 얼굴이 누렇고 부은 용모일 경우 황기 15 g을 더한다.

[주의사항]

자궁근종이 있거나 월경량이 많고 색이 붉다면 신중히 투여한다.

당귀작약산

경전의 부인과 처방이며 양혈유간(養血柔肝), 건비이수(健脾利水)방으로 활용되어 왔다. 복통억제, 월경촉진, 안태 및 양태, 소변 상태의 개선과 함께 머리와 눈을 맑게 하고 대변을 잘 통하게 하여 항문과 장을 편하게 하는 효능이 있다. 현대 연구에서는 중추신경 및 자율신경기능 조절, 혈관이상경련의 완화, 태반발육의 촉진, 난소기능 조절, 항염증, 항노화 등 작용이 확인되었다. 복통, 부종, 어지러움, 두근거림, 갈증 및 소변이상 등을 특징적 소견으로 하는 질환이나 여성의 체질 조리에 적용한다.

[경전배방]

당귀 三兩, 작약 一斤, 천궁 一半斤, 복령 四兩, 택사 半斤, 백출 四兩. 이 여섯가지 약물을 빻아 산(散)으로 만들어 방촌비씩 술에 타서 하루 세 차례 복용한다.(《金匱要略》)

[경전방증]

부인이 임신했을 때 복중에서 갑자기 생기는 당기는 듯한 통증(《金匱要略》二十), 임산부의 복중 제질환(《金匱要略》二十二)

[추천처방]

당귀 10 g, 백작약 30–50 g, 천궁 20 g, 백출 15 g, 복령 15 g, 택사 20 g, 이 약물들을 물 1,100 mL와 같이 달여 300 mL가 되도록 하여 두세 차례에 걸쳐 따뜻하게 복용한다. 혹은 원래 처방의 비율을 따라 가루내어 쌀죽이나 술, 요구르트에 타서 매번 5 g씩 하루 두 차례 복용한다.

[방증제요]

부인과 환자의 복통, 부종, 어지러움, 두통, 설사, 월경부조

[적용 환자군]

여성환자에서 많이 보이는데 안색은 누렇고 피부가 건조하여 광택이 없고 부은듯한 용모 또는 눈그늘과 함께 얼굴의 기미가 보인다. 복벽은 유연하나 하복부에 항상 압통이 있으며 특히 좌하복부에 잦다. 허리와 배가 무거운 느낌이 들며 하지에는 근경련, 감각이상, 위약이 있다. 변비 혹은 설사가 있거나 탈항이 나타나는 경우도 있다. 종종 두통과 어지러움, 두근거림, 근육떨림 등이 있다. 월경주기 이상이나 무월경, 월경통 등이 있거나 월경량이 감소하면서 월경색이 물처럼 옅어지는 소견을 보이기도 한다. 환자는 산후질환, 불임, 유산, 이상태위, 산후의 복통 등이 잦다.

[적용 병증]

아래의 병증과 위에 서술한 환자군의 특징이 부합하는 경우에 처방의 투약을 고려할 수 있으며, 또한 근거기반의학적 근거에 따른 진단을 통해서도 처방을 활용할 수 있다.

1. 월경질환. 월경통(A)[1], 기능성자궁출혈(B)[2], 자궁근종출혈, 황체기능부전(B)[3], 다낭성난소증후군(A)[4], 무월경, 난임 등. 보조생식술의 보조요법으로 활용할 수 있다(A).[5]

2. 주산기질환. 태위부정, 태아발육부전, 습관성유산[6], 조기유산[7], 임신고혈압증후군, 융모막하혈종(B)[8] 등에 처방할 수 있다. 이식후 거부반응에도 활용가능하다.

3. 인지기능장애. 건망형 경도인지장애(B)[9], 알츠하이머(B)[10], 뇌혈관외상후유증(A)[11]

4. 혈관조절장애 관련 질환. 골다공증[12], 갱년기증후군(A)[13,14], 편두통(B)[15,16], 녹내장, 플래머 증후군(Flammer Syndrome)[17]

5. 피부질환. 여드름, 기미, 만성두드러기, 알러지성 피부염, 과민성자반증 등. 편평사마귀에 효과적이었다는 보고도 있다.[18]

6. 누런 안색과 부종이 나타나는 간질환(면역성간질환, 만성간염, 간경화) 및 하시모토병, 철결핍성빈혈(A)[19], 탈항, 치질 등에도 효과적이다.

[가감 및 합방]

1. 월경의 지연, 피로, 누런 안색, 두통 및 경항통 등이 있는 경우 갈근탕을 합방한다.

2. 자가면역성 질환이나 알러지성질환이 자주 재발하고 잘 낫지 않으면서 오한이 있는 경우 소시호탕을 합방한다.

3. 월경부조, 복통이 있다면 계지복령환을 합방한다.

[주의사항]

1. 설사가 있다면 백작약을 적절히 감량한다.

2. 안태를 목적으로 처방하는 경우 저용량 투약한다.

3. 이 처방은 남성에게도 투약할 수 있다.

[각주]

1. 일본의 한 무작위대조 임상시험에서는 기허, 음증에 해당하고, 어혈평가지표가 30점 이상이 되는 40명의 원발성 월경통 여성을 대상으로 당귀작약산을 2주간 투여한 결과 위약에 비해 월경통이 현저하게 개선된 것을 확인하였다. [Kotani N, Oyama T, Sakai I, et al. Analgesic effect of an herbal medicine for treatment of primary dysmenorrhea—a double-blind study. The American Journal of Chinese Medicine, 1997(25):205-12.]

2. 중국의 한 단일군 임상연구에서는 83명의 기능성 자궁출혈 환자에게 당귀작약산(캡슐제)를 3-6개월간 투여한 결과 총 유효율은 91.6%(완치 12례, 완치에 준하는 호전 20례, 현저한 호전 26례, 일정한 호전 18례, 호전없음 7례) 72.2%의 환자는 복용 후 첫 번째 월경주기에서 주요 증상과 징후가 완화되었다. 추가 분석에 따르면 1) 당귀작약산의 효능은 기혈의 허실과 무관하며, 한증 혹은 열증이 없는 환자들은 한증 혹은 열증이 있는 환자에 비해 치료에 대한 반응이 좋았다. 2) 무배란 환자의 완치율은 배란이 있는 환자보다 유의하게 높았다(51.1% 대 22.2%, P<0.05). 3) 월경이 연장된 환자에서 효과가 좋았으며(정상회복율 72.2%), 월경량이 많은 환자에서는 효과가 적었다(정상회복율 21.4%). [刘平, 郭天玲, 刘成, 等. 当归芍药散治疗功能性子宫出血 83例报告-附治疗前后血液流变性和甲皱微循环观察. 中医杂志, 1983(6):27-31.]

3. 일본의 단일군 연구에서는 황체기능부전 여성 7명을 대상으로 당귀작약산을 3개월간 투여한 결과, 5명의 환자에서 중기 황체기에 혈장 estradiol, estradiol-17β 수치가 현저하게 증가했으며 4명은 프로게스테론 수치가 크게 증가했다고 보고하였다. 당귀작약산은 여성월경 고온기의 기저체온에 영향을 미쳐 황체기능부전을 개선할 수 있음을 시사한다. 27명의 정상 여성에서는 당귀작약산이 성호르몬에 큰 영향을 미치지 않는 것으로 나타났다. [Usuki S, Nakauchi T, HIgA S, et al. The improvement of luteal insufficiency in fecund women by tokishakuyakusan treatment. American Journal of Chinese Medicine, 2002(30):327–38.]

4. 일본의 한 무작위대조 임상시험에서는 93명의 희발월경, 무배란증 및 무월경 환자를 대상으로 모든 환자에게 클로미펜을 투약하는 한편, 치료군에 배정된 41명의 환자에게 당귀작약산을 병용투여하였다. 연구 결과 당귀작약산이 추가적으로 배란을 촉진할 수는 없었으나, 프로게스테론과 프로게스테론/에스트라디올 수치를 조절하여 임신을 촉진할 수 있음이 밝혀졌다. [安井敏之, 苛原稔, 青野敏博, ほか. 排卵障害患者に対するクロミフェン・当帰芍薬散併用療法の有用性の検討. 日本不妊学会雑誌, 1995;40:83–91.]

5. 일본에서 실시한 무작위 대조 연구에서 체외수정 치료주기 동안 당귀작약산의 효과를 연구하였다. 체외 인공수정 시술을 받은 93명의 여성을 두 그룹으로 나누어 한 그룹에는 매일 7.5 g의 당귀작약산을 복용하도록 하였고 다른 그룹은 대조군으로 두었다. 두 그룹의 난소 자극 호르몬 투여 일수, 용량, 최종 투여 시 자궁내막 두께, 채취된 난자의 수, 수정란 수, 수정률, 이식된 배아 수 등을 비교한 결과, 당귀작약산의 투여는 명백한 임상적 의의를 나타내지는 못하였다. 단, 난소 자극제 투여량 감소, 배아 이식 실패율 감소, 전이 배아 수 증가에 일정한 효과가 있었다. [藤井俊策, 福士義将, 山口英二, ほか. 体外受精治療周期における当帰芍薬散併用の検討. 産婦人科漢方研究のあゆみ, 1997(14):121–5.]

6. 일본의 한 후향적 연구에서는 두 번 이상의 조기유산 병력이 있는 여성 중 자궁 형태, 갑상선질환 및 염색체이상 환자를 제거한 후 임신 5주 이내에 당귀작약산을 투여해도 조기유산한 환자의 특성을 분석하였다. 이에 해당하는 조기유산여성 38례는 자가면역이상 및 동종면역이상 진단을 받았으며, 자가면역이상 28.9%, 동종면역이상 50%, 자가면역이상 및 동종면역이상 15.8%로 진단받았다. 환자의 5.3%는 원인을 알 수 없었다. 이는 대조군(당귀작약산 미투여군 244례)과 유의한 차이가 없었다. 이를 바탕으로 저자는 당

귀작약산은 자가면역성 습관성 유산에는 효과가 없으며, 당귀작약산이 효과적인 습관성 유산은 황체기능부전 및 과도한 자궁긴장과 관련이 있을 수 있다고 제안하였다. [假野隆司, 土方康世, 清水正彦, 等. 当帰芍薬散は免疫不育症に臨床的に有効か? 日本東洋医学雑誌, 2008;59(2):273-7.]

7. 일본의 한 무작위대조 임상시험에서는 절박유산으로 염산리토드린을 복용한 여성 147명에 대해 당귀작약산의 효과를 검토하였다. 당귀작약산이 리토드린의 부작용에 미치는 영향을 관찰하기 위해 피험자를 78례의 예방투여군(당귀작약산 복용을 리토드린 투여 이전에 개시, 혹은 리토드린과 동시에 투여)과 69례의 후투여군(리토드린 부작용이 나타난 후 당귀작약산 투여)으로 나누었다. 예방투여군에서 두근거림, 빈맥, 저혈압, 떨림, 두통, 안면홍조 등 리토드린의 부작용이 더 적게 나타났기 때문에 리토드린을 충분히 투여할 수 있었다. 따라서, 예방투여군의 유산율이 더 낮게 나타났다. [水野正彦, 佐藤和雄, 森崇英, ほか. 切迫早産管理におけるツムラ当帰芍薬散" E 塩酸リトドリン併用療法の臨床評価.産科と婦人科, 1992(59):469-80.]

8. 일본의 한 증례보고에서는 융모막하혈종으로 인한 질출혈이 있는 임산부 2명을 대상으로 당귀작약산을 투여하였더니 치료 1주 후 출혈이 멈추고 2주 후 혈종이 사라졌다고 보고하고 있다. 저자는 이것이 당귀작약산의 자궁수축억제, 태반혈류 개선 및 항염증 효과와 관련이 있다고 추정하였다. [河野雅洋. 当归芍药散が有効であつた绒毛膜下血肿の二症例. 日本東洋医学雑誌, 2007;58(4):729-34.]

9. 일본의 한 연속증례연구에서는 기억감퇴가 있는 경증인지장애 환자 3례에 대해 당귀작약산을 투여한 결과, 8주 치료 후 인지기능이 향상되었다고 보고하였다. [Kitabayashi Y.Effect of traditional Japanese herbal medicine toki-shakuyaku-san for mild cognitive impairment—a SPECT study. Psychiatry Clin Neurosci, 2007;61(4):447-8.]

10. 일본의 한 연속증례 연구에서 5명의 알츠하이머 환자의 치험을 소개하였다. 이들 모두 당귀작약산을 12개월간 복용한 후 증상의 개선이 있었다. [原田英昭. アルツハイマー病に対する当帰芍薬散の効果. 日本東洋医学雑誌, 1997;47(5):861-7.]

11. 일본의 한 무작위대조 임상시험에서는 뇌혈관사고(cardiovascular accident) 후유증 환자 31명에 대해 고식적 치료를 기본으로 시행하고, 별도로 치료군 16명에 대해 당귀작약산을 1년간 투약하였다. 당귀작약산을 투약한 뇌혈

관사고 후유증 환자들의 뇌기능 및 하지기능의 현저한 개선이 확인되었다. [Goto H, Satoh N, Hayashi Y, et al. A chinese herbal medicine, tokishakuyakusan, reduces the worsening of impairments and independence after stroke: a 1-year randomized, controlled trial. Evid Based Complement Alternat Med. 2011:194046.]

12. 일본에서 실시된 무작위 대조 연구에서는 30례의 난소절제술 후 골다공증이 발생한 여성에 대해 비타민 D_3를 투여하는 한편, 치료군에는 별도로 계지복령환 또는 당귀작약산을 복용하도록 하여 경과를 관찰하였다. 치료 10개월 후 계지복령환과 당귀작약산 모두가 모두 골다공증 개선에서 비타민 D_3의 효능을 더 강화할 수 있었으며 계지복령환은 실증 환자에게, 당귀작약산은 허증환자에게 더 효과적이었다. [太田博明, 根本謙. 1α-hydroxyvitamin D_3と漢方薬の併用投与による卵摘後骨塩量減少の抑制効果−桂枝茯苓丸と当帰芍薬散の比較検討−. 産婦人科漢方研究のあゆみ, 1990(7):65−70.]

13. 일본의 한 무작위대조 임상시험에서 갱년기장애 환자 113명을 대상으로 당귀작약산, 홍삼분(粉), 당귀작약산과 홍삼 동시복용군으로 나누어 4주간 투여한 결과, 당귀작약산의 효과는 홍삼에 미치지 못했다. 당귀작약산과 홍삼 동시 복용군의 증상개선이 가장 뚜렷했다. [寒川慶一, 荻田幸雄. 更年期障害と薬用人参. 治療学, 1994(28):57−62.]

14. 일본에서 실시한 무작위 대조 연구에서는 갱년기장애 환자 170명을 대상으로 호르몬대체요법(HRT)의 효능을 한약(당귀작약산, 계지복령환, 가미소요산) 투여와 비교하였다. 연구 결과 환자의 전반적인 치료 효과는 비슷하지만(78% 대 68.6%), 2등급 이상의 증상 호전율은 HRT(83% 대 21.4%)에서 더 좋았다. 당귀작약산, 가미소요산, 계지복령환을 변증없이 투여할 때 세 처방의 효과는 유사하다. [高松潔.更年期障害に対する漢方療法の有用性の検討−三大漢方婦人薬の無作為投与による効果の比較−. 産婦人科漢方研究のあゆみ, 2006(23):35−42.]

15. 일본의 연속증례연구에서는 당귀작약산이 효과적이었던 편두통 11례를 분석하여, 이 처방은 여성의 월경, 갱년기와 관련있는 편두통, 냉증, 두중감, 현훈이 있는 환자에게 적합하다는 점을 보고하였다. [木村容子, 杵渊彰, 稲木一元, 等. 当帰芍薬散が有効な头痛の症例について. 日本東洋医学雑誌, 2011;62(5):627−33.]

16. 일본의 연속증례연구에서는 월경 중 심한 편두통을 호소하는 갱년기 여성

5명의 치험을 소개했으며, 그 중 2명은 긴장성 두통, 1명은 약인성 두통 환자였다. 이들에게 트립탄은 효과가 없었고, 당귀작약산 복용 후 통증의 빈도와 중증도가 현저하게 감소했다. [Akaishi T, Takayama S, Ohsawa M, et al. Successful treatment of intractable menstrual migraine with the traditional herbal medicine tokishakuyakusan. Jgen Fam Med, 2019;20(3):118–21.]

17. 플래머 증후군(Flammer Syndrome)은 일종의 원발성 혈관이상으로 다발성 경화증 등의 질환과 관련이 있다. 일반적으로 여성, 낮은 체질량 지수, 팔다리의 냉증, 저혈압 등의 전형적인 임상 소견이 나타나며, 때때로 정상안압 녹내장과 같은 심각한 합병증이 나타나기도 한다. 일본에서의 한 증례보고에서는 플래머 증후군을 앓고있는 42세 남성이 당귀작약산을 복용한 후 상태가 개선된 사례를 소개하고 있다. [Kikuchi A, ShIgA Y, Takayama S, et al. Traditional medicine as a potential treatment for Flammer syndrome. EPMA J, 2017;8(2):171–5.]

18. 한국의 증례보고에서는 심상성 사마귀를 앓고 있는 29세 여성의 증례를 보고했는데, 기존 치료법(디페닐사이클로프로페논, 트레티노인, 이미퀴모드 포함)은 효과가 없었고, 병의 경과는 11년이었다. 환자가 당귀작약산 가의이인을 복용한지 4개월이 지난 후 사마귀가 사라졌고, 약물 중단 후 3년이 지나도 재발하지 않았다. [Byun AR, Kwon S, Kim S. Administration of Herbal Complexes, Dangguijakyak–san (TJ–23) and Coix Seeds, for Treating Verruca Planae: A Case Report. EXPLORE: The Journal of Science and Healing, 2016;12(1):65–7.]

19. 일본에서 실시한 무작위 대조 연구에서는 자궁근종과 월경과다로 인한 경증 내지 중등도의 철결핍빈혈 여성 25명을 대상으로, 치료군 10명에게 당귀작약산을, 대조군 15명에게는 철분을 섭취하도록 했다. 8주간의 치료 후 당귀작약산 투여군에서 빈혈의 객관적 지표에 대한 뚜렷한 변화는 없었으나 빈혈 관련 증상(오한, 창백한 안색, 손가락 손톱, 어지러움) 및 과다월경과 월경통에 대한 현저한 개선이 있었다. 특별한 부작용은 없었다. [Akase T, Akase T, Onodera S, et al. A comparative study of the usefulness of tokishakuyakusan and an oral iron preparation in the treatment of hypochromic anemia in cases of uterine myoma. Yakugaku Zasshi, 2003(123):817–24.]

대건중탕

경전의 허한복통 처방이며 온중산한(溫中散寒)하는 처방으로 쓰여왔다. 통증과 구역질을 억제하는 효능이 있다. 현대 연구에서는 장관미세순환 개선, 장유동 촉진 및 장관문합치유 촉진, 장내 미생물총 조절, 수술 후 위장기능 회복 작용이 있다. 복부의 냉통(冷痛)을 특징으로 하는 소화기 질환에 적용한다.

[경전배방]

촉초 二合(去汗), 건강 四兩, 감초 二兩. 이 세가지 약물을 물 四升과 함께 같이 달여 二升이 되도록 하여 찌꺼기를 제거하고 교이 一升을 넣어 약한 불에 달여 一升半을 취해 두 차례에 나누어 따뜻하게 복용한다. 밥을 한끼 짓는 정도의 시간 후 죽 二升을 먹은 후 다시 한차례 복용하도록 하고 하루 정도는 따뜻한 죽을 먹는다.

[경전방증]

심흉중(心胸中)에 매우 찬 느낌의 통증이 있고 구역질이 나서 음식을 먹을 수가 없다. 복부의 찬 기운이 상충(上衝)하여 피부가 머리와 발이 달린 것처럼 일어나면서 위아래로 통증이 있어서 만질수가 없다.(《金匱要略》十)

[추천 처방]

촉초 10 g, 건강 20 g, 인삼 10 g, 맥아당 50 g. 이들을 물 900 mL와 같이 달여 200 mL가 되도록 달인 뒤, 찌꺼기를 제거하고 맥아당을 넣는다. 하루 동안 두 번에 나누어 복용한다. 복용 후 따뜻한 죽 한사발을 마시고 이불을 따뜻하게 덮고 찬바람을 피한다.

[방증제요]

구토와 복통이 있고 복부가 차가우면서 부풀어 올라있거나 종괴가 있는 경우

[적용 환자군]

몸이 말랐고 안색이 창백하며 입술과 혀는 어둡고 옅은 색조를 띤다. 발작성 연동항진으로 인한 만성복통이 있고, 항상 종괴나 연동운동으로 복부가 융기되어 있다.

복부는 편평하고 연약하여 배 밑바닥 같다. 배꼽 중심으로 복부 냉감이 있고 피부의 온도가 저하되어 있다(B).[1] 맥은 공대무력(空大無力)하거나 세연(細軟)하다.

[적용 병증]

아래의 병증과 위에 서술한 환자군의 특징이 부합하는 경우에 처방의 투약을 고려할 수 있으며, 또한 근거기반의학적 근거에 따른 진단을 통해서도 처방을 활용할 수 있다.

1. 개복술 후 위장관 운동 이상이 나타나는 경우(A).[2,3] 식도암

수술 후 위장기능 회복(A)[4], 간암 수술 후 회복(A)[5], 간이식 후 회복(A)[6] 등에 처방한다. 다만 현재의 근거들은 대건중탕이 췌장십이지장절제술 후의 마비성 장폐색을 예방하는 효과가 있을 것이라는 가설을 지지하지 않는다.[7]

2. 복통이 주요 소견으로 나타나는 질환. 난치성장염[8], 크론병(B)[9], 장기능이상, 장염전, 장유착, 장폐색(B)[10], 탈장, 췌장염, 복막염, 담도회충, 직장궤양, 방사선성 장염[11,12] 등. 현재의 근거들은 과민성대장증후군 치료에 대한 이 처방의 투여를 뒷받침하지 않는다(A).

3. 구토가 주요 소견으로 나타나는 질환. 만성위염, 위궤양, 위확장, 위하수, 위, 식도역류 등에 활용한다. 흡인성폐렴을 예방할 수 있다(B).[13]

4. 변비가 주요 소견으로 나타나는 질환. 만성 변비(B)[14], 임산부 변비(B)[15], 아동직장항문수술 후 변비(B)[16,17], 뇌졸중 후 변비(A)[18], 파킨슨 및 다계통위축증(multiple system atrophy)에서의 변비(B)[19], 장기지속형 항콜린성 약물[20] 및 모르핀[21]에 의한 변비. 이 처방은 설사에도 쓸 수 있다.[22]

[가감 및 합방]

1. 대변이 건조하고 덩어리지며 단 음식을 좋아하는 환자에게는 소건중탕을 합하여 처방한다.

2. 통증이 극심하고 식은땀이 나는 경우 부자 10 g을 더하거나 부자갱미탕을 합하여 처방한다.

[주의사항]

1. 이 처방은 투여용량이 과도할 경우 마른기침, 부종, 방광염, 트림 등의 부작용이 나타날 수 있다.

2. 일본 연구자인 타츠야 히로세(Tatsuya Hirose)의 연구에 따르면 대건중탕 투여 후 설사, 수양변 등이 발생하였다는 보고가 있다.

3. 일본에서는 이 처방에 의한 급성 국한성 발진성 농포증이 보고되었다.[23]

[각주]

1. 일본의 후향적 연구에 따르면 배꼽을 중심으로 한 복부의 냉감(즉, 환자의 손바닥으로 배꼽을 만지면 배꼽을 중심으로 한 부위의 피부 온도가 낮음) 이 대건중탕 투여의 주요 지표이므로 소화기증상이 없더라도 대건중탕이 유효하다고 한다. 대건중탕의 효과는 복진, 맥상과 무관하게 나타났다. [犬塚央, 貝沼茂三郎, 山田彻, 等. 大建中湯の腹証における「腹中寒」の意義. 日本東洋医学雑誌, 2008;59(5):715-9.]

2. 2019년에 3개의 무작위 대조 연구에 대한 하위 그룹 분석에는 장, 간, 위 질환으로 개복술을 받은 후 지속성 장폐색이 발생한 410명의 환자와 의대건중탕(과립, 매회 5 g, 일 세 차례 투여)을 복용한 214명의 환자가 포함되었다. 196명은 위약을 복용했다. 이에 대건중탕은 첫 배변 시간을 크게 단축(p=0.004; 위험비 1.337)할 수 있으며 수술 후 첫 배변까지의 중앙 시간(99.1 대 113.8시간)을 크게 단축할 수 있는 것으로 나타났다. [Kono T, Shimada M, Nishi M, et al. Daikenchuto accelerates the recovery from prolonged postoperative ileus after open abdominal surgery: a subgroup analysis of three randomized controlled trials. Surg Today, 2019;49(8):704-11.]

3. 2017년 메타분석에는 1,134명의 피험자를 대상으로 한 7건의 임상연구가 포함되어 있으며, 이 연구는 수술 전후에 대건중탕을 복용하면 위장관 종양 수술 후 장폐색 발생률을 줄일 수 있다고 보고하였다(11.4% 대 15.9%). [Ishizuka M, Shibuya N, Na gata H, et al. Perioperative Administration of Traditional Japanese Herbal Medicine Daikenchuto Relieves Postoperative

Ileus in Patients Under going Surgery for gastrointestinal Cancer: A Systematic Review and Meta−analysis.Anticancer Research, 2017;37(11):5967−74.]

4. 일본에서 시행된 한 무작위 대조 연구에 따르면 식도암으로 식도전절제술을 받은 39명의 환자를 대상으로, 이 중 19명의 환자에 대하여 수술 다음 날부터 21일 후까지 대건중탕을 위장에 주입했다. 그 결과 수술 후 21일째, 치료군에서의 체중감소 발생률은 유의하게 감소(3.6% 대 7.0%, p=0.014)하였으며, 위장 기능과 알부민 및 C−반응성 단백질 수준에는 유의한 영향이 없었다. [Nishino T, Yoshida T, goto M, et al. The effects of the herbal medicine Daikenchuto (TJ−100) after esophageal cancer resection, open−label, randomized controlled trial. Esophagus, 2018;15(2):75−82.]

5. 일본에서 시행된 임상 3상시험에서는 간암으로 간절제술을 받은 209명의 환자를 대상으로, 치료군 108명에게 수술 3일 전부터 수술 후 10일까지 대건중탕을, 대조군 101명에게는 위약을 투여하였다. 이에 대건중탕 투여가 수술 후 첫 장운동까지 걸리는 시간을 크게 단축시킨 것으로 나타났다[88.2시간(95% CI 74.0−94.1) 대 93.1시간(95% CI 83.3−99.4)]. 따라서 대건중탕이 간암 수술 후 위장 운동 장애를 개선할 수 있음을 확인되었다. [Shimada M, Morine Y, Na gano H, et al. Effect of TU−100, a traditional Japanese medicine, administered after hepatic resection in patients with liver cancer: a multi−center, phase III trial (JFMC40−1001). International Journal of Clinical Oncology, 2015;20(1):95−104.]

6. 일본에서 실시한 무작위 대조 연구에 따르면 112명의 간이식 환자가 연구 대상으로 등록되었으며 이 중 55명은 수술 후 1일차부터 14일차까지 대건중탕을 투여받았고, 49명의 환자는 위약을 복용했다. 수술 후 대건중탕을 투여한 결과 음식 섭취량이 증가하고 간으로의 혈액 공급이 증가하며, 문맥의 혈류와 속도가 증가하였다. [Kaido T, Shinoda M, Inomata Y, et al. Effect of herbal medicine daikenchuto on oral and enteral caloric intake after liver transplantation: a multicenter, randomized controlled trial. Nutrition, 2018(54):68−75.]

7. 일본에서의 다기관, 무작위 배정, 이중맹검, 위약 대조 임상 2상 시험(JAPAN−PD 연구)에서는 췌장십이지장절제술 후 224명의 환자에서 대건중탕 투여군 112명과 위약 투여군 112명으로 나누어 경과를 관찰하여다. 그 결과 두 그룹의 마비성 장폐색 발생률은 비슷하고(33.7% 대 36.%, P=0.626) 수술 후 첫 번째 공기 배출 시간도 비슷했다[2.25(2.00−2.50)일 대

2.50(1.50−2.50)일. P=0.343]. 단, 유문이 보존된 23명의 환자 중 대건중탕을 복용한 환자들은 첫 방귀 시간이 상대적으로 짧았다[0.50(0.50−1.00)일 대 1.50(0.50−3.00)일. P=0.034]. [Okada K, Kawai M, Hirono S, et al. Evaluation of the efficacy of daikenchuto (TJ−100) for the prevention of paralytic ileus after pancreaticoduodenectomy: A multicenter, double−blind, randomized, placebo−controlled trial. Surgery, 2016;159(5):1333−41.]

8. 일본의 한 증례보고에서는 장 스피로헤타균 감염 환자를 소개했는데 만성 설사, 복부팽창, 장내 가스 등의 징후에 따라 대건중탕을 투여하여 좋은 결과를 얻었다고 한다. [岩田健太郎, 梅本善哉, 神澤真紀, 等. 腸管スピロヘータ症治療に大建中湯エキスを用いた一例. 2013;64(1):27−31.]

9. 일본에서의 후향적 분석에서는 수술을 받은 크론병 환자 258명에 대해 수술 후 재발 방지를 위한 5−아미노살리실산, 아자티오프린, 대건중탕 투여군의 경과를 검토하였다. 그 결과 3년간 재수술율은 대건중탕 투여군에서 가장 낮았다(14.8% 대 29.6%, P=0.0049). [Kanazawa A, Sako M, Takazoe M, et al. Daikenchuto, a traditional Japanese herbal medicine, for the maintenance of surgically induced remission in patients with Crohn's disease: a retrospective analysis of 258 patients. Surg Today, 2014;44(8):1506−12.]

10. 일본에서의 연속증례에서는 장폐색을 동반한 급성 복증 3례를 소개하였다. 이들 모두 소장에 심한 복통과 가스가 동반되었으며, 대건중탕 투여 후 상태가 호전되었다. 저자는 급성복증에 대건중탕을 일 5 g(과립제 용량) 이하로 투여하는 것은 효과가 없다고 설명하였다. [中永士師明. 救急外来において大建中湯が奏功した三症例. 日本東洋医学雑誌, 2008;59(1):77−81.]

11. 일본에서의 한 증례보고는 56세 자궁경부암 여성 환자 수술 후 전골반 방사선 조사 요법을 받았으며 방사선치료 후 12개월 후에 복부팽만, 설사, 변비, 이급후중이 발생했다고 소개했다. 환자는 위장관 운동이 항진되어 식이조절, 프로바이오틱스 및 마그네슘요법을 받아도 효과가 없었다고 한다. 이 환자에게 대건중탕 과립을 1회당 2.5 g 용량으로 매일 세차례 복용하도록 한 결과 한 차례의 복용만으로 항진되었던 위장관 운동이 안정화되었으며 2일 후에는 복부팽만이 줄어들었다. 3개월 후에는 방사선장염이 완전 관해된 것을 CT로 확인할 수 있었다. [Takeda T, Kamiura S, Kimura T. Effectiveness of the Herbal Medicine Daikenchuto for Radiation−Induced Enteritis.J Altern Complement Med, 2008;14(6):753−5.]

12. 일본에서의 한 증례보고는 자궁경부암에 대한 방사선치료 후 발생한 장염 환자의 사례를 소개했다. 환자는 복부팽만감, 복통, 복부냉감 등 표적증상을 근거로 대건중탕을 투여받았고, 5주 치료 후 복통 및 복부팽만감이 개선되었으며, 9주 후에는 대부분의 복부 증상이 사라지는 한편, 소복불인 증상도 소실되었다. 환자는 이후에도 증상 조절을 위해 간헐적으로 대건중탕을 복용하였다. 저자는 대건중탕이 복부혈류를 증가시켜 방사선치료 후 장관의 미세순환장애를 개선한다고 추정하였다. [梶山広明. 大建中湯が有効であると考えられた子宮頸癌治療後放射線腸炎の1例. 日本東洋医学 雑誌, 2018;69(2):173-7.]

13. 일본의 한 연속증례에서는 위루 또는 비위관급식과 재발성 흡인성 폐렴을 가진 4명의 환자의 치험을 소개했으며, 환자들은 대건중탕 복용 후 위 내용물의 역류가 감소하고 흡인성 폐렴의 발작이 감소했다. 저자는 대건중탕의 두 가지 메커니즘이 있다고 추정하였다. 첫 번째는 하부 소화관의 연동을 촉진하여 위장에서 미즙(chyme)의 체류시간을 줄이는 것이고, 두 번째는 연하반사를 개선하여 타액의 오인(誤咽)을 방지하는 것이다. [深谷良, 海老澤茂, 千々岩武陽, 等. 経管栄養開始後の嚥下性肺炎に対し大建中湯が著効した4例. 日本東洋医学雑誌, 2010;61(3):313-8.]

14. 일본에서는 33명의 만성변비 환자에 대해 후향적 관찰연구를 수행했는데 이 중 22명은 대건중탕을 저용량 투약(1일 7.5 g)하였고 11명에게는 고용량 투약(1일 15 g)하였다. 환자의 배변 빈도는 대건중탕 투여 후 증가하였다 (치료 전 주 두 차례에서 치료 후 1, 2, 3, 4주 각각 5, 5.5, 5, 8회). 특히 고용량 투여군의 배변 빈도는 저용량 그룹보다 유의하게 높았다. [Hirose T, Shinoda Y, Kuroda A, et al. Efficacy and Safety of Daikenchuto for Constipation and Dose-Dependent Differences in Clinical Effects. Int J Chronic Dis, 2018;2018:1296717.]

15. 일본에서 실시한 단일군 연구에 따르면 변비가 있는 임산부 20명을 대상으로 한 연구에서 대건중탕 투여 후 당일에 배변이 호전되었고 28일 후 시점에서 변비 점수가 현저하게 개선되었으며, 뚜렷한 부작용은 없었다고 한다. [Tsuda H, Kotani T, SumIgAma S, et al. Efficacy and safety of daikenchuto (TJ-100) in pregnant women with constipation. Taiwanese Journal of Obstetrics and gynecology, 2016;55(1):26-9.]

16. 일본에서 실시한 단일군 연구에서는 변비가 심한 어린이 10명과 항문기형으

로 심한 변비가 있는 어린이 5명을 대상으로 3–12개월 동안 0.3 g/kg/d 용량의 대건중탕을 투여하였다. 대건중탕은 변비를 크게 개선했으며 직장 항문 압력계를 통해 대건중탕이 장 유동 및 장관의 분변저장 기능을 향상시키는 것을 확인할 수 있었다. [Kobayashi K, Yokoi Y, Konishi H. Effects of Herbal Medicine Dai–Kenchu–To on Anorectal Function in Children with Severe Constipation. European Journal of Pediatric Surgery, 2007;17(2):115–8.]

17. 일본에서 실시한 단일군 연구에서는 직장 및 항문 기형 수술 후 난치성 변비가 있는 6명의 어린이를 대상으로 평균 128일 동안 0.3 g/kg/d 용량으로 대건중탕을 투여하였다. 대변 유량계를 통한 측정 결과 배출율과 대변유속이 크게 증가하여 대건중탕이 직장 및 항문 기능을 향상시킬 수 있음을 시사하였다. [Takagi A, Yagi M, Tanaka Y, et al. The Herbal Medicine Daiken-chuto Ameliorates an Impaired Anorectal Motor Activity in Postoperative Pediatric Patients With an Anorectal Malformation–A Pilot Study. International surgery, 2010;95(4):350–5.]

18. 일본에서 실시한 한 무작위 대조 연구에서는 뇌졸중 후 변비 환자 34명을 대상으로 기존 치료법을 시행하는 한편, 추가적으로 17명에게 4주간 대건중탕을 투여하였다. 그 결과 대건중탕의 병용투여를 통해 현저히 개선된 변비 점수(배변 빈도 포함)를 확인할 수 있었다. 단순 복부 방사선 사진상 장내 가스 부피의 분명한 감소가 나타났다. [Numata T, Takayama S, Tobita M, et al. Traditional Japanese medicine daikenchuto improves functional constipation in poststroke patients. Evid Based Complement Alternat Med, 2014;231258.]

19. 일본의 한 단일군 연구에서는 파킨슨병 환자 6명, 다계통 위축 환자 4명, 변비가 있는 환자 10명(9명은 배변 빈도 감소, 10명은 배변 곤란, 2명은 간헐적 대변실금)을 대상으로 대건중탕을 12주간 투여한 결과, 모든 환자의 변비가 호전되었고 1례의 대변 실금이 개선되어, 대건중탕이 배변을 크게 개선할 수 있음을 보였다. [Sakakibara R, Odaka T, Lui Z, et al. Dietary herb extract Dai–kenchu–to ameliorates constipation in parkinsonian patients (Parkinson's disease and multiple system atrophy). Movement Disorders, 2005;20(2):261–2.]

20. 장기간 지속되는 항콜린성약물(LAMA)을 사용하는 노인 COPD 환자는 종종 LAMA 사용에 영향을 미치는 위장 증상과 변비를 경험한다. 일본의 후향적 연구에 따르면 이와 같은 환자에게 대건중탕을 병용투여하면 LAMA에 의한 위장 반응이 개선되고 약물중단이 감소하여 COPD 급성 발작

의 재입원 비율과 사망률이 크게 감소할 수 있다. LAMA를 사용하지 않는 COPD 환자에서는 대건중탕 투여가 영향을 주지 못하였다. [Jo T, Michihata N, Yamana H, et al. Reduction in exacerbation of COPD in patients of advanced age usin g the Japanese Kampo medicine Dai-kenchu-to: a retrospective cohort study. Int J Chron Obstruct Pulmon Dis, 2018(14):129-39.]

21. 일본에서 실시한 단일군 연구에서는 모르핀을 진통제로 사용한 후 변비가 나타난 암성통증 환자 7명에 대해 대건중탕 투여 결과 변비 점수가 4례에서는 감소하였고, 3례에서는 변화가 없었다고 보고하였다. 효과가 있는 환자와 반응이 없는 환자 모두 정상인에 비해 약물을 복용하기 전 혈장 모틸린 농도가 낮았지만, 약물 복용 후 유효군에서는 혈장 모틸린 농도가 정상 수준으로 올라 갔고 CGRP 농도도 크게 증가한 반면, 비효과군에서는 차이가 없었다. 두 그룹에서 VIP 및 substance P의 농도에는 큰 변화가 없었다. 이를 바탕으로 저자는 대건중탕이 소화관에서 모틸린과 CGRP의 농도를 증가시켜 변비를 개선한다고 추정하였다. [Sato Y. Improvement effect of Daiken-chuto on morphine-induced constipation through gastrointestinal peptides. Nihon Yakurigaku Zasshi. 2014;143(3):120-5.]

22. 일본에서의 한 증례보고는 하루 10회 이상 묽은 설사를 하면서 오한이 있고 뜨거운 음식을 좋아하며, 뚜렷한 복통을 비롯하여 복진상 복부냉감 및 유동불안이 없는 노인 여성의 사례를 소개하였다. 서양의학적 검사에서 저단백 혈증과 부종이 나타났으며 소화 내시경 검사에서 소장과 대장의 비특이적 염증을 관찰되었고, 복부 CT상 소장과 대장의 경미한 팽창과 다량의 장내 체액 저류를 확인할 수 있었다. 변증상 허한증으로 부자갱미탕, 진무탕, 사역탕, 감초사심탕 등이 효과가 없었으나 대건중탕 투여 후 3일째 형태를 갖춘 대변을 볼 수 있었으며, 이후 빠르게 정상으로 회복되었다. 저자는 이 증례에서 대건중탕이 효과적인 이유를 환자의 설사가 장내 수분과 가스의 정체 및 장연동기능장애와 관련이 있었기 때문이라고 추정하였다. [村井政史, 田原英一, 大田静香, 等. 大建中湯が奏効した難治性下痢症の一例. 日本東洋医学雑誌, 2010;61(2):180-4.]

23. Tsutsumi R, Yoshida Y, Adachi K, et al. Acute localized exanthematous pustulosis caused by a herbal medicine, dai-kenchu-to. Contact Dermatitis, 2018.

대반하탕

경전의 반위(反胃) 처방이며 윤조강역(潤燥降逆)방으로 활용되어왔다. 지구(止嘔), 윤조(潤燥), 리허(理虛)의 효능이 있다. 재발성 구토 증상이 나타나는 허약체질 환자로 뚜렷한 소모성 질환 소견이 보이는 환자에게 투약한다.

[경전배방]

반하 二升(완전히 세척하여 쓴다), 인삼 三兩, 백밀 一升, 위 세개 약물을 물 一斗二升과 꿀을 더해 240회 저은 것에 달여 二升半을 취하고 따뜻하게 一升을 복용한 후 남은 것을 두 차례에 걸쳐서 복용한다.

[경전방증]

위반구토(《金匱要略》十七). 위반으로 음식을 복용할 수 없고, 먹으면 바로 구토한다(《千金要方》). 심하비경을 동반하는 구토를 치료한다(《外臺秘要》).

[추천처방]

강반하 15–50 g, 생쇄삼 15 g, 혹은 당삼 30 g, 봉밀 250 g, 물 800 mL에 봉밀을 물과 고루 섞은 다음에 약물을 넣어 달인다. 150 mL가 되도록 달여 하루에 두 번 나누어 복용한다. 복약 시에는 소량을 천천히 넘겨가며 복용한다.

[방증제요]

여윈 환자가 그치지 않고 구토를 하는 경우

[적용 환자군]

여윈 체격으로 윗배가 널판지 같으며 탄력이 없다. 혀에 설태가 전혀 없어 광택이 돈다. 구토가 반복되며 음식을 섭취한 후 즉시 토하는 것이 하루 종일 지속된다. 식욕이 없거나 대변이 건조하게 덩어리져서 잘 나오지 않으며 혹 숨이 차고 기운이 없는 경우도 있다. 장기간의 금식, 고한(苦寒)한 공하약물을 지속적으로 투약한 경우, 항생제의 대량복용, 장기간의 투병으로 허약한 환자나 고령의 환자 등에서 많이 볼 수 있다.

[적용 병증]

아래의 병증과 위에 서술한 환자군의 특징이 부합하는 경우에 처방의 투약을 고려할 수 있으며, 또한 근거기반의학적 근거에 따른 진단을 통해서도 처방을 활용할 수 있다.

1. 소화기계 질환으로 열격(噎膈), 위염, 불완전 유문협착증, 분문이완불능증, 위식도역류질환, 장유착 등

2. 소화기 질환이 아니더라도 신경성구토, 항생제구토, 방사선요법 후 위장관반응, 임신성구토 등에 활용할 수 있다. 두통, 구토를 동반하는 중증녹내장에도 쓸 수 있다.

[주의사항]

1. 백밀은 "약물의 기운을 완화시키고, 비기(脾氣)를 보충하므로"(《經方例釋》) 이 처방에는 봉밀이 반드시 들어가야 한다.

2. 이 처방은 오래 달여야 한다. 이와는 별도로 탕전을 시작하기 전에 봉밀과 물을 충분히 혼합해야 한다.

대승기탕

경전의 양명병 처방으로, 전통적인 준하열결(峻下熱結)방이다. 대변을 통하게 하여 복만을 제거하며 섬어(譫語)를 해소하는 효과가 있다. 현대 연구에서는 장관의 흥분, 장관 유동 촉진, 장 용적과 장관혈류 개선, 장점막보호, 내독소혈증 및 다장기부전 등에 대한 예방 등의 작용이 확인되어 있다. 발열성질환이나 중증 외상의 극성기 더부룩함, 복만증, 설조(舌燥), 변비, 정신혼미 등의 소견을 보이는 다양한 내상잡병에 널리 활용한다.

[경전배방]

대황 四兩, 후박 半斤, 지실 五枚, 망초 三合. 이 네가지 약물을 물 一斗와 같이 하여 먼저 대황, 후박을 달여 五升이 되도록 한 뒤, 찌꺼기를 제거하고 대황을 넣은 채 다시 달여 二升이 되도록 한다. 다시 찌꺼기를 제거하고 망초를 넣고 다시 약한 불로 한두 번 끓어오르게 한다. 두 번에 나누어 따뜻하게 복용하는데, 변이 나오면 복용을 멈추도록 한다.(《傷寒論》《金櫃要略》)

[경전방증]

양명병으로 맥이 지(遲)하고 땀은 나지만 오한이 나지 않는 자는 반드시 몸이 무겁고 호흡이 가쁘며 배가 그득하면서 숨이 차면서 조열(潮熱)까지 있다 … 손발에 땀이 줄줄 난다(《傷寒論》 208

조). 변비와 배가 그득한 증상 및 섬망을 치료하는 효능이 있다. 상한에 토하거나 사하(瀉下)시킨 후에 풀리지 않고 5, 6일간 대변을 못보았다. 10여 일이 지나서는 저녁이면 조열이 나고 오한이 나지 않으며 귀신처럼 혼잣말을 하고 심한 경우 사람을 알아보지 못하며 옷과 이불을 만지작거리고 불안해한다. 숨이 약간 차고 시선이 고정된다. 맥이 현(弦)하면 살고 삽(澁)하면 죽는다. 맥이 미(微)하고 단지 열이 나면서 헛소리를 할 경우에는 대승기탕으로 다스려야 한다. 만일 한번 복용하여 대변이 나오면 복약을 멈춘다(《傷寒論》212조).

크게 사하(瀉下)시킨 후 6, 7일간 대변이 없고 답답한 것이 낫지 않으며 배가 그득하고 아프다(《傷寒論》241조). 환자가 소변이 잘 나오지 않고 배변이 잘 될 때도 있고 안될 때도 있으며 가끔 미열이 있고 숨이 차며 어지러워 눕지 못한다(《傷寒論》242조). 상한 6, 7일에 눈이 잘 안보이고 눈동자가 잘 움직이지 않으며 표리증이 없고 배변이 잘 안되며 몸에 미열이 있는 것은 실증이다. 급히 사하(瀉下)해야 하므로 대승기탕이 적당하다(《傷寒論》252조). 양명병으로 발열이 있고 땀이 많은 환자(《傷寒論》253조). 땀을 내도 풀리지 않고 복만통이 있는 환자(《傷寒論》254조). 복만 증상이 변화가 없거나, 약간만 줄어든 환자(《傷寒論》255조). 설사… 맥활삭(滑數)한 환자(《傷寒論》256조). 소음병 2, 3일에 입이 마르고 인후가 건조한 환자(《傷寒論》320조). 소음병에 묽은 설사(清水自利)를 하는데 색이 푸르고 심하부가 아프고 입이 건조한 환자(《傷寒論》321조). 소음병 6, 7일째 복부창만하지만 대변을 보지 못하는 환자(《傷寒論》 322조). 설사가 있고 삼부맥은 모두 평(平)하며 심하부가 단단한 환자(《金匱要略》 十七). 설사가 있고 맥은 지활(遲滑)한 환자(《金匱要略》 十七). 설사하는데 맥은 활한 환자(《金匱要略》 十七). 경병(痙病)에서 가슴이 답답하고 입을 열지 못하며 제대로 누울 수도 없고 다리가 뻣뻣하면서 이를 갈 때는 대승기탕을 투여하는 것이 좋다(《金匱要略》 十七).

[추천 처방]

생대황 20 g, 후박 30 g, 지실 20 g, 지각 30 g, 망초 10 g을 물 1,100 mL와 같이 달여 먼저 지실, 지각, 후박을 같이 달인 뒤에 탕액이 500 mL가 되었을 때 대황을 넣어 300-400 mL가 되도록 달인 뒤 망초를 섞어 두 차례에 나누어 복용한다. 대변이 통하면 복용을 중단한다.

[방증제요]

복만통, 변비, 섬어(譫語), 의식혼탁, 번조불안, 극심한 두통, 발열, 다한, 맥활삭(脈滑數), 구강건조

[적용 환자군]

복부 전체에 심한 창만(脹滿)소견이 보이고 손으로 누르면 뚜렷한 저항감 및 반사적인 근경직이 일어난다. 대변이 굳어 변비가 수일씩 풀리지 않고 방귀냄새가 매우 심하며, 냄새가 심한 묽은 변이나 점액변을 보는 경우도 있다. 고열이나 조열 소견이 있고

손발이 축축하게 젖을 정도로 땀이 난다. 혼수상태이거나 의식이 혼탁하며 말에 두서가 없고 답답함과 불안을 호소한다. 경과가 대부분 위중하다. 설진상 망자설(芒刺舌) 소견이나 열문(裂紋)이 보인다. 설태는 누렇고 두껍게 껴있으며 건조하거나 찐득거리기도 하고 솥에서 밥이 탄 것처럼 새카만 경우도 있다. 맥은 침실유력(沈實有力)하거나 활삭(滑數) 또는 삭(數)하면서 연(軟)한 소견을 보인다.

[적용 병증]

아래의 병증과 위에 서술한 환자군의 특징이 부합하는 경우에 처방의 투약을 고려할 수 있으며, 또한 근거기반의학적 근거에 따른 진단을 통해서도 처방을 활용할 수 있다.

1. 중증의 복창만 및 통증, 대변불통 소견이 보이는 급성질환. 1) 유착성장폐색[1], 회충성장폐색, 분석성장폐색, 마비형장폐색[2]과 같은 급성복증, 십이지장폐색증(B)[3], 수술 후 위장기능장애(A)[4], 급성췌장염(A)[5], 급성담관염(A)[6], 2) 기타 중증질환. 급성폐렴, 폐성심에서의 우심부전에 의한 위장기능장애[7], 지속성 고열이 나타나는 장티푸스, 인플루엔자, 홍역 및 뇌염 등(B)[8], 급성호흡곤란증후군(A)[9,10], 간성혼수(A)[11], 다발성 장기부전 등.

2. 번조, 대변불통을 주요 증상으로 하는 질환. 여기에는 조울증, 정신분열증(B)[12], 고혈압, 쿠싱증후군, 비만증, 소화불량, 치통, 두통, 안면경련[13], 파상풍, 피셔증후군[14] 등이 있다.

[주의사항]

1. 복용상 주의사항: 1) 한번 달여서 복용하도록 한다. 재탕을 하게 되면 맛이 떫어지고 배변을 촉진하지도 못한다. 2) 반드시 공복 시에 복용해야 하며 복용 후 1시간 내에는 식사를 하지 않도록 한다. 그렇지 않을 경우 사하효과가 줄어든다. 3) 효과가 나타나면 복용을 중단한다. 장기복용을 해서는 안 된다.

2. 탕전 시 요점: 먼저 지실, 지각, 후박을 달이고 대황을 후하하며 망초는 마지막에 타서 복용하게 한다. 망초와 대황을 오래 달이면 사하작용이 감소되기 때문이다.

3. 설태가 얇고 흰색인 경우 위장관 내의 적체가 없음을 시사하므로 대황의 투여에 신중할 필요가 있다.

4. 이 처방은 공하제(攻下劑)이지만 대변이 굳고 건조한 경우에만 투여하는 것은 아니며, 묽은 설사나 심한 경우 점액변을 보는 환자에도 활용할 수 있다. 투약의 관건은 복증이다.

5. 임산부에게는 신중히 투여하거나 투약을 금한다.

[각주]

1. 일본의 한 증례보고에서는 개복 후 발생한 유착성 장폐색 환자의 치험을 소개하였다. 환자는 복통 및 복부팽만감을 주소증으로 호소하였고, 복부 X-ray상 다량의 가스와 액체를 확인할 수 있다. 증상으로는 열감과 입마름 및 누렇고 두터운 설태 등이 있었고 이는 양실증(陽實證)이므로 소승기탕을 투여할 수 있다고 저자는 판단했다. 이에 약물을 투여한 결과 복약 40분 후 방귀가 나오고 2시간 후에는 배변할 수 있었다. 두 차례 복용 시점에 수양변이 대량 배출되었고, 다음날에는 복통과 복부 팽만이 개선되었고 복강내의 가스와 액체도 소실되었다. 이후 계지가작약대황탕으로 조리하였다.

[八木清貴, 岡洋志, 野上达也, 等. 癒着性イレウスに小承気湯が奏効した一例. 日本東洋医学雑誌, 2007;58(6):1133-7.]

2. 일본의 한 증례보고에서는 제초제로 자살을 기도한 65세 여성의 치험례를 소개하였다. 환자는 다발성장기부전과 마비성장폐색을 앓고 있었다. 먼저 대승기탕 관장 치료로 장폐색을 개선시켰으며, 육군자탕으로 위운동성이 호전되도록 하고 대건중탕으로 위장의 연동운동을 촉진시켰다. 환자는 최종적으로 완치되어 퇴원했다. [Nakae H, Kusanagi M, Okuyama M, et al. Paralytic ileus induced by glyphosate intoxication successfully treated using Kampo medicine. Acute Medicine & Surgery, 2015;2(3):214-8.]

3. 십이지장폐색증은 여러 이유로 십이지장의 말단부 또는 십이지장과 공장의 접합부가 폐색되는 희귀한 질환이다. 중국의 한 단일군 연구에서는 30명의 십이지장폐색 환자에게 한약을 투여하고 경과를 관찰했다. 환자들은 상복부 통증, 트림, 식욕부진 및 구토, 온기를 가하면 호전되는 심와부의 냉감, 변비를 동반하는 복부팽만, 오한 및 팔다리의 냉감 등 증상을 호소하였으며, 설질은 어둡거나 부어서 치흔이 나타났다. 설태는 희고 두껍거나 약간 누렇고 두꺼우며, 맥은 침세(沈細)하거나 현세(弦細)하였다. 이외에도 환자들은 수척한 체격과 피로감, 빈혈 및 발작성 두통 등의 소견을 동반했다. 온강승기탕(생대황 9 g, 망초 9 g, 지실 12 g, 후박 12 g, 숙부자 9 g, 보골지 12 g, 선복화 12 g, 대자석 30 g, 강반하 9 g, 진피 12 g, 도인 12 g, 홍화 9 g)을 투여하고 1-3개월의 기간 동안 관찰하였다. 환자들 중 26례(86.7%)가 완치되었고 3년간의 추적관찰 결과 15례에서는 재발이 없었다. [袁今奇, 刘晨波. 温降承气汤治疗十二指肠壅积症30例. 中医杂志, 1990(11):34.]

4. 494명의 피험자를 대상으로 하는 7건의 무작위대조 임상시험이 포함된 2017년도 메타분석에서는 이에 대승기탕(가감)이 수술 후 위장기능장애를 개선할 수 있음을 확인하였다. [Wei J, Qin gjie L, Xiaoqiong L, et al. Da-Cheng-Qi Decoction Combined with Conventional Treatment for Treating Postsur gical gastrointestinal Dysfunction. Evidence-Based Complementary and Alternative Medicine, 2017;1-8.]

5. 중증 급성췌장염 초기 환자 77명이 참여한 중국의 한 무작위대조 임상시험에서는 치료군에 배정된 41명 환자에게 기존 치료와 대승기탕을 병용투약하였다. 그 결과 대조군에 비해 사망률이 현저히 감소됨을 확인하였다 (4.88% 대 19.44%, P<0.05). 저자들은 대승기탕이 중증췌장염 환자의 면

역상태 개선으로 이같은 효과와 관련이 있을 것으로 추정하였다. [Jiang D L, Yang J, Jiang S Y, et al. Modified Da Chengqigranules improvement in immune function in early severe acute pancreatitis patients. genetics and Molecular Research, 2016;15(2).]

6. 내시경적 오디괄약근 절제술을 시행한 급성담관염 내독소혈증 환자 21명을 대상으로 수행한 중국의 무작위대조 임상시험에서는 치료군에 대해서 대승기탕과 인진호탕을 동시에 투여한 결과 염증과 내독소혈증의 뚜렷한 개선이 있었음을 확인하였다. [Shang D, guan F L, Jin P Y, et al. Effect of combined therapy of Yinchenhao Chengqi decoction and endoscopic sphincterotomy for endotoxemia in acute cholangitis. World J gastroenterol, 1998;4(5):443−5.]

7. 중국의 한 무작위대조 임상시험에서는 위장장애 소견(섭식장애, 커피색 구토, 위점막의 미란과 궤양 및 출혈)을 동반한 우심부전 상태의 폐성심 환자 82명이 참여하였다. 이 중 시험군에 배정된 49명의 환자에게 기존의 치료와 더불어 향사승기탕(대황 9 g, 지실 12 g, 후박 15 g, 향부자 12 g, 사인 12 g, 복령 15 g, 감초 6 g, 신곡 9 g; 소화관 출혈에는 가 대계 15 g, 소계 15 g)을 병용한 결과 위장기능(71.4% 및 36.4%, P<0.01) 및 폐성심이 뚜렷하게 호전되었음을 보고하였다. [赵富宝. 香砂承气汤治疗肺心、病失代偿期胃肠功能衰竭82例. 中医杂志, 1999;40(6):376.]

8. 일본의 연속증례연구에서는 복만, 변비증을 갖춘 고열환자 3례에 대해 대승기탕 투여 후 모든 환자의 배변상태 및 체온이 정상으로 회복되었다고 보고하였다. [犬塚央, 田原英一, 大田静香, 等. 発熱に大承气湯が奏効した3例. 日本東洋医学雑誌, 2013;64(1):16−21.]

9. 중국의 무작위대조 임상시험에서는 53명의 외인성 급성호흡곤란증후군 (ARDS) 환자에 대해 모두 기존의 치료를 받고 인공호흡을 시행하며 추가적으로 치료군에는 선백승기탕 관장치료를 병행하였다. 연구 결과 선백승기탕 관장요법은 폐 순응도를 크게 개선하고 ARDS 환자가 가능한 한 빨리 식사를 할 수 있도록 하며, 보조 환기요법으로 인한 폐렴 및 복창증상의 발생률과 중증도를 현저히 감소시켜 환자의 생존율을 향상시킬 수 있음이 밝혀졌다. [Mao Z, Wang H.Effects of Xuanbai Chengqi decoction on lung compliance for patients with exogenous pulmonary acute respiratory distress syndrome. Drug Des Devel Ther, 2016(10):793−8.]

10. 일본에서의 한 증례보고는 급성호흡곤란증후군과 쇼크를 동반한 MRSA

장염 의심 사례를 소개하였다. 고열과 복만증을 근거로 소승기탕을 투여한 결과 많은 양의 대변이 빠르게 배출되는 동시에 체온과 혈압이 정상화되고 호흡부전 및 전신소견이 개선되었다. [野上达也, 柴原直利, 藤本誠, 等. 急性呼吸促迫证候群とショックを伴つた MRSA 腸炎疑診例に対する漢方治療経験. 日本東洋医学雑誌, 2014;65(2):94-9.]

11. 96명의 간성뇌병증 환자를 대상으로 이루어진 중국의 한 무작위대조 연구에서는 표준치료를 기본적으로 제공하면서 32명의 환자에게는 식초 관장을 병행하였고, 다른 32명에게는 락툴로스(200 mL) 관장을 시행하였다. 나머지 32명 환자에게는 락툴로스(200 mL)와 대승기탕 혼합물 관장을 시행하였다. 그 결과 락툴로스 대승기탕 혼합물 관장요법 군에서 18례(56.3%)의 환자가 현저한 효과가 관찰되었고, 11례(34.4%)에서는 일정한 효과가 있는 것으로 나타났으며, 세 그룹의 전체적인 임상적 효과는 유사하였다. 추가 분석에서는 III-IV기 간성뇌병증 및 중증간염에 의한 간성뇌병증에 대승기탕 관장이 더 효과적인 것으로 나타났다. [舒梅芳, 尚炳英, 霍红梅, 等. 食醋, 乳果糖, 乳果糖加大承气汤灌肠治 疗肝性脑病32例. 中国中西医结合杂志, 2006;26(2):164-5.]

12. 일본의 연속증례보고에서 비정형 정신병으로 환각과 망상을 가진 3명의 여성의 치험을 소개하였다. 이들은 도인승기탕의 복증을 나타냈으나 대승기탕의 투여효과가 더 좋았다. [松橋俊夫. 非定型精神病に対する大承気湯の効用. 日本東洋医学雑誌, 1987;37(4):281-7.]

13. 일본의 한 증례보고에서는 지방간과 천식을 동반한 편측성 안면근육경련 환자의 치험을 소개하였다. 이 증례에서는 배꼽을 중심으로 복부가 부풀어 오르는 복증을 근거로 대승기탕에 인진호를 추하여 가투여하였다. 3개월 후 환자의 근육경련 빈도 및 체중감소 소견이 현저하게 개선되었다. [福田知顕, 川鍋伊晃, 川哲郎, 等. 大承气湯加茵陈蒿が著効した片側 顔面痙攣の1症例. 日本東洋医学雑誌, 2013;64(4):222-6.]

14. 피셔증후군은 감염과 관련된 자가면역 매개 신경계 질환으로 안구증상이 주요 소견이다. 일본의 한 증례보고에서는 피셔증후군으로 진단된 51세 남성 환자가 비정상적인 시력, 눈부심, 복시, 양쪽 동공 확장, 대광반사상실, 안구근육마비, 경미한 오른쪽 안구의 변위 및 안진을 호소하였으며, 항 GQ1b 항체 양성소견을 나타냈다. 환자는 복부팽만, 비교적 강하게 유지되는 복력, 건조하고 흰 설태 및 맥침(脈沈) 소견을 보였다. 표준치료로 스테로

이드 펄스요법을 3일간 시행하였으나 효과가 없어 환자의 변비증상과 《傷寒論》에서 양명병의 삼급하증(三急下证)인 伤寒六七日, 目中不了了, 睛不和, 无表里证, 大便难, 身微热者, 急下之이라는 조문에 근거하여 대승기탕을 투여하였다. 2일 후 동공이 축소되었다. 환자는 결국 혈장교환술을 받았지만, 대승기탕이 일정 효과를 나타내었음은 부인할 수 없다. [杉本精一郎, 松仓茂. 傷寒论阳明病篇の条文に関する一考察−Fisher 证候群に对 する大承气湯の使用経験. 日本東洋医学雑誌, 2001;52(2):217−21.]

대시호탕

경전에서는 숙식(宿食), 복만을 치료하는 처방이며 화해청열사하(和解淸熱瀉下)방으로 활용되어 왔다. 한열왕래(寒熱往來)와 배가 그득한 증상 및 구토를 치료하며 해울제번(解鬱除煩)하는 효능이 있다. 현대 연구에서는 이담(利膽), 간보호, 혈중지질강하, 강압, 위장운동 증강, 면역조절, 항염증, 항알러지, 항내독소, 항균 등 작용을 보고했다. 배를 누르면 그득한 통증이 특징적 소견인 질환과 실열성 체질의 조리에 적용한다.

[경전배방]

시호 半斤, 황금 三兩, 반하 半升(洗), 지실 四枚(炙), 작약 三兩, 대황 二兩, 생강 五兩(切), 대조 十二枚(擘). 이 일곱가지 약물을 물 一斗二升과 같이 六升이 되도록 달여 찌꺼기를 제거하고 다시 달여 一升을 따뜻하게 하루 세 차례 복용한다.(《傷寒論》《金匱要略》)

[경전방증]

구역이 멎지 않고 가슴아래가 죄어드는 듯 하면서 울울하여 미번(微煩)이 있다(《傷寒論》103조). 상한에 걸린지 10여 일이 되어 열이 리부(裏部)에 뭉치고 또 한열이 교대로 나타난다(《傷寒論》136조). 상한으로 열이 나는데 땀을 내도 풀리지 않으며 가슴속이 답답하면서 단단하고 구토와 설사가 있다(《傷寒論》165조). 누르면 가슴 아래가 그득하고 아프다(《金匱要略》 十).

[추천 처방]

시호 20–40 g, 황금 15 g, 강반하 15 g, 지각 20 g, 백작약 15 g, 대황 10 g, 생강 25 g, 홍조 20 g. 이들 약물을 물 1,100 mL와 같이 달여 300 mL가 되면 두세 차례에 나누어 따뜻하게 복용한다.

[방증제요]

구토가 있어 울울미번(鬱鬱微煩)하며, 한열이 교대로 나타나고 열이 나면서 땀이 흐르는 증상이 계속되면서 가슴아래를 누르면 그득한 통증이 있는 경우

[적용 환자군]

체격이 건장하고 얼굴은 크고 둥글며 어깨가 넓고 목이 짧다. 가슴과 배가 풍만하며 중년에서 많이 보인다. 얼굴의 근육이 뻣뻣하게 긴장되어 있고 표정도 굳어있으며 번조와 발열, 우울 및 불안초조 등의 증상이 잦다. 항상 두통과 어지러움 및 무기력증(B)[1], 수면장애 등을 호소한다. 식욕부진과 딸꾹질, 오심이나 구토, 위산의 역류, 입안의 쓴 기운, 입마름, 입냄새, 변비 등도 많이 보인다. 설태는 대부분 두꺼우며 누렇거나 검은색을 띤다. 윗배가 팽팽하게 융기되어 있고 손으로 눌러보면 충실하고 힘이 있거나 통증이 있으며 양측 복직근의 긴장과 압통도 관찰할 수 있다.

[적용 병증]

아래의 병증과 위에 서술한 환자군의 특징이 부합하는 경우에 처방의 투약을 고려할 수 있으며, 또한 근거기반의학적 근거에 따른 진단을 통해서도 처방을 활용할 수 있다.

1. 윗배가 그득하고 가득찬 느낌의 통증이 나타나는 질환. 췌장염, 담낭염, 담석증[2], 복강구획증후군[3], 위식도역류질환(GERD), 담즙역류성위염, 위와 십이지장의 궤양, 식욕부진, 소화불량 등이 있다.

2. 설사와 복통이 나타나는 질환. 과민성대장증후군, 담낭절제술 후 설사, 지방간 설사 등

3. 변비와 복통이 나타나는 질환. 장폐색(유착성, 마비성), 습관성 변비 등

4. 기침이 나오면서 숨이 차는 호흡기 질환. 기관지천식, 폐감염증 등

5. 두통과 어지러움 및 변비가 나타나는 질환. 1) 고혈압(A)[4], 고지혈증(A)[5-7], 비만, 뇌출혈 등, 대사증후군 및 뇌혈관질환. 2) 우울증, 불안증, 조현병(B)[8], 뇌위축, 노년성치매 등 정신 및 중추신경계질환

6. 발열이 나타나는 질환. 감기, 인플루엔자, 폐렴(B)[9] 등

7. 체격이 건장한 환자의 기타 질환. 외상성경부증후군(B)[10], 생리통(B)[11,12], 홍반 여드름(B)[13], 원심성환상홍반(B)[14], 정자활동성 저하 등의 다양한 질환이 포함된다.

[가감 및 합방]

1. 번조가 있고 가슴아래가 답답하며 맥이 활삭(滑數)하면서 출혈 경향이 있는 경우 황련 5 g을 더한다.

2. 얼굴이 충혈되어 있고 아랫배에 압통이 확인되며 종아리 피부가 건조하면서 설질이 어두운 경우 계지복령환을 합방한다.

3. 불안초조하며 배가 그득하고 가스가 차는 경우 치자 15 g, 후박 15 g을 더한다.

4. 인후이물감에는 반하후박탕을 합방한다.

5. 천식이 있으면서 가래가 끈끈하여 뱉어내기 어려운 경우 배농산을 합방한다.

6. 가슴통증이 있고 누런가래와 변비 소견이 동반되면 과루 30 g, 황련 5 g을 더한다.

[주의사항]

1. 체질이 허약하고 여윈 체격으로 빈혈이 있는 경우에는 신중하게 투약한다.

2. 이 처방은 효과가 확인된 이후에는 용량을 줄이거나 복약을 중단했다가 간격을 두어 다시 복약하게 할 수 있다.

3. 중증질환의 급성 증상에는 고용량 투약이 필요하며, 만성질환자의 체질 조리에는 저용량으로 투약한다. 고용량 투약의 경우 하루에 2-3일분을 처방하며, 저용량 투약 시에는 하루에 0.5일분만 처방한다. 공복 시에 복용해야 한다.

[각주]

1. 일본의 한 후향적 연구에서는 권태감 및 잦은 피로를 겪는 53명의 환자에 대시호탕을 투여하여 경과를 관찰하였다. 연구결과 발한, 안면홍조, 인두폐 색감, 흉부압박감이 있는 환자들에서 효과가 뚜렷하였고, 특히 땀이 잘 나고, 흉협고만이 있는 환자들에서 가장 효과가 좋았다. [木村容子, 清水悟, 杵渕彰, 等. 大柴胡湯 およびその加減方が有効な全身倦怠感, 易疲労感について. 日本東洋医学雑誌, 2010;61(2):147−53.]

2. 일본에서의 연속증례 연구에서는 담석증과 담도감염의 급성발병환자 11명이 모두 대시호탕 복용 후 통증 완화 및 염증 완화를 보였으며 2명은 단기간에 결석이 배출되었다. [藤田きみゑ. 胆石発作に於ける大柴胡湯の効果について. 日本東洋医学雑誌, 1994;45(2):411−21.]

3. 복부 구획 증후군은 다양한 원인에 의해 의해 발생한 복강내 고혈압으로 심혈관, 폐, 신장, 복강, 복벽 및 뇌 등의 기능장애 또는 부전에 이르는 질환을 말한다. 이 증후군은 심한 복부 팽창, 핍뇨, 심박출량 감소, 호흡곤란이 특징적 소견으로 나타난다. 중국의 한 증례보고에서는 요추 및 허리 부상이 있었던 중환자의 치험을 보고하였다. 이 환자에 대한 탐색적 개복술에서는 복부의 출혈, 후복막의 거대 혈종, 회맹부 장간막 파열 및 흑변상태의 장관이 관찰되었다. 환자는 장관의 병변부위 절제 및 장문합술을 받았는데, 수술 후에도 후복막 출혈 및 복강내 출혈이 발생했다. 지혈을 위해 복강 충전술(abdominal packing)을 시술한 후 복부구획증후군이 발병하였다. 고열, 혼수, 빈맥, 숨가쁨, 복부 팽만, 장음 소실, 검상돌기하 압통, 뇨량 감소로 항생제 및 대증요법을 시행하였고, 병용요법으로 대시호탕을 비위관을 통해 투여하였다. 그 결과 2일 후 환자의 체온이 하강하고 호흡도 안정되어 인공 호흡기를 제거할 수 있었다. 1주 후에는 활력징후가 안정되었고, 중환자실에서 나올 수 있었다. [毛帅, 张敏州. 临床应用大柴胡汤治疗腹腔间室综合征的体会和思考. 中国中西医结合杂志, 2013;33(6):845−6.]

4. 일본에서 실시한 무작위 대조 연구에서는 기존의 약물로 잘 조절되지 않는 경증고혈압 환자 94명을 대상으로 체질량 척도에 따라 실증과 허증으로 분류한 후 각각 대시호탕 14례, 공백대조군 15례, 조등산 24례를 투여하여 8주 경과를 관찰하였다. 대시호탕은 이완기 혈압을 낮추고 조등산은 수축기 및 이완기 혈압을 낮추고 이명과 같은 고혈압 증상을 완화시킬 수 있었다. [佐々木淳, 松永彰, 楠田美樹子, ほか. 本態性高血圧症に対する大柴胡湯およ

び釣藤散の效果. 臨床と研究, 1993(70):1965-75.]

5. 일본에서 실시한 무작위 대조 연구에서 이상지질혈증 환자 96명을 3개 그룹으로 나누었다: 프로부콜(Probucol) 투여군 35명, 대시호탕 투여군 36명, 프로부콜과 대시호탕 병용투여군 25명. 16주 동안 혈청 총콜레스테롤, 트리글리세리드, 고밀도 지단백질, 지단백 A 및 B의 변화를 조사한 결과, 대시호탕은 고밀도 지단백질 수준을 높일 수 있으며 프로부콜과 조합하면 트리글리세리드를 더욱 줄일 수 있음이 드러났다. [高島敏伸, 大森啓造, 樋口直明, ほか. プロブュールと大柴胡湯の併用療法 −大柴胡湯の HDL 代謝に対する影響. 動脈硬化, 1993(21):47-52.]

6. 일본에서 실시한 무작위 대조 연구에서 이상지질혈증 환자 60명을 3개 그룹으로 나누었다. 대시호탕 투여군 27례, 클리노피브레이트 투여군 18례, 클리노피브레이트와 대시호탕 병용투여군 15례로 나누어 16주간 치료한 결과, 대시호탕은 트리글리세리드, apoA1, apoE 및 지질 과산화물을 감소시킬 수 있음이 밝혀졌다. [佐々木淳, 松永彰, 半田耕一, ほか. 高脂血症に対する大柴胡湯の効果−クリノフィブラートとの比較−. 臨床と研究, 1991(68):3861-71.]

7. 일본의 한 무작위대조 임상시험에서는 이상지질혈증 환자 65명을 대시호탕 투여군 27명, 탄성효소 투여군 38명으로 나누어 12개월간 치료하였다. 대시호탕은 총 콜레스테롤과 트리글리세리드를 낮추고 고밀도 지단백질을 증가시킬 수 있지만, 총경동맥의 혈류역학 지표에는 영향을 미치지 않는 것으로 밝혀졌다. [山野繁, 澤井冬樹, 橋本俊雄, ほか. 血清脂質および脳循環に対する大柴胡湯の効果−エラスターゼとの比較−. 漢方と最新治療, 1995(4):309-13.]

8. 일본의 한 증례 시리즈에서는 변비가 있는 조현병 환자 3명의 치험례를 소개했으며, 종래 지속하던 치료와 함께 대시호탕 투여를 병행한 결과 환자의 상태가 개선되었다고 보고하고 있다. [佐藤武, 武市昌士. 大柴胡湯が有効な精神分裂病の3症例. 日本東洋医学雑誌, 1995;46(3):453-8.]

9. 일본의 한 연속증례 연구에서는 흉협고만을 동반하는 2명 폐렴 및 구토 환자에 대한 대시호탕 투여가 구토를 완화하였다는 치험례가 소개되었다. [田原英一, 犬塚央, 岩永淳, 等. 大柴胡湯が奏効した嘔吐症の2例. 日本東洋医学雑誌, 2011;62(4):589-92.]

10. 일본의 한 단일군 연구에서는 외상성경부증후군 13명에 대한 대시호탕 투여 결과 9명의 환자가 호전되었음을 보고하였다. 추가 분석에 따르면 효과

가 있었던 9명의 증례에서는 흉협고만이 있었고, 8례에서는 복력이 충실한 소견이 있었다. [重田哲哉, 小暮敏明, 巽武司, 等. 外傷性頸部症候群に対する大柴胡湯治驗. 日本東洋医学雑誌, 2011;62(4):559-64.]

11. 일본에서의 한 증례보고는 평소 업무상 스트레스가 심하며 변비를 동반한 복통을 호소하는 25세의 월경통 환자를 소개하였다. 주소증상 모두가 대시호탕 투여 후 호전되었다. [Yuko H, Tetsuhiro Y, Kenji W.Daisaikoto for Menstrual Pain: A Lesson from a Case with Menstrual Pain Successfully Treated with Daisaikoto. Case Reports in Medicine, 2015;1-2.]

12. 일본의 한 증례연구에서는 월경통 환자 2례에 대한 치험을 보고하였다. 환자는 복력이 충실하고 복부팽만, 흉협고만, 좌우측 제방압통이 있었다. 이들에게 대시호탕을 투여한 결과 20주 후 통증이 뚜렷하게 감소되었으며, 기울(氣鬱) 및 어혈관련 증상의 개선이 있었다. 단, 연구의 저자들은 기울의 복증이 보다 현저하게 나타났기 때문에 이들 환자들은 기울로 인하여 발생한 어혈증으로 볼 수 있었으며, 그렇기에 대시호탕만으로도 좋은 효과를 보았다고 판단하였다. [堀場裕子, 吉野鉄大, 渡辺賢治. 月経困難症に大柴胡湯単独で奏効した2例. 日本東洋医学雑誌, 2014;65(4):298-301.]

13. 일본의 한 연속증례보고에서는 복력이 충실하고 어깨의 산통, 불안감을 가진 홍반성 여드름 환자 7명의 치험례를 소개하였다. 이들에게 대시호탕 합황련해독탕을 투여한 이후 피부손상이 현저하게 개선되었다. [櫻井みち代, 本間行彦. 漢方治療が奏効した酒皶の10症例. 日本東洋医学雑誌, 2011; 62(1):38-44.]

14. 일본에서의 한 증례보고는 원심성환상홍반환자 1례 치험을 소개하고 있다. 환자는 손발의 타는듯한 열감이 있고 맥이 약간 부대(浮大)하며 유력하였다. 또한, 복력이 충실하면서 우측의 흉협고만, 복진근의 긴장이 있고 좌우 양측의 제방 압통도 촉지되었다. 치료 2주 후 피부 두드러기가 개선되었으며 4개월 후 완전히 소실되었다. [遠田裕政, 谷川久彦, 渋谷知宣, 等. 大柴胡湯の奏効した遠心性環状紅斑と思われる一症例. 日本東洋医学雑誌, 1986;37(2):95-101.]

대청룡탕

경전의 태양병 처방이며 전통적으로 강한 발한제로 활용되었다. 발한해표(發汗解表), 청열제번(淸熱除煩)의 효능이 있으므로 발열이 있으면서 땀이 없고 괴로워하는 소견을 특징으로 하는 발열성 질환, 피부질환 등에 적용한다.

[경전배방]

마황 六兩(去節), 계지 二兩(去皮), 감초 二兩(炙), 행인 四十枚(去皮尖), 생강 三兩(節), 대조 十枚(劈), 계자대 석고(刷). 이 일곱가지 약물을 물 九升과 같이 달인다. 먼저 마황을 먼저 넣고 달여 二升을 줄이고 위에 뜬 거품을 제거한 뒤에 나머지 약을 넣어 같이 달이고 三升이 되도록 하여 찌꺼기를 제거하고 一升을 따뜻하게 복용하여 땀이 약간 나도록 한다. 땀이 많이 나는 환자는 온분을 바르도록 한다. 한번 복용하여 땀이 많이 나는 경우에는 멈추었다가 다시 복용한다.(《傷寒論》《金櫃要略》)

[경전방증]

태양중풍(太陽中風)에 맥이 부긴(浮緊)하고 열과 오한이 나며 몸에 통증이 있으면서 땀이 나지 않고 번조가 있는 환자(《傷寒論》38조), 만약 맥이 미약(微弱)하고 땀이 나면서 오풍(惡風)이 들 경우에는 복용해서는 안 된다. 이를 복용하면 손발이 차가워지고 근경련과 살떨림이 나타나는데 이는 역(逆)이 된 것이다(《傷寒論》 38조). 상한에 맥이 부완(浮緩)하고 몸에 통증은 없으나 무거우며 일시적으로 병세가 가벼워지고 소음증(少陰證)이 없는 환자(《傷寒論》 39조), 일음(溢飲)을 앓고 있는 경우에는 발한시켜야 하므로 대청룡탕으로 치료한다(《傷寒論》 12조).

[추천 처방]

생마황 15–30 g, 계지 10 g, 자감초 10 g, 행인 15 g, 생강 15 g, 홍조 20 g, 생석고 50 g. 이들을 물 900 mL와 같이 달인다. 먼저 마황을 20분 정도 달이고 나머지 약을 넣어 달여 탕액이 300 mL가 되도록 한다. 두세 차례에 걸쳐 따뜻하게 복용하며, 땀이 나면 복용을 중단한다.

[방증제요]

발열과 오한이 있으면서 땀이 나지 않고 번조하며 맥이 유력(有力)한 경우

[적용 환자군]

체격이 건장한 중장년으로 근육이 발달되어 있으며 피부는 거칠고 칠흑색이거나 어두운 누런빛을 띤다. 얼굴이 약간 부은 것처럼 보인다. 발열, 오한, 번조와 함께 전신통이 있고 피부가 화끈거리듯 열이 나며 건조하다. 맥은 가볍게 눌러도 잡히고 깊이 눌렀을 때 힘이 있다. 심폐기능은 정상이다.

[적용 병증]

아래의 병증과 위에 서술한 환자군의 특징이 부합하는 경우에 처방의 투약을 고려할 수 있으며, 또한 근거기반의학적 근거에 따른 진단을 통해서도 처방을 활용할 수 있다.

1. 오한, 발열, 전신통증이 나타나는 감염성 질환. 바이러스성 감기, 냉방병, 폐렴 등이 있다. 급성결막염 등 급성 염증성 안과질환의 치료에도 사용할 수 있으며, 인터페론에 의한 유사 인플루엔자 증상에도 활용가능하다(A).[1]

2. 부종이 주요 소견인 질환으로 급성신염, 심신증후군[2] 등에 활용할 수 있다.

3. 땀이 잘 나지 않으면서 소양감이 발생하는 것이 주요 소견인 알러지성 질환에 사용할 수 있다. 여기에는 아토피피부염[3], 비염, 꽃가루 알러지 등(A)[4]이 있다. 한선폐색증에도 쓸 수 있다.

4. 관절의 통증 및 부종이 주요 소견인 질환에 쓸 수 있다. 류마티스관절염 등이 대표적이다.[5]

[주의사항]

1. 맹렬한 발한작용이 있는 처방이므로 체력이 약한 고령환자, 임산부, 장기간 투병했거나 중증질환을 앓는 환자, 심신기능장애가 있는 환자, 불면환자, 고혈압환자, 당뇨환자, 폐결핵 만성열 환자 등에는 처방하지 않도록 한다.

2. 이 처방의 오투약할 경우 심계, 다한(多汗), 허탈 등의 증상이 나타날 수 있다. 진무탕, 계지감초용골모려탕 등으로 치료하거

나 감초와 홍조, 생강, 흑설탕을 진하게 달여 복용한다.

[각주]

1. 일본의 한 무작위대조 임상시험에서는 C형 간염으로 IFN-β 항바이러스 요법을 시행한 28명의 환자가 참여하였으며, 이 중 12명의 환자에게 IFN-β 에 의한 독감 유사증상을 줄일 목적으로 한약을 투약하였다(8례는 마황탕, 4례는 대청룡탕). 연구 결과 마황탕은 발열을 크게 개선했으며, 대청룡탕은 항바이러스 제제의 효능에 영향을 미치지 않으면서 피로, 감각 이상 및 관절통을 개선하는 것으로 나타났다. [Kainuma M, Hayashi J, Sakai S, et al. The efficacy of herbal medicine (Kampo) in reducing the adverse effects of IFN-β in chronic hepatitis C. American Journal of Chinese Medicine, 2002(30):355–67.]

2. 제1형 심신증후군은 심장기능의 급격한 저하로 인해 이차적으로 급성신장 손상이 유발되는 중증 질환이다. 중국의 한 증례보고에서는 4기 당뇨병성 신병증 및 폐감염과 심부전이 동반된 확장성 심근병증 환자로, 심신증후군 의 존재를 고려할 수 있는 증례를 소개하였다. 이 환자는 표준적 치료를 받 았으나 지속적으로 신장 기능이 저하되었다. 환자의 심장부위는 얼음처럼 차가웠고 요통은 밤에도 수면에 영향을 미칠 정도였다. 환자는 전신에 오한 이 나지만 뜨거운 것을 싫어해서 따뜻한 물을 마시지 못하였고, 이외에 열 이 나면서 땀은 나지 않고, 가슴이 답답하면서 심하게 숨이 차오르며 누우 면 호흡곤란이 더 심해지는 등의 소견을 보였다. 이 때문에 환자는 침상에 서 내려와 서너걸음만 걸어도 땀이 흐르고 숨이 찬다. 또한 배가 불러오르 고 식욕과 수면상태가 모두 좋지 않아 괴로워한다. 대변은 하루에 3차례 보 며, 소변량은 하루 500 mL가다. 환자의 얼굴색은 매우 어둡고 입술은 어두 운 옅은 빛을 띤다. 양측 하지에 함요성 부종이 명확하다. 설질은 어둡고 설 태는 두꺼우며 맥이 침현(沈弦)하면서 좌촌맥과 우척맥이 약하다. 대청룡탕 을 투여하였다(생마황 30 g, 계지 20 g, 고행인 20 g, 생석고 60 g, 생강 15 g, 대조 15 g, 자감초 15 g). 이와 함께 망초 250 g, 대산 125 g, 유향과 몰약가루 15 g을 잘 섞어 하루 두 차례, 3일간 바셀린과 잘 섞어 양측 신수혈에 붙이 도록 하였다. 약을 복용한지 하루만에 환자는 몸 전체에 땀이 난다고 하였 고, 소변 배출량이 3,000 mL/d로 크게 증가했으며, 신장 기능이 개선되었으 며 다른 증상도 호전되었다. 계속해서 진무탕 합 승함거어탕을 투여하여 좋 은 경과를 보였다. [朱婷婷, 顾焕, 史载祥. 史载祥教授应用大青龙汤治疗I

型心腎綜合征1例. 中国中西医结合杂志, 2019;39(4):500-1.]

3. 일본의 한 증례보고에서 천식을 동반한 아토피성피부염 1례 치험을 소개하였다. 환자는 여성이며 몸에 땀이 없고 인후가 건조하며 피부에 매우 심한 가려움증을 호소하였다. 이외에 천식 관련 과거력이 있었는데, 이들 소견을 표실리열증(表實裏熱證)으로 보고 대청룡탕을 투약하였다. 복약 후 환자는 피부증상이 개선되었고, 소양감도 감소하였으며, 기관지천식도 개선되었다. 저자는 피부병 치료에서 강한 가려움증이 "번조"의 한 형태로 간주될 수 있다고 주장하였다. [望月良子, 及川哲郎, 村主明彦, 等. 大青龙汤がアトピー性皮膚炎に奏効した1例. 日本東洋医学雑誌, 2009;60(6):629-33.]

4. 일본에서 실시한 무작위 대조 연구에 따르면 꽃가루 알러지 환자 39명(허증환자는 제외) 중 15명에게는 소청룡탕을 투약하고, 24명에게는 대청룡탕을 투약한 결과 비염증상의 개선율은 46.7% 및 87.5%로 대청룡탕이 더 효과적이었다고 한다. [森壽生. 春季アレルギー性鼻炎(花粉症)に対する小青竜湯と大青竜湯(桂枝湯合麻杏甘石湯)の効果−両剤の効果の比較検討−. Therapeutic Research, 1998;19:3299-307.]

5. 류마티스관절염을 앓는 한 노인 여성에 대한 일본의 증례보고에서는 양측 무릎관절의 부종과 발열 및 관절통과 함께 땀이 없고 맥이 홍삭(洪數)한 소견이 동반되는 것을 태양병 실증으로 보았다. 이와 더불어 변비 경향을 고려하여 대청룡탕에 대황을 가하여 투약하였다. 투여 결과 환자의 한출경향은 뚜렷하지 않았다. 그러나 배뇨횟수가 증가하는 한편 양쪽 무릎관절의 통증이 개선되고 CRP의 감소 및 증상의 호전이 있어 퇴원할 수 있었다. [古谷陽一, 井上博喜, 関矢信康, 等. 大青龙汤加大黄が有効であした関節リウマチの一例. 日本東洋医学雑誌, 2003;54(2):387-90.]

대황부자탕

경전의 진통 처방으로 복통을 멎게 하고 대변을 통하게 하며 한적 (寒積)을 제거하는 효능이 있다. 현대 연구에서는 저산소증 개선, BUN 감소 및 혈청 크레아티닌 감소 효과, 간 및 신장기능 보호, 위장관 장벽 기능 보호 등 작용이 확인되었다. 심한 통증, 오한, 변비 및 희고 두꺼운 설태 등이 특징적 소견인 질환에 적용한다.

[경전배방]

대황 三兩, 부자 三枚(炮), 세신 二兩. 이 세가지 약물을 물 五 升과 같이 二升이 되도록 달인 뒤, 세 차례에 나누어 복용한다. 체 력이 강한 환자는 二升半이 되도록 하여 세 차례로 나누어 따뜻하 게 복용하도록 한다. 한차례 복용한 후 사람이 4–5리를 갈 정도의 시간이 지난 후 다시 복용한다.(《金匱要略》)

[경전방증]

한쪽 옆구리 아래에 통증이 있으며 열이 나고 맥이 긴현(緊弦) 하다(《金匱要略》十).

[추천 처방]

대황 10 g, 부자 30–50 g, 북세신 10 g, 이상을 물 1,000–1,100 mL 와 같이 달여 먼저 부자를 한 시간 달인 후 세신, 대황을 넣고 뚜껑을 열고 달인다. 탕액이 200-300 mL가 되도록 하여 두세 차례 나누어 따뜻하게 복용한다.

[방증제요]

흉협요배부 등에 격렬한 통증이 있으면서 대변이 건조하고 덩어리지는 경우

[적용 환자군]

체격은 건장한 편이나 정신적으로 무기력하고 안색도 어둡다. 아랫배 통증을 호소하는 경우가 많으며 가슴통증, 허리와 대퇴부 통증, 두통, 치통, 생식기 통증 등을 모두 볼 수 있다. 환자는 격렬한 통증으로 구르거나 비명을 지르며 머리에 땀이 흥건하게 나기도 한다. 대부분 발작성 통증으로 나타나는데, 빈도가 잦고 칼로 베거나 날카로운 꼬챙이로 찌르는 것 같은 느낌을 호소한다. 며칠씩 배변을 하지 못하거나 대변이 건조하고 덩어리져서 변을 보기 힘들어한다. 복력은 중간정도이거나 연약한 편이며 복근경련이 있는 경우가 많다. 맥은 대체로 침(沈)하면서 유력(有力)하다. 설질은 어두우며 설태는 두텁거나 축축하게 젖어있는 경우가 많다. 이 증은 찬 음식물에 의한 것이거나 추운 날씨에 노출되어 나타나는 경우가 있으며, 오한 및 손발의 차가운 느낌 등이 동반된다.

[적용 병증]

아래의 병증과 위에 서술한 환자군의 특징이 부합하는 경우에 처방의 투약을 고려할 수 있으며, 또한 근거기반의학적 근거에 따른 진단을 통해서도 처방을 활용할 수 있다.

1. 복통이 나타나는 질환. 장폐색(B)[1], 담낭염, 담낭결석, 담도 회충, 급성췌장염, 소화성궤양, 이질, 맹장염, 비뇨기계 결석, 서혜부 탈장 등. 또 결장내시경 전 장정결제로 사용 가능하다(B).[2]

2. 각종 신경통으로써 늑간신경통(대상포진성통증 포함), 삼차신경통, 편두통, 요추간판탈출, 좌골신경통 등

3. 생식기계의 염증성 통증. 급성고환염, 외상성고환염, 부고환결핵 등

4. 머리와 얼굴의 염증. 치아우식증, 치주낭종, 편두체염, 인후두낭종, 맥립종, 각막염, 결막염 등

5. 만성신질환, 신부전(B)[3]

[가감 및 합방]

1. 얼굴이 검붉고 허리와 대퇴부에 통증이 있으며 하지피부가 건조하고 어두운 보라색 설질이 관찰되는 경우 계지복령환을 합방한다.

2. 담낭염을 동반한 담석증 발작으로 열이나면서 통증이 있는 경우 대시호탕을 합방한다.

3. 전기가 흐르는 것 같은 통증을 호소할 경우 작약감초탕을 합방한다.

[주의사항]

1. 이 처방은 작용이 강한편이므로 중증의 통증을 개선하는데 사용한다. 일반적인 통증에 가볍게 투여하는 것은 적절치 않다.

2. 이 처방에는 부자가 비교적 고용량으로 포함되어 있으므로 1시간 이상 선전(先煎)해야 하며 생강을 배합하면 더 좋다.

3. 통증이 격렬한 경우 지속적인 투여가 필요하다. 장중경의 원문에는 "복용 후 4-5리를 갈 시간이 지나 다시 복용한다"고 되어 있다. 이를 근거로 1차 복용 후 2차 복용까지의 간격은 30분 정도로 추정할 수 있다.

[각주]

1. 일본에서의 연속증례 연구에서는 위암, 소화성궤양, 부인과종양으로 인해 복부 수술 후 장폐색이 반복되는 5명 환자의 치험이 소개되었다. 이들은 대황부자탕의 장기간 투여 후 재발이 없었다고 한다. [櫻重樹, 常田享詳. 腸閉塞の予防を目的とした大黃附子湯の使用経験. 日本東洋医学雑誌, 1995;46(1):9-19.]

2. 중국에서 수행된 무작위 대조 연구에서는 대장내시경 검사를 받는 340명의 환자를 대상으로, 160명의 환자에 대해 검사 4시간 전 가감대황부자탕(생대황, 현명분, 건강, 부자, 생감초, 진피)를 투여하도록 하고 100례에는 경구용 피마자유를 더해 청결관장을 시행하였다. 기타 50명의 환자에게는 만니톨, 30명의 환자에게는 피마자유 및 황산마그네슘을 투여했다. 그 결과 가감대황부자탕 복용 환자의 장 청소율이 다른 요법에 비해 유의하게 높았다 (95.63% 대 78-86%). 또 가감대황부자탕 투여군의 배변 속도는 빠르고 배변 빈도는 적었으며 심한 설사 및 복통 등 부작용은 실험군에 비해 더 적었다. [呂竞竞, 陶文洲, 李士德, 等. 加减大黃附子汤 在结肠镜检前肠道准备中的应用. 中国中西医结合杂志, 1992;12(1):45-6.]

3. 중국에서 이루어진 전향적 임상연구에서는 만성신부전 환자 51명을 대상으로 20명에게는 온비탕을 투약하였고 거독산(온비탕에 기초를 둔 처방:

대황 10 g, 당삼 15 g, 황기 30 g, 숙부자 6 g, 의이인 30 g, 복령 15 g, 사인 10 g, 석위 30 g, 차전자 15 g, 익모초 15 g, 단삼 18 g, 구기자 15 g, 산수유 10 g)을 31명에게 투여하여 3개월 후 경과를 확인하였다. 연구 결과 거독산은 여러 체증(오심, 구토, 식욕부진, 피로, 핍력) 등을 뚜렷히 개선하고 단백뇨, 크레아티닌, 요소질소 및 내인성 크레아티닌 청소율을 크게 개선했다. 총 유효율도 거독산 투여군에서 더 높았다(90.3% 대 75.0%, P<0.05). [郭兆安, 刘毅. 祛毒散治疗慢性肾功能衰竭31例临床观察. 中国中西医结合杂志, 1995:15(11):679−80.]

대황자충환

경전의 허로병(虛勞病) 처방이며 전통적인 거어생신(祛瘀生新) 방이다. 건혈(乾血)을 사하시키고 혈열(血熱)을 식히는 효능이 있다. 현대 연구에서는 항응고, 항혈소판응집, 항혈전형성, 혈전용해, 간장 및 신장기능 보호, 자궁수축 등 작용이 보고되어 있다. 피부가 말라 거칠어져 있고 눈이 어두우며 체중이 줄어드는 환자에게 적용한다.

[경전배방]

대황 十分(蒸), 황금 二兩, 감초 三兩, 도인 一升, 행인 一升, 작약 四兩, 건지황 十兩, 건칠 一兩, 맹충 一升, 수질 白枚, 제조 一升, 자충 半升. 이 열두가지 약물을 가루내어 꿀과 같이 빚어 小豆大 환으로 만든 뒤 다섯 환씩을 술과 같이 하루 세 차례 복용한다.(《金匱要略》)

[경전방증]

오로(五勞)로 인한 허로가 극도하고 몸이 야위면서 배가 불러올라 음식을 먹기 어렵고 몸 안에 건혈(乾血)이 있으며 피부가 거칠어지고 두 눈이 어둡다(《金匱要略》六).

[추천처방]

법제대황 15 g, 황금 10 g, 생감초 15 g, 도인 15 g, 행인 15 g, 적
작약 20 g, 생지황 50 g, 건칠 5 g, 맹충 10 g, 제조 10 g, 자충 10 g,
수질 15 g. 이들을 물 1,200 mL와 같이 달여 300 mL를 취한 뒤 두세
차례에 나누어 따뜻하게 복용한다. 혹은 이들 약물을 가루내어 밀
환으로 만든 뒤 5 g씩 하루 1-3차례 술과 같이 복용한다.

[적용 환자군]

여윈 체격으로 골격이 가늘고 길며 얼굴빛이 검고 두 눈이 어둡
다. 입술이 검붉으며 설질은 검붉거나 어두운 보라색이다. 피부는
건조하고 심하면 비늘처럼 거칠며 인설이 많이 떨어지고 피부 손
상으로 환부가 거무튀튀하다. 복부에 통증이나 단단한 덩어리가
있으며 누르면 불쾌감을 호소한다. 항상 배가 그득하거나 통증이
있고 식욕을 느끼지 못한다. 여성의 경우 상당수가 월경색이 검거
나 양이 적으며 무월경인 경우도 많다.

[적용 병증]

아래의 병증과 위에 서술한 환자군의 특징이 부합하는 경우에
처방의 투약을 고려할 수 있으며, 또한 근거기반의학적 근거에 따
른 진단을 통해서도 처방을 활용할 수 있다.

1. 말초혈관 및 혈전성 질환. 혈전폐색성 폐동맥고혈압, 혈전성
혈관염, 혈소판증가증, 하지심부정맥혈전증, 하지정맥류, 정계정
맥류

2. 심혈관질환. 협심증, 심실조기흥분증후군, 추골기저동맥혈류부족, 뇌동맥경화증, 뇌경색, 뇌혈전증, 중풍후유증. 이 외에도 기타 당뇨병성 혈관, 신경병증에 효과적이다(당뇨병성 망막병증, 당뇨병성 말초신경병증, 당뇨발, 당뇨병성 신증 등).

3. 만성간질환으로 몸이 여위고 배가 불러오르면서 식욕을 잃는 등의 소견이 나타나는 질환. 만성간염(A)[1], 간경화, 주혈흡충성 간경변증, 담즙정체 등

4. 피부건조와 인설, 피부착색 등을 특징으로 하는 질환. 건선, 피부염, 결절성홍반, 국소경피증, 여드름, 주사비, 기미, 탈모, 모낭염, 색소성자반성피부염, 편평태선, 어린선, 피부착색증 등

5. 낭종 및 종양. 신경섬유종, 피지선종, 자궁근종, 난소낭종, 간낭종. 또한 간암, 췌장암, 자궁경부암 등 종양치료의 보조요법으로 사용

6. 통증, 무월경을 특징으로 하는 여성질환. 자궁내막증, 자궁내막결핵, 골반종괴, 결핵성골반염, 난소조기부전, 다낭성난소증후군, 자궁외임신, 유선증식증, 무월경, 생리통 등

[주의사항]

1. 임산부에게는 신중히 투여해야 하며 월경기에는 복용을 중단한다.

2. 출혈경향이 있는 환자에게는 신중히 투여한다.

3. 와파린, 아스피린 등 항응고제를 복용하는 환자들에게는 신중히 투여한다.

4. 대황자충환의 공하작용을 부드럽게 하기 위해서는 천천히 술과 같이 복용하도록 하면 좋다.

[각주]

1. 2015년의 한 체계적 문헌고찰에서는 만성 B형 간염 환자 1,731명을 대상으로 한 21건의 무작위 대조 연구에 기반하여 B형 간염 환자에 대한 대황자충환의 병행투여가 총 임상유효율, HBeAg 음성비율 및 HBV-DNA 음전율, AST, 총 빌리루빈을 유의히게 개선할 수 있음을 보고하였다. [邓艳芳, 屈乐, 宋亚南, 等. 大黄䗪虫丸治疗慢性乙型肝炎的 系统评价. 北京中医药大学学报, 2015;38(6):420-5.]

도핵승기탕

경전의 축혈병(蓄血病) 처방이며 전통적인 사하축어(瀉下逐瘀)방이다. 광증과 어혈을 치료하고 대변을 통하게 하는 효능이 있다. 현대 연구에서는 혈액 점도의 감소, 항혈전, 말초순환의 개선, 혈중지칠수치의 감소, 혈당수치의 개선, 항산화, 해열, 사하(瀉下) 등의 작용이 확인되었다. 소복급결 및 정신증상이 특징적인 질환에 사용된다.

[경전배방]

도인 五十个(去皮尖), 대황 四兩, 계지 二兩(去皮), 감초 二兩(炙), 망초 二兩. 이 다섯가지 약물을 물 七升과 같이 달여 二升半이 되도록 하여 찌꺼기를 제거하고 망초를 넣어 약한 불로 다시 끓인 후 불을 끈다. 식전에 五合씩을 하루 세 차례 복용한다. 약간 설사하게 된다.(《傷寒論》)

[경전방증]

환자가 미친 것 같이 보이고… 단지 아랫배가 긴장하고 뭉쳐있다(《傷寒論》 106조).

[추천처방]

도인 15 g, 법제대황 15 g, 계지 15 g, 자감초 5 g, 망초 10 g. 이들을 물 1,000 mL와 같이 달여 300 mL가 되도록 한 뒤 망초를 넣어 두세 차례에 나누어 따뜻하게 복용한다.

[방증제요]

아랫배가 긴장되고 뭉치며 번조와 불안, 변비, 월경불순이 있는 경우

[적용 병증]

얼굴색이 검붉으며 광택이 있고 입술도 검붉다. 설질은 검붉거나 보랏빛을 띤다. 맥립종이나 여드름, 모낭염, 안구의 충혈 및 익상편 등이 나타난다. 아랫배가 충실하고 양측에 압통이 있는데 특히 좌측면의 압통이 뚜렷하면서 종괴가 만져지기도 한다. 눈에 총기가 돌고 목소리가 높으며 광증과 번조 및 불안 등이 있다. 정신이 맑지 못하다거나 기억력 및 주의집중력 저하, 불면, 두통, 어지러움, 이명, 가슴 두근거림 등을 호소하는 경우가 있다. 특히 월경 전 정서불안이 있는 경우 각별히 투약을 고려할 필요가 있다. 여성에게서 월경불순이 있고 월경혈의 색이 검거나 덩어리가 지면서 월경기간이 연장되거나 무월경, 월경기 소견의 악화 등이 나타날 수 있다. 산후에 태반잔류나 지속되는 산후출혈이 나타나기도 한다. 대다수 환자에게서 변비, 치질, 치핵, 치루 등이 관찰된다.

[적용 병증]

아래의 병증과 위에 서술한 환자군의 특징이 부합하는 경우에 처방의 투약을 고려할 수 있으며, 또한 근거기반의학적 근거에 따른 진단을 통해서도 처방을 활용할 수 있다.

1. 광증과 번조, 변비가 나타나는 정신신경질환. 정신분열증, 우울증, 조증, 노인 정신질환, 파킨슨병 등

2. 격렬한 두통이 나타나는 중추신경계 질환. 뇌출혈, 뇌수종, 유행성뇌염, 뇌진탕후유증, 뇌출혈, 고혈압 등

3. 배변, 배뇨장애 관련 질환. 갱년기증후군, 유행성출혈열, 당뇨병성 신증, 급성신부전, 방광염, 요로감염 등

4. 하복통 및 골반의 어혈이 나타나는 산부인과 질환. 난산, 산후오로부절, 태반잔류[1], 급성골반염, 수란관결찰술후증후군, 질혈종, 자궁외임신, 월경통(B)[2], 무월경 등. 이 처방은 유선증식증에도 쓸 수 있다(B).[3]

5. 하복통과 변비가 나타나는 남성질환. 전립선염, 고환염, 전립선비대 등

6. 머리와 얼굴의 충혈이 주요 소견인 질환. 맥립종, 익상편, 여드름, 모낭염, 주사비, 치은출혈, 치통, 탈모, 견관절주위염 등

7. 만성의 경과를 보이며 피부의 암자색 손상, 각화, 건조, 인설 등 소견이 나타나는 피부질환. 건조증, 인설탈락 등의 피부질환, 건선, 만성 습진, 아토피피부염(B)[4], 울체성피부염 등

8. 소갈, 변비 증상을 나타내는 2형당뇨(B)[5]

[가감 및 합방]

1. 불면과 우울이 있으면 시호가용골모려탕을 합방한다.

2. 피부가 거칠게 일어나고 건조하면서 만성의 경과를 보이는 경우 계지복령환을 합방한다.

[주의사항]

1. 이 처방을 복용한 후 월경이 있거나 혈변, 혈뇨가 나타나는 것은 질환이 호전되는 소견이다.

2. 중경은 "식전에 따뜻하게 복용한다"고 했는데, 이는 약력을 병소(病所)까지 직접 전달하여 축어하행(逐瘀下行)의 효과를 신속히 발휘하기 위함이다. 임상에서는 식사 1시간 전 공복 상태에서 복용하도록 하는 경우가 많다.

3. 체질이 허약한 환자에게는 신중히 투여한다.

[각주]

1. 일본의 산후태반유착에 대한 한 증례보고에서는 복진상 복부의 긴장 및 팽만, 하복부의 압통, 제상계, 변비 등 소견에 대하여 도인승기탕을 투약하였다. 산후 50일째에 환자는 태반조직의 일부를 배출한 후 초음파유도를 통해 남아있는 태반조직을 제거하였다. 태반유착은 치료하기 어려운 산후질환으로 종종 출혈 및 쇼크와 같은 나쁜 예후를 보인다. 현재의 전통적인 치료 방법은 전자궁절제술이지만, 이 환자는 한약 투여 후 태반조직을 성공적으로 제거하여 전자궁절제술을 피할 수 있었다. [西田欣広, 楢原久司, 織部和宏.桃核承気湯により子宮を温存できた癒着胎盤の1例. 日本東洋医学雑誌, 2011;62(1):34-7.]

2. 일본의 후향적 연구에서는 변증에 따라 도인승기탕을 투여한 환자 125례에서 다음과 같이 각 질환별로 유효했던 환자의 비율을 보고하였다. 월경기능

장애 82%, 월경과다 69%, 고혈압 69%, 말초갱년기증후군 72%, 요통 59%, 조열 및 족부냉증 55%, 불규칙한 월경 55%, 기미 38%, 여드름 60%, 치질 57%, 아토피피부염 60%. [渡辺一郎. 桃核承気湯エキス剤の臨床効果. 日本東洋医学雑誌, 1995;45(3):557−61.]

3. 125명의 유선증식증 환자가 참여한 일본의 한 무작위대조 임상시험에서는 103명에게는 도핵승기탕을 투약하고 22명에게는 계지복령환을 투약하면서 4주간 경과를 관찰하였다. 4주 시점에서 효과를 보인 환자들은 8주까지 연장 복용토록 했다. 그 결과 도인승기탕과 계지복령환은 유사한 효과를 나타냈으나 13명의 환자가 도핵승기탕이 유발한 설사로 복약을 중단하였다. [井上雅晴. 乳腺症に対する桃核承気湯の治療効果. 日本東洋医学雑誌, 1992(42):415−8.]

4. 일본에서의 연속증례보고에서는 아토피성 피부염 치료에 도핵승기탕 치험 4례를 소개하였고, 이를 바탕으로 아토피성 피부염 치료에서의 도핵승기탕 적응증이 제안되었다. 1) 상반신에 발생하는 피진 2) 얼굴의 열감 및 하지의 냉감 3) 배꼽 및 좌하복부의 압통 4) 변비 경향 [寺澤捷年, 喜多敏明, 嶋田豊, 等. 桃核承気湯加味方が奏効したアトピー性皮膚炎の4症例. 日本東洋医学雑誌, 1995;46(1):45−54.]

5. 제 2형 당뇨병 환자 148명을 대상으로 이루어진 중국의 한 임상연구에서는 참여자 중 106명의 환자를 치료군으로 배정하여 가미도인승기탕(도인승기탕 합 증액탕 가 황기)을 투약하였으며, 42명의 환자는 대조군으로 배정하여 글리벤클라미드을 투약하였다. 투약기간은 60일로 하였다. 그 결과 가미도인승기탕은 공복 혈당을 개선하고 갈증증상(구갈, 다음, 다뇨, 다식, 핍력)을 더욱 현저하게 감소시켰다. 추가 연구에 따르면 가미도인승기탕은 췌장 β세포에 의한 내인성 인슐린 분비를 촉진하고, 췌장 및 췌장 외 조직에서 글루카곤의 분비를 억제하였다. 또한 췌장내분비세포의 특정한 복구 기능을 바탕으로 췌장 β세포의 분비 과립을 증가시킬 수 있음을 발견했다. 이외에 간 글리코겐의 합성을 자극하고 간 글리코겐의 분해를 억제하는 작용도 확인되었다. [熊曼琪, 梁柳文, 林安钟, 等. 加味桃核承气汤治疗II型糖尿病的临床和实验研究. 中国中西医结合杂志, 1992(2):74−6,67.]

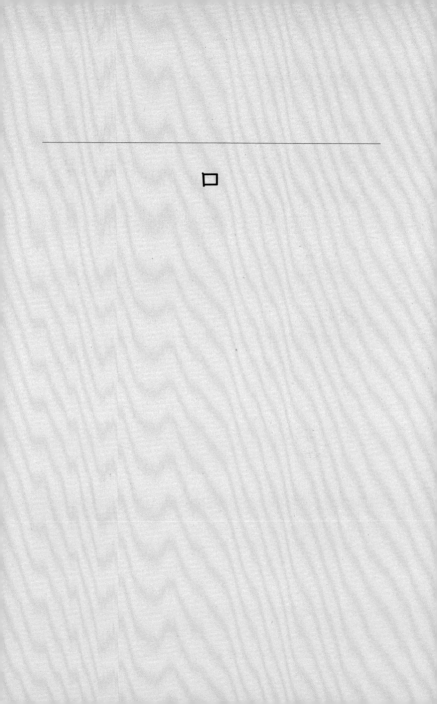

마황부자세신탕

경전의 소음병 처방이며 온경산한(溫經散寒)방으로 활용되어 왔다. 급성질환, 기면, 통증을 치료하는 효능이 있다. 현대 연구에서는 진통, 진정, 면역의 조절, 항염증, 항알러지, 부신피질호르몬 유사 작용이 확인되어 있다. 무력감 및 오한이 있으면서 땀이 나지 않고 전신에 통증이 있으며 맥침(沈)한 소견이 특징적인 질환에 적용한다.

[경전배방]

마황 二兩(切), 세신 二兩, 부자 一枚(炮, 去皮, 破八片) 이 세 가지 약물을 물 一斗와 같이 달인다. 먼저 마황과 같이 달여 二升을 줄이고 위에 뜬 거품을 제거하고 남은 약을 넣어 三升이 되도록 달인다. 찌꺼기를 제거하고 一升을 따뜻하게 하루 세 차례 복용한다.(《傷寒論》)

[경전방증]

소음병에 처음 걸렸을 때 오히려 열이 나고 맥이 침(沈)하다 (《傷寒論》 301조).

[추천 처방]

마황 10 g, 세신 10 g, 법제부자 10–20 g. 이들을 물 1,000 mL와 같이 달이는데 먼저 부자를 30–60분간 선전하고 남은 약을 넣어 달인다. 뚜껑을 열고 탕액이 300 mL가 될 때까지 달여 두세 차례에 나누어 따뜻하게 복용한다.

[방증제요]

열이 나고 오한이 있으며 땀은 나지 않고 전신에 통증이 있으면서 무기력하고 침맥(沈脈)이 보이는 경우

[적용 환자군]

얼굴색이 어둡고 누런빛이거나 거무튀튀하며 광택이 없다. 피부는 건조하고 땀이 나지 않는다. 극도의 피로감으로 무기력하거나 기운이 없다. 표정도 없으며, 목소리는 낮고 힘도 없다. 어지러움과 함께 잠에 취한 것 같은 기면 소견이 있어 부르면 답은 하지만 반응이 느리며 청각과 미각, 후각, 촉각 등이 둔해져 있다. 뚜렷한 오한으로 냉기를 싫어하여 옷을 두껍게 입으며 특히 머리와 등의 냉감이 더욱 심하다고 한다. 두통과 인후통, 요통, 치통 등과 같은 다양한 통증을 호소하며 찬기운을 만나면 악화된다. 입마름이나 갈증이 없고 입안에 침이 많이 고이며 열이 나더라도 물을 마시려 하지 않고 맑은 콧물이 흘러내려 냄새를 맡을 수 없다. 가래가 나오는 경우에도 묽은 성상이며 소변도 맑은 색이다. 맥을 깊이 눌러야 느껴지는데 침(沈)하지만 약하지는 않으며 침긴(沈緊)

하거나 침세(沈細)하기도 하고 침지완(沈遲緩)하거나 미세(微細)한 경우도 있다. 갑작스럽게 찬 날씨에 노출되었거나 차가운 날음식이 원인인 경우가 대부분이며 특히 월경기, 성관계 후, 땀을 많이 흘린 후에 잘 발생한다. 급성의 요통과 복통, 급성음성장애, 돌발성 난청, 급성시야장애, 발기부전 등에서와 같이 돌발성 발병 양상을 보인다.

[적용 병증]

아래의 병증과 위에 서술한 환자군의 특징이 부합하는 경우에 처방의 투약을 고려할 수 있으며, 또한 근거기반의학적 근거에 따른 진단을 통해서도 처방을 활용할 수 있다.

1. 발열이 나타나는 질환. 감기 발열(A)[1], 항생제 내성 발열(B)[2] 등

2. 추위와 피로가 원인인 급성 질환으로 땀이 나지 않고 얼굴이 누런빛인 소견이 특징적인 경우. 급성발성장애, 돌발성 난청, 급성시력상실, 안면마비, 뇌간뇌염 등

3. 통증이 나타나는 질환[3]. 삼차신경통, 편두통, 후두신경통(A)[4], 뇌종양두통, 좌골신경통, 요추염좌, 관절통, 치통, 신결석에 의한 신장통증, 월경통, 갱년기의 설통 등

4. 서맥이 나타나는 질환. 동기능부전증후군(B)[5], 서맥(A)[6]

5. 수면장애가 나타나는 기면증과 불면증

6. 둔화된 반응이 특징적 소견인 희발월경, 무월경, 변비, 고령 여성의 복압성요실금(B)[7], 냉증(B)[8], 잦은 피로감(B)[9]

7. 코막힘과 기침이 나타나는 질환. 알러지 비염(B)[10,11], 부비

동염, 폐렴, 천식

8. 떨림 및 경련이 나타나는 질환. 뚜렛증후군, 파킨슨병 등

[가감 및 합방]

1. 허리가 무겁고 피로하며 기력이 없는 경우 건강 10 g, 복령 15 g, 백출 15 g, 자감초 5 g을 더한다.

2. 몸이 야위고 식욕이 별로 좋지 않은 경우 계지 10 g, 자감초 5 g, 생강 10 g, 대조 20 g을 더하면 처방의 독성을 줄이고 효과를 증강시킬 수 있다.

[주의사항]

1. 마황, 부자, 세신은 모두 유독하지만 장시간 탕전한 후에는 독성이 줄어든다. 따라서 이 처방은 탕제로만 투약해야 하며 산제로 투약해서는 안 된다.

2. 이 처방은 장기간 투약하거나 고용량으로 처방해서는 안 된다. 일반적으로 효과를 확인한 이후에는 복약을 중단하거나 용량을 줄인다.

3. 이 처방은 식후에 복용해야 한다. 공복 시에 복용할 경우 땀이 나거나 무기력증, 가슴 두근거림 등이 발생할 수 있다.

4. 환자에 따라 처방을 복용하면 입술과 혀끝, 발가락에 마비감이 발생할 수 있다. 복약을 멈추면 회복된다.

5. 세신은 마두령과의 식물로 사프롤(safrole)을 함유하고 있다. 신독성이 있으므로 신부전 환자에게는 신중하게 투여해야 한다.

[각주]

1. 일본 홋카이도에서 실시한 무작위 대조 연구에서는 감기 환자 171명에 대해 마황부자세신탕 83례, 종합감기약(양약) 88례를 무작위 배정하여, 마황부자세신탕이 발열, 열감, 인후불쾌감, 기침, 객담 증상 개선에서 양약에 비해 나은 효과를 확인하였다. [本間行彦, 高岡和夫, 與澤宏一, ほか. かぜ证候群に対する麻黄附子細辛湯の有用性-封筒法による比較試験-. 日本東洋医学雑誌, 1996(47):245-52.]

2. 일본의 연속증례 연구에서는 약물내성 녹농균에 의한 불응성 요로감염 1례와 MRSA로 인한 난치성폐렴 2례를 소개했는데, 이를 마황부자세신탕의 기준 대비 절반의 용량으로 치료하였음을 보고하였다. [Kamei T, Kondoh T, Nagura S, et al. Improvement of C-reactive protein levels and body temperature of an elderly patient infected with Pseudomonas aeruginosa on treatment with Mao-bushi-saishin-to. Journal of Alternative & Complementary Medicine, 2000, 6(3):235-239]; Tsutomu Kamei D, Satoshi Nagura P, Yoshitaka Toriumi E, et al. Letter to the Editor: Effect of Half the Standard Dose of Mao-Bushi-Saishin-To in Two MRSA Patients and One Decubitus Ulcer Patient. The American Journal of Chinese Medicine, 2014;28(2):0000035.]

3. 일본의 한 증례보고에서는 악성 통증을 동반한 당뇨병 환자의 치험을 소개하고 있다. 해당 환자는 좌측 등을 중심으로 전신의 격렬한 통증을 호소하였으며, 잦은 피로감과 식욕부진 등 기허 증후가 동반되었다. 에팔레스타트(Epalrestat), NSAIDs, 우차신기환을 투약해도 효과가 없었다. 악성 통증 증상을 표적으로 마황부자세신탕을 처방하고, 기허 증상을 표적으로 보중익기탕을 처방하여 두 약물을 병용투약하였다. 5개월간의 복약 후 전신성 통증은 완전히 소실되었고 혈당도 정상으로 회복되어 인슐린 주사를 중지하였다. [武田义雄, 武田由美子. 麻黄附子細辛湯と補中益気湯で難治性疼痛と糖尿病が共に改善した1例. 日本東洋医学雑誌, 1998;49(1):21-7.]

4. 일본의 한 무작위대조 임상시험에서는 후두신경통 환자 22명을 각각 마황부자세신탕 12명, 해열진통제 10명으로 배정하여 치료하였다. 그 결과, 두 치료의 효과가 비슷하다는 것이 밝혀졌으며, 추가 분석에 따르면 마황부자세신탕의 치료효과는 한증여부와 무관하다는 것이 드러났다. [中島啓次, 佐藤裕道, 大山一孝. 麻黄附子細辛湯は神経障害性疼痛に有効か? 後頭神経痛に対する麻黄附子細辛湯の有効性. 痛みと漢方, 2014(24):31-7.]

5. 중국에서 실시한 무작위 대조 연구에서는 동기능부전증후군 환자 90례에 대해 마황부자세신탕(자마황 9 g, 제부자 12 g, 세신 9 g, 자황기 24 g, 계지 12 g, 생지황 20 g, 맥문동 15 g, 오미자 10 g, 당귀 12 g, 천궁 15 g, 자감초 9 g, 단삼 12 g) 복용군 60례와 심보환(양금화, 인삼, 육계, 부자, 녹용, 빙편, 인공 사향, 삼칠, 섬수)을 복용한 30례의 치료 경과를 2개월 동안 관찰하였다. 그 결과 마황부자세신탕 투여군 중 18례(30%)에서 현저한 효과가 있었고, 32례 (53.3%)에서는 일정한 수준의 효과를 관찰할 수 있었다. 이는 심보환 투여에 비해 유의하게 나은 결과였다. [陈永芳, 张兴玉, 翟鸥. 麻黄附子细辛汤治疗 病态窦房结综合征60例. 中国中西医结合杂志, 2004(03):276-7.]

6. 서맥환자 1,398명을 포함하는 2018년의 메타분석에서는 656명의 환자가 마 황부자세신탕군에 포함되었고, 427명의 환자가 대조군에 포함되었다. 연구 결과 서맥에 대해 마황부자세신탕이 효과적임이 확인되었다. [Liu S, Tiang, Chen J, et al. Traditional Chinese Medicine for Bradyarrhythmia: Evidence and Potential Mechanisms. Front Pharmacol, 2018(9):324.]

7. 일본의 단일군 연구에서는 스트레스성 요실금이 있는 노인 여성 10명에 대 해 마황부자세신탕을 4주간 투약하였는데, 5명의 증상이 호전되었다. 추가 분석에 따르면 노인 환자인 경우에 치료에 대한 반응이 더 좋았다. [間口由 紀, 畔越陽子, 河路かおる, 等. 腹圧性尿失禁に対する麻黄附子細辛湯の効 果の検討. 日本東洋医学雑誌, 2013;64(6):340-3.]

8. 일본에서 실시한 단일군 연구에서는 오한을 호소하는 환자 43명을 대상 으로 마황부자세신탕 합 계지탕을 1개월간 투여하여 환자 중 22례에서 호 전이 있었다. 효과적인 사례와 비 효과적인 사례의 차이를 추가적으로 분 석한 결과, 효과적인 사례에서는 대부분 오한, 오풍, 전신냉감, 두통이 있 었고 설사는 없었다. [木村容子, 清水悟, 杵渕彰, 等. 桂枝湯エキスと麻黄 附子細辛湯エキスの併用が有効な冷えについての検討. 日本東洋医学雑誌, 2010;61(7):897-905.]

9. 일본의 연속증례 연구에서는 피로가 잦은 6명의 환자를 대상으로 마황 부자세신탕을 투여한 결과 피로가 감소하였다고 보고하고 있다. [中村謙 介, 村山和子, 太田東吾, 等. 易疲労に麻黄附子細辛湯. 日本東洋医学雑誌, 1989;39(3):221-5.]

10. 일본에서 실시한 단일군 연구에서는 현저한 실증(實證)이 없는 알러지성 비염 환자 24명을 대상으로 마황부자세신탕 합 계지탕을 투여한 결과 21

례에서 증상이 완화되었으며, 그 중 8례에서는 소청룡탕이 효과가 없었다는 것이 드러났다. [赤尾清剛, 阿部博子. アレルギー性鼻炎樣症狀に対する桂枝湯·麻黃細辛附子湯併用による治療の試み. 日本東洋医学雜誌, 1995;45(3):547−50.]

11. 알러지성 비염 및 결막염 환자 66명이 참여한 일본의 한 무작위대조 임상시험에서는 34명의 환자에게 소청룡탕을 투여했고, 32명의 환자에게는 마황부자세신탕을 투여했다. 두 군 모두에서 뚜렷한 효과(52.9% 대 53.1%) 및 일반적인 효과(67.6% 및 71.9%)를 나타낸 경과가 유사하였고, 모두 재채기, 콧물, 코막힘, 눈 주위 가려움, 눈물, 눈 분비물이 개선된 것으로 나타났다. [吉本達雄, 森壽生, 倉田文秋, ほか. 春季花粉症に対する小青竜湯と麻黃附子細辛湯の效果−両方剤効果の検討−. Therapeutic Research, 2002;23:2253−9.]

마황연교적소두탕

경전의 피부병 처방이며 청열이습(淸熱利濕)방으로 활용되어 왔다. 울열(鬱熱), 소변이상, 피부가려움과 부스럼을 치료하는 효능이 있다. 열이 나고 부으며 몸에 가려움이 있거나 황달이 나는 소견이 특징적인 질환에 적용한다.

[경전배방]

마황 二兩(切), 연교근 二兩, 행인 四十个(去皮尖), 적소두 一升, 대조 十二枚(擘), 생재백피 一升(切), 생강 二兩, 감초 二兩(炙). 이 여덟가지 약물을 흐르는 빗물 一斗로 달이되 먼저 마황을 넣어 두 번 끓어오르게 한 다음에 거품을 건져내고 남은 일곱 약물을 넣어 분량이 三升이 될 때까지 달여 찌꺼기를 버린 후 세 차례에 나눠 따뜻하게 복용한다. 반나절 안에 다 복용해야 한다.(《傷寒論》)

[경전방증]

상한으로 어열(瘀熱)이 리(裏)에 있으면 몸이 반드시 누렇게 된다(《傷寒論》262조).

[추천 처방]

생마황 10 g, 연교 30 g, 행인 15 g, 적소두 30 g, 상백피 15 g, 자감초 5 g, 생강 15 g, 홍조 15 g. 이들을 물 1,100 mL와 같이 달여

탕액이 300 mL가 되도록 한다. 두세 차례에 나누어 따뜻하게 복용한다.

[방증제요]
옴이 몸 안으로 들어가 온몸이 가렵고 열과 종창이 있는 경우

[적용 환자군]
체격이 건장하고 얼굴색이 붉으며 열과 번조가 있다. 피부는 거칠고 가려움과 찐득이는 삼출물, 피부황변, 부종과 같은 소견이 보인다.

[적용 병증]
아래의 병증과 위에 서술한 환자군의 특징이 부합하는 경우에 처방의 투약을 고려할 수 있으며, 또한 근거기반의학적 근거에 따른 진단을 통해서도 처방을 활용할 수 있다.

1. 피부의 소양감, 수포, 미란, 삼출물 등이 나타나는 질환(B)[1]. 두드러기, 급성습진, 지루성피부염, 심상성 여드름, 수두, 돌발성 발진, 바이러스성 포진, 알러지성 피부염, 한선의 폐색, 피부소양증, 땀냄새 등

2. 열과 부종이 나타나는 비뇨기계 질환. 만성신사구체신염, 자반성신염, 신우신염, 방광염 등

3. 황달이 나타나는 질환. 급성전염성 황달형 간염, 전격성 바이러스성 간염[2], 간경화복수, 수술 후 황달, 췌장암, 임신 중 황달 등

[가감 및 합방]

1. 끈적이는 삼출물과 피부황변 소견을 보이는 경우 황백 10 g, 치자 15 g을 더한다.

2. 열이 있고 땀이 많은 경우 생석고 20 g을 더한다.

3. 피부가 거칠고 양성 종양이 있으면 생의이인 50 g을 더한다.

[주의사항]

생재백피는 현재 거의 쓰지 않으므로 상백피로 대체한다.

[각주]

1. 일본에서의 연속증례연구에서는 피부소양증에 마황연교적소두탕(상태에 따라 월비가출탕 혹은 백호가인삼탕을 병용투여)을 투여한 아토피성 피부염 2례와 심상성 건선 1례에 대해 좋은 경과를 관찰하였음을 보고하였다. [柴原直利, 川俣博嗣, 田原 英一, 等. 麻黄連翹赤小豆湯加減方が有効であった皮膚疾患の3例. 日本東洋医学雑誌, 2002;53(6):663-8.]

2. 중국의 한 연속증례보고에서는 급성간염에 의한 간신증후군에 대해 마황연교적소두탕으로 뚜렷한 효과를 얻었다고 소개하였다. [邓以林. 麻黄連翹赤小豆汤治疗肝肾综合征. 中医杂志, 1983(9):27-8.]

마황탕

경전의 태양병 처방이며 신온해표(辛溫解表)방으로 활용되어 왔다. 발한 및 환혼(還魂)의 효능이 있다. 현대 연구에서는 해열, 천식 억제, 진해, 중추신경계 흥분, 호르몬 분비 촉진, 항인플루엔자 등 작용이 확인되어 있다. 땀이 나지 않으면서 숨이 차거나 전신통이 있고 맥부유력(浮有力)한 소견이 특징적인 질환에 적용한다.

[경전배방]

마황 三兩(切), 계지 二兩(去皮), 감초 一兩(炙), 행인 70개(去皮尖) 이 네가지 약물을 물 九升과 같이 달인다. 먼저 마황을 넣어 二升을 줄도록 달인 뒤 위에 뜬 거품을 제거하고 나머지 약을 넣어 二升半이 되도록 달인다. 찌꺼기를 제거하고 八合을 따뜻하게 복용한다. 이불에 누워 약간 땀을 내도록 하고 죽을 먹을 것까지는 없다. 나머지는 계지탕 복용법과 같다.(《傷寒論》)

[경전방증]

태양병으로 이미 열이 났든 그렇지 않든 반드시 오한이 있고 몸이 아프며 구역질과 함께 맥이 음양으로 모두 긴(緊)하다(《傷寒論》3조). 태양병으로 머리가 아프고 열이 나며 온몸과 허리 및 뼈마디가 쑤시면서 오풍이 있고 땀이 없이 숨이 차다(《傷寒論》35조). 숨이 가쁘고 가슴이 그득하다(《傷寒論》36조). 태양병이 열흘이 지나 맥이 부(浮)하다(《傷寒論》 37조). 태양병으로 맥이 부긴 (浮緊)하며 땀이 없으면서 열이 나고 온몸이 쑤시는데 8, 9일이 지나도 풀리지 않고 표증이 여전하다(《傷寒論》 46조). 맥이 부(浮)하다(《傷寒論》 51조). 맥이 부삭(浮數)하다(《傷寒論》 52조). 상한에 맥이 부긴(浮緊)한데 땀을 내서 치료하지 않아 코피가 난다(《傷寒論》 55조). 맥이 부(浮)하기만 하고 다른 증상은 없다(《傷寒論》 232조). 양명병으로 맥이 부(浮)하고 땀이 나지 않으면서 숨이 차오른다(《傷寒論》 235조).

[추천 처방]

마황 15 g, 계지 10 g, 자감초 5 g, 행인 15 g. 이들 약물을 물 1,000 mL와 같이 달여 탕액이 300 mL가 되도록 한 뒤 두세 차례에 나누어 따뜻하게 복용한다.[1]

[방증제요]

땀이 없고 열이 있으면 머리와 온몸이 아프고 기침이 나면서 맥이 부긴(浮緊)한 경우

[적용 환자군]

체격이 건장하고 모발이 치밀하며 얼굴색은 어둡거나 거무튀튀한 누런색으로 부은 듯한 모습이다. 피부는 건조하고 밤톨이나 비늘처럼 거친 경우가 많으며 평상시에는 땀이 없거나 적게 난다. 추위를 잘 견디고 땀을 낸 이후에는 몸이 풀린다. 식욕이 좋고 식

사량이 많으며 맥이 부긴(浮緊)하고 유력하며 심폐기능에 이상이 없다. 건강한 청년이나 중년 및 육체노동자에게서 많이 보인다.

[적용 병증]

아래의 병증과 위에 서술한 환자군의 특징이 부합하는 경우에 처방의 투약을 고려할 수 있으며, 또한 근거기반의학적 근거에 따른 진단을 통해서도 처방을 활용할 수 있다.

1. 발열이 있는 환자. 일반 감기, 인플루엔자의 발열(A)[2-4], 폐렴, 급성유선염 초기 등. 인플루엔자 증상에 대한 인터페론 요법 시에도 투약할 수 있다(A).[5-7]

2. 운동기능장애가 나타나는 질환. 뇌경색, 뇌졸중의 후유증으로 생긴 반신마비, 다발성경화증, 파킨슨병, 급성척수염, 척수막류

3. 통증이 나타나는 질환. 오십견, 강직성 척추염, 좌골신경통, 관절염, 경추통 등

4. 피부가 건조하고 땀이 없는 소견이 나타나는 질환. 습진, 두드러기, 건선 등

5. 부종이 나타나는 질환. 신염

6. 코가 막히고 숨이 차는 소견이 나타나는 질환. 기관지천식, 천식성 기관지염(B)[8], 비염, 꽃가루 알러지(A)[9] 등

7. 골반내 장기의 무력 및 탈출증이 나타나는 질환. 자궁하수, 난산, 탈항, 치질, 요실금 등

[가감 및 합방]

1. 근육통과 부종에는 백출 20 g을 더한다.

2. 관절통증이 보일 때는 부자의 용량을 추가로 15 g 늘린다.

3. 땀이 많고 열기를 싫어하는 경우 생석고 30 g을 더한다.

4. 맥이 약한 경우 황기 20 g을 더한다.

5. 땀이 없고 피부 소양증이 있으면 계지탕을 합한다.

[주의사항]

1. 피부가 희고 땀이 많은 경우, 극도의 저체중, 심부전, 갑상선 기능항진, 기관지천식, 중증의 빈혈 등에는 신중히 투약하거나 투약하지 말아야 한다.

2. 이 처방은 가슴두근거림과 발한을 유도할 수 있으므로 공복 시의 복용은 피해야 하며 커피나 차와 함께 복용해서도 안 된다.

3. 이 처방을 복용하고 수면장애가 생기거나 잘 깨는 경우 복약을 중단하면 회복된다.

4. Nabeshima S의 연구에 따르면 마황탕 복용 10례에서 1례의 자연적으로 호전되는 가벼운 간기능 손상이 있었다. 이 처방으로 인한 간질성 폐렴 보고도 있다.[10]

[각주]

1. 일본에서의 약리연구에 따르면 마황의 선전(先煎)이 마황탕의 부작용을 줄일 수 있다고 한다. [小林匡子, 長冈佐知, 松山園美, 等. マゥスアミラーゼ阻害活性を利用した傷寒論における麻黄 湯煎出手順の検討. 日本東洋医学雑誌, 2008;59(3):477–82.]

2. 인플루엔자 환자 28명이 참여한 일본의 한 임상시험에서는 10명의 환자에게 마황탕, 8명의 환자에게 오셀타미비르, 나머지 10명의 환자에게는 자나미비리를 각 5일간 투약하였다. 연구결과 세 그룹의 발열 평균 지속 시간은 각각 29시간, 46시간, 27시간이었다. 마황탕 투여의 해열 효과는 오셀타미비르에 비해 유의하게 좋았고, 각 그룹별 증상 개선 및 바이러스 제거 효과는 비슷했다고 한다. [Nabeshima S, Kashiwagi K, Ajisaka K, et al. A randomized, controlled trial comparing traditional herbal medicine and neuraminidase inhibitors in the treatment of seasonal influenza. Journal of Infection and Chemotherapy, 2012(18):534−43.]

3. 일본에서의 임상연구에 따르면 A형 인플루엔자로 발열이 있는 150명의 소아 환자에 오셀타미비르와 마황탕을 병용투여했을 때 오셀타미비르 단독 투여에 비해 발열 지속 시간이 뚜렷하게 줄어들었다(31.1시간 대 56.0시간). 또한 마황탕을 복용한 5세 이하의 소아 환자는 오셀타미비르의 투여 유무와 무관하게 발열 시간이 현저하게 단축되었다. B형 인플루엔자 소아 70명을 대상으로 한 연구에서는 마황탕의 해열 효능이 오셀타미비르와 유사하고, 병용 요법으로 효과가 더 개선되지는 않는 것으로 나타났다. [Toriumi Y, Kamei T, Murata K, et al. Utility of Maoto in an influenza season where reduced effectiveness of oseltamivir was observed −a clinical, non−randomized study in children.Forsch Komplementmed, 2012;19(4):179−86.]

4. 2019년 메타분석에는 무작위 대조 연구 2건과 비 무작위 대조 연구 10건을 포함하여, 마황탕과 뉴라미니다아제 억제제를 병용하면 뉴라미니다아제 억제제 단독투여에 비해 해열을 크게 개선할 수 있는 것으로 나타났다. 그러나 바이러스의 억제에는 도움이 되지 않았다. [Yoshino T, Arita R, Horiba Y, et al. The use of maoto (Ma−Huang−Tang), a traditional Japanese Kampo medicine, to alleviate flu symptoms: a systematic review and meta−analysis. BMC Complement Altern Med, 2019;19(1):68.]

5. 일본에서는 C형 간염으로 인터페론 치료를 받은 12명의 환자에 대한 무작위 대조 연구를 수행했는데, 그 중 6명에게 계마각반탕 가 홍삼을 4주간 투여한 결과 식욕저하 및 관절통을 상당히 개선할 수 있음을 발견했으며, 해열 진통제의 사용도 줄었다고 한다. [井齋偉矢. C型慢性肝炎のインターフェロン療法における副作用に対する漢方製剤の効果. 診断と治療, 1996(84):1505−9.]

6. 일본에서의 단일군 연구에서는 혈청 바이러스 역가가 높은 만성 C형 1B형 간염 환자 18명을 대상으로 기존 인터페론 베타치료와 함께 마황탕을 추가 투여한 결과, 이전 임상연구의 데이터와 비교하여 마황탕이 인터페론의 부작용을 크게 줄이고 항 바이러스 효능을 향상시킬 수 있다고 보고하였다. [Kainuma M, Ogata N, Kogure T, et al. The efficacy of a herbal medicine (Mao−to) in combination with intravenous natural interferon−β for patients with chronic hepatitis C, genotype 1b and high viral load: a pilot study. Phytomedicine, 2002;9(5):365−72.]

7. 일본에서의 크로스 오버 설계 연구에 따르면 마황탕은 인터페론으로 인한 피로와 관절통을 개선할 수 있지만 발열 개선에는 효과적이지 않았다. 환자의 혈청 사이토카인 검출을 통해 마황탕 투여가 IL−1ra를 증가시킬 수 있음을 확인하였으며, 이는 인터페론 치료 효과를 높이는 마황탕의 기전 중 하나일 수 있다. [Kainuma M, Sakai S, Sekiya N, et al. The effects of a herbal medicine (mao−to) in patients with chronic hepatitis C after injection of IFN−beta. Phytomedicine, 2004(11):5−10.]

8. 2019년에 발표된 메타분석에서는 1,342명의 환자를 대상으로 한 15개의 무작위 대조 연구를 바탕으로 천식성 기관지염을 치료하기 위해 전통적인 서양의학적 치료와 마황탕의 병용투여가 천명음, 습성나음을 개선하고, 기침이 소실되기까지 소요되는 시간을 현저히 단축시킬 수 있음을 확인하였다. [秦怡文, 刘莹, 陈明, 等. 麻黄汤加味联合西医常规方法治疗急性喘息型支气管炎随机对照试验的系统综述与 Meta 分析. 中医杂志, 2019;60(03):214−8.]

9. 일본에서 실시한 무작위 대조 연구에서는 화분증에 의한 알러지성 비염 또는 결막염 환자 65명에 대해 32례에 소청룡탕을, 33례에는 계마각반탕을 투여한 결과, 두 군 모두에서 치료효과가 각각 62.5%와 60.6%의 유효율로, 동등한 효과를 나타냈다고 보고하였다. [森壽生, 倉田文秋, 嶋崎讓, ほか. 春季アレルギー性鼻炎(花粉症)に対する小青竜湯と桂麻各半湯(桂枝湯合麻黄湯)の効果−両剤の効果の比較−. Therapeutic Research, 1999(20):2941−497.]

10. 이 처방 복용으로 인한 간질성 폐렴이 보고되었다. Ando M, Masuda T, Yamasue M, et al. A case of maoto−induced interstitial pneumonia. J Thorac Dis, 2018;10(6):E485−9.

마황행인감초석고탕

경전의 해천병 처방이며 청열선폐평천(淸熱宣肺平喘)방으로 활용되어 왔다. 열천(熱喘), 코막힘, 피부소양증, 장질환을 치료하는 효능이 있다. 현대 연구에서는 해열, 천식 억제, 진정, 항염증, 항알러지, 인플루엔자 바이러스 억제 등 작용이 확인되어 있다. 땀이 나면서 숨이 차고 입마름과 번조가 나타나는 소견이 특징인 질환에 적용한다.

[경전배방]

마황 四兩(切), 행인 五十个(去皮尖), 감초 二兩(炙), 석고 半斤(碎, 綿裏). 이 네가지 약물을 물 七升과 같이 달인다. 먼저 마황을 넣어 二升이 졸아들도록 한 뒤 위에 뜬 거품을 제거하고 남은 약을 넣어 二升이 되도록 달인다. 찌꺼기를 제거하고 一升을 따뜻하게 복용한다.(《傷寒論》)

[경전방증]

발한시킨 후에 다시 계지탕을 써서는 안 된다. 땀이 나면서 숨이 가쁘고 심한 열이 나지는 않는다(《傷寒論》 63조, 162조).

[추천 처방]

생마황 15 g, 행인 15 g, 자감초 10 g, 생석고 30 g. 이들 약물을 물 1,000 mL와 같이 넣어 탕액이 300 mL가 되도록 달인 뒤 두세 차례에 나누어 따뜻하게 복용한다.[1,2]

[방증제요]

땀이 나면서 숨이 가쁘고 코막힘이나 피부 가려움이 있기도 하며 찐득거리는 가래와 침이 나오고 얼굴과 눈주변이 부어있는 경우

[적용 환자군]

체격이 건장하고 검은색 머리카락이 치밀하게 나있으며 눈꺼풀이 충혈되어 있다. 약간 부은듯한 모습으로 활동적이며 더운 것을 싫어하고 땀이 잘 나며 차가운 음료를 좋아한다. 입안에 쓴맛이 돌고 입마름이 있으며 가래와 콧물이 찐득거린다. 인후통과 코막힘이 잦으며 편도선과 림프절 비대도 잘 생긴다. 피부 발진과 가려움증, 두드러기, 태선 등도 흔하다.

[적용 병증]

아래의 병증과 위에 서술한 환자군의 특징이 부합하는 경우에 처방의 투약을 고려할 수 있으며, 또한 근거기반의학적 근거에 따른 진단을 통해서도 처방을 활용할 수 있다.

1. 발열, 기침, 숨가쁨이 나타나는 질환. 인플루엔자, 여름철 온열병(B)[3], 대엽성 폐렴, 마이코플라스마폐렴(B)[4], 바이러스성 폐

렴, 홍진성 폐렴, 기관지폐렴, 기관지염, 기관지천식 등

2. 코막힘이 나타나는 질환. 꽃가루 알러지, 부비동염, 코피 등

3. 발적, 부종, 통증, 눈부심, 심한 눈물흘림증과 함께 두통이나 발열 등이 동반되는 안과질환. 맥립종, 각막염, 결막염, 각막궤양, 누낭염 등

4. 열에 의해 가려움이 악화되는 피부질환

5. 골반장기질환. 치질. 항루, 유뇨, 요저류 등

[가감 및 합방]

1. 기침이 나고 숨이 가쁘며 누런 가래가 나오고 폐에 감염이 있는 경우 소함흉탕을 합방한다.

2. 배가 그득한 경우 치자후박탕을 합방한다.

3. 가슴이 막힐듯이 답답하고 번조와 불면이 있는 경우 연교 30 g, 황금 10 g, 산치자 10 g을 더한다.

4. 변비가 있고 설태가 두꺼우면 대황 10 g을 더한다.

5. 인후통에는 길경 10 g, 강반하 10 g을 더한다.

[주의사항]

1. 소아구루병이나 심장질환 환자에게는 신중하게 투약한다.

2. 소아 환자의 경우 발한과다나 번조 등이 나타나면 마황의 용량을 줄인다.

3. 영아가 복용할 경우 처방을 배와 함께 탕전하고 적당량의 얼음사탕(氷糖)과 함께 복약하게 할 수 있다.

4. 일본에서는 이 처방 복용 후 발생한 미만성폐포출혈에 대한 보고가 있다.⁵

[각주]

1. 중국의 한 실험 연구에서는 마행감석탕의 탕전법이 다르면 항인플루엔자 효과에 차이가 발생할 수 있으며, 마황을 먼저 달인 후 나머지 약을 추가로 넣어 달이는 것이 모든 약물을 같이 달이는 것에 비해 효과적이라고 한다. [葛资宇, 童骄, 那婧婧, 等. 不同煎煮 方法的麻杏石甘汤及其含药血清对 A型流感病毒神经氨酸酶活性的影响. 中国中西医结合杂志, 2016; 36(9):1119-23.]

2. 중국에서 실시한 한 무작위 대조 연구에서는 풍열폐폐증(風熱閉肺證) 기관지폐렴 환자로 발열이 주요한 증상인 환아들에게 마행감석탕의 용량을 증가시키는 데에 따른 치료반응을 평가하였다. 그 결과 마행감석탕의 용량의존적 투여는 전통 용량에 따른 투여에 비해 효과적이었다. 통상적인 서양의학적 치료와 함께 마행감석탕(마황 3 g, 행인 3 g, 생석고 12 g, 감초 3 g, 매일 1제, 세 차례 복용, 4시간 간격으로 투여)을 투여하거나 체온에 근거하여 용량을 1배, 1.5배, 2배, 2.5배, 3배(체온이 37.3도 이상인 경우 용량을 한단계 높여 투여, 체온이 37.3도 이하인 경우 전일 투여용량 지속)로 투여하도록 하였다. 그 결과 두 군간의 총유효율은 유사하였으나, 용량조절 투여군에서의 변증지표상 뚜렷한 개선율은 88.89%로, 대조군(전통용량 투여군)의 15.79%에 비해 유의한 효과를 나타냈다(p<0.01). 또한, 발열기간 및 기침, 가래의 소실 시간 및 소실율에서도 분명한 차이를 보였다. 부작용 발생율은 두 군간 차이가 없었다. [杜洪喆, 晋黎, 陈汉江, 等. 麻杏石甘汤随症施量模式治疗小儿支气管肺炎 18例临床研究. 中医杂志, 2014;55(10):842-5.]

3. 하계열(夏季熱)은 여름철 영유아에게 흔한 질환으로 상당기간 동안 발열이 있으며 갈증으로 물을 많이 마셔 다량을 소변을 보며 땀이 나지 않는 소견이 특징이다. 중국에서 실시한 단일군 연구에서는 이 질환이 있는 25명의 환아에 대해 마행감석탕을 3-5회 투여(고열이 있는 경우 선태, 백강잠을, 식욕부진에는 계내금, 곡아를 가미하여 투여하도록 했다. 이 중 20명의 어린이(80%)에서 해열, 증상 소실이 나타났다. [林一得. 麻杏石 甘汤治疗夏季热

25例. 中医杂志, 1982(6):49.]

4. 일본에서의 단일군 연구에서는 마이코플라스마 폐렴감염 이후에도 여전히 기침이 있고 갈증이 나는 19례의 소아에게 마행감석탕을 투여한 결과 항생제 사용 시간과 기침 시간이 크게 단축되었다고 보고하였다. [宮崎瑞明. 小児マイコプラズマ肺炎の回復期に対する麻杏甘石湯の効果. 日本東洋医学雑誌, 1994;44(4):535-40.]

5. Iida Y, Takano Y, Ishiwatari Y, et al. Diffuse Alveolar Hemorrhage Associated with Makyo-kanseki-to Administration. Intern Med, 2016;55(22):3321-3.

맥문동탕

경전의 폐위병(肺痿病) 처방이며 윤조강역(潤燥降逆)하는 효능이 있다. 기침, 구역을 치료하고 식욕을 증진시키며 영양을 보충하는 효능이 있다. 기침이 심하여 기의 상역이 있고 헛구역질이나 식욕부진 및 인후부의 불쾌감, 여윈 체격 등 소견이 특징인 질환에 적용한다.

[경전배방]

맥문동 七升, 반하 一升, 인삼 三兩, 감초 二兩, 갱미 三合, 대조 十二枚. 이 여섯가지 약물을 물 一斗二升과 같이 달여 六升이 되도록 한뒤 一升을 따뜻하게 복용한다. 낮에 세 차례, 밤에 한차례 복용한다.(《金匱要略》)

[경전방증]

갑자기 기가 올라와서 호흡이 괴롭고 인후가 메이는 듯한 불쾌감이 들때 역(逆)을 멎게 하고 기가 치솟은 것을 내린다(《金匱要略》七).

[추천 처방]

맥문동 30-70 g, 강반하 10 g, 인삼 10 g, 자감초 10 g, 갱미 30 g 혹은 산약 30 g, 홍조 20 g. 이들을 물 1,100 mL와 같이 달여 탕액

이 300 mL가 되게 한다. 두 차례에서 네 차례에 걸쳐 따뜻하게 복용한다.

[방증제요]

삼키는 것과 숨쉬는 것, 목소리를 내는 것이 모두 곤란하면서 극도로 여윈 경우

[적용 환자군]

여윈 체격으로 근육의 위축이 있고 피부는 건조하며 탄성이 없다. 혀끝은 떨리며 쪼그라들어 있다. 오심과 구토, 식욕부진이 있으며 식사를 잘 하지 못하고 대변은 굳어서 배변이 어렵다. 인후부와 입안이 마르고 목이 새고 목소리가 잘 나오지 않아 발음이 분명치 못하다. 사레가 들린듯한 기침이 멈추지 않고 가래는 적으나 뱉어지지 않는다.

[적용 병증]

아래의 병증과 위에 서술한 환자군의 특징이 부합하는 경우에 처방의 투약을 고려할 수 있으며, 또한 근거기반의학적 근거에 따른 진단을 통해서도 처방을 활용할 수 있다.

1. 음식 섭취가 곤란하면서 극심한 체중감소 소견이 나타나는 질환. 여위고 식사를 잘 하지 못하는 고령자, 악성종양의 진행기 또는 말기로써 특히 말기위암[1], 식도암, 인후암, 폐암, 구강암, 인후암 등

2. 기침이 나오고 숨이 차며 가래의 배출이 곤란한 질환(A)[2,3], 만성인후염, 감기 후 기침(A)[4,5], 백일해, 기관지확장증, 폐렴, 폐결핵, 무기폐(B)[6], 급성기관지염(A)[7], 기관지천식(A)[8], COPD(A)[9], 폐암수술 후 기침(A)[10] 등

3. 근육위축이 나타나는 질환. 근위축, 근이영양증, 파킨슨, 노인성근육위축 등

4. 입마름이 주요 증상인 질환. 구강건조증(A)[11,12], 약인성 구강건조증 (A)[13], 쇼그렌증후군(A)[14,15]

[가감 및 합방]

1. 부정맥과 빈혈에는 자감초탕을 합방한다.

2. 가슴두근거림에는 용골 15 g, 모려 15 g을 더한다.

[주의사항]

1. 이 처방은 죽으로 섭취할 수 있으므로 고령자의 식욕부진에 적용한다.

2. 삼킴곤란이 있는 경우 이 처방의 탕전액을 소량씩 여러 차례에 걸쳐 복용하게 한다.

[각주]

1. 일본의 한 증례보고에서는 위암 치료를 위해 위절제술을 받은 후 악성구토가 나타난 고령 환자의 치험을 보고하였다. 환자는 육군자탕, 대건중탕 및 반하사심탕의 투여에 반응을 보이지 않았다. 보다 자세한 진찰 결과 환자의 구토는 뚜렷한 증상이지만, 소량의 위산만을 토하므로 마른 구역과 비슷

한 증상으로 판단하였다. 또한 혀가 붉고 건조하며, 설태가 적고 맥이 세삭(細數)한 것과 같은 전형적인 음허증 소견을 보여 위음허에 의한 위기상역구토로 보아 맥문동탕을 처방한 결과 좋은 효과를 얻었다고 한다. [吉野鉄大, 清水芳政, 秋葉哲 生, 等. 胃切除術後難治性嘔吐を大逆上気ととらえて麦門冬湯を投与した1例. 日本東洋医学雑誌, 2015;66(1):45-8.]

2. 일본에서 실시된 무작위 대조 연구에서는 가래 배출이 어려운 만성 폐질환(만성기관지염, 폐기종, 폐섬유증, 기관지천식, 기관지확장증, 진구성 폐결핵, 진폐증 포함)을 가진 65세 이상의 고령 환자 19명을 대상으로, 10명에게는 4주간 맥문동탕을, 9명에게는 4주간 클로르헥신을 투여했다. 그 결과 맥문동탕이 가래의 배출을 촉진함으로써 담액의 저류를 감소시키는 효능이 있음을 발견했다. [佐々木英忠, 佐藤和彦, 佐々木満, ほか. 高齢者慢性呼吸器疾患患者の喀痰喀出困難に対する麦門冬湯の有用性について−塩酸ブロムヘキシン製剤との比較−. 漢方と免疫・アレルギー, 1993(7):139-45.]

3. 9건의 무작위대조 임상시험을 포함하는 2016년의 메타분석에서는 2,453명의 환자를 대상으로 맥문동탕의 효과를 검토한 결과 김치에 대한 맥문동탕의 증상 호전율은 74%, 효과가 발현되기까지의 시간간격은 약 5일 정도임을 확인하였다. 다만, 그 효과는 복약을 중단할 경우 1주일 이상 유지되지 않았다. 맥문동탕은 COPD나 폐암수술 후의 기침, 천식 등과 비교하여 감기 후 기침에 대한 효과가 가장 분명하였다. [Kim KI, Shin S, Lee N, et al. A traditional herbal medication, Maekmoondong−tang, for cough: A systematic review and meta−analysis. J Ethnopharmacol, 2016;3(178):144-54.]

4. 감기 후 지속되는 기침으로 진해제를 복용하는 19명의 환자가 참여한 일본의 한 무작위대조 임상시험에서 9명에게 맥문동탕을 병용투여한 결과 맥문동탕이 기침 완화에 빠르고 만족스러운 효과를 나타낼 수 있음이 드러났다. [Irifune K, Hamada H, Ito R, et al. Antitussive effect of bakumondoto a fixed kampo medicine (six herbal components) for treatment of post−infectious prolonged cough: controlled clinical pilot study with 19 patients. Phytomedicine, 2011;18:630-3.]

5. 일본에서 실시한 무작위 대조 연구에서는 감기 후 마른 기침이 있는 고령 환자 2,069명을 맥문동탕 1,039례, 포미노벤염산염 투여군 1,030례로 무작위 배정하여 경과를 관찰한 결과 맥문동탕이 기침 완화 및 가래 감소에 더 효과적인 것으로 나타났다(89.5% 대 46.9%). [西澤芳男, 西澤恭子, 吉岡二三,

ほか. 漢方薬の内科疾患急性疼痛改善効果: 麦門 冬湯と塩酸ホミノベンとの高齢者急性気道炎症疾患起因咳嗽に対する前向き多施設無作為比較検討試験痛みと漢方, 2003(13):12−21.]

6. 폐중엽증후군은 기관지 외부의 림프절 비대로 인하여 무기폐, 폐염의 협착, 우폐중엽의 확장제한, 폐엽축소, 염증 등이 나타나는 질환이다. 중국의 단일 군 연구에서는 맥문동탕가감방(거 대조, 갱미, 가 진피, 길경, 행인, 패모, 과 루피, 비파엽, 복령, 동과자)을 60례의 비특이성염증형 우폐중엽증후군 환자에 투여한 결과 복용 3∼5일 후 41례가 완치되었고(90% 이상의 폐확장, 염증의 완전 재흡수, 증상의 소실) 총 완치율은 95%(57례)였다. [孙家宝, 顾秀华, 杨书成, 等. 麦门冬汤加减治疗非特异性炎症型右肺中叶综合征60例. 中国中西医结合杂志, 1994(10):632−3.]

7. 일본에서 실시한 무작위 대조 연구에서 아지트로마이신을 3일 동안 복용한 마이코플라스마성 기관지염(폐렴은 아님) 환자 20명에 대해 6례에는 맥문동 탕을, 8례에는 티페피딘을, 6례에는 맥문동탕과 티페피딘을 2주간 병용투여 했다. 그 결과 맥문동탕 투여군의 회복 시간이 티페피딘 투여군에 비해 빠르며(각각 5, 7일). 병용투여군에서의 완화율이 가장 높은 것으로 나타났다. [渡邊直人, 中川武正, 宮澤輝臣. マイコプラズマ気管支炎の咳嗽抑制に有用な鎮咳薬の模索検討. 漢方と免疫・アレルギー, 2008(22):63−8.]

8. 일본의 임상연구에서는 기관지천식 환자 21명과 정상 환자 22명에 대해 맥문동탕을 2개월간 투약한 후 기침 역치에 미치는 영향을 분석했다. 그 결과 맥문동탕은 천식 환자의 76%, 비천식 환자의 82%의 기침 역치를 높일 수 있지만, 천식 환자에게 더 효과적이라는 사실이 밝혀졌다. [Watanabe N, gang C, Fukuda T, et al. The effects of bakumondo−to (mai−men−dong−tang) on asthmatic and non−asthmatic patients with increased cough sensitivity. Nihon Kokyukigakkai Zasshi. 2004;42(1):49−55.]

9. 65세 이상의 고령 COPD 환자 24명이 참여한 일본의 한 크로스오버 연구에서는 맥문동탕을 8주간 투여하면 기침의 빈도와 중증도를 크게 줄일 수 있다고 보고하였다. [Mukaida K, Hattori N, Kondo K, et al. A pilot study of the multiherb Kampo medicine bakumondoto for cough in patients with chronic obstructive pulmonary disease. Phytomedicine, 2011(18):625−9.]

10. 일본에서 실시한 무작위 대조 연구에서는 폐암 수술 후 기침이 지속되는 32명의 환자에 대해 맥문동탕 투여군 17례, 덱스트로 메토르판 또는 디메틸

모르판을 투여한 환자 15례를 비교한 결과 맥문동탕이 기침 개선에 더 큰 영향을 미치고 신체적, 정신적 건강 점수를 향상시키는 것으로 나타났다고 한다. [常塚宣男. 肺癌術後遷延性咳嗽に対する麦門冬湯の有用性に関する 検討. 漢方と免疫・アレルギー, 2008(22):43−55]; 常塚宣男. 肺癌術後遷延 性咳嗽に対する麦門冬湯の有効性 −SF-36v2 による QOL 解析−. [Progress in medicine, 2010(30):100−1.]

11. 일본에서 실시한 무작위 대조 연구에서는 기저 침 분비가 3 mL/10분 미만, 저작시 침 분비물이 10 mL/10분 미만인 노인성 구강건조증 환자 100명(쇼 그렌증후군, 당뇨병 및 약물 유발 구강건조증 환자는 제외)에 대해 맥문동 탕 24례, 세비멜린 42례, 니자티딘 34례를 90일간 투여하였다. 그 결과 맥문 동탕은 다른 치료에 비해 침분비를 증가시키며, 주관적 증상의 개선에 있어 서도 다른 치료와 유사한 효과를 보이는 것으로 확인되었다. [梅本匡則, 任 智美, 美内慎也, ほか. 口腔内乾燥症に対する薬物治療の効果. 耳鼻咽喉科 臨床, 2007(100):145−52.]

12. 일본에서의 크로스오버 연구에서는 5명의 정상 남성을 대상으로 맥문동탕 을 투여한 후 20분, 40분, 60분 후, 타액 분비가 37%, 26%, 33% 증가한 것으 로 나타났다. 침에서 P 물질의 증가는 맥문동탕 투여 후 타액 중 CGRP 함 량과 관련이 있는 것으로 드러났다. [Satoh Y, Itoh H, Takeyama M.Effects of bakumondoto on neuropeptide levels in human saliva and plasma. Journal of Tradi- tional Medicines, 2009(26):122−30.]

13. 일본에서의 한 임상연구에서는 향정신약물 복용 후 갈증과 구강 건조를 경 험 한 37명의 환자에 대해 15례에는 오령산을, 22례에는 맥문동탕을 투여하 였다. 오령산의 갈증 완화율은 40%, 구강건조증 완화율은 25%, 맥문동탕의 갈증 완화율은 47.1%, 구강건조증 완화율은 59.1%로 나타났다. 맥문동탕은 구강 내 건조에 오령산보다 더 좋은 효과가 있었다. [岡本康太郎, 岡本芳文, 高橋栄司. 向精神薬による口渴, 口乾に対する五苓散, 麦門冬湯の効果. 日 本東洋医学雑誌, 1995;45(3):579−86.]

14. 원발성 쇼그렌증후군 환자 229명이 참여한 일본의 한 무작위대조 임상시험 에서는 115명의 환자에게 맥문동탕을 투약하였고, 나머지 114명의 환자에 게는 위약을 투약하였다. 시험기간은 6개월이었다. 그 결과 맥문동탕은 타 액 분비를 증가시키고 주관적 증상을 개선하며 염증 반응 지표를 개선할 수 있는 것으로 밝혀졌다. [西澤芳男, 西澤恭子, 吉岡二三, ほか. 原発性シェ

ーグレン証候群唾液分泌能改善効果に対する前向き, 多施設無作為2重盲検
試験. 日本唾液腺学会誌, 2004(45):66–74]

15. 일본에서의 한 무작위 대조 임상시험에서는 속발성 쇼그렌 증후군 환자
847명 중 맥문동탕 투여군에 424명을 배정하고, 브롬헥신군에 423명을 배
정하여 12개월간 투약을 진행했다. 맥문동탕은 침과 눈물의 분비를 크게 증
가시키고 건조함, 레이노증후군, 관절통, 기침과 객담, 사지냉증과 같은 주관
적 증상을 개선할 수 있는 것으로 밝혀졌다. [西澤芳男, 西澤恭子, 後藤グレ
ィシィ広恵, ほか. 漢方薬による慢性難治性疾患の鎮痛効果: 麦門冬湯とブ
ロムヘキシンの二次性シェグレン証候群に対する鎮痛効果, 無作為比較検討
試験. 痛みと漢方, 2004(14):10–7.]

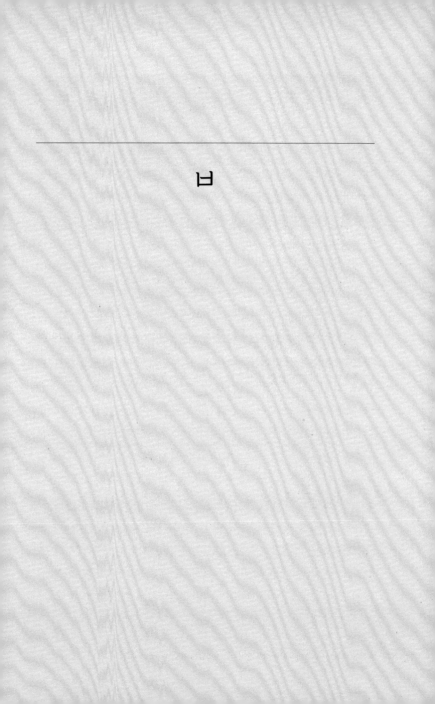

ㅂ

반하사심탕

경전의 위장질환 처방이며 화위강역(和胃降逆)방으로 활용되어 왔다. 구토와 가슴의 답답함 및 설사, 번열을 치료하는 효능이 있다. 현대 연구에서는 위장관 운동의 조절, 위점막보호, 헬리코파일로리박터균 억제, 항궤양 작용 등이 확인되었다. 심하비, 구토, 하리(下痢), 번(煩)이 나타나는 질환에 적용한다.

[경전배방]

반하 半升(洗), 황금 三兩, 건강 三兩, 인삼 三兩, 감초(炙) 三兩, 황련 一兩, 대조 十二枚(擘). 이 일곱가지 약물을 물 一斗와 함께 六升으로 달인 뒤, 찌꺼기를 제거하고 다시 달여 三升을 취한다. 一升을 따뜻하게 마시고 하루 세 차례 복용한다.(《傷寒論》《金匱要略》)

[경전방증]

상한 5, 6일에 구역질과 발열이 있다. 다만 (심하가) 그득하기만 하고 아프지 않다면 비(痞)이므로 시호제를 더 쓰지 말아야 한다 (《傷寒論》149조). 구토와 장명이 있고 가슴아래가 답답하다(《金匱要略》十七).

[추천 처방]

강반하 15 g, 황금 15 g, 건강 15 g, 당삼 15 g, 자감초 10 g, 황련 3−5 g, 홍조 20 g을 물 1,000 mL와 같이 300 mL가 되도록 달인 뒤 두세 차례에 나누어 따뜻하게 복용한다.

[방증제요]

누를 때 저항감을 동반하지 않는 상복부의 그득한 불쾌감, 오심, 구토, 설사, 장명음, 식욕부진

[적용 환자군]

영양상태가 비교적 양호하고 심리적 불안이 있다. 말이 빠르고 성격이 급하다. 안검이 충혈되어 있으며 입술은 두껍고 붉거나 암홍색이다. 입술이 부어있거나 각질이 일어나있는 경우도 있다. 설사가 잦으며 배변 횟수가 비교적 많고 양은 적은 편이다. 대변은 끈적이고 냄새가 심하게 나며 진흙같거나 짙은 황색, 또는 짙은 검은색을 띤다. 작열감과 함께 통증 및 탈항, 출혈 등이 보인다. 설태는 끈적거리고 두꺼운데, 특히 설근부가 두꺼우며 누렇거나 흰색을 띤다. 구강점막에 궤양이 잘 생기고 잇몸출혈이 있으며 입이 마르고 쓰고 끈끈하다. 입냄새가 있다. 복중으로 심하비경과 가벼운 위내진수음이 있다. 불규칙한 생활(음주, 흡연, 밤샘 등)을 하는 성인에서 자주 볼 수 있으며, 불안초조와 불면이 있는 환자에게서도 자주 볼 수 있다.

[적용 병증]

아래의 병증과 위에 서술한 환자군의 특징이 부합하는 경우에 처방의 투약을 고려할 수 있으며, 또한 근거기반의학적 근거에 따른 진단을 통해서도 처방을 활용할 수 있다.

1. 기능성 위장장애, 위염(A)[1], 위 및 십이지장궤양, 위식도역류질환(A)[2] 및 그로 인한 인후염(B)[3], 담즙역류성위염, 만성담낭염 등 복부의 그득찬 불쾌감, 오심을 주요 증상으로 하는 질환

2. 음주 후 구토, 설사, 만성장염(B)[4], 소화불량, 과민성대장증후군(A)[5], 방사선 장염(B)[6], 화학요법에 의한 장염(A)[7,8], 표적항암제(이마티닙[9], 아파티닙[10] 등)에 의한 설사(B)와 같이 설사를 주요 증상으로 하는 질환

3. 항암화학요법에 의한 구내염(A)[11-13], 방사선성 구내염(B)[6], 표적항암제 아파티닙[10], 수니티닙[14]에 의한 구강점막염, 구강궤양(A)[15], 마취 후 인후점막손상에 의한 인후통(A) 등 구강궤양을 주요 증상으로 하는 질환

4. 불안증, 공황발작, 현훈, 부정맥 등 수면장애, 초조, 불안을 특징으로 하는 질환

[주의사항]

1. 황련의 용량은 너무 많아서는 안 된다. 과도한 용량의 황련은 식욕을 억제한다.

2. 감초를 다량 투여하면 위산역류가 생기거나 복창만, 부종 등을 야기할 수 있다.

3. 일본에서는 본 처방으로 인하여 간질성폐렴[16], 간기능장애[17]가 발생하였다는 보고가 있다.

[각주]

1. 소화기 내시경 검사상 급성위염 또는 만성위염의 급성 악화가 진단된 64명의 환자를 대상으로 이루어진 일본의 한 무작위대조 임상시험에서는 복통과 팽만감을 호소한 환자들에 대해 육군자탕투여군 20례, 반하사심탕 복용군 14례, 게파르네이트(Gefarnate) 복용군 16례로 나누어 4주간 치료하였다. 그 결과 육군자탕, 반하사심탕은 게파르네이트와 유사한 효과를 나타냈다. [太田康幸, 西岡幹夫, 山本泰猛, ほか. 胃炎(急性胃炎および慢性胃炎の急性増悪)に対する医療用漢方製剤の多施設臨床評価−gefarnate を対照薬とした比較試験−. 診断と治療, 1990(78):2935−46.]

2. 17건의 무작위대조 연구를 포함하는 2017년의 메타분석에서는 위식도역류질환 치료 시 반하사심탕이 PPI, D2RA, H2RA와 같은 기존 의약품에 비해 임상 증상 및 내시경 병리소견을 더 개선시킬 수 있음을 확인하였다. 그 중 속쓰림과 흉골통의 개선은 보다 뚜렷하지만 판토텐산과 비교했을 때의 개선은 명확하지 않았다. [Dai Y, Zhang Y, Li D, Ye J, Chen W, Hu L. Efficacy and Safety of Modified Banxia Xiexin Decoction (Pinellia Decoction for Draining the Heart) for Gastroesophageal Reflux Disease in Adults: A Systematic Review and Meta−Analysis. Evid Based Complement Alternat Med. 2017;2017:9591319.]

3. 중국의 한 임상연구에서는 위식도역류로 인한 인두염 환자 78명을 각각 반하사심탕 투여군 40례, 금상이인환[복령, 법반하, 지실(초), 청피(초), 담남성, 귤홍, 사인, 육두구, 빈랑, 합환피, 육신곡(초), 자소경, 생강, 선퇴, 목호접, 후박(제)] 38례로 배정하여 효과를 비교하였다. 그 결과 반하사심탕 투여군의 인두염 합병증 및 후두경상 소견에 대한 개선효과가 대조군에 비해 우수하였다. [徐光林. 半夏泻心汤为主治疗胃食管反流性咽喉炎40例临床观察. 中医杂志, 2005;46(1):38−40.]

4. 주머니염(pouchitis)은 항문을 보존한 대장전절제술(또는 부분 절제) 후 환자의 회장 주머니에서 발생하는 비특이적 염증으로, 회장주머니−항문 문합 후 가장 흔한 유형의 궤양성 대장염이다. 이 질환의 일반적인 합병증은 주로 설사와 출혈이다. 일본에의 한 단일군 연구에서는 2주 동안 시프로플

록사신(ciprofloxacin)을 투여하고 32주 동안 반하사심탕을 투여한 만성 주머니염 환자 14명의 경과를 바탕으로 반하사심탕 투여가 주머니염 증상 점수를 현저히 감소시켰다고 보고하였다(11±2.5에서 6.5±2.5, P<0.001). 또한, 시프로플록사신의 투여량도 감소하였다(491.6±182.4 mg/kg에서 392.5±184.0 mg/kg, P<0.05). [Hiroki M, Motoi U, Yuki H, et al. The Use of Oral Herbal Medicine (Hange-Shashin-To) in Patients with Pouchitis: A Pilot Study. Journal of the Anus, Rectum and Colon, 2018;2(1):9-15.]

5. 중국의 한 무작위대조 연구는 설사를 동반한 과민성대장증후군 환자 120명에 대한 반하사심탕 투약의 임상적 유효율이 브롬화 피나베리움(Pinaverium bromide) 투여와 비슷하다고 보고하였다(각각 83% 및 80%). [詹程腩, 潘锋, 张涛. 基于血浆及结肠黏膜 ghrelin 变化探讨半夏泻心汤干预腹泻型肠易激综合征临床研究. 中华中医药学刊, 2011(11):2588-91.]

6. 일본의 연속증례보고에서는 방사선치료로 인한 방사선 구강궤양 및 방사선 장염 환자 8명의 사례가 소개되었으며, 반하사심탕 투여 후 5명의 환자가 개선되었음을 보고하고 있다. 특히 항암화학요법을 동시에 받지 않은 환자에서 임상적 효과가 좋았으며, 이들 3례 모두에서 뚜렷한 효과가 있었다. [永井愛子, 小川惠子, 三浦淳也, 等. 放射線治療に伴う腸炎·口内炎に対する半夏瀉心湯有効例とその検討. 日本東洋医学雑誌, 2014;65(2):108-14.]

7. 중국의 증례보고에서는 CPT-11 사용 후 지연성의 설사가 나타난 5명의 소세포폐암 환자를 대상으로 화학요법 1일 전부터 5일 연속으로 반하사심탕을 투여한 결과 4명의 환자에서 설사 재발이 없었다고 보고하였다. [Lu H, Qin J, Han N, et al. Banxia Xiexin Decoction Is Effective to Prevent and Control Irinotecan-Induced Delayed Diarrhea in Recurrent Small Cell Lung Cancer. Integr Cancer Ther. 2018;17(4):1109-14.]

8. 비소세포성 폐암 환자 41명이 참여한 일본의 한 무작위대조 임상시험에서는 시스플라틴과 이리노테칸 화학요법을 병용하는 것을 기초로 하여, 18명의 환자에 대해 화학요법 3일 전에 반하사심탕을 투여하였다. 연구 결과, 반하사심탕의 투여는 설사의 중증도와 중증 설사의 발생률을 현저히 감소시키는 것으로 나타났다. [Mori K, Kondo T, Kamiyama Y, et al. Preventive effect of Kampo medicine (Hangeshashin-to) against irinotecan-induced diarrhea in advanced non-small-cell lung cancer. Cancer Chemother Pharmacol. 2003;51(5):403-6.]

9. 일본에서의 한 증례보고에서는 이마티닙 메실레이트(글리벡)를 사용한 후 설사를 한 만성 골수성 백혈병 환자 1례를 소개하였다. 이 증례에서는 설사, 심하비경, 장명음 등의 증상에 따라 반하사심탕을 투여하였다. 4주간의 투약 후 대변이 1일 4–5회에서 1일 두 차례로 줄어들었고, 장명음도 감소하였다. 8주 후에는 설사가 소실되었고 입, 눈, 배꼽 주변의 발진도 개선되었다. [地野充時, 関矢信康, 大野賢二, 等. メシル酸イマチニブの副作用である下痢に半夏瀉心湯が有効であつえた一例. 日本東洋医学雑誌, 2008;59(5):727–31.]

10. 일본에서 진행된 전향적 다기관 단일군 연구에서는 아파티닙을 복용한 진행성 폐암 환자 29명에 대해 반하사심탕 과립 7.5 g/일 투여로 구강궤양과 설사를 예방하고 미노사이클린을 통해 피부발진이 예방될 수 있는지를 확인하였다. 반하사심탕은 4주간의 치료 과정에서 구강궤양 및 설사의 발생률과 중증도를 현저히 감소시켰으며, 아파티닙의 유효율에는 영향을 미치지 않았다. [Ichiki M, Wataya H, Yamada K, Tsuruta N, Takeoka H, Okayama Y, Sasaki J, Hoshino T. Preventive effect of kampo medicine (hangeshashin–to, TJ–14) plus minocycline against afatinib–induced diarrhea and skin rash in patients with non–small cell lung cancer. Onco Targets Ther. 2017;10:5107–13.]

11. 일본에서 실시한 단일군 연구에는 FOLFOX 화학요법 중 구내염과 구강궤양이 발생한 14명의 장관암 환자가 포함되었으며, 이들 중 13명은 반하사심탕 외용(外用)을 통해 증상이 완화되었다. [Toru Kono, Machiko Satomi, Naoyuki Chisato, et al. Topical Application of Hangeshashinto (TJ–14) in the Treatment of Chemotherapy–Induced Oral Mucositis. World J Oncol, 2010;1(6):232–5.]

12. 5–FU 화학요법 후 구내염이 발생한 93명의 대장암 환자가 참여한 일본의 한 무작위대조 임상시험에서는 후속 화학요법 시작시점에 반하사심탕을 2주간 투약하고 구내염에 대한 영향을 관찰하였다. 연구결과 반하사심탕의 투약은 구내염의 중증도를 낮추고 이환기간을 줄였다. [Chu Matsuda, Yoshinori Munemoto, Hideyuki Mishima, et al. Double–blind, placebo–controlled, randomized phase II study of TJ–14 (Hangeshashinto) for infusional fluorinated–pyrimidine–based colorectal cancer chemotherapy–induced oral mucositis. Cancer Chemother Pharmacol. 2015;76(1):97–103.]

13. 일본에서 시행된 화학요법 후 구내염이 발생한 91명의 위암 환자를 대상

으로 한 무작위 대조 연구에서는, 이들 환자에 대해 다음 화학요법 시작 시점에 반하사심탕을 2~6주간 복용하도록 했다. 그 결과 구내염의 이환기간이 단축되었음을 확인할 수 있었다. [Toru Aoyama, Kazuhiro Nishikawa, Nobuhiro Takiguchi, et al. Double-blind, placebo-controlled, randomized phase II study of TJ-14 (hangeshashinto) forgastric cancer chemotherapy-induced oral mucositis. Cancer Chemother Pharmacol, 2014;73(5):1047-54.]

14. 일본의 한 전향적 무작위대조 연구에서는 수니티닙 복용 후 구강궤양이 발생한 진행성 신세포암종 환자 22명을 대상으로 일상적인 구강 관리와 함께 반하사심탕 과립을 사용한 함수(含水)치료를 받았다. 치료군의 환자들은 매번 식사 후 30초 동안 반하사심탕 2.5 g을 녹인 물로 입안을 헹구는 요법을 시행하는 것이다. 2주 후 치료군 환자의 구강 점막염 점수가 유의하게 개선되었으며, 식이 상태와 영양 상태도 대조군에 비해 유의하게 향상되었다. [大岡均至. 転移性腎癌症例へのスニチニブ投与に伴う口腔黏膜炎に対する半夏瀉心湯の有用性. 日本東洋医学雑誌, 2018;69(1):1-6.]

15. 일본의 한 무작위대조 임상시험에는 복강경수술을 위해 전신마취가 필요한 70명의 환자가 참여하였다. 시험군에 배정된 35명의 환자는 마취 전 반하사심탕을 복용하였고, 대조군의 환자에게는 별도의 처치가 주어지지 않았다. 그 결과 수술 후 인후염의 발생률과 중증도는 반하사심탕 투여군에서 유의하게 감소했다. [Kuwamura A, Komasawa N, Kori K, et al. Preventive effect of preoperative administration of hange-shashin-to on postoperative sore throat: a prospective, double-blind, randomized trial. Journal of Alternative Complementary Medicine, 2015(21):485-8.]

16. Koji K, Motohiro M, Koichi T, et al. A case of interstitial pneumonitis probably due to hangeshashinto prescribed for cheilitis. Journal of The Japanese Stomatological Society, 2012, 61(3):265-270.

17. 岡田裕美, 渡辺賢治, 鈴木幸男, 等. 半夏瀉心湯, 小柴胡湯により薬剤性肝障害ならびに間質性肺炎を来した一例. 日本東洋医学雑誌, 1999;50(1):57-65.

반하후박탕

경전의 정지병(情志病) 처방이며 이기화담(理氣化痰)방으로 활용되어 왔다. 인후증상과 구토, 창만, 기침과 천식, 어지러움을 치료하는 효능이 있다. 현대 연구에서는 항불안, 항우울, 진정, 최면, 인후두 반사 억제, 위장관 연동운동 조절 등 작용이 확인되어 있다. 인후에 이물감을 비롯한 몸의 이상감각이 있고 배가 그득하며 오심이 나타나는 소견이 특징적인 질환에 적용한다.

[경전배방]

반하 一升, 후박 三兩, 복령 四兩, 생강 五兩, 건소엽 二兩. 위다섯 약물을 물 七升과 같이 四升이 되도록 달여 네 차례에 나누어 낮에 세 차례, 밤에 한차례 따뜻하게 복용한다.(《金匱要略》)

[경전방증]

인후에 고기덩어리가 걸린 것 같다(《金匱要略》二十二).

[권장처방]

강반하 혹은 법반하 25 g, 복령 20 g, 후박 15 g, 건소엽 10 g, 생강 25 g. 이들 약재를 물 1,000 mL와 같이 넣어 300 mL가 되도록 달인다. 3–4회에 나누어 따뜻하게 복용한다. 탕액은 담갈색이고 약간 맵다. 보통 3일간 복용하고 2일간 휴약하는 복용법을 활용한다.

[방증제요]

인후이물감을 비롯한 구강과 비강, 위장관 및 피부 등의 체성이 상감각이 나타나는 경우

[적용 환자군]

체형은 중등도이며 영양상태는 좋다. 머리숱이 많고 피부는 윤기가 있거나 기름지다. 눈을 자주 깜빡이며 표정이 풍부하고 양쪽 미간을 잘 찡그린다. 끊임없이 말을 늘어놓는다. 신체의 불편감, 이상감각, 인후이물감 및 끈적이는 많은 양의 가래에 대해 자세한 묘사와 특이한 표현을 써서 장황하게 호소한다. 설질은 뚜렷한 이상이 없거나 설첨에 붉은 점이 있고 설변에 치흔이 확인되는 경우도 있다. 설태는 끈적이고 두터운 경우가 많다. 의심이나 고민이 많은 편이며, 대다수 환자에서 만성의 경과가 관찰된다. 여성에 많은 편이다. 정신적 자극, 감정의 동요, 피로 등 발생 요인이 있다.

[적용 병증]

아래의 병증과 위에 서술한 환자군의 특징이 부합하는 경우에 처방의 투약을 고려할 수 있으며, 또한 근거기반의학적 근거에 따른 진단을 통해서도 처방을 활용할 수 있다.

1. 히스테리구(B)[1,2], 혀의 이상감각, 우울증, 불안증, 강박증, 공포증(B)[3], 만성이명(A)[4], 위신경증, 심장신경증, 신경성피부염, 신경성빈뇨, 과민성대장증후군, 심인성발기기능장애, 약물중독에 의한 금단증상[5] 등 이상감각을 특징으로 하는 다양한 신경증

2. 인후염, 편도체염, 후두염으로 인한 기침, 상기도폐색(B)[6], 수면무호흡증[7,8], 성대수종과 같은 인후질환

3. 연하곤란과 구토 및 윗배의 그득한 소견 등이 나타나는 질환. 식도경련, 횡격막경련[9], 뇌혈관질환 및 파킨슨병에서의 연하곤란[10,11], 식욕저하, 신경성구토, 주기성구토증후군[12], 화학요법 후 구토, 급만성위염, 위하수, 기능성소화불량(B)[13,14] 등

4. 흡인성폐렴[15,16], 위식도역류질환에서의 기침가래, 인후불쾌감(A)[17] 같이 가슴의 답답함 및 기침이 주요 소견인 호흡기질환. 급만성기관지염, 천식, 기흉, 흉막삼출 등

[가감 및 합방]

1. 복창, 구토, 오심에는 소엽을 소경 15 g으로 바꿔 사용할 수 있다.

2. 생강이 없다면 건강 10 g으로 대체할 수 있다.

3. 가슴이 답답하고 배가 그득하며 팔다리의 냉감과 변기가 있는 경우 사역산을 합방한다.

4. 잠을 잘 이루지 못하고 어지러움과 두근거림이 있는 경우 온담탕을 합방한다.

5. 정신적으로 불안하고 불면이 있으며 배가 그득한 경우 치자 15 g, 지각 15 g, 후박 15 g을 더한다.

[주의사항]

1. 본 처방을 복용하는 환자들은 재발이 잦고 감정기복이 심하므로 심리요법을 병행하는 것이 좋다.

2. 임산부에게는 신중하게 투약한다.

3. 신부전이 있는 경우 투약을 재고한다.

[각주]

1. 히스테리구 환자 95명이 참여한 중국의 한 무작위대조 연구에서 치료군 46 명은 반하후박탕을 투약했고, 대조군 49명은 청후이인과립(황금, 서청과, 길 경, 죽여, 반대해, 귤홍, 지각, 상엽, 향부자(초제), 자소자, 자소경, 침향, 박 하뇌)을 투약했다. 치료군의 개선 경과가 대조군에 비해 우수하였다. [卜平, 陈齐鸣, 朱海杭, 等. 半夏厚朴汤加味治疗癔球症46例临床观察. 中医杂志, 2009(4):314–6.]

2. 히스테리구 환자 90명이 포함된 중국의 한 무작위 대조 연구에서는 시험군 과 대조군을 각각 45명씩 배정하고 관찰군에는 반하후박탕을 8주간 투약 하면서 백회와 인당혈 전침을 병용했다. 유침시간은 매회당 30분이었고, 일 주일에 다섯번씩 총 8주간 침치료를 시행하였다. 대조군 환자에게는 파록세 틴(paroxetine)을 투여하였다. 시험군의 총 임상유효율은 97.8%로 대조군의 88.9%보다 유의하게 우수했다(P<0.05). 환자의 신체화 증상이 크게 개선되 었고 효과의 시작 시점도 더 빨랐으며 우울과 불안도 현저하게 개선되었다. [陈晓鸥, 颜红. 半夏厚朴汤联合电针治疗癔球症45例临床观察. 中医杂志, 2014;55(5):408–11.]

3. 동일본대지진 이후 강한 동요감을 느꼈던 15명의 환자를 대상으로 한 후향 적 연구에서 반하후박탕을 2–3주간 복용한 후 12명의 환자가 증상이 사라 지거나 완화되었다. 반하후박탕이 효과적이었던 환자들은 불안감, 심하비경 이 있었다. [木村容子, 佐藤弘. 東日本大震災後の揺れ感に対する治療経験. 日本東洋医学雑誌, 2012;63(1):37–40.]

4. 일본의 만성 이명 환자(성인) 76명을 대상으로 실시한 무작위 대조 연구에 서는 치료군 38명의 환자가 반하후박탕을 12주 동안 복용했으나, 반하후박

탕 투여군과 비투여군 사이에 이명 증상 개선의 유의한 차이는 없었다. 다만, 현기증이 동반되는 이명 환자에서는 상당한 효과가 있었다. [Ino T, Odaguchi H, Wakasugi A, et al. A randomized, double−blind, placebo−controlled clinical trial to evaluate the efficacy of hangekobokuto in adult patients with chronic tinnitus. 和漢医薬学雑誌, 2013(30):72−81.]

5. 187명의 약물중독 환자가 참여한 중국의 한 무작위 대조 연구에서는 각각 대조군 58명, 치료군 A 62명, 치료군 B 67명이 배정되었다. 3개 그룹 모두 12일 동안 lorphenacidine hydrochloride (LFX) 해독 처리를 받았다. 해독요법 후 대조군은 60일 동안 위약을 복용하였고, 치료군 A는 해독요법 후 60일 동안 반하후박탕가미방을 복용했다. 치료군 B는 반하후박탕가미방을 LFX 해독 요법과 동시에 시작하여 해독요법 후 60일까지 복용하였다. 두 치료군이 10일 동안 반하후박탕의 투약을 중단한 후에 시행한 평가에서 치료군 B의 장기 금단 증상 점수가 치료군 A보다 유의하게 낮았다(P<0.01). 치료군 A의 금단 점수는 위약투여군에 비해 유의하게 낮았다(P<0.01). 1년 후 평가에서 치료군 B의 재발율은 치료군 A 및 대조군에 비해 유의하게 낮았다(치료군 B 73.1%, 위약군 94.8%, 치료군 A 82.3%, P<0.05). 반하후박탕가미방의 추가 투여는 헤로인 의존 환자의 해독 후 장기 금단 증상을 개선하고 재발을 예방할 수 있다. [黄德彬, 余昭芬, 傅琳. 半夏厚朴汤加味治疗海洛因依赖脱毒后稽延性戒断症状的临床观察. 中国中西医结合杂志, 2004;24(3):216−9.]

6. 일본에서의 증례보고에 따르면 호흡 곤란을 동반한 상기도 폐색 환자 2례에서 반하후박탕 복용이 증상개선에 크게 기여했다고 한다. 연구자들은 반하후박탕이 주로 진정 및 경련 방지 작용을 통해 치료 효과를 얻을 수 있다고 하였다. [兼村 俊范, 永井厚志, 金野公郎. 半夏厚朴湯が著効を示した機能的上気道閉塞の2例. 日本東洋 医学雑誌, 1993;43(4):551−6.]

7. 일본에서는 5년 전 목젖−구개−인두 성형술을 받은 32세 남자 환자의 치험 증례가 보고되었다. 환자는 상기의 수술을 받은 후에도 코골이와 주간의 졸음이 뚜렷하게 개선되지 않았으며, 수면모니터링 검사상 폐쇄성 수면 무호흡증후군이 진단되었다. 반하후박탕 1개월 투여로 증상이 거의 사라지고 약 5개월간의 투여로 수면 모니터링상 수면 무호흡증이 현저하게 개선되었다. [久永明人, 伊藤隆, 新沢敦, 等. 半夏厚朴湯が有効であつた睡眠時無呼吸证候群の1例. 日本東洋医学雑誌, 2002;52(4·5):501−5.]

8. 일본의 한 증례보고에서는 수면 무호흡증을 앓고 있는 44세 남성이 반하

후박탕 복용 후 증상이 호전되었다고 보고한 바 있다. [Hisanaga A, Itoh T, Hasegawa Y, et al. A case of 전신성 홍반성 루푸스 ep choking syndrome improved by the Kampo extract of Hange−koboku−to. Psychiatry Clin Neurosci, 2002;56(3):325−7.]

9. 일본의 한 증례보고에서는 뇌출혈 과거력과 함께 지속적인 딸꾹질을 호소하는 2명의 환자를 소개했는데, 이들은 메토클로프라미드 염산염과 작약감초탕을 투여해도 효과가 없었고 심하비경과 딸꾹질로 인한 인후불쾌감을 호소하였다. 두 환자에게 반하후박탕을 투여하고 몇시간 내에 딸꾹질이 멈추었으며, 복약을 중단한 후에도 증상이 재발하지 않았다. [原田佳尚. 半夏厚朴湯が著効した脳出血既往のある持続性吃逆の2症例. 日本東洋医学雑誌, 2016;67(2):150−4.]

10. 일본의 한 무작위대조 임상시험에서는 연하반사장애 및 흡인성 폐렴을 한차례 이상 겪은 32명의 환자가 참여하였다. 시험군에 배정된 20명의 환자는 반하후박탕을 4주간 복용하고, 대조군의 12명 환자들은 위약을 복용하였다. 그 결과 반하후박탕 투여를 통한 연하반사의 상당한 개선을 확인할 수 있었다. [Iwasaki K., Wang Q. Nakagawa T. et al. Traditional Chinese medicine Banxia Houpo Tang improves swallowing reflex. Phytomedicine. 1999;6(2):102−6.]

11. 일본에서 실시한 단일군 연구에서는 연하곤란이 있는 23명의 파킨슨병 환자에 대해 반하후박탕을 4주간 투여한 결과 연하기능이 현저하게 개선되었음을 보고하였다. [Iwasaki K, Wang Q, Seki H, et al. The effects of the traditional chinese medicine, "Banxia Houpo Tang (Hange−Koboku To)" on the swallowing reflex in Parkinson's disease. Phytomedicine. 2000;7(4):259−63.]

12. 일본에서의 한 증례보고에 따르면, 주기적인 구토를 하는 청년 환자로 중학생 때부터 뚜렷한 원인없이 구토를 자주 경험하는 환자에게 반하후박탕이 효과적이었다고 한다. 환자는 서양의학적 검사에서 명백한 이상이 없었지만 구토를 기역증(氣逆證)으로 보고 동반 소견인 심하비경, 인후불쾌감 등을 바탕으로 반하후박탕을 투여했다. 약을 복용한 후 환자의 증상이 크게 호전되고 반년이 지나도 구토가 더 이상 발생하지 않음을 확인하였다. [越田全彦, 山崎武俊. 半夏厚朴湯が著効した周期性嘔吐証候群 の一例. 日本東洋医学雑誌, 2017;68(2):134−9.]

13. 일본의 한 단일군 연구에서는 기능성 소화불량 환자 30명에게 반하후박탕을 2주간 투여하고 경과를 관찰하였다. 이들은 인후에 고기가 걸린 느낌이

나 복만증 등의 위장증상이 복약 후 사라졌고, 위배출능도 증가하였으며 장내 가스 축적도 줄어들었다. 단, 인후에 고기가 걸린 느낌이나 복만증이 없던 환자들에서는 반하후박탕의 효과가 뚜렷하지 않았다. [及川哲郎, 伊藤剛, 星野卓之, 等. 半夏厚朴湯の使用目標とその臨床効果との関連について. 日本東洋医学雑誌, 2008;59(4):601-7.]

14. 일본에서 실시한 단일군 연구에서는 기능성 소화불량 환자 15명을 대상으로 반하후박탕을 2주간 복용하도록 하였다. 그 결과 위 배출능이 현저하게 증가하고 위장 증상이 현저하게 개선되었다. [Oikawa T, Itog, Koyama H, et al. Prokinetic effect of a Kampo medicine, Hange-koboku-to (Banxia-houpo-tang), on patients with functional dyspepsia, 2005;12(10):730-4.]

15. 95명의 고령 치매환자를 대상으로 시행한 일본의 전향적 무작위 대조 연구에서 반하후박탕을 투여한 환자들은 적극적 음식섭취 기능이 개선되고 흡인성 폐렴의 발생률과 사망률이 현저하게 감소하는 것으로 나타났다. [Iwasaki K, Kato S, Monma Y, Niu K, Ohrui T, Okitsu R, Higuchi S, Ozaki S, Kaneko N, Seki T, Nakayama K, Furukawa K, Fujii M, Arai H. A pilot study of banxia houpu tang, a traditional Chinese medicine, for reducing pneumonia risk in older adults with dementia. J Am Geriatr Soc. 2007;55(12):2035-40.]

16. 일본의 한 무작위대조 임상시험에서는 심혈관 수술을 받은 환자 30명에 대해 시험군 13명에게는 반하후박탕을 투여하고 17명에게는 위약을 투여하였다. 반하후박탕을 복용한 환자는 수술 후 흡인성 폐렴 발병률이 현저하게 감소(0% 대 35%, p=0.017)하였으며, 연하장애가 개선되었다. [Kawago K, Nishibe T, Shindo S, Inoue H, Motohashi S, Akasaka J, Ogino H. A Double-Blind Randomized Controlled Trial to Determine the Preventive Effect of Hangekobokuto on Aspiration Pneumonia in Patients Undergoing Cardiovascular Surgery. Ann Thorac Cardiovasc Surg. 2019;25(6):318-25.]

17. 위식도역류에 의한 호흡기 증상을 호소하는 19명의 환자가 참여한 일본의 한 전향적 무작위대조 임상시험에서는 시험군 배정 환자에게 반하후박탕을 6개월간 투약하였다. 환자들은 1개월 후 기침, 가래, 숨가쁨, 인후불쾌감의 감소를 경험했으며, 효과는 약물 중단 후 최대 6개월까지 지속되었다. [加藤士郎, 中嶋貴秀, 松田俊哉, ほか. 胃食管逆流症に伴う呼吸器症状に対する半夏厚朴湯の有効性. 漢方と最新治療, 2005(14):333-8.]

방기황기탕

경전의 풍수병(風水病) 처방이며 보기거풍이수(補氣祛風利水)방
으로 활용되어 왔다. 기표를 단단히 하고 부종을 제거하며 무릎과
허리를 편안하게 하는 효능이 있다. 현대 연구에서는 항염증, 진통,
신섬유화 억제, 신기능 개선, 폐조직보호 등의 작용을 보고하고 있
으며 하지부종, 슬관절통증이 특징적 소견인 질환에 적용한다.

[경전배방]

방기 四兩, 감초 半兩(焦), 황기 五兩(祛蘆頭), 생강, 백축 각
三兩, 대조 十二枚. 이 여섯 약물을 잘게 썰어 물 六升과 같이 달
여 三升이 되도록 한 뒤 세 차례에 나누어 복용한다. 복용 후 이불
을 덮고 앉아있으면 증상이 풀리려고 하면서 피부에 벌레가 기어
가는 듯한 느낌이 드는데 이때 누워서 땀을 낸다.(《金匱要略》)

주: 방기황기탕의 용량은 다른 경방과 명확히 다르다. 황기는
一兩一分에 지나지 않는데, 후대의 사람이 내용을 바꾼 것으로 의
심된다. 따라서 여기에는《千金要方》8권의 풍비문에 있는 방기황
기탕을 수록하였다.

[경전방증]

풍습증으로 맥은 부(浮)하고 몸이 무거운 느낌이 들면서 땀이
나고 오풍이 있는 환자(《金匱要略》2조). 풍수(風水)로 맥이 부

(浮)하여 병사가 표에 있다. 환자는 머리에 땀이 나기도 하는데 표에 다른 병은 없다. 환자는 하체만 무겁고 허리 위로는 증상이 없으며 허리 아래는 음부까지 부어서 굽혔다 펴기도 어렵다.(《金匱要略》十四).

[추천처방]

분방기 20 g, 생황기 30 g, 백출 15 g, 생감초 5 g, 생강 15 g, 홍조 20 g. 이들 약물을 물 1,000 mL와 함께 달여 300 mL가 되도록 한 뒤 두세 차례에 걸쳐 복용한다. 탕액은 옅은 황색으로 약간 단맛이 난다.

[방증제요]

몸이 무겁고 부으며 땀이 나면서 허리와 대퇴부의 굴신이 어려운 경우

[적용 환자군]

생활이 풍족하고 운동부족인 중년층이나 고령 여성에게서 흔히 볼 수 있다. 체형은 비만한 편으로 복부와 둔부, 대퇴부가 크고 힘없이 쳐져있다. 피부는 습윤하며 피부는 황백색으로 부은 모습이 보인다. 몸이 노곤하고 무거우며 피로감이 뚜렷하다. 땀이 잘 나고 액취증이 많으며 덥고 습한 여름에 증상이 자주 생긴다. 허리와 무릎 및 발목관절의 통증, 하지부종 등이 있어 달리기가 곤란하며 검사상 골극이나 관절내 삼출이 자주 확인된다.

[적용 병증]

아래의 병증과 위에 서술한 환자군의 특징이 부합하는 경우에 처방의 투약을 고려할 수 있으며, 또한 근거기반의학적 근거에 따른 진단을 통해서도 처방을 활용할 수 있다.

1. 부종이 주요 소견인 질환. 특발성부종, 급성사구체신염 등

2. 하지관절의 부종과 통증이 주요 소견인 질환. 퇴행성관절염(A)[1,2], 류마티스관절염(B)[3,4], 통풍성 관절염(B)[5], 요추추간판탈출증, 통풍 등. 경추질환, 오십견(B)[6] 등

3. 다한증이 주요 소견으로 나타나는 질환. 감기 후 피부수렴작용의 이상, 다한(多汗)증, 음부취, 한취, 황한증 등. 단순비만, 옹저, 부골저, 두드러기 등

4. 대사증후군 및 심혈관질환. 고혈압, 당뇨, 고지혈증(A)[7], 뇌혈관질환 등

[가감 및 합방]

1. 체격이 건장하고 식욕이 정상인 환자들은 월비가출탕을 합해서 처방한다.

2. 갈증이 심하고 땀이 많으면 오령산을 합방해 처방한다.

3. 숨이 차고 가슴이 답답하며 부종이 뚜렷한 경우에는 마황을 5-10 g 더한다(B).[8]

4. 고지혈증이 있다면 택사를 30 g 더한다.

5. 어지러움, 두통, 하지무력이 있는 경우 갈근을 30 g 더한다.

[주의사항]

1. 방기황기탕은 부종, 비만, 다한증을 치료하는 처방으로 그 작용은 이뇨에 의해서 나타난다. 이 처방을 투약할 환자의 대다수에 부종이 있다.

2. 방기는 한방기와 광방기로 나뉜다. 이 처방에는 한방기 즉, 방기과의 다년생 등본식물 분방기의 뿌리를 건조하여 절편한 분방기를 사용해야 한다. 광방기는 마두령과 같이 신기능 손상을 일으키는 아라키돈산이 있어 사용해서는 안 된다.

3. 황기와 방기는 고용량 투약해야 하므로 하루분 기준 30 g 이상을 처방한다.

4. 환자에게 부종이 있어도 감초를 쓸 수 있으나, 환자의 혈압이 높지 않아야 한다는 것이 전제조건이다. 감초의 투여 용량은 10 g을 초과해서는 안 된다. 고혈압 혹은 신기능저하 환자에게는 감초를 제외하고 처방한다.

[각주]

1. 일본에서 실시한 한 무작위 대조 연구에서는 관절 삼출이 있는 무릎골 관절염 환자 50명을 대상으로 록소프로펜을 투약하면서, 실험군에는 12주간 방기황기탕을 병용하였다. 그 결과 방기황기탕과 록소프로펜을 함께 병용하면 무릎관절통증과 기능이 보다 현저하게 개선되었고 무릎관절의 삼출을 줄일 수 있었다. [Majima T, Inoue M, Kasahara Y, et al. Effect of the Japanese herbal medicine, Boio gito, on the osteoarthritis of the knee with joint effusion. Sports Medicine, Arthroscopy, Rehabilitation, Therapy & Technology, 2012;4(1):3.]

2. 일본에서 실시한 단일군 연구에서는 개구리 모양의 복부를 가진 퇴행성 무릎관절염 환자 17명을 대상으로 방기황기탕을 투여한 결과 77%에서 중등

도 이상의 효과가 있는 것으로 나타났다. 그 효과는 비만의 정도 및 통증의 정도와 관련이 있었으며, 관절 변형 정도와는 무관하였다. "개구리 모양의 배"는 방기황기탕증의 특징적인 복증이라고 생각할 수 있다. [山田輝司, 吳屋朝幸, 中田芳孝, 等. 変形性膝関節症に対する防己黃耆湯の效果. 日本東洋医学雜誌, 1994;45(2):423-9.]

3. 일본의 단일군 연구에서는 류마티스 관절염 환자 32명에게 NSAIDS를 투약하면서 방기황기탕을 6주간 병용하였다. 6주 후 14명의 환자에서 조조강직, 관절통증이 있는 관절의 수, 부종이 있는 관절의 수, 악력 등 지표에 뚜렷한 개선이 있었다. 전체 유효율은 60%였다. [田中政彦, 大野修嗣, 鈴木輝彦, 等. 慢性関節リウマチに対する防己黃耆湯の有用性について. 日本東洋医学雜誌, 1989;40(2):73-7.]

4. 류마티스 관절염 환자 126명이 포함된 일본의 한 후향적 연구에서는 유효성 분석에 93명의 데이터가 활용되었다. 메토트렉세이트와 방기황기탕 병용투여군 45명과 메토트렉세이트 단독투여군 48명의 경과를 비교검토하였으며, 총 투약기간은 3년이었다. 연구 결과 방기황기탕은 질병 활성도를 현저히 감소시키고 관해율을 향상시킬 수 있으며 다른 항 류마티스 약물의 사용을 줄여 전체 치료 비용을 낮출 수 있었다. [大野修嗣, 秋山雄次. 関節リウマチに対するメソトレキセートと防己黃耆湯の長期併用效果と経済的有用性. 日本東洋医学雜誌, 2013;64(6):319-25.]

5. 일본의 연속 증례연구에서는 방기황기탕 투여로 통풍이 개선된 환자 12명의 사례를 소개하였다. 환자들은 기본적으로 식이요법 및 운동요법을 수행하는 동시에 방기황기탕 가 목통 차전자 처방을 12주간 복용하였다. 연구 결과 환자들의 체중, 혈중 요산, 중성 지방이 현저히 감소하고 고밀도 지단백질이 현저하게 증가하였으며 24주 이내에 통풍 발작은 발생하지 않았다. [宮崎瑞明, 賴栄祥. 防己黃耆湯加木通車前子による痛風の治療. 日本東洋医学雜誌, 1997;47(5):813-8.]

6. 일본의 한 임상연구에서 방기황기탕이 효과적이었던 경추 척추증 및 오십견 환자 5례의 경과를 소개하였다. 환자들의 일반적인 특징은 자한, 야간 발한, 오한, 야간의 증상 악화, 부(浮), 현(弦), 삽(澁)맥 및 긴장도가 약한 우촌맥 등이었다. 이와 같은 소견을 근거로 방기황기탕을 전신 관절통 환자 10명에게 투여하였으며, 그 결과 8명에서 효과가 있었다. [関矢信康, 桧山幸孝, 並木隆雄, 等. 防己黃耆湯使用目標に関する一考察. 日本東洋医学雜誌,

2008;59(4):623-31.]

7. 일본에서 실시한 무작위 대조 연구에서는 제2형 당뇨병 비만 환자 19명을 대상으로 치료군에는 방기황기탕을, 대조군에는 운동처방을 받도록 하였고, 6개월간 치료를 시행하였다. 연구 결과 방기황기탕 투여군의 혈중 콜레스테롤 수치 및 내장지방 비율이 대조군에 비해 낮았다. [吉田麻美, 高松順太, 吉田滋, 等. 内臓肥満型糖尿病患者に対する防己黄耆湯の効果. 日本東洋医学雑誌, 1998;49(2):249-56.]

8. 오가와 등의 일본 연구자들은 방기황기탕의 원문 방증에서 "기침에는 마황을 반냥 쓴다"는 기재에 근거하여, 방기황기탕가마황으로 만성기침 4례를 치료하여 좋은 효과를 거두었다고 보고하였다. 이 환자들은 몸이 무겁고 땀이 많이 나며 인후의 불쾌감과 오한을 호소하였다. 또한, 우측 촌구맥이 약하고 피부색이 희며 혀가 붓고 치흔이 나타나는 경향을 보였다. 3명의 환자에서는 현저한 체중감소도 관찰되었다. 저자들은 위의 소견이 동반되는 만성 기침을 방기황기탕가마황으로 치료할 수 있으며, 그 작용 기전으로 1) 지방감소를 통한 기도압박의 감소, 2) 이수작용을 통한 부종의 개선 3) 기도과민성의 개선을 제시하였다. [小川惠子, 関矢信康, 笠原裕司, 等. 慢性咳嗽に防己黄耆湯加麻黄が有効であつた4例. 日本東洋医学雑誌, 2010;61(3):337-44.]

방풍통성산

고대 상한열병의 통치방이며 표리쌍해(表裏雙解)방으로 활용되어 왔다. 풍열(風熱)을 제거하고 대변을 통하게 하며 피부소양증을 멎게 하고 월경을 통하게 하며 몸을 가볍게 하는 효능이 있다. 현대 연구에 따르면 해열, 항알러지, 항염증, 지질강하, 혈압강하, 통변, 항비만 등의 작용이 있다. 어지러움, 가슴답답함, 가려움증, 피부 발진, 입마름, 점성이 높은 콧물 및 타액, 소변색이 노랗고 잘 나오지 않는 증상, 변비 등이 특징적인 질환과 표리가 모두 실증(實證)인 경우의 체질 관리에 적용한다.

[원서배방]

방풍, 천궁, 당귀, 작약, 대황, 박하엽, 마황, 연교, 망초 각 半兩, 석고, 황금 길경 각 一兩, 활석 三兩, 감초 二兩, 형개, 백출, 치자 각 一分. 이 약물들을 가루내어 매번 二錢씩을 물 한대접, 생강 세조각과 함께 六分이 되도록 달인 뒤 따뜻하게 복용한다. 기침과 가래가 심하면 생강으로 법제한 반하 半兩을 가미하여 처방한다.(《黃帝素問宣明論方》)

[원서의 방증]

풍열(風熱)이 끓어올라 기가 옹체(壅滯)되어 근맥이 구축되고 지체가 메마르며 머리와 눈이 어지럽게 된다. 또 등허리가 뻣뻣하게 통증이 생기며 귀가 울리고 코가 막히며 입이 마르면서 목구멍이 불편하며 가슴이 답답하고 기침과 구역질이 나오면서 숨이 차며 찐득거리는 콧물과 침이 나온다. 위장에 조열(燥熱)이 뭉쳐 대소변이 막히고 밤에 침상에서 땀을 흘리며 이갈이와 잠꼬대를 하며 근육이 떨리고 잘 놀란다. 혹 풍열이 돌아다녀 통증과 마비가 있거나 몸이 굳는다. 갑작스럽게 목소리가 나오지 않기도 하며 암풍(暗風)으로 간질이 생긴 경우, 머리를 감다가 풍에 맞은 경우, 파상풍, 중풍, 주기적으로 일어나는 모든 종류의 경련에 쓸 수 있다. 성인과 소아에게 풍열이 들어와 낫지 않아 생기는 부스럼, 머리의 비듬, 반신이 검게 변하는 증상, 백반증에 쓸 수 있으며 혹 얼굴과 코에 생기는 여드름, 두드러기로 속칭 폐풍(肺風)이라고 하는 것, 혹 여풍(癘風)이 된 것, 세간에서는 대풍질(大風疾)이라 이르는 것에도 쓴다.

장풍(腸風)으로 치루가 생긴 것과 술이 과하여 열독(熱毒)이 된 것을 치료하며 겸하여 모든 종류의 사기(邪氣)로 상한 것을 치료하고 상한에 발한을 시키지 않아 생긴 두항부와 전신의 통증과 더불어 양감(兩感)에 의한 모든 증상을 조리한다. 겸하여 산후의 모든 열증(熱證), 복만삽통(腹滿澁痛), 갈증이 심하고 숨이 차면서 가슴이 답답한 것, 섬망과 광증, 혀가 굳고 입이 벌어지지 않는 증상, 근육경련, 일체의 풍열조증(風熱燥證), 울체로 오물(惡物)이 배설되지 않아 배가 불러오르고 아프면서 어지러운 것을 치료한다. 크고 작은 부스럼과 악독(惡毒)을 제거하기도 하며 말에서 낙상하여 생긴 타박에 의한 통증이나 이로 인한 열결(熱結), 이에 따른 대소변의 불통과 삽통도 치료한다. 허리와 복부의 갑작스러운 통증과 배가 불러오르고 그득하면서 숨이 찬 증상도 치료한다.

[추천 처방]

생마황 10 g, 생석고 20 g, 생대황 10 g, 망초 5 g, 형개 10 g, 방풍 10 g, 산치자 10 g, 황금 10 g, 연교 15 g, 박하 10 g, 당귀 10 g, 백작약 10 g, 천궁 10 g, 백출 10 g, 길경 15 g, 활석 20 g(炮), 자감초 10 g, 생강 15 g 혹은 건강 5 g. 이들을 물 1,500 mL와 같이 달여서 300 mL가 되도록 한 뒤 세 차례에 나누어 따뜻하게 복용한다. 처방중 망초는 충복(沖服)하도록 한다. 탕액은 황토색으로 불투명하며 맛은 약간 짜고 떫고 신맛이 나며 넘기기가 어려운 편이다. 급성 증상에는 단기(短氣)간 탕제를 복용하도록 하고, 만성질환의 조리에는 원방 비율로 밀환이나 산제를 만들어 5 g씩 매일 한두 차례 복용한다. 식전에 복용하면 대변을 잘 통하게 한다.

[방증제요]

땀이 나지 않고 몸에 열이 있으며 두통, 번조, 피부소양증, 두드러기, 변비, 복창, 가슴답답함, 소변이 붉고 잘 나오지 않는 증상, 구고증, 입마름

[적용 환자군]

체격이 건장하고 비만하며 체력이 왕성하다. 성격은 명랑하거나 급한 편인 경우가 있다. 얼굴색이 붉고 기름기가 번들거리며

안구의 결막이 잘 충혈된다. 눈썹과 두발이 치밀하고 체모도 뚜렷하다. 복벽이 살이 많고 두꺼워 배꼽을 중심으로 팽만하지만, 타진 시 가스나 압통 등의 소견이 뚜렷하게 나타나지 않는다. 팔다리의 피부가 건조하고 거칠며 소양감, 구진, 두드러기, 태선화, 여드름, 모낭염, 피부염 등이 관찰된다. 식사량이 많고 육식 위주이며 변비가 자주 생기거나 냄새가 심한 대변을 본다. 여성의 경우 월경량이 적거나 희발월경이 있으며 심하면 무월경이 발생하는 경우도 있다. 많은 여성 환자에게 다낭성난소증후군이 있다.

[적용 병증]

아래의 병증과 위에 서술한 환자군의 특징이 부합하는 경우에 처방의 투약을 고려할 수 있으며, 또한 근거기반의학적 근거에 따른 진단을 통해서도 처방을 활용할 수 있다.

1. 피부소양, 구진이 주요 소견으로 나타나는 질환. 두드러기, 피부염, 습진, 건선, 편평사마귀, 모낭염, 여드름 등

2. 알러지질환. 알러지 비염, 기관지천식, 과민성자반증, 꽃가루 알러지, 결막염 등

3. 비만, 변비가 주요 소견으로 나타나는 질환. 단순 비만(A)[1-3], 고혈압(A)[4], 고지혈증(A), 내당능장애(A)[5], 당뇨, 관상동맥질환, 비알코올성간질환, 습관성변비[6], 치질, 우울증[7] 등

4. 비만여성의 월경질환. 난임, 무월경, 다낭성난소증후군 등

[주의사항]

1. 임산부, 허약체질, 식사량이 적고 무른 변을 보는 환자에게는 신중하게 투약한다.

2. 이 처방을 장기간 투약할 경우 용량을 절반으로 줄인다.

3. 일본의 Azushima는 방풍통성산 투여 54례 환자 중 1례에서 간기능 이상이 나타났다고 보고하였다. 또한, 일본에서는 방풍통성산으로 인한 약인성 폐렴이 보고되었다.[8]

[각주]

1. 일본에서의 단일군 연구에서는 방풍통성산을 127명의 비만환자에게 투여하였으며, 환자 중 33명은 최소 6개월 동안 약물을 복용했다. 설사나 복통으로 치료를 중단한 환자와 비교할 때 6개월 이상 복약을 유지한 환자는 복력이 강했다. 33명 중 16명은 약 복용 후 식욕이 감소되었다. 식욕이 변화되지 않은 17명에 비해 식욕이 감소된 환자들은 약물 복용 전에도 체중이 가벼운 편이었고, 약 복용 후 식욕이 감소된 환자들은 체중이 더 많이 감소했다. [Takashi I, Shoko S, Hiroki I, et al. The Effect of Bofutsushosan on Weight Reduction in Humans. 日本東洋医学雑誌, 2005;56(6):933-9.]

2. 일본에서 실시한 무작위 대조 연구에서는 55세에서 65세 사이의 비만 환자 120명을 대상으로 하여 방풍통성산 혹은 방풍통성산 5%를 함유한 위약을 투여하였다. 2개월 후 시험군의 평균 체중 감소가 더 유의하게 나타났다(0.8 kg 대 0.1 kg, P<0.05). 추가 분석에 따르면 유의미한 치료 효과(체중 감소 ≥1.5 kg)가 있는 환자는 종종 고혈압과 높은 혈청 총 단백 수치를 나타냈다. 치료 전 총 콜레스테롤 수치가 높은 사람들의 경우, 방풍통성산을 2개월 동안 복용한 후 콜레스테롤 수치가 크게 감소했다. [許鳳浩, 上馬場和夫, 小川弘子, ほか. 漢方薬の代謝への作用の個人差-防風通聖散の二重盲検ランダム化比較試験-. 東方医学, 2012(28):37-59.]

3. 비만 및 고혈압을 동반한 폐쇄성 수면 무호흡증 환자 128명이 참여한 일본의 한 무작위대조 임상시험에서는 시험군에 배정된 65명에게 방풍통성산을 투여하였다. 6개월 후 시험군에서 체중과 수축기 혈압이 현저하게 감소했

다. [Murase K, Toyama Y, Harada Y, et al. Evaluation and comparison of the effect of two Chinese herbal medicines (Bofu-tsusho-san and Dai-saiko-to) on metabolic disorders in obstructive 전신성 홍반성 루푸스 ep apnea patients. American journal of respiratory and critical care medicine, 2013(187):A5694.]

4. 106명의 고혈압 및 비만 환자를 대상으로 일본에서 수행된 무작위대조 임상시험에서는 환자에게 항고혈압제, 식이요법 및 운동처방을 제공하는 한편 시험군에 배정된 54명의 환자에게는 방풍통성산을 병용투약하였다. 연구결과 방풍통성산의 투약은 주간 수축기 혈압의 변동성을 감소시켰다. [Azushima K, Tamura K, Haku S, et al. Effects of the oriental herbal medicine Bofu-tsusho-san in obesity hypertension: a multicenter, randomized, parallel-group controlled trial (ATH-D-14-01021.R2). Atherosclerosis, 2015(240):297-304.]

5. 내당증장애를 동반한 비만 여성 81명이 참여한 일본의 한 이중맹검 무작위대조 임상시험에서는 시험군 배정 환자들에게는 식이요법, 운동처방과 함께 방풍통성산을 투약하였고, 대조군 환자에게는 24주간 위약을 투약하였다. 방풍통성산은 체중 및 복부의 내장지방을 현저하게 감소시키며, 인슐린 저항성과 내당능장애를 개선하고 요산을 감소시킬 수 있으나, 기초대사율은 감소시키지 않는 것으로 나타났다. [Hioki C, Yoshimoto K, Yoshida T.Efficacy of bofu-tsusho-san, an oriental herbal medicine, in obese Japanese women with impaired glucose tolerance. Clin Exp Pharmacol Physiol, 2004(31):614-9.]

6. 松生恒夫, 鈴木康元, 西野晴夫. 大腸メラノーシスを伴う常習性便秘症例に対する防風通聖散の効果. 漢方と新治療, 1996(5):195-9.

7. 일본의 한 증례보고에서는 우울 증상이 있는 남성의 사례를 소개했는데, 환자는 열증(熱證)으로 배변이 잘 되지 않으므로 방풍통성산을 투여하였다. 8주 후 환자는 TV를 읽고 시청할 수 있었고 나중에는 묽은 변이 나와 방풍통성산을 감량하여 복용하였다. 증상은 안정되어 1년 반 후에 복약을 중단하였다. [泽井かおり, 渡辺賢治. 抑うつ症状の防風通聖散が有効であった一例. 日本東洋医学雑誌, 2015;66(3):203-7.]

8. Miyazaki K, Satoh H, Watanabe H, et al. A case study of bofutsushosan-induced pulmonary injury in a patient: Case report. Biomedical reports, 2016;5(6):758-60.

배농산

경전의 장옹병(腸癰病) 처방이며 파기산결(破氣散結)방으로 활용되어 왔다. 진통과 배농의 효능이 있다. 복부의 화농성 질환에 적용하며 가래가 끈적이고 뱉기 힘든 소견이 특징적인 호흡기 질환에도 적용할 수 있다.

[경전배방]
지실 十六枚, 작약 六分, 길경 二分. 이 세가지 약물을 가루로 만들고 달걀노른자 一枚와 노른자와 같은 분량의 약물 가루를 잘 섞어 같이 하루 한차례 복용한다.

[추천 처방]
지실 二分, 작약 二分, 길경 一分. 이 비율대로 가루를 만들어 달걀 노른자 한 개와 섞은 후 죽이나 요구르트에 개어서 복용한다. 매번 3-6 g씩 하루 세 차례 복용한다. 혹은 매번 20 g을 끓는 물에 타서 차처럼 복용해도 좋다.

[적용 환자군]
윗배가 단단하게 굳어있고 복직근이 긴장되어 있는 경우가 많이 보인다.

[적용 병증]

아래의 병증과 위에 서술한 환자군의 특징이 부합하는 경우에 처방의 투약을 고려할 수 있으며, 또한 근거기반의학적 근거에 따른 진단을 통해서도 처방을 활용할 수 있다.

1. 통증, 환부의 긴장 및 경화, 배농 곤란 소견을 동반하는 체표면의 화농성 종괴 및 배농 후 궤양이 형성되어 주변조직의 긴장과 경화 등 소견이 나타나는 질환. 치주염(A)[1], 치주농양, 부비동염, 편도선 농양, 맥립종(A)[2], 외이도염, 악성 종기, 발바닥 농포증, 작은 부스럼, 얼굴의 절종, 피하농양, 봉와직염, 림프절염, 유선염 등

2. 항문주위염, 치루, 자궁축농증(B)[3], 직장자궁오목의 농양 등

3. 기침이 있고 가래가 끈적거려 뱉어내기 힘든 호흡기질환. 기관지천식, 기관지염, 폐기종, 폐농양 등

4. 복통과 복창이 나타나는 질환. 소화불량, 위배출지연, 변비 등

[주의사항]

1. 배농산은 달여먹을 수 있다. 산제는 달걀 노른자와 섞어서 복용한다.

2. 배농이 된 후에는 십전대보탕, 황기건중탕 등을 복용한다.

부기: 배농탕(《金匱要略》). 감초 二兩, 길경 三兩, 생강 一兩, 대조 十枚. 이 네가지 약물을 물 三升과 같이 달여 一升이 되도록 한 뒤 五合을 하루에 두 차례 복용한다. 《金匱要略》에는 처방만 제시되어 있고 방증에 대한 내용은 없다. 일본 의가들에 따르면

"농혈이나 끈끈한 담을 토하면서 급박이 있는 경우를 치료한다." 라고 표현하고 있다(吉益東洞). 임상에서는 배농산과 탕을 같이 투여한다. "창질(瘡疾)을 치료할 때에 가슴과 배가 모두 그득하거나 끈끈한 담을 토하고 농혈변을 보는 환자에게 쓴다. 창옹(瘡癰)이 있고 가슴과 배가 모두 그득한 경우에도 쓸 수 있다(吉益東洞)." "배농탕은 배농산을 쓰기 전에 먼저 투여한다. 배농산은 환부가 반원처럼 융기되어 딱딱하게 굳어진 것을 목표로 하며, 배농탕은 융기가 뚜렷하지 않은 초기에 쓴다."(《漢方治療實際》)

[각주]

1. 급성치주염 환자 20명을 대상으로 이루어진 일본의 단일군 연구에서는 심한 발적과 출혈이 있는 10명에게는 황련해독탕을 투여했고, 발적과 농이 비교적 경미한 10명의 환자에게는 배농산급탕을 투여했다. 두 처방 모두 환자의 증상을 호전시켰다. [神谷浩. 炎症型歯周疾患の急性発作期に対する黄連解毒湯と排膿散及湯の効果. 日本東洋医学雑誌, 1993;44(2):191–5.]

2. 급성기 맥립종 환자 26명을 대상으로 일본에서 수행한 무작위 대조 연구에서는 모든 환자에게 통상의 항생제 및 스테로이드 점안액 처치를 시행함과 동시에 시험군에 배정된 16명의 환자에 배농산급탕을 병용투약하였다. 연구결과 이 처방이 증상 완화를 크게 가속한다는(5.5일±4.1일에서 2.2일±0.9일) 사실을 확인하였다. [高間直彦, 藤原隆明. 内麦粒腫に対する排膿散及湯の有効性. 眼科臨床医報, 2006(100):9–11.]

3. 한 연속증례연구에서는 자궁축농증 환자에게 배농산급탕 및 항생제를 병용투약하여 배농에 효과가 있었던 세 환자의 증례를 보고하였다. [岩淵愼助. 子宮留膿症の排膿散及湯による治験. 日本東洋医学雑誌, 1995;45(3):601–7.]

백두옹탕

경전의 궐음병 처방이며 전통적인 청열해독 처방이다. 혈리(血痢)를 멎게하고, 열독(熱毒)을 해소하며 항문 및 장기능을 조절하는 효능이 있다. 현대 연구에서는 항종양, 항염, 항균, 항원충, 항진균, 면역조절, 장점막회복 초진 등의 작용이 확인되었다. 이급후중, 입마름, 설조(舌燥), 맥활삭(脈滑數) 등 소견이 나타나는 질환에 적용할 수 있다.

[경전배방]

백두옹 二兩, 황백 三兩, 황련 三兩, 진피 三兩. 위 4개 약물을 물 七升과 같이 二升이 되도록 달여 찌꺼기를 제거하고 一升을 따뜻하게 복용한다. 낫지 않는다면 다시 一升을 복용한다.(《傷寒論》《金匱要略》)

[경전방증]

열리(熱利)가 나오고 아래가 무겁다(《傷寒論》371, 《金匱要略》十七). 설사가 나오면서 물을 마시려 한다(《傷寒論》373).

[추천처방]

백두옹 10 g, 황백 15 g, 황련 15 g, 진피 15 g을 물 1 L에 넣고 300 mL가 되도록 달여 두 차례 나누어 복용한다.

[방증제요]

감염성 설사가 계속되며, 물을 마시려고 한다.

[적용 환자군]

체격이 건장하고 얼굴에는 기름기가 돈다. 혹은 말랐으나 눈동자에 생기가 돌며 번조가 있다. 입술은 검붉은 색이며 안검이 충혈되어 있다. 열기를 싫어하고 땀이 많으며 수면장애가 있다. 입이 말라 물을 마시려 하며 뱃속이 편하지 않고 가스가 차면서도 자주 배가 고프다. 입냄새가 많이 난다. 설사나 혈변, 이급후중, 항문작열감 등이 나타나며 냄새가 심하고 끈적이는 대변을 본다. 복부 피부에 작열감이 있다. 소변이 방울지면서 잘 나오지 않고 배뇨통이 있다. 여성은 비린내가 나는 대하나 끈적이는 자궁출혈이 있다. 설질은 붉고 설태는 두꺼우며 맥은 활삭(滑數)하다.

[적용 병증]

아래의 병증과 위에 서술한 환자군의 특징이 부합하는 경우에 처방의 투약을 고려할 수 있으며, 또한 근거기반의학적 근거에 따른 진단을 통해서도 처방을 활용할 수 있다.

1. 설사, 혈변, 이급후중 등이 주요 소견인 질환으로써 세균성 이질, 아메바성 이질, 궤양성대장염(A)[1,2], 방사선성 장염, 치창출혈, 항문주위농양, 결장암, 직장암 등

2. 빈뇨, 절박뇨, 배뇨통이 주요 소견인 질환으로 요로감염, 전립선염, 요도암, 방광암, 전립선암 등

3. 칸디다질염, 자궁경부미란, 골반염, 자궁경부암, 혈정자증 등 음부의 분비물이 많고 비린내를 동반하는 질환

[가감 및 합방]

1. 산후에 설사나 출혈, 심한 체중저하가 나타나는 경우에는 자감초 10 g, 아교 10 g을 더하여 처방한다.

2. 식욕부진에는 인삼 10 g, 당삼 20 g을 더하여 처방한다.

3. 복통에는 황금탕을 합한다.

4. 고령 환자가 암으로 인한 체력저하 소견이 있거나 화학요법을 받는 경우에는 서여환을 합하여 처방한다.

[주의사항]

본 처방은 고한(苦寒)한 성질이 있어 식욕을 저하시키며 오심, 구토, 심와부의 불쾌감을 유발할 수 있다. 빈혈 환자에게는 신중히 투여한다.

[각주]

1. 1,412명의 환자가 포함된 17건의 무작위 대조 임상시험에 대한 2018년의 메타분석에서는 메살라진과 백두옹탕의 병용투여가 메살라진 단독복용에 비해 효과적인 것으로 나타났다. [汪翰英, 金甜, 周骏, 等. 白头翁汤加减联用美沙拉嗪治疗溃疡性结肠炎的系统评价和 Meta 分析. 世界中西 医结合杂志, 2018(11):1505–10.]

2. 메살라진 치료를 받은 궤양성대장염 환자 124명이 참여한 중국의 한 무작위 대조 연구에서는 시험군에 배정된 환자에게 백두옹탕 관장요법을 시술하였다. 30일간의 연구기간 후 시험군의 유효율(93.5%)이 대조군(72.6%)

에 비해 유의하게 높았다. [徐佳萍, 马朝群. 白头翁汤灌肠治疗溃疡性结肠炎患者的疗效及对T细胞亚群的影响. 南京中医药大学学报, 2019(1):29-31+62.]

백호탕

경전의 양명병 처방이며 전통적으로 기분(氣分)의 열을 식히는 처방이기도 하다. 청열, 해기(解肌), 제번(除煩), 지갈(止渴), 지한(止汗) 등의 효능이 있다. 현대 연구에서는 해열, 항염증, 진정, 혈당강하 등의 작용이 확인되어 있다. 오열(惡熱), 자한, 맥활(脈滑), 궐증(厥症)의 소견이 특징적인 질환에 적용한다.

[경전배방]

석고 一斤(碎), 지모 六兩, 감초 二兩(炙), 갱미 六合. 이 약물을 물 一斗에 쌀과 같이 달여서 탕을 만든다. 찌꺼기를 제거하고 따뜻하게 一升을 마신다. 하루 세 차례 복용한다.《傷寒論》)

[경전방증]

상한으로 맥이 부활(浮滑)하다(《傷寒論》176). 삼양(三陽)이 합병(合病)하여 복만이 있고 몸이 무거우며 옆으로 돌아누울 수가 없고 입맛이 없으며 얼굴이 지저분하고 헛소리를 하며 유뇨(遺尿)가 있는데, 발한시키면 헛소리를 하고 사하(瀉下)시키면 이마에서 땀이 나고 손발이 차가워진다(《傷寒論》 219). 상한에 맥이 활(滑)하고 궐(厥)하다(《傷寒論》 350).

[추천처방]

생석고 30-120 g, 지모 30-60 g, 생감초 10 g, 갱미 50-100 g. 먼저 석고를 물 1,100 mL와 같이 30분간 선전(先煎)한 후 다른 약물을 넣어 같이 달인다. 물이 끓으면 약한 불로 조절하여 쌀죽이 될 정도로 30-40분간 달인 후 탕액 300 mL를 두세 차례에 나누어 따뜻하게 복용한다.

[방증제요]

열기를 싫어하고 땀이 저절로 흐르며 맥은 부활(浮滑)한 경우

[적용 환자군]

체형은 중간정도이거나 마른 편. 대부분 환자에서 정신적인 이상소견은 없으나, 번조가 있다. 피부는 희고 깨끗하고 윤기가 있다. 땀이 멈추지 않아 수시로 닦아내도 다시 난다. 고열이 있고 땀이 멎지 않으며 피부가 타는 것 같다. 열기를 싫어하며 입안이 건조하고 갈증이 뚜렷해서 찬물을 마시고 싶어한다. 설태는 윤기가 적으며, 복부를 누르면 단단하고 그득하다. 맥은 부활삭(浮滑數)하거나 홍대(洪大)하다.

[적용 병증]

아래의 병증과 위에 서술한 환자군의 특징이 부합하는 경우에 처방의 투약을 고려할 수 있으며, 또한 근거기반의학적 근거에 따른 진단을 통해서도 처방을 활용할 수 있다.

1. 일본 뇌염, 수막염, 대엽성폐렴, 유행성출혈열, 인플루엔자, 성홍열 등 전염질환의 극성기(極盛期) 고열 소견이 나타나는 질환

2. 갑상선기능항진증, 당뇨(B)[1] 등의 대사질환, 열중증(A)[2] 등 신진대사 항진 및 맥활삭(脈滑數) 소견이 보이는 질환

3. 혈소판감소성자반증, 백혈병 등 혈액질환과 같은 출혈성 질환

4. 급성척수염, 급성 감염성 다발성 신경염, 치주염, 이수염, 구강작열감증후군[3], 남성의 지연성 성선기능저하증[4], 혈액투석 환자의 갈증(B)[5], 운동이상증, 노년 구강건조증(B)[6], 약인성 구강건조증(B)[7] 및 다한증(B)[8], 안과질환, 피부질환(아토피피부염, 습진)(B)[9-12] 등에서 갈증을 호소하고 땀이 많이 나는 경우에 활용할 수 있다.

[가감 및 합방]

1. 마른 체형으로 갈증과 식욕부진이 있다면 인삼 10 g을 더하여 쓴다.

2. 관절에 통증이 있으며 땀이 흐르고 오한을 호소하면 계지 15 g을 더하여 쓴다.[13]

3. 관절의 통증과 함께 입안이 끈끈하고 설태가 후니(厚膩)하면 창출 15 g을 더하여 쓴다.

4. 갑상선기능항진증, 폐렴, 감기 등에서 땀이 많고 맥이 활(滑)한 경우 반하를 제외하고 소시호탕을 합방한다.

5. 인플루엔자, 폐렴 등에서 목덜미의 통증과 번조 및 소견이 보이면 갈근탕을 합방한다.

6. 뇌간뇌염, 척수염 등에서 땀이 많이 나고 맥이 활(滑)하면 속명탕을 합방한다.

7. 설사가 나고 땀이 많이 흐르며 갈증이 동반되는 당뇨병, 피부질환, 여름철 감기에는 오령산을 합방한다.

8. 설질이 붉고 피부발적이 나타나는 건선, 성홍열, 발진 등에는 서각지황탕을 합하여 처방한다.

9. 온열질환으로 의식이 혼미하고 설태가 후황(厚黃)한 경우 대승기탕, 황련해독탕을 합하여 처방한다.

[주의사항]

1. 백호탕증은 각기 다른 유형이 있으므로 임상증상이 "백호탕 4대증상(대열, 대갈, 대한출, 맥홍대)"에 국한되지 않는다. 네가지 증상이 모두 갖추어지지 않아도 한가지만 충족되면 활용 가능하다.

2. 피부가 검거나 누렇고 부은 경우, 얼굴 전체에 붉은빛이 도는 경우에는 신중히 투여한다. 맥이 침세(沈細)하고 입이 마르지 않았으며 오한은 있으나 땀이 없는 환자에게는 금기이다.

3. 갱미는 백호탕에 반드시 들어가야 하는 약물이다. "미음이 될 때까지 달인다"는 것이 탕전시간의 기준이 된다. 미음은 점성이 있어 석고 미세과립의 현탁이 더 잘 이루어지게 하므로 탕액 내 무기원소 함량을 증가시키는데 도움을 준다.

[각주]

1. 대만의 국민건강보험연구 데이터베이스를 기반으로 한 대규모 후향적 연구에 따르면 제2형 당뇨병 환자는 통상적인 치료와 함께 한약(백호탕, 백호가인삼탕 등)을 투여받았다. 그 결과 뇌혈관 사고 발생률이 33% 감소된 것을 확인할 수 있었다. [Lee A L, Chen B C, Mou C H, et al. Association of Traditional Chinese Medicine Therapy and the Risk of Vascular Complications in Type II Diabetes Mellitus. Medicine, 2016;95(3):e2536.]

2. 열사병 환자 11명이 참여한 일본에서의 무작위 대조 임상시험에서는 통상적인 냉각요법, 정맥내 수액요법, 경구 수분보충에 더하여 5명의 시험군 배정 환자에게 한약(신체통과 근경직이 있는 사람은 작약감초탕을, 나머지는 백호가인삼탕 치료를 받았다.)을 병용하였다. 연구결과 한약의 병용은 열사병의 회복을 촉진하였다. [高村光幸. 熱中症に対する漢方エキス治療の効果.漢方と最新治療, 2014(23):121-4.]

3. Yamaguchi K. Imamura H. Kasuga Y. Kuniyoshi H. Yoshida M. Miyahara M. et al. A Case Report of the burning mouth effectively treated with Byakkokaninjinto (TJ-34). Pain Kampo Med, 2005(15):73-6.

4. 일본의 한 증례보고에서는 2례의 남성 갱년기 부정수소 환자를 소개했다. 갈증 및 다음증을 표적으로 백호가인삼탕을 투약하여 증상이 완화되었다. 이와 동시에 중노년 남성증상평가지표에서 유의미한 감소를 확인할 수 있었다. [堀場裕子, 松浦惠子, 渡辺賢治. 更年期男性の不定愁訴に白虎加人参湯が有効であつた2例. 日本東洋医学雑誌, 2012;63(4):245-50.]

5. 혈장 삼투압 상승 등의 이유로 혈액투석환자의 약 절반이 갈증과 구강건조증을 앓고 있으나, 이 경우 물을 과도하게 마시면 투석장애와 심혈관 합병증이 발생한다. 일본의 단일군 연구에서 갈증 관리가 필요한 8명의 투석 환자가 소개되었다. 이들은 백호가인삼탕을 10주간 복용하였는데, 이 중 4명에서는 갈증 증상이 감소하고 체중이 조절되었으며 복약을 중단한 후에도 효능이 지속되었다. [内藤真礼生, 長田高志, 三村卓, 等. 慢性血液透析患者の体重増加に対する白虎加人参湯の効果. 日本東洋医学雑誌, 2002;53(3):217-22.]

6. 일본에서 실시한 단일군 연구에서는 구강건조증 환자 60명에게 백호가인삼탕을 10주간 투약한 결과 구강건조증의 완화율이 60%로 나타났다. 추가 분석에 따르면 나이가 더 젊고 체질이 실증에 가까울수록 효과적일 가능성이

높았다. 설상, 구고증상, 구점 등은 치료 효과와는 큰 관련이 없었다. 약을 복용한 후 식욕이 감소한 사람들은 종종 효과가 없었다. 약 복용 후 대변, 장명음, 복부팽만감, 오한증상의 개선과 구강건조증의 개선은 무관하였다. [海野雅浩, 長尾正憲, 室賀昭三. 高齢者の口腔干燥症状に対する白虎加人参湯の効果. 日本東洋医学雑誌, 1994;45(1):107–13.]

7. 일본의 단일군 연구에서 항부정맥제인 디소피라미드의 항콜린 효과로 갈증이 발생한 11명의 환자를 대상으로 백호가인삼탕을 투여한 결과, 갈증 개선율은 63.6%였고, 디소피라미드의 항부정맥 효과에는 영향을 미치지 않았다. [Shuji Y, Koichi K. The Effects of Byakko-ka-ninjin-to on Patients in whom Thirst has been induced by Disopyramide Phosphate. 日本東洋医学雑誌, 1995;46(3):433–8.]

8. 일본의 한 후향적 연구에서는 필로카르핀염산염으로 구강건조증을 치료한 후 부작용으로 다한증이 발생한 16명의 쇼그렌증후군 환자 증례를 소개하였다. 이중 8명의 환자에 백호가인삼탕을 투약하였는데, 6명의 다한증이 호전되었다. 백호가인삼탕은 타액분비를 촉진하는 필로카르핀염산염의 작용에 영향을 미치지 않았다. [Kazuhiro I, Kohei F, Shin K, et al. Clinical Effects of Herbal Medicine Against Hyperhidrosis Caused by Administration of the Pilocarpine Hydrochloride. Journal of Japanese Society of Oral Medicine, 2014;20(1):1–7.]

9. 일본에서의 후향적 연구에서는 난치성 아토피성 피부염 환자 12명에게 백호가인삼탕 6 g/일+석고 분말 4 g/일을 2주간 투약하였다. 이후 피부 병변의 중증도가 감소하였으나 피부 병변 부위 및 가려움증의 정도는 감소하지 않았다고 보고하였다. 이 투약을 통해 급성기의 홍반과 구진은 빠르게(2주) 개선되는 반면, 만성기의 습윤, 가피, 구진, 결절 및 태선화의 개선은 더 느리게(4주) 개선되었다. 두피와 안면 병변은 다른 부위에 비해 더 빨리(2주) 개선되었다. 체간부 전면부 병변은 천천히(4주) 개선되었고 체간부 후면부와 사지의 병변은 크게 개선되지 않았다. [山本篤志, 福永智栄, 新沢敦, 等. ステロイド忌避を含む難治性アトピー性皮膚炎12症例への白虎加人参湯エキス加石膏末使用から解析した有用性と使用目標. 日本東洋医学雑誌, 2018;69(2):133–9.]

10. 일본에서 실시한 후향적 연구에서 아토피성 피부염에 백호가인삼탕을 복용하여 효과적인 환자들의 특징은 안면홍조, 열감, 건성 피부, 과도한 음수(飲水), 경미한 수족냉증, 변비 등의 증상이 있는 것이었다. [夏秋優. 白虎加人

参湯のアトピー性皮膚炎患者に対する臨床効果の検討. 日本東洋医学雑誌, 2008;59(3):483-9.]

11. 일본 연구자들은 안면 아토피 피부염 환자를 대상으로 백호가인삼탕 복용 전후의 안면 피부온도 변화를 열화상 기술을 사용하여 관찰하였다. 연구 결과, 약 복용 후 90분이 지나면 안면 온도가 낮아지는 동시에 홍반과 가려움증의 증상이 감소하는 것이 확인되었다. [T. Seki, S. Morimats, M. Morohashi. Evaluation of temperature of face with thermography. Hihu, 1996;38(18):47-52.]

12. M. Natsuaki. Effects of Byakkokaninjinto on atopic dermatitis patients. Skin Research, 2010;9(15):54-8.

13. 일본의 한 증례보고에서는 전신통증을 호소하는 섬유근육통의 치험을 소개하였다. 이 환자는 작약감초탕, 계지가출부탕, 소경활혈탕 등의 처방으로 효과를 얻지 못했다. 여름이나 입욕 중 체온이 상승하면 증상이 악화되고 갈증 및 다음증이 동반되는 점에 착안하여 백호가계지탕으로 처방을 바꾼 결과 점차 통증이 소실되었다. [橋本すみれ, 地野充時, 来村昌紀, 等. 線維筋痛症に対し白虎湯加味方が著効した症例. 日本東洋医学雑誌, 2009;60(2):171-5.

보중익기탕

고대의 내상발열 전문 처방이며 전통적인 보기승양(補氣升陽) 처방이다. 허열 억제, 항피로, 자한 해소, 비위의 기능개선 등 효능이 있다. 현대 연구에서는 항우울, 신경보호, 면역조절, 항바이러스, 정자운동성 개선, 방사선 손상에서의 보호작용 등이 확인되어 있다. 반복발열, 체중감소, 피로, 기운이 없고 말하는 것조차 힘들어하는 등 소견을 보이는 질환에 적용한다.

[원서배방]

황기(과로로 열이 심한 경우 一錢), 감초(炙, 황기와 같이 각 五分), 인삼(去蘆), 승마, 시호, 귤피, 당귀신(酒洗), 백출(이상 각 三分). 위 약물을 절편하여 모두 한번에 복용한다. 물 二盞을 一盞이 되도록 달여 찌꺼기를 제거하고, 아침을 먹은 후 따뜻하게 하여 복용한다. 병정이 중한 환자라도 두 차례 복용하면 낫는다. 적은 양으로 큰 효과를 나타내는 처방이다.(《內外傷辨惑論》)

[원서의 방증]

비위질환으로 처음에는 숨이 가쁘고 기침이 있으며 열과 번조가 있다. 맥은 홍대(洪大)하며 두통이 있거나 갈증이 멈추지 않는다. 피부는 풍한을 견디기 어려우며 한열이 생긴다. 이는 음화(陰火)가 치솟아올라 숨이 차오르고 가쁘며 기침, 번열, 두통, 갈증,

맥홍대 등의 증상이 생기는 것이다. 비위의 기운이 아래로 내려가 곡기가 오를 수 없으니 생장하는 기운이 차고 움직이지 못해 양기가 사라지고 영위를 기르지 못해 풍한을 견디지 못하게 되고 한열을 만들게 된다.

[추천처방]

황기 15 g, 인삼 10 g, 백출 10 g, 자감초 5 g, 진피 10 g, 당귀 10 g, 승마 10 g, 시호 10 g. 이들 약물을 물 1,000 mL와 같이 300 mL가 되도록 달여 두 차례에 나누어 복용한다. 현대에는 환제나 충제(沖劑)로 복용한다.

[방증제요]

몸에 열과 번조가 있고 숨이 차오르며 입이 마르고 땀이 저절로 난다. 맥은 홍대(洪大)하면서 허(虛)하다.

[적용 환자군]

안색이 초췌하고 누렇게 떠서 빈혈기가 있다. 체형은 마르고 부은듯한 모습이거나 과거에는 비만하였으나 현재는 마른 모습이다. 스스로 발열감을 느끼거나 오풍 또는 오한이 있으며 뚜렷한 전신의 피로감이 동반된다. 기력이 없이 쳐져 있으며 목소리도 작다. 자한, 내장하수, 자궁하수, 탈항, 설사, 변비, 복통, 두통, 현훈, 시력저하, 부종, 소변불리 등이 있다. 입이 마르거나 흰거품이 섞인 침을 뱉으며 입맛이 없다. 복부는 평평하고 연하며 가벼운 흉협고만(胸脇苦滿)이 있다. 설색은 담홍, 설질은 연하다. 설질은 옅은 붉은색을 띄고 연하며 설태는 얇고 흰색이다. 맥은 약(弱)하거나 산대무력(散大無力)하다.

[적용 병증]

아래의 병증과 위에 서술한 환자군의 특징이 부합하는 경우에 처방의 투약을 고려할 수 있으며, 또한 근거기반의학적 근거에 따른 진단을 통해서도 처방을 활용할 수 있다.

1. 만성폐쇄성폐질환(A)[1,2], 뇌졸중후유증(A)[3], 노인허약(A)[4], 다한증, 잦은 감기, 불면(B)[5], 기능성 변비(A)[6], 여성복압성요실금(B)[7], 여성 요도 증후군(A)[8], 수술 후 면역기능저하 및 영양불량(A)[9,10], 만성질환에 의한 전신허약, 소화기 수술 후 위장기능회복(A)[11], 위절제술 후 골연화(B)[12] 등 전신허약상태

2. 이관개방증(B)[13], 수면무호흡증(B)[14], 위하수, 신하수(B)[15,16], 탈항, 치질, 자궁하수(B)[17,18], 발기부전, 남성난임(A)[19,20], 남성 성선기능저하증(B)[21] 등 장기탈출증과 같이 근육이완에 관련한 질환, 이외에 조기유산[22], 산후자궁이완, 난산 등에도 쓸 수 있다.

3. 만성 창상, 유합부전(A)[23], 대상포진 후 신경통 예방(A)[24]

4. 인플루엔자, 인터페론 부작용[25], 다발성 관절통[26] 등에서 오한 및 발열과 같은 인플루엔자 유사 증상이 동반되는 허약한 환자

5. 결핵(A)[27,28], 마이코박테리움 아비움 복합체증후군(A)[29], 메티실린 내성 황색포도상구균 감염증(A)[30-32], 만성B형간염[33], 만성C형간염(B)[34], 재발성 생식기 포진[35] 등 면역기능저하로 발생한

난치성 감염질환

6. 암 악액질의 개선(B)[36,37], 폐암, 유선암의 화학치료와의 병행요법(A)[38-40], 항종양면역요법(A)[41], 위암수술 후 스트레스 및 염증 개선(A)[42,43] 그러나 위암수술 후 보조요법으로서의 효과는 입증되지 않았다(A).[44]

7. 아토피피부염(A)[45,46], 알러지 비염(A)[47], 다발성근염[48], 균상식육종[49]과 같은 류마티스질환 및 알러지 질환

8. 만성피로증후군, 우울증, 현훈(A)[50], 정신분열[51] 등 정신질환과 관련한 피로상태

[가감 및 합방]

1. 궤양이 오래되어도 창상면이 유합되지 않는 경우

2. 기침이 계속되고 숨가쁨이 있으면 오미자 10 g, 맥문동 20 g을 더하여 처방한다.

3. 복통에는 작약 15 g을 더하여 처방한다.

[주의사항]

일본에서는 이 처방으로 야기된 간손상[52] 및 호산구성흉막염[53]에 대한 증례보고가 있다.

[각주]

1. 일본의 한 무작위 대조 임상시험에는 33명의 영양불량을 동반한 COPD 환자가 참여하였다. 환자들에게는 폐 재활(저강도 운동)을 기본적으로 시행하는 한편으로 18명의 시험군에 보중익기탕을 12주간 병용했다. 그 결과 보중익기탕은 COPD 환자의 체중을 현저하게 증가시키고 숨가쁨, 피로 점수 및 삶의 질을 향상시킬 수 있었지만 6분 보행가능 거리와 말초 근력을 향상시키지는 못하였다. [Hamada H, Sekikawa K, Murakami I, et al. Effects of Hochuekkito combined with pulmonary rehabilitation in patients with chronic obstructive pulmonary disease. Exp Ther Med. 2018;16(6):5236-42.]

2. 71명의 중등도-중증 고령 COPD 환자를 대상으로 이루어진 일본의 한 무작위 대조 임상시험에서는 모든 참여자들에게 흡입형 기관지 확장제나 스테로이드 투여요법을 기본치료로 시행하였으며, 시험군에 배정된 34명의 환자에게는 보중익기탕을 병용투약하였다. 투약기간은 6개월이었다. 보중익기탕은 COPD 환자의 체중을 크게 증가시키고 삶의 질을 향상시키며 COPD 환자의 감기 및 급성 악화 에피소드 수를 줄일 수 있었다. 추가 연구에 따르면 보중익기탕은 COPD 환자의 전신 염증을 크게 개선할 수 있음이 드러났다. [Tatsumi K, Shinozuka N, Nakayama K, et al. Hochuekkito improves systemic inflammation and nutritional status in elderly patients with chronic obstructive pulmonary disease. Journal of the American geriatrics Society, 2009;57(1):169-70.]

3. 뇌혈관질환에 의한 편마비로 재활치료를 받는 31명의 환자가 참여한 일본의 한 무작위 대조 임상시험에서는 시험군에 배정된 환자들에게 보중익기탕을 투약하였다. 그 결과 대조군에 비해 염증성합병증의 발생이 현저히 감소된 것으로 나타났다. [Naoki F, Hitomi Y, Masakazu K, et al. Hochuekkito Reduced the Incidence of Inflammatory Complications in Patients with Sequelae of Cerebrovascular Disease in Convalescent Rehabilitation Wards: A Randomized Multicenter Study. The Japanese Journal of Rehabilitation Medicine, 2017, 54(4):303-14.]

4. 일본에서의 한 무작위 대조 연구에 따르면 18명의 쇠약한 고령 환자를 대상으로 한 보중익기탕 투여가 환자의 신체 상태와 삶의 질을 크게 향상시키고 면역 기능을 향상시킬 수 있음이 드러났다. [Satoh N, Sakai S, Kogure T, et al. A randomized double blind placebo-controlled clinical trial of Hochuekkito, a traditional herbal medicine, in the treatment of elderly patients with weakness N of

one and responder restricted design. Phytomedicine, 2005;12(8):549−54.]

5. 일본의 한 연속증례보고에서 기허증(얕은 수면, 쉽게 피로하다, 낮 동안, 특히 식사 후 졸음이 있다 등)을 가진 불면증 환자 7례에 대한 보중익기탕 투여 경과가 소개되었다. 이들 환자 중 누구도 위장 증상(식욕저하 등)이 없었다. 2례에서는 수면 전 보중익기탕 병용으로 수면상태가 개선되었으며, 3례에서는 매일 두 차례 보중익기탕 복용 후 수면상태가 개선되었다. 2례에서는 기존의 한약치료에 더해 보중익기탕을 투여하여 수면상태가 개선되었다. 이 중 5례의 환자는 보중익기탕 복용 후 아침 기상이 원활해졌다고 보고하였다. [木村容子, 黑川貴代, 永尾幸, 等. 補中益気湯で不眠が改善した7症例. 日本東洋医学雑誌, 2015;66(3):228−35.]

6. 2018년 발표된 메타분석에 따르면 기능성 변비 치료에 있어 보중익기탕의 전반적인 효능은 기존의 서양의학적 치료보다 우수한 것으로 드러났다. 이는 기허증만이 아닌 전체 인구를 대상으로 수행한 연구결과이다. 보중익기탕의 치료효과는 기존의 서양의학적 치료법보다 우수하고 부작용이 적으며, 서양의학적 치료와 병행하면 시너지 효과를 얻을 수 있다. [Hanling, Feng Q, Hongbo H. Herbal Formula Modified Buzhong−Yiqi−Tang for Functional Constipation in Adults: A Meta−Analysis of Randomized Controlled Trials. Evidence−Based Complementary and Alternative Medicine, 2018(3):1−12.]

7. 일본에서 실시된 단일군 연구에서는 복압성 요실금을 앓고 있는 13명의 여성 환자를 대상으로 하여 보중익기탕을 4주간 투여한 결과, BMI가 25 미만인 환자만이 증상이 현저하게 완화되었고, 경증 증상에만 효과가 있었다. [井上雅, 橫山光彦, 石井亜矢乃, 等. 女性腹圧性尿失禁に対する補中益気湯の有用性に関する検討. 日本東洋医学雑誌, 2010;61(6):853−5.]

8. 절박뇨, 빈뇨, 배뇨통, 치골 상부 통증, 하복부 팽만 등을 호소하는 여성 요도증후군 환자 95명이 참여한 중국의 한 무작위 대조 연구에서는 모든 환자에 테라조신을 투약하였고, 시험군으로 배정된 65명의 환자에게 보중익기탕을 병용투약하였다(이 중 비신양허증에는 보중익기탕에 산약, 금앵자를 가미하였다.). 50−70일간의 투약 기간 이후 이루어진 평가에서 보중익기탕의 병용은 임상적 유효율을 크게 향상시키는 것으로 나타났다(86.2% 대 46.7%, P<0.001). [郭贤坤, 高吴阳, 聂勇, 等. 补中益气汤加特拉唑嗪治疗女性尿道综合征65例. 中国中西医结合杂志, 1996(10):629.]

9. 일본에서 실시한 무작위 대조 연구에서는 위장 종양 수술을 받은 47명의

환자 중 시험군에 배정된 20명의 환자에게 수술 7일 전부터 수술 전날까지 보중익기탕을 투여했다. 그 결과 수술 전에 보중익기탕을 복용하면 NK 세포 기능을 유지하고 스트레스 관련 인자를 조절하며, 수술 스트레스로 인한 면역 억제를 크게 줄일 수 있음이 밝혀졌다. [Kimura M, Sasada T, Kanai M, et al. Preventive effect of a traditional herbal medicine, Hochu-ekki-to, on immunosuppression induced by surgical stress.Surgery Today, 2008;38(4):316-22.]

10. 대장암으로 복강경수술을 받은 19명의 환자가 참여한 일본의 한 무작위 대조 임상시험에서는 9명의 시험군 환자에게 보중익기탕을 투약하였다. 투여는 수술 1주일 전부터 시작하였으며, 연구 결과 보중익기탕 투여는 수술 후 3일째에 환자의 프리알부민(prealbumin) 수치를 현저히 향상시킬 수 있어 수술 후 환자의 영양 상태 개선에 도움이 됨을 보여주었다. [西村元一. 大腸癌手術例の栄養・免疫状態に対する補中益気湯の臨床効果の検討. Progress in Medicine, 2009(29):84-5.]

11. 상부위장궤양 천공으로 치료를 받은 67명의 환자가 참여한 중국의 한 무작위 대조 연구에서는 일상적인 수술 후 재활 치료를 기본으로 하면서 시험군에 배정된 35명의 환자에게 보중익기탕 보류관장을 병용요법으로 시행하였다. 대조군 환자에게는 네오스티그민 3일간 근육주사로 투약하였다. 연구 결과, 복부 팽만 감소와 배뇨 시간을 기준으로 보중익기탕 보류관장 치료가 네오스티그민 근육 주사보다 더 효과적이었다(유효율 97.1% 68.7%, P<0.05). 또 보중익기탕 투여군에서 부작용이 더 적었다. [金保亮, 高瞻. 补中益气汤保留灌肠对上消化道溃疡穿孔修补术后胃肠功能恢复的影响. 中国中西医结合杂志, 2005;25(7):667-8.]

12. 일본에서의 한 후향적 연구에서는 위절제술을 받은 환자 9명을 대상으로 위 절제술 후 5-6개월 후 골 질환 치료 시 보중익기탕과 기존의 비타민 D 및 칼슘투여요법의 효능을 비교했다. 이 연구를 통해 보중익기탕 투여는 골 미네랄 함량, 골밀도 및 기타 지표를 향상시킬 수 있는 것으로 밝혀졌으며, 그 개선 효과는 기존 치료에 비해 좋지 않지만 부작용도 적었다. 저자는 보중익기탕이 주로 식욕을 증가시키고 음식의 칼슘 이온과 소장 점막의 접촉 시간을 증가시킴으로써 효과를 나타내는 것이라고 추정하였다. [加藤一彦, 堀江良彰, 川瀬敦之, 等. 胃切 除後骨障害患者に対する補中益気湯の効果 -MD/MS 法を指標に-. 日本東洋医学雑誌, 1992;43(2):309-13.]

13. 일본의 단일군 연구에서는 이관개방증 환자 10명을 대상으로 기허 및 혈허

변증에 따라 보중익기탕을 투여한 결과 복용 후 4례에서 완전관해, 1례에서 부분관해가 나타났다. 나머지 5례에서는 효과가 없었다. 연구자들은 보중익기탕의 작용 메커니즘이 유스타키오 관의 긴장도를 높이고 유스타키오 관 주변의 지방 조직의 함량을 증가시키고 정신건강에 영향을 미치는 것과 관련이 있을 수 있다고 추정한다. [斉藤晶, 竹越哲男. 耳管開放症が疑われた症例に対する漢方治療. 日本東洋医学雑誌, 2012;63(5):336-9.]

14. 일본의 수면 무호흡증후군 환자 13명을 대상으로 한 단일군 연구에서 보중익기탕 투여는 환자의 무호흡 지수를 시간당 23.1±4.8회에서 9.6±2.6회로 감소시켰으며, 평균 혈액 산소 포화도는 83.7±0.7%에서 94.0±0.9%로 개선되었다. 이를 통해 보중익기탕이 수면무호흡증후군에 상당한 영향을 미치는 것을 확인할 수 있었다. 저자는 이것이 보중익기탕의 상부 호흡기근육 긴장개선과 관련이 있다고 추정하였다. [佐々木満, 桃生寛和, 猪狩咲子. 睡眠時無呼吸証候群(SAS)に対する補中益気湯エキスの効果. 日本東洋医学雑誌, 2005;56(6):927-32.]

15. 일본의 단일군 연구에서는 허리 또는 하복부 불편감이 있는 신장하수 환자 53명에 대해 보중익기탕 투여가 요부불편감을 53.8%, 하복부 불쾌감을 32.3%에서 개선시켰다고 보고했다. [Nishida S. Effect of Hochu-ekki-to on asymptomatic MRSA bacteriuria. J Infect Chemother, 2003;9(1):58-61.]

16. 일본의 증례보고에 따르면 양측 신장이 6 cm, 5 cm 하수되고 요부에 둔통이 있는 환자에 대해 보중익기탕을 투여한 결과 6개월간 뚜렷한 증상 개선이 있었고, 8개월이 경과한 후에는 양측 신장 모두 약 3 cm 상승하였다고 한다. [OgAWA Y, FUJI K, SHIMADA M, et al. A case of renal ptosis treated with hochu-ekki-to with improvement confirmed by excretory urography. 泌尿器科紀要, 2001;47(9):649-52.]

17. 일본의 단일군 연구에서는 자궁하수 환자 38명을 대상으로 보중익기탕 투여 4개월 이내에 15명(39%)이 증상이 호전되었고, 6명(16%)은 증상이 악화되어 자궁이 탈출하였다고 보고하고 있다. 전체적으로 유의한 개선은 없었다(치료 효과를 평가할 수 있었던 23명의 환자 중 3명은 개선되었으며 17명은 변함이 없었으며 3명은 악화되었다. 악화된 경우 대부분 수체중, 비만체질이었다.). [大野 勉, 小田隆晴, 田中栄一, 等. 子宮脱·子宮下垂に対する補中益気湯の効果. 日本東洋医学雑誌, 1996;47(3):451-5.]

18. 일본에서 실시한 자궁하수 환자 37명을 대상으로 한 단일군 연구에서 보

중익기탕 투여 후 증상호전율은 48.9%였다. 이 중 10명의 환자가 수술을 받았고, 9명의 환자가 고리 모양의 페서리 시술을 받았다. 이 결과는 보중익기탕이 자궁하수 환자의 증상을 개선하고 수술위험을 감소시키므로 수술을 원하지 않는 자궁탈출 환자를 부분적으로 도울 수 있음을 시사한다. [丸山晋司. 性器脱に対する補中益気湯の臨床効果について. 日本東洋医学雑誌, 2009, 60(6):591-4.]

19. 일본에서 실시한 무작위 대조 연구에서는 불임이 있는 남성 32명을 대상으로 다른 16명의 환자에는 보중익기탕을 다른 16명의 환자에는 키미노게나아제(Kininogenase)를 12주 동안 투여하였다. 연구 결과, 보중익기탕은 정자의 농도를 유의하게 증가시키는 것으로 나타났다(보중익기탕 투여군에서의 유효율은 56.3%, 키니노게나제 투여군에서는 25.0%), 또한 보중익기탕은 정자 활성도도 증가시켰다(두 그룹의 유효율은 각각 25.0% 및 18.8%). [風間泰蔵. 男性不妊. Current Therapy, 1988(6):1683-6.]

20. 일본에서 진행된 단일군 연구에서는 희소무력정자증 난임 남성 63명에 대해 보중익기탕을 3개월간 투여한 결과 정자 밀도와 운동성이 크게 증가하고 프로락틴과 에스트로겐이 크게 감소했음을 보고하였다. 보중익기탕 투여 후 인간 융모성 성선자극 호르몬(hCG) 검사에 대한 반응이 더 민감해져 보중익기탕이 고환의 간질 기능을 개선하는 데 도움이 됨을 시사한다. [Ishikawa H, Manabe F, Zhongtao H, et al. The hormonal response to hCG stimulation in patients with male infertility before and after treatment with hochuekkito. Am J Chin Med, 1992;20(2):157-65.]

21. 남성 성선기능저하증 환자 47명이 참여한 일본의 한 단일군 연구에서는 보중익기탕을 8주간 투약하였으나, 질병 관련 증상과 환자의 삶의 질이 개선되지 못하였다. 그러나 보중익기탕 투여에 따라 유리 테스토스테론 수치가 크게 증가되고 ACTH/코르티솔 수치가 감소되었음을 확인할 수 있었다. [熊本友香, 久末伸一, 安田弥子, 等. 加齢男性性腺機能低下証候群に対する補中益気湯の効果の検討. 日本東洋医学雑誌, 2013;64(3):160-5.]

22. 일본의 한 증례에서는 절박유산으로 리토드린을 정맥 투여한 후 발생한 두근거림, 빈맥, 떨림, 메스꺼움, 식욕 부진을 경험한 31세 환자에 대해 보중익기탕을 투여한 결과 증상이 크게 개선되고 절박유산 증상이 소실되어 순조롭게 출산할 수 있었던 사례를 보고하고 있다. [小川惠子, 地野充時, 尾本暁子, 等. 切迫流早産に補中益気湯が有効であった1例. 日本東洋医学雑誌,

2010;61(1):32−5.]

23. 일본에서 실시한 무작위 대조 연구에서 기존 요법으로는 효과가 없었던 만성 창상환자 18명 중 9명에게 보중익기탕을 투여한 결과 8주 시점에서 창상 평가점수의 향상이 있었고, 12주에서는 보중익기탕 투여한 9명 모두에서 창상회복이 나타났다. 대조군에서는 9례 중 3례에서만 이와 같은 경향이 있었다(p<0.01). [Akita S, Namiki T, Kawasaki Y, et al. The beneficial effect of traditional Japanese herbal (Kampo) medicine, Hochu−ekki−to (Bu−Zhong−Yi−Qi−Tang), for patients with chronic wounds refractory to conventional therapies: A prospective, randomized trial. Wound Repair Regen, 2019;27(6):672−9.]

24. 급성 대상포진 환자 58명을 대상으로 이루어진 일본의 한 무작위 대조 연구에서는 시험군에 배정된 42명의 환자에게 보중익기탕을 12주 동안 투약하였다. 이 연구에서는 보중익기탕이 24주 시점에서 환자들의 통증 점수를 현저히 낮출 수 있음을 확인할 수 있었다[각각 1.4(0.5, 2.3) 및 2.9(1.7, 4.2)]. 이는 보중익기탕이 대상포진 후 신경통을 예방할 수 있음을 보여준다. [谷口彰治, 幸野健, 寺井岳三. 帯状疱疹後神経痛に対する補中益気湯の予防効果. Progress in Medicine, 2002;22:863−5.]

25. 대만의 증례보고에 따르면 다발성 경화증으로 인해 인터페론 치료를 받은 후 발열, 두통, 현기증이 발생한 환자에게 보중익기탕을 투여한 결과 증상 개선 및 삶의 질 향상이 있었다고 한다. [Lee LW, Lin HJ, Huang ST. Management of IFN−beta−induced flu−like symptoms with Chinese herbal medicine in a patient with multiple sclerosis: A case report. Complement Ther Med, 2018(36):123−8.]

26. 일본의 한 증례보고에서는 명백한 피로를 동반한 다발성 관절통 환자 사례를 소개하였다. 환자는 건강 검진에서 뚜렷한 이상이 보이지 않았으며 보중익기탕으로 3주 치료 후 관절의 뻣뻣함과 통증이 기본적으로 사라졌다. 저자는 관절통증이 만성피로증후군의 증상 중 하나일 수 있으므로 활력을 주는 보중익기탕이 효과를 나타내었을 것으로 추정하였다. [沢井かおり, 渡辺賢治. 補中益気湯で著明に軽快した多発関節痛の一例. 日本東洋医学雑誌, 2013;64(5):278−81.]

27. 일본에서 실시한 한 무작위 대조 연구에서는 항 결핵 치료를 받은 101명의 환자 중 31명에게는 보중익기탕을, 30명에게는 보중익기탕과 소시호탕을 투여하여 그 경과를 관찰하였다. 보중익기탕 투여 후 환자의 체중 증가가 뚜

렷하였고, 특히 말초혈액림프구 수준이 낮은 고령 환자의 경우 그 효과가 더 뚜렷했다. 그러나 보중익기탕 투여가 객담균 음전율을 향상시키지는 못했다. [渡辺東, 長谷川鎮雄. 肺結核の補助療法としての漢方薬倂用効果. 日本医事新報, 1992(3553):76-7.]

28. 일본에서 시행된 한 무작위 대조 연구에서는 항 결핵 치료를 받은 80명의 폐결핵 환자들 중 40명에 대해 보중익기탕을 투여하여 그 경과를 관찰하였다. 연구 결과, 보중익기탕은 트랜스아미나제 이상 발생률을 현저히 감소시키는 것으로 나타났다(13% 대 30%). 이는 보중익기탕이 항결핵제에 의한 간손상을 예방할 수 있음을 보여준다. [中西文雄. 肺結核症短期強化療法に対する補中益気湯の使用経験. 日経メディカル, 1994;23(12):24-5.]

29. 일본에서 실시한 유사 무작위 대조 연구에서는 1년 동안 항 마이코박테리아 치료 후 효과가 없거나 치료를 견디지 못하는 진행성 폐 마이코박테리움 아비움복합체증후군(대부분 BMI가 낮은 고령자, 여성) 환자 중 9명에게 24주간 보중익기탕을 투여하였다. 보중익기탕은 객담 배양 음성률을 개선할 수 없었으나, 영상진단상 질환 관리에 도움이 되는 것으로 나타났다(8/9, 3/9, P=0.05). 또한, 환자의 체중과 혈청 알부민 수치를 높이는 것으로 확인되었다. [Enomoto Y, Hagiwara E, Komatsu S, et al. Pilot quasi-randomized controlled study of herbal medicine Hochuekkito as an adjunct to conventional treatment for progressed pulmonary Mycobacterium avium complex disease. PLoS One, 2014;9(8):e104411.]

30. 일본에서 실시한 무작위 대조 연구에서는 20명의 외상 환자 중 8명에게 보중익기탕을 투여하였다. 그 결과 보중익기탕을 복용한 환자에서 MRSA 검출률이 현저히 낮은 것으로 나타났다(1/8 대 4/12). 이를 바탕으로 보중익기탕은 MRSA의 확산 및 감염을 예방할 수 있음을 알 수 있다. [植田俊夫, 山下和範, 中森靖, ほか. 補中益気湯(TJ-41)の MRSA 保菌抑制効果の検討: 第一報. Progress in Medicine, 1999(19):1000-3.]

31. 일본 임상연구에는 46명의 무증상성 MRSA 요로감염 환자가 참여되었으며, 이 중 34명에게는 보중익기탕을 최소 24주 동안 투여하였다. 그 결과 보중익기탕 투여군에서 소변내 세균이 현저하게 감소됨이 확인되었다(12례에는 요세균배양검사에서 음전, 10례에서는 소변 균수내의 감소). [Nishida S.Effect of Hochu-ekki-to on asymptomatic MRSA bacteriuria. J Infect Chemother, 2003;9(1):58-61.]

32. 일본의 연속증례연구에서는 MRSA에 감염되어 여러 항생제에 효과가 없었던 입원 환자 5례에 대해 보중익기탕의 투여가 MRSA를 소실시키고 증상을 개선시켰다고 보고하였다. [Ito T. Five cases of MRSA−infected patients with cerebrovascular disorder and in a bed−ridden condition, for whom Bu−Zhong−Yi−Qi−Tang (Hochu−ekki−to) was useful. Am J Chinese Med, 2000;28(3−4): 401−8.]

33. 일본의 증례보고에서는 인터페론 치료에 잘 반응하지 않는 만성 B형간염 환자 2례에 대해 기허, 혈어로 변증하고 보중익기탕, 계지복령환을 투여한 결과 트랜스아미나제가 급격히 감소하고 혈청전환 및 B형간염 DNA가 음성으로 전환되었음을 확인했다. [中田真司, 小林豊, 貝沼茂三郎, 等. 補中益気湯合桂枝茯苓丸料が B 型慢性肝炎に有効であった2症例. 日本東洋医学雑誌, 2005;56(4):585−90.]

34. 만성 C형간염 환자 25명이 참여한 일본의 한 단일군 연구에서는 보중익기탕을 6개월간 투약하여 전반적인 간 기능의 개선에는 이르지 못했으나 피로 증상이 상당히 개선된 것을 확인할 수 있었다. 추가 분석에 따르면 60세 이상의 환자에서는 보중익기탕 투여 후 트랜스아미나제가 현저하게 감소했으며, 적어도 허증의 한 소견(피로, 감기에 걸리기 쉬움, 약한 맥박, 설질은 담, 혹은 반)이 있는 환자에서도 보중익기탕 투여가 트랜스아미나제를 뚜렷히 감소시켰음을 확인했다. 이 연구는 만성 C형간염 치료에 보중익기탕을 투여할 때는 증에 따른 투여가 중요하다는 것을 보여준다. [伊藤隆, 長坂和彦, 喜多敏明, 等. 慢性 C型肝炎患者に対する補中益気湯の臨床効果. 日本東洋医学雑誌, 1999;50(2):215−23.]

35. 일본 증례보고에 따르면 생식기 포진이 재발하여 피로와 식욕 부진이 나타난 여성에 대해 보중익기탕을 2주간 투여한 결과, 증상이 점차 완화되고 포진이 점차 호전되어 복약을 중단한 후에도 1년간 재발하지 않았다고 한다. [加藤彩, 中木士師明. 難治性の再発型性器ヘルペスに補中益気湯が奏効した1症例. 日本東洋医学雑誌, 2013;64(6):336−9.]

36. 일본에서의 단일군 연구에서는 식욕 부진이나 피로를 동반한 비뇨기계종양 환자 162명에 대해 보중익기탕 투여 후 식욕개선율은 48.4%, 피로개선율은 36.6%였다고 보고하였다. [黒田昌男, 古武敏彦, 園田孝夫, 等. 悪性腫瘍患者の愁訴改善に対する補中益気湯の効果. 泌尿器科紀要, 1985;31(1):173−7.]

37. 한국에서 실시한 무작위 대조 연구에서는 암피로가 있는 40명의 환자

중 20명에 대해 보중익기탕을 투여한 결과, 보중익기탕이 피로 점수와 삶의 질을 크게 향상시켰다고 보고하였다. [Jeong J S, Ryu B H, Kim J S, et al. Bojungikki—Tang for Cancer—Related Fatigue: A Pilot Randomized Clinical Trial. Integrative Cancer Therapies, 2010;9(4):331-8.]

38. 일본에서 실시한 한 무작위 대조 연구에서는 화학요법을 받은 진행성 폐암 환자 41명 중 21명에게 화학요법 1주일 전 보중익기탕을 투여하여 피로 및 기분, 식욕을 개선하였으나 메스꺼움과 구토는 개선할 수 없었다고 보고하였다. [森清志, 斎藤芳国, 富永慶晤. 肺癌化学療法の全身倦怠感に対する補中益気湯の有用性. Biotherapy, 1992;6:624-7.]

39. 일본에서 외래 화학요법을 받은 비소세포성 폐암 환자 11명을 대상으로 한 설문 조사연구에서 보중익기탕을 투여한 후 화학요법에 의한 환자의 삶의 질(신체적, 정신적 상태 포함) 뚜렷하게 감소하지 않음이 드러났다. [Ishiura Y, Yamamoto H, Shiba Y, et al. Effect of Japanese traditional medicine, TJ—41, on quality of life of patients with non—small cell lung cancer receiving outpatient chemotherapy. gan To Kagaku Ryoho. 2013;40(7):913-6.]

40. 일본에서 실시한 무작위 대조 연구에서 악성종양 후 테가푸르 보조화학요법을 받은 178명의 환자(위암 91건, 대장암 63건, 유방암 18건, 기타 악성종양 6건)에 대해 57명에게 보중익기탕을, 56명에게는 인삼양영탕을 6개월간 투여하였다. 경과를 관찰한 결과 보중익기탕은 식욕을 크게 향상시켰고, 인삼양영탕은 메스꺼움과 구토, 비정상적인 대변, 무기력 및 피로를 크게 개선한 것으로 나타났다. [大原毅, 恩田昌彦, 二川俊二, ほか. 補中益気湯, 人参栄湯のテガフールとの併用療法に関する有用性の検討. 薬理と治療, 1993(21):4423-34.]

41. 일본에서 실시한 무작위 대조 연구에서는 개인 맞춤형 펩타이드 백신으로 치료받은 거세 저항성 전립선암 환자 70명 중 시험군에 배정된 35명에 대해 보중익기탕을 투여한 결과 보중익기탕이 면역요법 중에 Mo—MDSC 또는 IL—6에 의해 매개되는 면역 억제반응을 크게 개선할 수 있음을 확인했다. [Koga N, Moriya F, Waki K, Yamada A, Itoh K, Noguchi M.Immunological efficacy of herbal medicines in prostate cancer patients treated by personalized peptide vaccine. Cancer Sci, 2017;108(12):2326-32.]

42. 일본에서 위암(10례)과 대장암(38례)으로 수술을 받은 48명의 환자를 대상으로 실시한 무작위 대조 연구에서는 22명에 대해 수술 1주일 전에 보중익

기탕을 투여하였다. 그 결과 수술 후 코티솔, 심박수 및 체온 상승을 억제하는 효과를 확인할 수 있었다. 이는 보중익기탕이 수술 후 스트레스를 줄일 수 있음을 보여주는 동시에 수술 후 치료 항생제 사용을 줄일 수 있다는 점도 시사한다(3/22 및 11/22). 뿐만 아니라 보중익기탕의 투여가 감염을 예방하고 수술 후 회복을 돕는다는 것을 확인할 수 있다. [斎藤信也, 岩垣博巳, 小林直哉, ほか. 胃癌·大腸癌の手術侵襲に対する漢方補剤 TJ-41 の効果について. 日本臨床外科学会雑誌, 2006(67):568-74.]

43. 일본에서 실시한 한 무작위 대조 연구는 위암과 대장암으로 복강경수술을 받은 51명의 환자를 대상으로 하였으며, 이 중 24명의 환자에게 수술 1주일 전에 보중익기탕을 투여하였다. 이 연구는 보중익기탕이 수술 후 코티솔을 감소시키고 심박수와 체온을 증가시키며 항생제 사용을 감소시켜, 수술 후 전신 염증을 예방할 수 있음을 시사한다. [岩垣博巳, 斎藤信也. 補中益気湯術前投与による術後 SIRS の制御. 日本東洋医学雑誌, 2010(61):78-83.]

44. 일본에서의 임상2상[KUgC07 (SHOT) 연구]에서는 수술 후 S-1 화학요법을 받은 II/III기 위암 환자 113명 중 56명에 대해 보중익기탕을 투여한 결과, 화학요법 완료율(54.5% 및 50.9%)과 화학요법 용량의 강도(89.2% 및 71.9%)가 유의하게 개선되지 않았으며 III/IV등급(45.5% 및 54.5%)의 부작용을 유의하게 감소시키지 못했다. 3년 생존율 및 재발방지 비율에도 영향이 없었다. [Okabe H, Kinjo Y, Obama K, et al. A Randomized Phase II Study of S-1 Adjuvant Chemotherapy With or Without Hochu-ekki-to, a Japanese Herbal Medicine, for Stage II/IIIgAstric Cancer: The KUgC07 (SHOT) Trial. Front Oncol, 2019(9):294.]

45. 일본에서 실시한 무작위 대조연구에서는 4주 이상 표준치료에 반응하지 않았던 불응성 아토피성 피부염 환자 91명에 대해 기존의 치료를 계속하면서 24주 동안 보중익기탕 혹은 위약을 병용투약하였다. 발진은 두 군 모두에서 호전되어 유의한 차이가 없었으나, 보중익기탕 투여군에서 국소 스테로이드 제제의 사용이 현저히 감소하였다. 보중익기탕 투여군에서는 피부발진 소실이 뚜렷한 경우가 많았고, 악화 사례가 적었다. [小林裕美. アトピー性皮膚炎に対する補中益気湯の臨床的評価: 二重盲検解析. 日本薬理学雑誌, 2008;132(5):285-7.]

46. 일본에서 실시한 무작위 대조 연구에서는 기허증 아토피 피부염 환자 77명을 대상으로 기존의 서양의학적 치료를 시행하면서 추가적으로 보중익기탕

(37명) 혹은 위약(40명)을 24주간 투약하면서 경과를 관찰하였다. 연구 결과 보중익기탕의 투여는 완전 관해율을 높이고(19% 및 5%, P=0.06) 질환의 악화율을 현저히 감소시키며(3% 및 18%, P<0.05), 양약의 사용량 또한 현저하게 줄일 수 있었다. 추가 분석에 따르면 보중익기탕이 효과적이었던 증례에서는 삼출과 가피가 적고 구진, 결절 및 태선화가 뚜렷했다. [Kobayashi H, Ishii M, Takeuchi S, et al. Efficacy and Safety of a Traditional Herbal Medicine, Hochu−ekki−to in the Long−term Mana gement of Kikyo (Delicate Constitution) Patients with Atopic Dermatitis: A 6−month, Multicenter, Double−blind, Randomized, Placebo−controlled Study. Evid Based Complement Alternat Med, 2010;7(3):367−373; Hiromi K, Masamitsu I, Masutaka F. Effect of Hochuekkito on Dermatological Symptoms in Patients with Atopic Dermatitis. Nishi Nihon Hifuka, 2012;74(6):642−7.]

47. 일본에서 실시한 무작위 대조 연구에서 알러지성 비염 환자 60명에 대해 36명에는 보중익기탕을, 24명에는 평위산을 투여하여 경과를 관찰했다. 연구 기간은 3개월이었다. 이 연구를 통해 보중익기탕은 비염을 억제하여 비강 증상의 점수를 크게 향상시킬 수 있음이 확인되었다. [Yang S H, Yu C L. Antiinflammatory effects of Bu−zhong−yi−qi−tang in patients with perennial allergic rhinitis. Journal of Ethnopharmacology, 2008;115(1):104−9.]

48. 대만에서의 증례보고에 따르면 면역억제제의 효능이 약한 호르몬 저항성 다발성근염 환자에 대해 보중익기탕의 1개월 투여에서 피로증상의 개선 및 스테로이드 사용이 25% 수준으로 줄었다. 크레아틴키나제는 6655 U/L에서 718 U/L로 감소했다. [Cheng Y C, Tsai M Y, Chen C J, et al. Combination Therapy of Traditional Chinese Medicine and Western Medicine to Treat Refractory Polymyositis: A Case Report. The Journal of Alternative and Complementary Medicine, 2015;21(5):304−6.]

49. 일본에서의 연속증례보고에서는 균상식육종 치료를 위해 인터페론을 투여한 3명의 환자에 대한 보중익기탕의 투약이 말초혈액 단핵구의 인터페론 생성을 유지하고 더 나은 치료 효과를 가져올 수 있다고 보고하였다. [Tokura Y, Sakurai, Michiyo, et al. Systemic Administration of Hochu−ekki−to (Bu−Zhong−Yi−Qi−Tang), a Japanese−Chinese Herbal Medicine, Maintains Interferon−γ Production by Peripheral Blood Mononuclear Cells in Patients with Mycosis Fungoides. Journal of Dermatology, 1998;25(2):131−3.]

50. 우울경향의 현기증 환자를 대상으로 한 일본의 무작위 대조 연구에서는 전 정기능재활을 기반으로 추가적으로 보중익기탕을 투여한 결과 보중익기 탕의 투여가 정신 증상과 현기증의 점수를 크게 향상시킬 수 있음을 확인 했다. [Motohiro A, Fumiyukig, Takashi H, et al. Study of Combination Therapy of Vestibular Rehabilitation and Hochuekkito for Intractable Dizziness. Japanese Journal of Psychosomatic Medicine, 2012;52(3):221–8.]

51. 일본에서의 한 증례보고에서는 피로와 우울증을 앓는 정신분열증 환자를 소개했는데, 보중익기탕 복용 후 다른 증상의 악화없이 피로와 우울증이 호전되었다고 보고하고 있다. [中西美保, 岸田友紀, 田上真次, 等. 妄想型統 合失調症の陰性症状に対して加味逍遥散と補中益気湯が有効であった 1症 例. 日本東 洋医学雑誌, 2017;68(4):352–7.]

52. 根岸良充, 市川武, 田和良行, 等. 補中益気湯による薬物性肝障害が疑われ た 1例. 日本消化器病学会雑誌, 2014;111:1149–56.

53. Inoue T, Tanaka E, Sakuramoto M, et al. A case of drug-induced pleuritis, possibly due to Hochuekkito. Nihon Kokyukigakkai Zasshi, 2007;45(3):258–61.

복령계지백출감초탕

경전의 담음병 처방이며 온양화음(溫陽化飮)방으로 활용되어 왔다. 이수(利水)와 함께 두근거림과 어지러움을 멎게 하는 효능이 있다. 현대 약리연구에서는 인슐린 저항성과 지질대사의 개선, 신경보호 등 작용이 확인되었다. 어지러움과 두근거림이 특징적 소견인 질환에 적용한다.

[경전배방]

복령 四兩, 계지 三兩(去皮), 백출, 감초(炙) 각 二兩. 이들 약물을 물 六升과 같이 달여 三升이 되도록 하여 찌꺼기를 제거하고 세 차례에 나누어 따뜻하게 복용한다.(《傷寒論》《金匱要略》)

[경전방증]

상한에 토법 또는 하법을 쓴 후 심하가 역만(逆滿)해서 기가 가슴에 치받아오르면 머리가 어지럽고 맥이 침긴(沈緊)하며, 발한을 시키니 경맥이 움직이면서 상해 몸이 비틀거리는 환자(《傷寒論》 67조). 심하부에 담음이 있고 흉협지만이 있으며 눈이 어지럽다(《金匱要略》十二). 단기(短氣)하고 미음(微飮)이 있다(《金匱要略》十二).

[추천 처방]

복령 20 g, 계지 10 g, 육계 5 g, 백출 10 g, 자감초 10 g. 이들 약물을 물 1,000 mL와 같이 달여 300 mL가 되도록 한 뒤 두세 차례에 나누어 따뜻하게 복용한다.

[방증제요]

심하부가 답답하고, 기가 가슴으로 치받으면서 어지럽거나 숨이 차오르고 가슴 두근거림, 입마름, 떨림 등이 있는 경우

[적용 환자군]

몸이 말랐고 안색은 누렇거나 희며 혈색이 없다. 얼굴에 가벼운 부종이 있거나 뚜렷한 안검하수가 있다. 쉽게 기운이 빠지며 가슴이 답답하면서 숨이 차고 두근거림과 어지러움이 잦다. 입마름이 있으나 물을 많이 마시지 못하는 경우가 많으며 소변량이 적고 설사 및 물을 토하는 증상이 잦다. 위내진수음이 있다. 설질은 옅은 붉은색이며 통통하고 커서 치흔이 있다. 맥은 침완(枕緩)하거나 부현(浮弦)한 경우가 많다.

[적용 병증]

아래의 병증과 위에 서술한 환자군의 특징이 부합하는 경우에 처방의 투약을 고려할 수 있으며, 또한 근거기반의학적 근거에 따른 진단을 통해서도 처방을 활용할 수 있다.

1. 현훈이 주요 소견으로 나타나는 질환. 철결핍성 빈혈(B)[1], 말초성현훈, 고혈압성현훈, 신경성현훈, 저혈압(B)[2,3], 추골기저동맥순환부전 등

2. 두근거림과 가슴답답함이 있고 숨이 차는 증상이 주요 소견으로 나타나는 순환기질환. 류마티스성 심장병, 관상동맥질환의 예방(B)[4] 및 치료, 고혈압성 심장병, 폐인성 심질환, 심기능부전(B)[5], 심박이상, 심낭삼출, 심장신경증, 심장판막질환, 심근염 등

3. 위내정수가 주요 소견으로 나타나는 소화기질환. 위하수, 소화성궤양, 만성위염, 신경성구토, 위장신경증 등

4. 기침과 함께 가래가 많고 가슴이 답답하며 숨이 차는 증상이 주요 소견으로 나타나는 호흡기질환. 급만성기관지염, 기관지천식, 백일해, 흉막염 등

5. 시력감퇴, 눈의 어지러움 및 눈부심이 특징적 소견인 안과질환. 백내장, 결막염, 바이러스성각막염, 시신경염, 시신경위축, 중심장액성 맥락망막병증, 안과수술 후 시력저하 등

6. 배뇨장애 및 부종이 나타나는 질환. 특발성부종, 음낭수종 등

[가감 및 합방]

1. 몸이 여위고 뚜렷한 가슴두근거림이 있어 분돈(奔豚)으로 볼 수 있는 경우 홍조 30 g을 더한다.

2. 기침으로 숨이 가쁘고 어지러우면서 눈이 아찔거리는 경우 오미자를 10 g 더한다.

3. 부종이 있는 경우 감초의 용량을 줄인다.

[각주]

1. 일본에서의 한 증례보고는 오버트레이닝증후군이 있는 철결핍성빈혈 환자 2명의 치험례를 소개하였다. 환자들은 철결핍빈혈의 병력이 있으며, 오버트레이닝으로 철분의 소비가 증가하여 빈혈이 재발했다. 헤모글로빈은 철분제 투여 후에도 정상 수준에 도달하지 않았으며, 주요 증상은 현기증, 피로감, 잦은 피로감 등이 있었다. 영계출감탕 투여 후 증상이 개선되었으며, 헤모글로빈도 정상 수준에 도달했다. 이후 운동량을 늘려도 빈혈은 악화되지 않았다. [后藤博三, 山地啓司, 伊藤隆, 等. 苓桂朮甘湯が奏效した貧血を伴ったオーバートレーニング証候群の二症例. 日本東洋医学雑誌, 1999;49(5):839–44.]

2. 일본의 증례연구에서 4명의 저혈압 환자(편두통, 심장신경증, 심부전, 혈액투석으로 진단됨)를 소개하였다. 이 연구에서는 영계출감탕이 저혈압을 개선할 수 있음을 보고하였다. 그 작용 메커니즘은 말초혈관에 대한 수축작용과 관련이 있을 것으로 추정된다. [塩谷雄二, 新谷卓弘, 藤永洋, 等. 苓桂朮甘湯の作用と臨床応用の考察. 日本東洋医学雑誌, 1999;50(1):21–8.]

3. 시오타니 등은 급성 자율신경기능장애 환자에 대한 증례연구를 통해 말초교감신경의 억제 및 말초혈관 저항 증가에 의한 보상적 심박출량 감소가 영계출감탕의 주요 작용기전일 것으로 보인다고 보고하였다. 이를 통해 과도하게 활성화된 레닌-안지오텐신-알도스테론 시스템이 교정된다. [塩谷雄二, 麻野井英次, 松田治已, 等. 苓桂朮甘湯の作用機序に関する研究. 日本東洋医学雑誌, 1994;44(3):427–36.]

4. 중국에서 실시된 무작위 대조 연구에서는 내당능장애를 동반하는 비만환자 중 비허담습증으로 변증된 85명의 참여자를 대상으로 가미영계출감탕(영계출감탕 가 당삼, 대황)과 단기초저열량식이(short-term very low calorie diets, VLCDs)를 시행하고 대조군에는 기본적인 체중감량 치료를 받도록 하였다. 연구 기간은 6개월이었다. 가미영계출감탕과 VLCD시행군에서는 당대사(공복혈당, 식후 2시간 혈당, 당화혈색소, 공복 인슐린, HOMA-IR 등), 지질대사(총 콜레스테롤, 트리글리세라이드, 저밀도지단백), 동맥 혈압(수축기 및 확장기 혈압), BMI, 허리둘레 등 관상동맥 질환의 위험 요인이 개선되어, 본 요법이 관상동맥질환 발생 위험을 감소할 수 있음을 보였다. [Ke B, Shi L, Zhang JL, et al. Protective effects of Modified Linggui Zhugan Decoction combined with short-term very low calorie diets on cardiovascular risk

factors in obese patients with impaired glucose tolerance. Journal of Traditional Chinese Medicine, 2012;32(2):193–8.]

5. 만성 심부전 환자 834명이 포함된 8건의 무작위 대조 연구를 분석한 2019년의 메타분석에서는 기존의 통상치료와 함께 영계출감탕을 병용투약하면 임상적유효율 및 심박출율 등 지표가 보다 향상되는 것으로 나타났다. 좌심실 확장기 말(末) 내경도 개선되며, NT–proBNP의 감소 및 환자의 6분 보행거리의 개선도 확인할 수 있었다. [张洪源, 刘悦, 王洋, 等. 苓桂术甘汤加减联合常规西药治疗慢性心力衰竭随机对照临床研究 Meta 分析. 中医杂志, 2019;60(6):47–51.]

복령계지오미감초탕

경전의 해천병 처방이며 기상충을 억누르면서 염폐화음(斂肺化
飮)하는 처방으로 활용되어 왔다. 기침, 천식, 두근거림, 고탈(固
脫)을 멈추는 효능이 있다. 기침으로 숨이 가쁘고 가슴이 두근거
리며 어지럽고 땀이 많이 나는 것이 특징적 소견인 질환에 적용한
다. 이 처방은 영계오미감초탕이라고도 부른다.

[경전배방]

복령 四兩, 계지 四兩(去皮), 감초 三兩(炙), 오미자 半升. 이
네가지 약물을 물 八升과 같이 달여 三升이 되도록 한 뒤 찌꺼기
를 제거하고 세 차례에 나누어 따뜻하게 복용한다.(《金匱要略》)

[경전방증]

청룡탕을 복용 후 증상은 좋아졌으나 침이 많고 입안이 건조하
며 촌맥이 침(沈)하고 척맥이 미(微)하다. 손발이 차갑고 기가 아
랫배에서 가슴과 인후까지 치받아올라 손발이 저리면서 얼굴이 술
에 취한듯하다. 이것이 다시 넓적다리 안으로 흘러 소변이 잘 나
오지 않고 때때로 머리가 어지럽다(《金匱要略》12조).

[추천 처방]

복령 20 g, 계지 10 g, 육계 10 g, 자감초 15 g, 오미자 15 g, 물 1,000 mL와 같이 이들 약물을 같이 넣어 달여 300 mL가 되도록 한 뒤 두세 차례에 나누어 따뜻하게 복용한다.

[방증제요]

가슴이 답답하고 땀이 많으며 숨이 차고 어지러우면서 눈이 아찔거리고 얼굴이 붉은 경우

[적용 환자군]

몸은 여위었고 얼굴에 홍조와 붓기가 있으며 뚜렷한 안검하수가 보이는 경우도 있다.[1] 자주 숨이 차고 기운이 빠지며 기침으로 숨이 차는 소견 및 다한증, 가슴 두근거림, 어지러움이 잦다. 비문증, 이명, 청력저하 등이 보일 때도 있다. 하지에 냉감을 느끼며 배뇨가 곤란하고 소변량도 적다. 맥은 세약(細弱)하거나 공대무력(空大無力)하다.

[적용 병증]

아래의 병증과 위에 서술한 환자군의 특징이 부합하는 경우에 처방의 투약을 고려할 수 있으며, 또한 근거기반의학적 근거에 따른 진단을 통해서도 처방을 활용할 수 있다.

1. 기침과 천식이 나타나는 질환. 기관지천식, 만성기관지염, 무기폐, 폐기종, 폐성심 등

2. 기침과 천식이 없는 경우에 이 처방을 적용할 수 있는 질환. 얼굴의 피부 염증, 하지냉통, 배뇨곤란, 척수소뇌변성증, 이명, 저혈압, 심장질환, 히스테리, 신경증 등

[가감 및 합방]

1. 기침으로 숨이 차오르고 가슴이 두근거리면서 어지럽고 땀이 많이 나며 맥약삭(弱數)한 경우 산수유 30 g, 용골 15 g, 모려 15 g을 더한다.

2. 뚜렷한 체중감소 및 식욕부진에는 인삼 10 g, 맥문동 30 g을 더한다.

[각주]

1. 테라사와 등은 후향적 연구를 바탕으로 복령계지오미감초탕증을 다음과 같이 요약하였다. 얼굴의 뚜렷한 홍조, 두부의 울모(鬱冒)감, 귀의 폐색감, 다리의 자타각성 냉감, 배뇨곤란, 뇨량 감소 등 증상이 동반되나 대변은 정상이며 설사, 변비 및 복통이 없다. 체온과 혈압은 대체로 정상 범위 내에 있다. 불안감이 있거나 또는 경증의 공황증상이 있다. 복근의 힘은 다양하지만 극도로 약한편은 아니며 촉진 시 냉감이 없다. 동상 경향은 없다. 추가 분석에 따르면 영계미감탕증의 주요 기전과 분포는 주로 총장골동맥 주위에 분포된 교감신경의 하지혈관에 대한 과잉 활성과 관련이 있다고 한다. [寺澤捷年, 橫山浩一, 小林亨, 等. 苓桂五味甘草湯の適応病态に関する一考察. 日本東洋医学雑誌, 2014;65(1):33-7.

복령음

담기(痰氣), 숙수(宿水), 복창(腹脹)을 제거하고 식욕을 촉진하는 효능이 있다. 배가 그득하고 심하부가 답답하며 식욕이 없으면서 이에 동반되는 토수(吐水), 위내정수(胃內停水)이 주요 소견인 질환에 활용한다.

[경전배방]

복령 三兩, 인삼 二兩, 백출 三兩, 생강 四兩, 지실 二兩(炙), 귤피 一兩半(切). 이 여섯 약물을 절편하여 물 六升과 같이 달여 一升八合이 되도록 한 뒤 찌꺼기를 제거하고 세 차례에 나누어 복용한다. 8-9리를 걸어서 이동할 정도 시간이 지날 때마다 한번씩 복용한다. 신맛이 나는 음식, 복숭아, 자두, 참새고기 등을 금한다.(《外臺秘要》)

[경전방증]

주로 심흉중의 정담숙수(停痰宿水)를 치료한다. 스스로 물을 토한 후 심흉간이 허하고 기가 그득하여 음식을 먹기 어렵다. 담기(痰氣)를 제거하여 음식을 먹을 수 있게 한다(《外臺秘要》).

[추천처방]

복령 15 g, 당삼 10 g, 백출 15 g, 생강 20 g, 지각 15 g, 진피 15 g, 이들 약물을 물 1,100 mL와 같이 달여 400 mL가 되도록 한 뒤 두세 차례에 나누어 복용한다.

[방증제요]

가슴답답함 및 복부팽만감, 담수(痰水)의 구토, 위내진수음, 식욕부진

[적용 환자군]

몸이 여위고 안색이 누렇거나 희며 광택이 없다. 입술과 설질은 어둡고 옅으며 얼굴이 가볍게 붓는 경우도 있다. 식욕부진으로 배고픔을 느끼지 못하고 음식을 먹으면 배가 그득하여 늘 트림을 하거나 물을 토하고 위산역류로 속쓰림이 있다. 복벽이 연약하여 저항감이 없거나 복벽은 긴장되어 있지만 손으로 눌러보면 저력이 없고 위내진수음이나 상복부의 그득함이 자주 보인다. 어지러움과 두통이 있고 가슴이 답답하면서 숨이 차며 혈압이 낮은 편이다.

[적용 병증]

아래의 병증과 위에 서술한 환자군의 특징이 부합하는 경우에 처방의 투약을 고려할 수 있으며, 또한 근거기반의학적 근거에 따른 진단을 통해서도 처방을 활용할 수 있다.

1. 위질환(위하수, 위무력증, 만성위염, 위궤양, 아스피린에 의

한 위염, 식욕저하)과 장질환(소아설사, 과민성대장증후군, 습관성 변비) 및 만성췌장염 등을 포함하는 소화기 질환에 투여한다. 개복수술 후의 통증 등에도 쓸 수 있다.[1,2]

2. 비소화기계질환으로서 심부전, 유선 소엽증식증, 유선 섬유종, 자궁하수, 저혈압, 어지럼증, 습진, 동상[3] 등

[가감 및 합방]

1. 물을 토하거나 위내정수가 있고 설태가 두껍게 낀 경우 창출을 쓸 수 있다.

2. 구토가 심하여 괴로워하면서 두통이 동반될 경우에는 오수유탕을 합방한다.

3. 오심이 있다면 반하를 더한다. 현대에는 반하후박탕을 합하여 투약하는 경우가 많다.[4]

4. 가슴이 답답하면서 통증이 있는 경우 복령행인감초탕이나 계지지실생강탕을 합방한다.

5. 변비에는 생백출을 용량 30 g 이상으로 쓰며 마인(麻仁)을 쓸 수도 있다.

[각주]

1. 일본의 한 증례보고에서는 신우수뇨관이행부협착증으로 신우성형술 후 발생한 복막유착으로 인한 만성통증환자의 치험례를 소개하고 있다. 환자의 통증은 하복부, 좌측요부, 음부에 나타났으며, 우울증상이 있었다. 저자는 환자의 만성통증과 정신증상이 관련이 있다고 보고 부종, 복창만, 동계, 복진상 심하비경, 심하의 두근거림, 복부진수음, 뚜렷한 복부의 타진

음 등의 소견을 바탕으로 소음병기 및 이에 동반되는 기허, 기울, 수체, 어혈로 보아 복령음합반하후박탕으로 치료하였다. 복약 3주 후 통증은 명확히 개선되었고, 우울증상도 개선되었다. [木俣有美子, 関矢 信康, 笠原裕司, 等. 術後の合併症·慢性疼痛に気剤が奏効した一例. 日本東洋医学雑誌. 2011;62(1):48-52.]

2. 일본에서의 한 증례보고는 우측 신장암으로 절제술을 받은 이후 메스꺼움, 트림, 심와부통증, 하복부 통증, 변비 등의 복부증상을 호소하는 여성의 치험례를 소개하였다. 위의 증상과 복진상 심하비경, 배꼽 아래의 두근거림, 배꼽 주변의 압통, 복부의 압진 시 발생하는 트림 등 소견을 바탕으로 기수혈정체증으로 보고 복령음가 대황을 처방하였다. 처방 2주 후 트림이 나오지 않게 되었으므로 안중산가대황으로 전방하여 치료한 결과 나머지 증상도 현저하게 호전되었다. [関矢信康, 笠原裕司, 地野充時, 等. 腎癌術後の腹部症状に漢方治療が奏効した一例. 日本東洋医学雑誌. 2009;60(3):385-9.]

3. 일본의 한 증례보고에서는 동상환자 4례의 치험을 소개하였다. 이들 모두 기울증과 수독증의 명확한 특징(두툼하게 부어오른 설체, 배꼽 위의 두근거림, 뚜렷하게 들리는 복부 타진음, 사지의 말초부위일수록 낮아지는 체표온도의 저하 소견)이 있어 복령음 합 반하후박탕, 혹은 반하후박탕을 투여하여 좋은 효과를 보았다고 한다. 저자들은 이와 같은 동상은 기, 수의 기(氣)와 수(水)의 운행이 잘 이루어지지 않아 발생한 것이며 간접적으로는 어혈의 영향을 받았을 것으로 추정하였다. 関矢信康, 笠原裕司, 地野充時, 等. 気うつを伴つた凍瘡に対する茯苓飲合半夏厚朴湯および半夏厚朴湯の応用. 日本東洋医学雑誌. 2009;60(4):443-7.]

4. 일본에서 실시한 단일군 연구에서는 기체(氣滯), 기허(氣虛) 및 수체(水滯) 소견이 보이는 환자 30례에 대해 복령음합반하후박탕을 투여한 결과 25례에서 뚜렷한 호전이 있었다고 보고하였다. 추가 분석에서 환자들은 자각적으로 안면홍조 증상을 호소한 경우가 많았고 유효한 증례에서는 심와부의 동통 혹은 불쾌감을 동반하고 두근거림, 가슴의 작열감 또는 압박감, 호흡곤란 등 흉부증상을 반드시 가지고 있었다. 또, 치료에 반응한 환자들은 복부의 두근거림, 위내진수음 등이 나타난 경우가 많았다. 저자는 기울, 기허, 수체의 정황과 동시에 상술한 증상이 있다면 복령음 합 반하후박탕을 투여해볼 것을 제안하였다. [関矢信康, 並木隆雄, 笠原裕司, 等. 茯苓飲合半夏厚朴湯治験. 日本東洋医学雑誌. 2009;60(2):145-50.]

부자사심탕

고대의 구급처방이며 통양소비(通陽消痞)방으로 활용되어 왔다. 심하비와 번조의 완화 및 지혈, 구탈(救脫)하는 효능이 있다. 현대 연구에서는 저산소상태 방지, 항응고 등 작용이 확인되었다. 토혈, 혼궐(昏厥), 중풍 등 심하비, 오한, 무기력, 자한이 특징적 소견으로 나타나는 급성질환에 주로 적용하며, 한열착잡(寒熱錯雜)이 보이는 만성질환에도 활용 가능하다.

[경전배방]

대황 二兩, 황련 一兩, 황금 一兩, 부자 一枚(포하여 去皮하고 부수어 따로 달여 즙을 낸다.) 이 네가지 약물 중, 부자를 제외한 약물을 끓는 물 二升에 잠시 담근 후 즙을 짜고 찌꺼기를 제거하고, 부자즙을 넣어 두 차례에 나누어 복용한다.(《傷寒論》)

[경전방증]

심하비(心下痞)가 있으면서 오한이 들고 땀이 나는 환자(《傷寒論》155조)

[추천 처방]

법제부자 15-30 g, 대황 10 g, 황련 5 g, 황금 5 g. 이들 약물을 물 1,000 mL와 같이 달인다. 먼저 부자를 60분 달이고, 다른 약물을 넣어 300 mL가 되도록 한다. 이 탕액을 두세 차례에 나누어 복용한다. 혹은 끓는물 200 mL에 대황, 황련, 황금, 부자를 따로 담그어 즙을 내 합쳐서 복용해도 된다.

[방증제요]

무기력하고 가슴이 답답하며 오한이 동반되고 땀이 나는 경우

[적용 환자군]

체격이 건장한 편이고 안색은 어두운 누런색이거나 창백하다. 극도로 피로하고 기운이 없다. 배꼽주위의 둔한 통증, 복부팽만감 및 설사, 위의 통증과 메스꺼움, 입술과 혀의 궤양, 얼굴의 여드름, 잇몸출혈, 번조, 불면, 두통, 이명 등 증상이 나타날 수 있다. 남자에서는 발기부전과 조루, 여자에서는 희발월경 또는 무월경이 나타나는 경우가 있다. 맥이 침(沈)하면서 힘이 없고 설질이 붉으면서 태가 두껍거나 맥활대(滑大)하면서 설질의 색이 옅고 통통하기도 하다. 대부분 중증질환의 난치소견으로 중년층 또는 고령층에서 많이 관찰된다.

[적용 병증]

아래의 병증과 위에 서술한 환자군의 특징이 부합하는 경우에 처방의 투약을 고려할 수 있으며, 또한 근거기반의학적 근거에 따른 진단을 통해서도 처방을 활용할 수 있다.

1. 상복부 불쾌감이 주요 소견으로 나타나는 질환. 소화불량,

만성위염, 위장 및 십이지장궤양, 담낭염, 심근경색 등

2. 출혈이 주요 소견으로 나타나는 질환. 상부소화기출혈, 토혈, 코피, 피하출혈, 혈소판감소성자반증, 재생불량성빈혈 등

3. 두통으로 괴로워하며 심한 경우 정신이상이 나타나는 질환. 고혈압, 뇌졸중, 신경증 등

4. 설사 및 머리와 얼굴의 염증이 소견으로 나타나는 질환. 여드름, 구강궤양, 다낭성난소증후군 등

[가감 및 합방]

1. 무른 변이 나오고 혀가 통통하게 커져있는 경우 건강 10 g, 자감초 5 g을 더한다.

2. 두근거림, 번조, 불안과 함께 차가운 땀이 나는 경우 육계 10 g을 더한다.

3. 반복되는 구강궤양에는 자감초를 20 g 더한다.

4. 설사 또는 풀어지는 대변에는 갈근을 40 g 더한다.

[주의사항]

황련, 황금, 대황의 용량이 과다해서는 안 된다.

人

사심탕

경전의 지혈 처방이며 전통적인 청열사화(淸熱瀉火)방이다. 출혈을 멈추고 변을 통하게 하며 두근거림과 답답함 및 번열을 치료하는 효능이 있다. 현대 연구에서는 혈압강하, 지질강하, 인슐린 저항성 개선, 변비 해소, 위점막의 보호, 항궤양, 지혈, 항균, 항염증, 항내독소 작용이 확인되어 있다. 출혈과 가슴이 답답하면서 두근거리는 증상 및 심하비(心下痞)가 특징적인 질환에 적용한다.

[경전배방]

대황 二兩, 황련 一兩, 황금 一兩, 이 세가지 약물을 물 三升과 같이 달여 一升을 취하고 바로 복용한다.(《金匱要略》)

주: 현재는 약물을 달여 하루 세 차례에 걸쳐 복용한다.

[경전방증]

심기(心氣)가 부족하여 피를 토하고 코피가 난다(《金匱要略》十六). 부인이 침거품을 토하는데 의사가 도리어 하법을 써서 심하(心下)가 답답해졌다. 사심탕으로 치료한다(《金匱要略》二十二).

[추천 처방]

생대황 10 g, 황련 5 g, 황금 10 g. 이들을 물 600 mL와 같이 달여 200 mL가 되도록 취한 뒤 한두 차례에 나누어 따뜻하게 복용한다. 끓는 물 300 mL 약재를 우려서 복용할 수도 있다. 15분 정도 후 수 차례로 나누어 따뜻하게 복용한다.

[방증제요]

피를 토하거나 코피가 나며 번조불안하고 빈맥과 함께 가슴이 두근거리거나 답답함을 호소하는 경우

[적용 환자군]

체격이 건장하고 영양상태가 좋으며 얼굴에 홍조가 있고 기름기가 번들거린다. 머리카락은 두꺼운 흑발이고 기름지며 입술은 붉고 두툼하다. 설질은 검붉고 쪼그라들어 있으며, 설태는 두껍거나 누렇고 질척거린다. 더운 것을 싫어하고 땀이 많이 나며 입냄새가 나고 대변이 건조하고 덩어리지거나 찐득거리고 냄새가 난다. 상복부의 불편감, 두통, 어지러움, 번조와 불안, 불면, 머리와 얼굴 부위의 감염증, 코피, 잇몸출혈, 토혈, 피하출혈 등 소견이 자주 보인다. 배는 충실하고 힘이 있으며 복부대동맥의 박동감이 분명하게 촉지되는 경우도 있다. 맥은 활삭유력(滑數有力)하다.

[적용 병증]

아래의 병증과 위에 서술한 환자군의 특징이 부합하는 경우에 처방의 투약을 고려할 수 있으며, 또한 근거기반의학적 근거에 따른 진단을 통해서도 처방을 활용할 수 있다.

1. 각종 출혈. 객혈, 토혈, 코피, 잇몸출혈, 두개내출혈, 안저출

혈, 자궁출혈, 치질출혈, 장출혈, 혈뇨, 피하출혈 등

2. 발열성 전염 질환에서 번조와 출혈 및 변비가 있는 경우

3. 머리 및 얼굴 부위의 염증. 종기, 안와 봉와직염, 모낭염, 여드름, 결막염, 맥립종, 상기도감염, 편도체낭종, 치주염, 치주낭종, 편평태선, 재발성 구강궤양 등

4. 두통으로 괴로워하는 소견이 나타나는 질환. 편두통, 고혈압, 고지혈증, 동맥경화, 뇌졸중, 뇌경색, 정신분열증(B)[1], 불면 등

[가감 및 합방]

1. 고혈압, 위염, 담낭염, 담석증, 췌장염, 부정맥 등에서 윗배의 그득한 통증과 불쾌감이 관찰되는 경우 대시호탕을 합방한다.

2. 여드름, 모낭염, 고혈압, 당뇨병, 뇌경색, 혈액점도상승 등을 앓는 환자가 얼굴이 검붉고 기름지며 변비가 있는 경우 계지복령환을 합방한다.

3. 고혈압이나 당뇨병이 있는 환자가 설사를 호소하며 얼굴에는 기름기가 돌고 땀이 많거나 피로감과 권태감이 동반되는 경우 갈근금련탕을 합방하고 육계를 더한다.

4. 상열하한(上熱下寒) 소견을 동반하는 위장관 질환, 다낭성 난소증후군, 여드름 등에는 사역탕을 합방한다.

5. 미란성 구내염 및 변비와 번조가 있는 경우 황련해독탕으로 합방하고 감초의 용량을 크게 늘린다.

[주의사항]

1. 체질이 허약하고 무기력하며 여위고 빈혈이 있으면서 맥이 약한 경우 신중하게 투약한다.

2. 임산부에게는 신중히 투약하고 수유기 여성에 이 처방을 투약할 경우 수유를 중단하고 약물을 복용하도록 한다.

3. 이 처방의 이상사례로는 오심, 복통, 설사, 변비, 식욕부진, 결막의 충혈, 어지러움 등이 있다.

4. 이 처방을 장기간 복용할 경우 대장흑색증이 발생할 수 있다.

[각주]

1. 일본의 한 연속증례연구에서는 4명의 정좌 불능 환자(3명은 정신분열증, 1명은 비정형 정신병)들에 대해 삼황사심탕을 투여하였더니 호전되었다고 보고하였다. [春田道雄, 井上文明, 水嶋丈雄. アカシジア・精神症状に三黃瀉心湯が奏効した 4症例. 日本東洋医学雑誌, 2000;50(4):665-72.]

사역산

경전의 지통(止痛) 처방으로 소간이기(疏肝理氣)방으로 활용되어 왔다. 팔다리의 냉감이나 신체 여러 부위의 긴장 및 통증, 복부의 팽만 등을 치료하고 해울(解鬱)하는 효능이 있다. 현대 연구에서는 정신적 압박감으로 발생하는 신체화 장애의 개선, 항우울, 수면 유도, 위장관 기능 조절, 간보호, 항염증, 면역기능 조절, 승압, 미소순환 개선 등 작용이 확인되어 있다. 흉협고만, 팔다리의 냉증, 복통이 특징적 소견인 질환에 적용한다.

[경전배방]

시호, 작약, 지실(破, 水漬, 炙乾), 감초(炙). 이 네가지 약물을 각각 十分씩 찧어 가루로 만들어 미음과 같이 方寸匕 분량씩 하루에 세 차례 복용한다.(《傷寒論》)

[경전방증]

소음병에서 사지가 차갑고 기침이 나면서 가슴이 두근거리고 소변이 잘 나오지 않거나 복중통이 있거나 설사를 하면서 뒤가 무겁다(《傷寒論》 318조).

[추천 처방]

시호 15 g, 백작약 15 g, 지각 15 g, 자감초 5-15 g. 이들을 물 1,000 mL와 같이 달여 300 mL가 되도록 한 뒤 두세 차례에 나누어 따뜻하게 복용한다. 위 약을 같은 비율로 산제로 만들어 쌀죽이나 요쿠르트, 술 등에 섞어서 복용할 수 있다. 매일 5 g씩 두 차례 복용한다.

[방증제요]

팔다리가 얼음처럼 차고 흉협고만과 복중통이 있으면서 맥이 현(弦)한 경우

[적용 환자군]

체격은 중간정도이거나 마른 편이고 각진 얼굴형이 많다. 얼굴색은 누렇거나 푸르스름한 흰색이며 긴장한 표정이거나 미간에 주름이 잡혀있어 힘들어하는 느낌이 얼굴에 드러나있다. 청년에게 많이 보이는데 특히 젊은 여성에게서 가장 많이 보인다. 윗배 및 양측 옆구리 아래의 복직근이 긴장되어 있고 누르면 단단하게 굳어있으며 통증이 있고 누르지 않을 때의 통증은 없다. 팔다리가 차가운데 긴장하거나 통증이 있을 경우 더 뚜렷하게 나타나고 손바닥의 많은 땀이 동반된다. 복통이나 두통, 가슴통증, 유방의 창통이 있는 경우도 있으며 복직근의 경련이나 종아리의 근경련, 딸꾹질, 변비, 빈뇨, 이갈이 등도 종종 보인다. 혈압은 대체로 낮은 편이며 맥은 현활(弦滑)하거나 현세(弦細)한 경우가 많다.

[적용 병증]

아래의 병증과 위에 서술한 환자군의 특징이 부합하는 경우에 처방의 투약을 고려할 수 있으며, 또한 근거기반의학적 근거에 따른 진단을 통해서도 처방을 활용할 수 있다.

1. 복통 및 복부의 팽만이 나타나는 질환(A)[1]. 담낭염, 담석증, 위염, 위궤양(B), 십이지장궤양(B)[2], 과민성대장증후군, 요로결석의 급성 발작, 위하수, 소화불량, 기능성 변비(B)[3] 등

2. 근육경련이 특징적인 질환. 난치성 딸꾹질, 비복근 경련, 여성 급박성 요실금, 신경성 두통 등

3. 긴장감 및 불안이 주요 소견인 질환. 월경전증후군, 심인성 발기부전, 위신경증, 심장신경증, 신경성피부염, 하지불안증후군, 수족다한증(B)[4], 과환기 증후군(B)[5] 등

4. 가슴통증 및 답답함이 증상인 질환. 관상동맥질환(B)[6], 급성 유선염, 유선증식(B)[7], 늑간신경통, 늑연골염, 우울증상의 신체화에 의한 각종 통증(B)[8]

5. 만성비염과 부비동염(A)[9]

[가감 및 합방]

1. 인후이물감과 복부의 팽만이 있는 경우 반하후박탕을 합하여 처방한다.

2. 유증상성 요로결석에는 저령탕을 합방한다.

3. 난치성 두통, 불면, 가슴통증, 딸꾹질, 이갈이, 변비가 있으면서 설질이 어두운 보라색일 경우 당귀 10 g, 천궁 15 g, 도인 10 g,

홍화 5 g을 더한다.

[주의사항]

1. 이 처방은 장기간 투약할 경우 피로감 및 무력감이 나타날 수 있다.

2. 일부 환자는 복약 후 가벼운 설사가 있을 수 있다.

3. 팔다리의 냉감이 뚜렷하고 얼굴색이 창백하며 무기력하고 맥이 침(沈)한 환자에게는 신중히 투약한다.

[각주]

1. 2015년도의 메타분석에서는 사역산이 상부위장관 및 하부위장관의 소화 장애 및 비종양 질환의 개선 및 재발율 감소에 유의한 효과를 보인다고 보고하였다. [Ling W, Li Y, Jiang W, et al. Common Mechanism of Pathogenesis in gastrointestinal Diseases Implied by Consistent Efficacy of Single Chinese Medicine Formula: A PRISMA−Compliant Systematic Review and Meta−Analysis. Medicine (Baltimore), 2015;94(27):e1111.]

2. 일본에서 실시한 무작위 대조 연구에서는 소화성 내시경검사를 받은 소화성궤양 환자 13명(위궤양 8례, 십이지장궤양 5례)을 대상으로 2개월 동안 H2수용체차단제와 점막방어인자 강화제를 투여한 후, 3례에는 시메티딘+시호계지탕, 4례에는 시메티딘+사역산(이는 연구자의 임상경험에 기반하였음), 6례에는 시메티딘+수크랄페이트를 투여했다. 관찰 기간은 1년이었다. 그 결과 3군 모두에서 궤양의 재발이 없었으며, 한약투여군과 서양의학군 치료군 모두에서 궤양의 병리학적 호전율은 비슷했다(각각 71.4%, 66.7%). 내시경상 위점막의 뚜렷한 발적이 있었던 환자 4명은 사역산을 투여한 후 1명에서 중등도의 개선을 보였고 3명은 경도의 개선이 있었다. [渡辺東也. 漢方薬併用による消化性潰瘍維持療法の検討. 漢方医学, 1995(19):18−21.]

3. 중국에서는 36명의 기능성변비 환자 및 22명의 건강인을 포함하는 임상연구를 수행하였다. 이 연구에서 변비가 있는 환자는 체질량 지수가 증가하

였고, 결장 통과속도가 지연될 뿐 아니라 각 세그먼트에서 대장 이동 시간이 고르지 않게 분포되어 있었다. 특히 왼쪽 결장과 S자형 직장에서의 이동시간 지체가 특징이었다. 이 연구에서는 사역산이 환자의 결장 이동시간을 단축시킬 수 있음을 발견하였다. [金朝辉, 段建华, 赵洪川, 等. 功能性便秘患者结肠通过时间及四逆散干预的临床研究. 中国中西医结合杂志, 2006;26(10):896-8.]

4. 일본에서 실시한 무작위 대조 연구에서 수족다한증 환자 40례와 정상인 35례를 대상으로 치료한 결과, 다음과 같은 특징을 알아냈다. 1) 환자들은 정상인보다 땀을 많이 흘리고 피부온도가 낮으며, 사역산 투여 후 발한이 감소된다. 2) 스트레스 요인을 각각 부여한 후 환자와 정상인 모두 땀이 더 많이 났지만 환자군에서의 발한량 증가폭이 더 컸다. 일반인의 피부 온도는 상승한 반면 환자의 피부 온도는 감소했다. 3) 사역산 복용 후 스트레스를 받은 환자들의 땀 배출량이 감소하고 피부 온도가 상승했다. 따라서 사역산은 휴식 상태 및 스트레스 상태 모두에서 수족다한증 환자의 땀 배출량을 줄이고 냉감 소견을 개선할 수 있음이 입증되었다. [Ninomiya F. Clinical Evaluation of Perspiration Reducing Effects of a Kampo Formula, Shigyaku-san, on Palmoplantar Hidrosis. Evidence-based Complementary and Alternative Medicine, 2008;5(2):199-203.]

5. 일본에서의 연속증례연구에서 양측흉협고만, 심하비경, 양측 복직근긴장이 있는 급성과환기증후군 환자 5명에 사역산을 투여한 후 30분 이내에 신속한 호전이 있었음을 보고하였다. [坂本篤彦, 貝沼茂三郎, 木下義见, 等. 救急受診した過換気発作に四逆散が有効と考えられた 5症例. 日本東洋医学雑誌, 2016;67(2):164-8.]

6. 일본의 연속증례연구에서는 관상동맥 경련성 협심증 2례의 치험을 소개하였다. 이 환자들은 니트로클리세린 및 칼슘 킬항제에 반응을 보이지 않았으나 정신증상과 복증 및 설진 소견 사역산과 계지복령환을 투여한 결과 효과적이었다. [山崎武俊, 峯尚志, 土方康世. 狭心症に対して四逆散と桂枝茯苓丸の併用が有効であった 2症例. 日本東洋医学雑誌, 2014;65(4):287-92.]

7. 유선증식증 환자 152명이 참여한 일본의 한 무작위 대조 임상시험에서는 111명의 환자에게는 사역산을 투약하였고, 41명의 환자에게는 계지복령환을 투약하였다. 경과관찰 결과 유선증식증에 대한 두 처방의 효과는 유사하였다. [井上雅晴. 乳腺症の漢方療法-四逆散について-. 漢方医学,

1990(14):132-6.]

8. 난치성의 급만성 통증을 호소하는 26명의 환자를 관찰한 일본의 한 단일군 연구에서는 사역산이 효과적인 치료임을 보고하였다. 모든 환자가 우울경향이 있으며, 복직근 긴장, 흉협고만, 심하비경의 발생율은 각각 58%, 46%, 38%였다. 이들 환자들은 모두 서양의학적 진통제 치료를 받았으나 효과가 없었다. 사역산은 우울상태 및 복증에 따라 사용되었다(주로 시호소간산의 의미로 향소산을 합방함). 투약 후 통증이 완화되었다. 저자는 난치성 통증이 뇌의 흥분과 억제, 자율신경의 불균형과 관련이 있다고 믿고 있으며, 한의학의 관점에서 보면 간기울결에 속하므로 사역산이 효과적일 수 있다고 설명하였다. [今井쏮奈, 松本子, 堤祐介, 等. 難治性疼痛に対する四逆散加味方の治療経験. 日本東洋医学雑誌, 2014;65(2):115-23.]

9. 비알러지성 비염 환자 6명과 만성 부비동염 환자 61명이 참여한 일본의 한 무작위 대조 연구에서는 각각 신이청폐탕군에 39명, 사역산군에 28명의 환자를 배정하고 4-8주의 기간 동안 투약하였다. 그 결과 코막힘, 콧물, 후비루, 두중감, 비정상적인 후각 등 주관적 불편증상에 대한 각 처방의 개선율은 각각 76.3%와 59.3%였으며, 비점막부종, 비강분비물 특성 등 객관적 지표의 완화율은 60.5% 및 70.4%로 나타나 두 처방의 전반적인 효능은 비슷한 것으로 드러났다. [桜田隆司, 池田勝久, 高坂知節, ほか. 慢性鼻副鼻腔炎に対する漢方製剤の治療成績−辛夷清肺湯と四逆散の臨床効果−. 耳鼻咽喉科臨床, 1992(85):1341-6.]

사역탕

경전의 곽란병(霍亂病) 처방이며 회양구역(回陽救逆)방으로 활용된다. 설사와 궐냉을 치료하는 효능이 있다. 현대 연구에서는 강심, 심장과 폐의 보호, 승압, 쇼크의 개선, 시상하부-뇌하수체-부신축의 기능 조절, 신진대사 촉진 등 작용이 확인되어 있다. 하리청곡과 팔다리의 냉증이 있으면서 맥미욕절(微欲絕)한 소견이 특징적인 급성 중증질환에 적용한다.

[경전배방]

부자 一枚(生用, 去皮, 破八片), 감초 二兩(炙), 건강 一兩半. 이 세가지 약물을 물 三升과 같이 달여 一升二合이 되도록 한 뒤 찌꺼기를 제거하여 두 차례에 나누어 먹는다. 체력이 강건한 환자는 부자 一枚를 더하고 건강 三兩을 더할 수 있다.(《傷寒論》《金匱要略》)

[경전방증]

소화되지 않은 음식물이 그치지 않고 설사로 나오며 몸에 통증이 있다(《傷寒論》91조). 병에 걸려 열이 나고 머리가 아픈데 맥은 오히려 침(浸)하다. 만약 병이 낫지 않고 몸에 통증이 있으면 마땅히 리(裏)를 구해야 한다(《傷寒論》92조). 맥이 부지(浮遲)한 것은 표에 열이 있고 리(裏)에 한(寒)이 있는 것이며 먹은 것이 그대로 설사로 나온다(《傷寒論》225조). 소음병으로 맥이 침(沈)하다(《傷寒論》323조). 소음병으로 흉격에 한음(寒飮)이 있어 구역질을 한다(《傷寒論》324조). 크게 발한을 시켜서 심하게 설사를 하면서 궐냉(厥冷)이 생겼다(《傷寒論》354조). 설사와 복창만과 온몸의 통증이 있다(《傷寒論》372조). 구토와 설사를 하면서 땀이 나고 발열이 있으며 오한이 나고 팔다리가 오그라들고 당기며 팔다리가 차가워진다(《傷寒論》388조). 토하면서 설사를 하고 소변이 다시 잘 나오며 땀이 많이 나고 소화되지 않은 음식물이 설사로 나온다. 속은 한(寒)하고 밖은 열이 있으며 맥이 약하고 끊어질 듯하다(《傷寒論》389조).

[추천 처방]

부자 15–30 g. 자감초 10 g, 건강 10 g. 이 약물을 물 1,000 mL와 같이 달인다. 부자를 30–60분간 선전(先煎)한 후 남은 약을 넣는다. 탕액이 300 mL가 되도록 달여 두세 차례에 나누어 따뜻하게 복용한다.

[방증제요]

맥이 미약하고 끊어질 듯하면서 팔다리가 차갑고 오한이 있으며 소화되지 않은 음식물이 설사로 끊임없이 나오면서 복창만이 있는 경우

[적용 환자군]

얼굴이 대체로 어두운 편이고 창백하거나 누렇고 거무튀튀하다. 무기력하며 얼굴에 권태감이 드러나고 눈동자에 총기가 없으며 눈꺼풀이 잘 부으며 입술색이 옅고 어두우며 메말라있다. 근육이 연하고 축 늘어지며 눌러도 힘이 없다. 피부는 대체로 건조하고 광택이 없다. 대변은 보통 묽고 무르며 풀어지고 소변은 맑으며 양이 많다. 입마름이 없으며 갈증이 있더라도 물을 많이 마시지 않거나 따뜻한 물을 좋아한다. 설질은 옅은색으로 통통하며 어둡고 치흔이 있는 경우가 많다. 설태는 희고 두껍거나 검고 윤기가 있기도 하고 희고 끈적거리는 경우도 있다. 맥은 침(沈)하고 세미(細微)하며 침지(沈遲)하거나 공대무력(空大無力)한 소견도 보인다.

[적용 병증]

아래의 병증과 위에 서술한 환자군의 특징이 부합하는 경우에 처방의 투약을 고려할 수 있으며, 또한 근거기반의학적 근거에 따른 진단을 통해서도 처방을 활용할 수 있다.

1. 각종 쇼크. 실혈성 쇼크, 심장성 쇼크, 감염성 쇼크

2. 가슴의 통증이나 답답함이 주요 소견인 질환. 관상동맥협심증(A)[1-3], 심근경색, 심부전, 고혈압(B)[4]

3. 난치성 호흡곤란 증후군. 천식(B)[5], 폐기종

4. 간 및 신장의 기능부전. 만성신염, 요독증, 만성간염, 간경화복수 등

5. 설사가 멎지 않는 질환. 급성 위장염, 곽란, 만성설사, 단장증후군

6. 무기력을 특징으로 하는 정신신경증상. 교통사고 후 자율신경실조 및 정신증상(B)[6], 만성두통(B)[7]

[가감 및 합방]

1. 어두운 색조의 황달에는 인진호 30 g을 더한다.

2. 심부전과 가슴두근거림이 있고 설질이 어두운 경우 육계 10 g을 더한다.

3. 구토와 설사, 식욕부진, 탈수가 있는 경우 인삼 10 g을 더한다.

4. 토혈이나 혈변, 피하출혈에 심하비가 동반되는 경우 사심탕을 합방한다.

[주의사항]

1. 부자는 독성이 있으므로 독성을 줄이고 효과를 증대시키기 위해서는 첫 번째, 오래 탕전해야 한다. 15 g을 넘는 용량에 대해서는 30분 이상, 30 g 이상의 용량에 대해서는 반드시 1시간 이상을 탕전한다. 두 번째, 건강과 감초를 함께 탕전하도록 한다.

2. 얼굴색이 붉고 윤기가 있으며 입냄새가 나면서 목소리가 거칠고 대변이 건조하여 덩어리지며 소변의 양이 적고 붉으면서 맥은 활삭유력(滑數有力)하고 설질은 붉고 쪼그라들어 있으며 설태가 그을린듯한 누런빛이거나 누런태가 두껍게 쌓여 있는 경우 이 처방의 투약에 신중해야 한다.

3. 몸이 여윈 환자나 고령자, 소아에게는 부자의 용량을 무계획적으로 증량하여 투약해서는 안 된다.

부: 복령사역탕(《傷寒論》): 복령 四兩, 인삼 一兩, 부자 一枚(生用, 去皮, 破八片), 감초 二兩(炙), 건강 一兩半. 이 다섯가지 약물을 물 五升과 같이 달여 三升이 되도록 한 뒤 찌꺼기를 제거한다. 七合을 따뜻하게 복용한다. 하루 두 차례 복용한다. '땀을 내거나 하법을 썼어도 병이 낫지 않고 번조한 것(《傷寒論》 69조)'을 치료한다. 사역탕과 비교하면 이 처방은 회양구역 외에도 진액을 만들고 위장을 보호하며 번조와 두근거림을 제거하는 효능이 더 있다. 현대 일본에서 비교적 많이 사용한다.

[각주]

1. 협심증 환자 453명이 참여한 6건의 무작위 대조 임상시험에 대한 2017년의 메타분석에서는 사역산과 니트로글리세린의 병용투약을 통해 니트로글리세린의 사용량을 줄일 수 있음을 보고하였다. [Wu J, Yuan D, Yang M, et al. Sini decoction as an adjuvant therapy for angina pectoris: a systematic review of randomized controlled trials. J Tradit Chin Med, 2017;37(1):12–22.]

2. 경피적 관상동맥 성형술을 받은 관상동맥 심질환 및 협심증 환자 40명을 대상으로 이루어진 중국의 한 무작위 대조 연구에서는 시험군에 배정된 20명의 환자에게 수술 3일 전부터 일주일간 사역탕을 투약하고 복용 전후에 삶의 질을 측정했다. 이 연구에서 환자들의 수술 후 신체 증상, 건강과 행복감, 우울증 수준, 삶의 만족도 지수, 노동량의 5가지 지표가 수술 전보다 유의하게 개선되었다. 특히 사역탕을 복용한 시험군 환자들은 신체적 증상, 건강과 행복감, 우울증의 3가지 측면이 수술만을 받은 대조군 환자들에 비해 유의하게 나은 결과를 보였으며, 두근거림과 숨가쁨 증상도 수술 단독군보다 유의하게 좋았다. 이 연구를 통해 사역탕은 경피적 관상동맥 성형술 후 관상동맥 심장질환 환자의 삶의 질을 향상시키는 것을 알 수 있다. [苏建

文, 吳伟康, 林曙光, 等. 四逆汤对经皮冠状动脉成形术冠心病患者生活质量的随访报告. 中国中西医结合杂志, 1998(11):671-3.]

3. 중국에서의 한 임상연구에 따르면 사역탕은 경피적 관상동맥 성형술 후 환자에서 전혈의 겉보기 점도(apparent viscosity) 및 점탄성(viscoelasticity)을 감소시키고, 적혈구 응집을 감소시키며 미세순환에서 혈류유동을 개선할 수 있다. [苏建文, 吳伟康, 林曙光, 等. 四逆汤对经皮冠状动脉成形术血液流变性的改善作用. 中国中西医结合杂志, 1997(6):345-7.]

4. 양허증으로 변증된 고혈압 환자 121명이 참여한 중국의 한 무작위 대조 연구에서는 시험군에 배정된 83명 환자에게 기존의 항고혈압 치료법 외에 추가로 사역탕[기허증에는 당삼, 백출을 가미하고, 양허부월(陽虛浮越)에는 용골, 모려를, 혈어증에는 단삼, 당귀를, 습담에는 강반하, 후박을 가미]을 투여하였다. 치료 과정은 8주였다. 그 결과 사역탕의 병용은 변증지표(86.67% 및 59.02%, P<0.05)의 호전율을 유의하게 증가시켰으며, 24시간 수축기 혈압과 24시간 야간 수축기 혈압의 표준 편차를 개선하는 것으로 나타났다. 가미사역탕은 양허증 고혈압 치료에 큰 영향을 미치며 혈압 변동성을 효과적으로 개선할 수 있음이 드러났다. [吳琼, 刘永明, 高俊杰, 等. 四逆汤加减联合西药对阳虚型高血压病患者血压变异性的影响. 中医杂志, 2015;56(17):1483-6.]

5. 일본의 한 연속증례연구에서는 스테로이드 및 기존의 다른 한약처방으로 효과를 보지 못했던 불응성 천식 환자 3명의 치험을 소개하였다. 환자들은 맥미약, 수족궐랭, 번조 등 복령사역탕의 전형적 증상이 없었으나, 진한가열증으로 판단하여 복령사역탕을 투여한 결과 호전되었다. [伊藤隆, 今田屋章. ステロイド依存性喘息に対する茯苓四逆湯の応用. 日本東洋医学雑誌, 1994;44(4):547-51.]

6. 일본에서의 연속증례 연구에서는 정신적 불안, 피로, 몸살, 식욕 부진, 심계항진, 이명을 보인 4건의 교통사고 환자에 대한 치험을 보고하였다. 환자들의 증상은 자율신경장애 및 정신장애에 기인한 것으로 추정되었으며, 복령사역탕 위주의 치료를 시행한 결과 개선되었다. [長坂和彦, 土佐寛順, 巽武司, 等. 茯苓四逆湯が奏効した交通事故後遺症(自律神経失調症, 精神障害)の四症例. 日本東洋医学雑誌, 1998;48(5):625-32.]

7. 일본의 한 연속증례연구에서는 서양의학적 치료 및 오수유탕이 효과가 없었던 만성 편두통 환자 5명의 치험을 보고하였다. 증례에서는 이 환자들을

허한증으로 보고 복령사역탕을 투여하여 통증이 개선되었다. 저자는 복령
사역탕과 오수유탕의 차이는 전자는 허한처방이고, 후자는 한음상역(寒飮
上逆)의 처방이므로 복진에서 오수유탕증 환자들은 상복부의 팽만 및 현
벽증이 있으며, 복령사역탕증에서는 심하비경 및 제방압통이 있다고 설명
하였다. [小林豊, 中田真司, 喜多敏明. 慢性頭痛に対する茯苓四逆湯の使用
経験. 日本東洋医学雑誌, 2004;55(1):139-45.]

산조인탕

경전의 조면(助眠)처방이며 양혈안신(養血安神)방으로 활용되어
왔다. 허번(虛煩)을 없애 수면을 돕는 효능이 있다. 현대 연구에서
는 수면촉진, 항우울, 항불안 작용이 확인되어 있다. 심리적으로
불안정하며 의심이 많고 수면장애가 나타나는 등의 소견이 특징적
인 질환에 적용한다.

[경전배방]

산조인 二升, 감초 一兩, 지모 二兩, 복령 二兩, 천궁 二兩. 이
다섯가지 약물을 물 八升과 같이 달인다. 먼저 산조인을 달여서
六升이 되도록 하고 나머지 약을 넣어 三升이 되도록 달인다. 세
차례에 나누어 따뜻하게 복용한다.(《金匱要略》)

[경전방증]

허로와 허번(虛煩)으로 잠을 이루지 못한다(《金匱要略》六).

[추천처방]

산조인 30 g, 자감초 5 g, 지모 10 g, 복령 10 g, 천궁 10 g. 이들
을 물 1,000 mL와 같이 달여 300 mL가 되도록 취한다. 두세 차례
에 나누어 따뜻하게 복용한다.

[방증제요]

불면과 불안이 있고 땀이 나며 변비가 있고 설태는 얇고 흰 경우

[적용 환자군]

여윈 체형으로 피부가 메말랐으며 손톱이 창백하고 입술과 입
주변은 건조하고 붉다. 불면과 정서불안이 있고 자주 과민상태 및
불안정한 심리상태가 되며 종잡을 수 없는 증상의 호소가 많은 편
이다. 가벼울 불안장애 및 우울장애가 있을 수 있다. 피로하면서
땀이 나거나 변비가 있는 경우도 흔히 보인다. 중년층이나 고령층
여성에게서 많이 보인다.

[적용 병증]

아래의 병증과 위에 서술한 환자군의 특징이 부합하는 경우에
처방의 투약을 고려할 수 있으며, 또한 근거기반의학적 근거에 따
른 진단을 통해서도 처방을 활용할 수 있다.

1. 불면, 불안, 우울이 주요 소견인 수면장애 및 정신질환(B)[1],
갱년기장애, 불안증(A)[2], 우울, 울화, 난치질환, 몽유병[3], 야간섬
망(B)[4], 불면(A)[5,6], 정신분열증, 졸림[7], 우울증과 관련한 통증

2. 기타 가슴이 답답하면서 많은 땀이 나고 불안초조한 증상이
주요 소견으로 나타나는 질환. 관상동맥질환, 협심증, 편두통 등

3. 간염의 보조요법(A)[8]

[가감 및 합방]

1. 꿈을 많이 꾸고 잘 놀라고 두근거리며 어지러운 경우 온담탕을 합방한다.

2. 배가 그득하고 인후에 이물감이 있는 경우 반하후박탕을 합방한다.

3. 가슴이 답답하고 두근거리며 기운이 없는 경우 시호가용골모려탕을 합방한다.

4. 슬픈일로 감정을 상하여 울고 싶어하는 등 정서가 불안한 경우 감맥대조탕을 합방한다.

[주의사항]

1. 산조인과 지모는 완만한 사하작용이 있어 설사나 무른 변을 보는 경우에는 용량을 줄여 투약해야 한다.

2. 평소에 밀과 좁쌀, 백합, 연자육, 대추 등을 많이 섭취하면 보조요법으로써의 효과가 있다.

[각주]

1. 일본에서의 한 크로스오버 연구에서는 불면증, 수면의 질 저하, 낮의 기분 저하, 과민성, 우울증상을 가진 환자 59명에 대해서 DS-4773(산조인 0.5 g, 복령 0.1 g, 산치자 0.2 g, 하루에 두 번) 또는 산조인탕을 복용토록 하였다. 그 결과 수면장애의 개선율은 각각 63.5%, 51.9%, 수면 깊이 개선율은 63.6%, 45.5%, 나쁜 아침기분의 개선율은 64.9%, 50.9%, 주간 기분 개선율은 50.0%, 37.5%, 주간 피로 개선율은 47.4%, 38.6%, 주간 활력 개선율은 35.8%, 26.4%, 식욕 개선율은 27.8%, 23.2%, 변비 개선율은 41.2%, 35.3%, 설사 개선율은 100%, 75.0%인 것으로 나타났다. [松下正明, 斎藤正彦, 片山成仁, ほか.

DS-4773 の鎮静効果に対する臨床評価(第2報)-クロスオーバー試験の成績について-. 葉理と治療, 1994(22):2371-82.]

2. 중국에서 수행된 무작위 대조 연구에서는 파록세틴을 복용한 전신불안장애 환자 156명을 대상으로, 파록세틴 치료 시작 후 처음 4주 동안의 불안증에 대해 49명의 환자에게 디아제팜을 병용투약하였고, 50명의 환자에게는 산조인탕 합 치자시탕을 투여하였다. 43례에는 파록세틴만을 투여하였다. 관찰 기간은 4주였다. 이 연구에서 산조인탕 합 치자시탕은 디아제팜과 유사한 효과를 보였으며 두 처방 모두 파록세틴 치료 첫 4주 동안 불안을 크게 완화할 수 있었다. [Ming-Fen S, Lin-Lin H, Wen-Juan L, et al. Modified Suanzaorentang Had the Treatment Effect for generalized Anxiety Disorder for the First 4 Weeks of Paroxetine Medication: A Pragmatic Randomized Controlled Study. Evidence-Based Complementary and Alternative Medicine, 2017;1-8.]

3. 일본의 한 증례보고에서는 몽유병을 앓는 중년 여성에 대한 치험을 소개하였다. 이 환자에서 억간산은 처음에는 효과를 나타냈지만 이후 증상이 재발하였다. 이 증례보고에서는 환자의 과거력 중 크론병에 의한 부분 장절제술과 비타민 결핍성 빈혈을 허로의 소견으로 간주하였다. 이에 따라 증례의 환자는 허열이 수반된 심음혈허로 진단하였다고 보고하였다. 이같은 소견에 따라 투약이 이루어진 산조인탕은 좋은 효과를 보였다. [正山勝, 向井滅, 後山尚久. 睡眠時遊行症に酸棗仁湯が有効であった一例, 日本東洋医学雑誌, 2016;67(1):61-6.]

4. 일본의 연속증례연구에서는 밤에 이상한 소음을 내는 증상이 있었던 고령의 야간 섬망 환자 2명의 치험을 소개하였다. 이 환자들은 억간산에 반응하지 않아 모두 산조인탕으로 전환 투여하였다. 저자는 야행성 섬망이 흥분 상태에 속하는 것으로 간주하여 종간론치(從肝論治)의 관점에서 억간산과 같은 처방을 저항, 거부, 폭력 등을 나타내는 환자들에게 사용할 수 있을 것으로 보았다. 한편, 이 증례에서처럼 야간괴성이 주요 임상소견인 환자들은 심음혈어와 허열로 볼 수 있어 산조인탕을 사용할 수 있다고 설명하였다. [田原英一, 斉藤大直, 川上義孝, 等. 酸棗仁湯が有効であった奇声を主徵とする夜間せん妄の 2症例. 日本東洋医学雑誌, 2002;53(4):351-6.]

5. 불면증 환자 1,376명이 포함된 12개의 무작위 대조 연구를 분석한 2013년의 메타분석에서는 산조인탕이 벤조디아제핀에 비해 나은 효과를 낼 수 있는 것으로 밝혀졌지만 연구의 질이 높지 않아 확실한 결론을 내지는 못하였

다. [Xie CL, gu Y, Wang WW, et al. Efficacy and safety of Suanzaoren decoction for primary insomnia: a systematic review of randomized controlled trials. BMC Complement Altern Med, 2013(13):18.]

6. 불면증 환자 1,454명이 포함된 13개의 무작위 대조 연구를 분석한 2018년 의 메타분석에서는 산조인을 포함한 처방이 위약보다 좋은 수면개선 효과 를 나타내며, 이러한 처방과 디아제팜과의 병용은 디아제팜 단독투여에 비 해 더 나은 효과를 보인다고 보고하였다. [Zhou QH, Zhou XL, Xu MB, et al. Suanzaoren Formulae for Insomnia: Updated Clinical Evidence and Possible Mechanisms. Front Pharmacol, 2018(9):76.]

7. 일본의 한 증례보고에서는 피로, 졸음, 두통 및 두중감을 호소하는 중년 여 성의 치험을 소개하였다. 환자는 증상의 개선을 위해 당귀작약산을 복용했 으나, 일정기간 지속적으로 투약이 이뤄졌음에도 불구하고 증상이 재발하 였다. 환자에게 추가로 산조인탕을 투약한 결과 임상 증상이 크게 개선되었 다. 저자는 당귀작약산의 초기 사용이 기혈상태를 개선하여 효과를 나타낸 것으로 해석하였고, 이후의 재발은 신체적, 정신적 피로 상태에 관여하는 환자의 심리적 요인과 관련한 것으로 심(心)을 조절하는 산조인탕을 합방하 여 치료효과를 나타낸 것으로 보았다. 또한 저자는 이시진이 산조인(熟)이 담(膽)이 허하여 생기는 불면을 개선하고, 산조인(生)이 담열을 끈다고 한 주장은 임상적 근거가 없으므로 부정되어야 한다고 주장하였다. [谷川久彦, 遠田裕政, 岡本洋明, 等. 酸棗仁湯の奏効した嗜眠傾向の一症例. 日本東洋 医学雑誌, 1986;37(2):91-4.]

8. 중증의 간염 환자 60명이 참여한 중국의 한 무작위 대조 연구에서는 통 상적 서양의학 처치를 기본으로 하고, 시험군 환자 30명에게 2주간 산조 인탕을 병용투약하였다. 그 결과 산조인탕 투여군의 전반적인 개선율은 66.7%(20/30건)로, 대조군의 40.0%(12/30건)보다 유의하게 높았다. 치료군의 수면 상태는 유의하게 개선되었으며 치료 후 총 빌리루빈은 치료 전보다 현 저히 낮았다. 산조인탕은 만성 중증 간염 환자의 수면 상태를 개선하고 간 세포에 대한 염증반응을 감소시키며, 심각한 부작용도 없었다. [朱海鵬, 高 志良, 谭德明, 等. 酸棗仁湯辅助治疗慢性重型肝炎的临床观察. 中国中西 医结合杂志, 2007;27(4):303-5.]

생맥산

고대의 여름철 건강관리 처방이며 보기양음(補氣養陰)방으로 활용되어 왔다. 땀을 멎게 하고 탈진을 치료하는 효능이 있다. 현대 연구에서는 신체의 저산소 내성 촉진, 항스트레스, 심근보호, 심폐 및 뇌와 간기능의 유지 등 작용이 확인되어 있다. 맥이 약하면서 땀이 많고 숨이 차면서 어지럽고 눈이 아찔거리는 소견 등이 특징인 질환에 적용한다.

[원책 배방]

인삼 五錢, 오미자, 맥문동 각 三錢을 물에 달여서 복용한다. (《證治準繩》)

[원서의 방증]

폐의 원기부족을 보한다(《醫學啓源》). 6, 7월은 장맛비가 내려 모든 것이 축축하고 사람은 땀으로 옷을 적신다. 비위가 허약한 몸이 무겁고 숨이 가쁜데, 습기가 왕성한 계절에는 습이 열기와 합쳐져 사기(邪氣)가 된다. 이에 서북 두 방면의 차갑고 청량한 기운이 끊어지게 된다. 이에 습열에 계속 감촉되면 몸이 무겁고 뼈가 마르면서 기운이 빠져나가 하루종일 침상에 누워있게 되며 구름 속을 거니는 듯 몸이 어디에 있는지도 모른다 … 그러므로 인삼의 감미(甘味)로 기를 보하며 맥문동의 고한(苦寒)으로 열을 끄고 수기(水氣)의 근원을 도우면서 오미자의 산미(酸味)로 조금(燥金)을 식히니 생맥산이라고 한다(《內外傷辨惑論》). 열로 상한 원기(元氣)를 회복시키고 온몸이 권태롭고 숨이 차며 말을 하는 것조차 힘들면서 입이 마르고 땀이 멈추지 않는 것을 치료한다. 또는 습열이 크게 유행할 때 화기(火氣)가 금기(金氣)를 억제하여 한수(寒水)가 생성되는 근원을 끊어 팔다리가 마르고 눈이 캄캄해지는 때에도 복용한다.

[추천 처방]

인삼 10 g, 맥문동 15 g, 오미자 10 g을 물 900 mL와 같이 달여 300 mL가 되면 두세 차례에 나누어 따뜻하게 복용한다. 혹은 차처럼 마신다.

[적용 환자군]

무기력하고 용모가 초췌하며 피곤해 한다. 땀이 많고 조금만 움직여도 숨이 차서 헉헉대며 어지러움이나 눈앞의 아찔거림을 호소한다. 가슴이 두근거리거나 답답하다고 하며 입과 혀가 말라있다. 식욕부진과 심하비경이 있고 맥이 허약하며 설질은 연하고 붉은빛을 띈다.

[적용 병증]

아래의 병증과 위에 서술한 환자군의 특징이 부합하는 경우에 처방의 투약을 고려할 수 있으며, 또한 근거기반의학적 근거에 따

른 진단을 통해서도 처방을 활용할 수 있다.

1. 각종 쇼크. 급성 심근경색(A)[1], 심원성 쇼크, 중독성 쇼크, 실혈성 쇼크 등, 화상 후 심근손상(A)[2], 투석과 관련된 저혈압에도 투약할 수 있다.[3]

2. 가슴이 답답하고 두근거리며 숨이 차고 땀이 흐르는 소견이 나타나는 질환. 관상동맥질환(A), 심근염(A)[4], 확장성 심근병증(A)[5], 심부전(A)[6,7], 서맥[8], 발열성 질환 후의 관리, 폐결핵, 만성기관지염, 폐기종(A)[9], 폐원성 심질환, 일사병, 고원병, 고령 환자의 식욕부진 및 악성종양의 보조요법(A)[10]

3. 운동선수 및 우주인, 잠수부, 고열작업자의 건강보조제

[가감 및 합방]

1. 가슴이 두근거리는 경우에는 계지 10 g, 자감초 10 g을 더한다.

2. 숨이 차고 땀이 많이 흐르는 경우 용골 15 g, 모려 15 g, 산수유 30 g을 더한다.

[주의사항]

1. 이 처방을 헤파린 등 항응고제와 병용할 때는 매우 신중히 투여하도록 한다. 중국에서는 생맥산 경구제와 헤파린 병용요법에 의한 두개내출혈 보고가 있다.[11]

2. 이 처방과 디곡신의 병용투여 시 디곡신 농도에 주의하도록 한다. 생맥산 주사제가 디곡신 대사에 영향을 미친다는 연구결과가 있다.[12]

[각주]

1. 급성심근경색 환자 376명이 포함된 4건의 무작위 대조 연구를 분석한 2008년의 메타분석에서는 생맥주사제가 급성 심근경색의 사망률[RR: 0.18, 95% CI (0.04, 0.77)]을 현저히 감소시킬 수 있지만, 생맥주사제와 혈관활성약물 병용투여로 사망률이 감소하는지는 분명하지 않은 것으로 드러났다[RR: 0.67, 95% CI (0.29, 1.51)]. 생맥주사제와 서양의학적 치료의 병용은 급성심근경색의 사망률을 줄일 수 있다. [高铸烨, 郭春雨, 史大卓, 等. 生脉注射液对急性心肌梗死病死率影响的系统评价. 中国中西医结合杂志, 2008(12):1069–73.]

2. 중증 화상환자 20명이 포함된 중국의 한 무작위 대조 연구에서는 통상적 처치와 함께 시험군 배정 환자 10명에게 생맥주사제를 3일간 병용투여하였다. 이 연구에서는 중증 화상 후 생맥주사제를 조기 투여하면 심장쇼크를 효과적으로 예방 및 치료할 수 있고 심근세포를 어느정도 보호할 수 있는 것으로 드러났다. [张西联, 黃跃生, 党永明, 等. 生脉注射液对烧伤后 "休克心" 防治作用的前瞻性临床研究. 中华烧伤杂志, 2006;22(4):281–4.]

3. 투석을 받는 저혈압 환자 437명이 포함된 10건의 무작위 대조 연구를 분석한 2013년도 메타분석에서는 생맥주사제가 저혈압의 발생을 현저히 감소시키고 확장기 혈압을 높이며 평균 동맥압과 수축기 혈압을 크게 향상시키지 않는다고 보고했다. [Chen CY, Lu LY, Chen P, et al. Shen gmai injection, a traditional chinese patent medicine, for intradialytic hypotension: a systematic review and meta–analysis. Evid Based Complement Alternat Med, 2013;703815.]

4. 바이러스성 심근염 환자 62명이 참여한 중국의 한 무작위 대조 연구에서는 시험군 환자 35명에게 생맥산을 4주간 투약하였으며, 대조군 27명에는 위약이 주어졌다. 이 연구를 통해 생맥산이 일회 심박출량, 총심박출량 및 심장박출지수(cardiac index) 등을 개선할 수 있음이 확인되었다. 추가 연구에 따르면 바이러스성 심근염 환자의 심근 손상은 지질 과산화와 밀접한 관련이 있는데, 생맥산은 항산화활성 및 항지질과산화 효과가 있어 심근 손상을 예방하고 치료할 수 있었다. [赵美华, 荣烨之, 吕宝经, 等. 生脉散对急性病毒性心肌炎患者血清脂质过氧化物的影响. 中国中西医结合杂志, 1996(3):142–5.]

5. 중국의 한 무작위 대조 연구에서는 확장성 심근병증 및 심부전 환자 100명을 대상으로 기존 치료법을 시행하고, 추가적으로 50명에게 생맥주사제를 투여한 결과 유효율이 84%였다. 반면 기존 치료법만 시행한 경우 유효율

은 60%였다. 생맥주사제는 좌심실 박출률 및 일회 박출량을 크게 개선하고 전신혈관저항을 감소시키는 것으로 나타났다. [张亚臣, 陈瑞明, 赵美华, 等. 生脉注射液对扩张型心肌病患者血流动力学的影响. 中国中西医结合杂志, 2002;22(4):277-9.]

6. 만성 심부전 환자 120명이 참여한 중국의 한 무작위 대조 연구에서는 60명의 시험군 환자에게 기존의 서양의학적 처치와 함께 생맥산을 병용투약하였다. 그 결과 심부전의 호전 관련 유효율이 크게 개선되었다(88.3% 대 70.0%). 또한, 생맥산은 LVEDV, LVESV, LVEF와 같은 심실 리모델링 지표를 개선하는 것으로 나타났다. 생맥산은 만성 심부전 치료에 상당한 치료효과가 있으며 심실 리모델링을 역전시켜 환자의 삶의 질을 크게 향상시킬수 있다. [顾颖敏, 叶穗林, 孙颖, 等. 生脉散对慢性心力衰竭患者心室重塑和生活质量的影响. 中医杂志, 2009;50(2):127-9,144.]

7. 당뇨병을 동반한 관상동맥심질환 환자 120명이 참여한 중국의 한 무작위 대조 연구에서는 60명의 환자에게 3주간 생맥주사제를 투여하였다. 이 연구에서 생맥주사제는 혈관 내피 기능과 심장 수축 기능을 현저히 향상시켰으며, 심박출률은 44±5%에서 68±6%로 증가하여 기존 치료만을 단독으로 시행하는 것보다 유의하게 나은 결과를 보였다. [Zhang Y C, Lu B J, Zhao M H, et al. Effect of Shengmai injection (生脉注射液) on vascular endothelial and heart functions in patients with coronary heart disease complicated with diabetes mellitus. 中国结合医学杂志, 2008;14(4):281-5.]

8. 고령의 동성서맥 환자 134명이 참여한 중국의 한 무작위 대조 연구에서는 시험군 환자 68명에게 아데노신삼인산 정맥주사와 함께 생맥주사제를 병용투약하였다. 이 연구에서 생맥주사제는 24시간 심박수를 크게 높이고 임상 증상과 삶의 질을 개선하였다. [汪顺银, 熊华峰, 张耿新, 等. 生脉注射液联用环磷酸腺苷对老年窦性心动过缓病人心率及生活质量的影响. 中西医结合心脑血管病杂志, 2005;3(3):204-5.]

9. 1,804명의 참여자를 포함하는 23개 무작위 대조 연구를 분석한 2019년의 메타분석에서는 만성 폐쇄성 폐질환에 대하여 서양의학의 기존 요법과 함께 생맥주사제를 병용투약하면 전반적인 임상적 유효율, 폐 기능, 혈액 가스 및 면역 글로불린, 단백질 수준, C 반응성 단백질, 폐 rales의 개선 및 입원 기간 등 지표와 관련한 결과에서 유의미한 향상이 있음을 보고하였다. [XY Huang, XJ Duan, KH Wang, et al. Shengmai injection as an adjunctive therapy for

the treatment of chronic obstructive pulmonary disease: A systematic review and meta-analysis. Complementary Therapies in Medicine, 2019(43):140-7.]

10. 비소세포성 폐암 환자에 대해 항암화학요법 및 생맥주사제를 병용요법을 시행한 15개 무작위 대조 연구를 분석한 2018년의 한 메타분석에서는 생맥주사제가 환자의 전반적인 신체 상태를 개선하고 골수 억제 및 소화관 기능을 개선할 수 있음을 확인하였다. 한편, 생맥주사제는 항암화학요법의 효능에 영향을 미치지 않았다. [Duan B, Xie J, Rui Q, et al. Effects of Shengmai injection add-on therapy to chemotherapy in patients with non-small cell lung cancer: a meta-analysis. Support Care Cancer, 2018;26(7):2103-11.]

11. Su Q, Li Y. Interaction between warfarin and the herbal product Shen gmai-yin: a case report of intracerebral hematoma. Yonsei Med J, 2010;51(5):793-6.

12. 毛静远, 徐为人, 王恒和, 等. 生脉注射液对充血性心力衰竭患者地戈辛血药浓度和药动学参数的影响. 中国中西医结合杂志, 2003;23(5):347-50.

서각지황탕

고대의 지혈 처방이며 청열양혈(淸熱凉血), 양혈산어(養血散瘀), 청열해독(淸熱解毒), 양음지혈(養陰止血)의 효능이 있다. 현대 연구에서는 해열, 혈액순환장애의 개선, 면역기능 조절 등 작용이 확인되어 있다. 토혈, 혈변, 혈뇨, 피하출혈 등 각종 출혈성 질환에 발열과 의식혼탁 및 진홍색의 돌기가 돋은 설질 등 소견이 함께 관찰될 경우 적용한다.

[원서배방]

서각 一兩, 생지황 八兩, 작약 三兩, 목단피 二兩. 이 네가지 약물을 잘라 물 九升과 같이 달여 三升이 되도록 하여 하루 세 차례에 나누어 따뜻하게 복용한다. 미친 것과 같이 망령된 증상에는 대황 二兩, 황금 三兩을 더한다.(《千金要方·卷第十二·吐血第六》)

[원서의 방증]

상한 및 온병에서 발한법을 써야 하는데 땀을 내지 않아 몸 안에 축혈(蓄血)이 생긴 것으로, 코피와 토혈이 그치지 않고 몸 안에 어혈이 있어 얼굴이 누런빛이고 대변이 검다.

[추천 처방]

수우각 30-100 g. 생지황 40 g, 적작약 15 g, 목단피 10 g. 이들을 물 1,000-1,200 mL와 같이 달인다. 먼저 수우각을 30-60분간 달이고 남은 약을 넣는다. 탕액이 300 mL가 되도록 달여 세 차례에 나누어 따뜻하게 복용한다.

[방증제요]

토혈을 하거나 코피가 나고 얼굴이 누런빛인 경우

[적용 환자군]

과다출혈이 있는 환자로 얼굴이 밀랍처럼 누렇거나 창백하고 설질은 엷은 흰색으로 빈혈 소견이 뚜렷하다. 출혈이 없는 환자의 경우 얼굴과 눈이 붉고 흰 피부와 붉은 입술을 가졌으며 설질은 진홍색이거나 돌기가 돋아있다. 출혈이 멈추지 않는 환자에게서는 섬망과 정신적 흥분을 볼 수 있으며 건망증 및 언어장애와 의식장애가 나타나기도 한다. 피부병이 있는 환자의 경우 국소 환부가 선홍색이며 극심한 열감이 있으면서 넓은 범위의 홍반, 출혈, 건조에 의한 인설 탈락 및 갈라짐, 우피선 등이 관찰되는 경우가 있다. 대부분의 환자가 대변이 말라 덩어리지며 식욕이 왕성한 동시에 더운 것을 싫어하며 차가운 것을 좋아하고 출혈경향이 있다. 급성의 열성 질환이나 출혈 질환 및 피부질환 등 환자군에서 많이 보인다.

[적용 병증]

아래의 병증과 위에 서술한 환자군의 특징이 부합하는 경우에 처방의 투약을 고려할 수 있으며, 또한 근거기반의학적 근거에 따른 진단을 통해서도 처방을 활용할 수 있다.

1. 열이 나고 피부에 홍반과 발진이 생기며 출혈이 동반되는 급성 전염성 질환. 유행성뇌막염, B형뇌염, 발진티푸스, 유행성출혈열, 에볼라출혈 등. 백호탕, 황련해독탕과 합방하여 투약하는 경우가 많다.

2. 피부가 붉은 색이며 건조하고 인설이 탈락하면서 국소열감이 나타나는 염증성, 알러지성 피부질환. 건선, 홍피병, 박탈성피부염, 특발성피부염, 결절성홍반, 약진, 두드러기, 홍반성낭창피부병, 당뇨병성 피부소양증, 여드름, 피부혈관염 등

3. 출혈이 나타나는 질환. 알러지 자반증, 혈소판감소성자반증, 혈우병, 혈소판무력증, 기관지확장출혈, 급성재생불량성빈혈, 중증간염, 파종성혈관내 응고, 급성백혈병, 패혈증, 유행성출혈열 등

4. 허혈성 뇌졸중에서 열이 나고 의식혼탁과 섬망이 나타나는 경우. 뇌출혈 치료의 보조요법으로도 활용한다(A).[1]

[가감 및 합방]

1. 피하에 어반(瘀斑)이 있는 경우 승마 15 g, 황금 10 g을 더한다.

2. 번조와 의식혼탁이 있고 설질이 붉으며 설태가 누렇고 질척거리는 경우 황련해독탕을 합방하고 연교를 더한다.

3. 토혈 또는 코피가 있는 경우 사심탕을 합방한다.

4. 입과 혀가 마르고 더운 것을 싫어하며 땀이 많은 경우 백호탕을 합방한다.

[주의사항]

1. 수우각은 서각의 대체약물이며 대용량으로 투약해야 한다. 근대 의가인 袁吉生은 흑목이(黑木耳), 생석고, 대청엽으로도 서각을 대체할 수 있다고 보았다.

2. 식욕이 왕성하며 대변이 마르고 덩어리진 경우에는 생지황을 고용량으로 증량하여 투약할 수 있다.

3. 복약기간에는 맵고 자극적인 음식을 금한다.

[각주]

1. 급성 뇌출혈 환자 721명이 포함된 8건의 무작위 대조 연구를 분석한 2019년도 메타분석에서는 통상의 표준 치료와 함께 서각지황탕을 병용요법으로 활용하면 환자의 NIHSS (National Institutes of Health Neurological Impairment Scale)점수를 크게 개선할 수 있는 것으로 나타났다[WMD=−2.85, 95% CI (−3.72, −1.98); P<0.05]. 또, 서각지황탕의 병용투여는 환자의 사망 위험을 감소시키며, 심각한 부작용이 발생하지 않았다. [王鵬程, 曹雨清, 薛亞楠, 等. 犀角地黃汤辅助治疗脑出血随机对照试验的系统评价和 Meta 分析. 中医杂志, 2019;60(11):943−8.]

서여환

경전의 허로병(虛勞病) 처방이며, 전통적으로 부정거사(不正袪邪)방으로 활용되어 왔다. 식욕과 체중을 증가시키고 풍기(風氣)를 제거하는 효능이 있다. 마른 체격과 피로감, 빈혈이 특징적 소견인 만성 질환에 적용한다.

[경전배방]

서여 三十分, 당귀, 계지, 신곡, 건지황, 대두황권 각 十分, 감초 二十八分, 인삼 七分, 천궁, 작약, 백출, 맥문동, 행인 각 六分, 시호, 길경, 복령 각 五分, 아교 七分, 건강 三分, 백렴 二分, 방풍 六分, 대조 白枚. 이들 스물한가지 약물을 가루내어 꿀과 같이 빚어 탄자대 환으로 만든다. 공복에 술과 같이 一丸을 복용한다. 百丸을 하루치로 한다.(《金匱要略》)

[경전방증]

허로로 모든 기운이 부족하고 풍기(風氣)가 들어 여러 질환이 생겼다(《金匱要略》六).

[추천 처방]

산약 50 g, 생쇄삼 10 g, 백출 10 g, 복령 10 g, 자감초 10-20 g, 당귀 10 g, 천궁 10 g, 백작약 10 g, 숙지황 15 g, 아교 10 g, 계지

10 g, 맥문동 15 g, 시호 10 g, 방풍 10 g, 행인 10 g, 길경 10 g, 백렴 10 g, 백렴 10 g, 신곡 10 g, 대두황권 10 g, 건강 10 g, 홍조 50 g. 이들을 물 1,400 mL와 같이 달여 400 mL가 되도록 한다. 탕액을 취하고 남은 약재에 다시 물 1,200 mL를 넣고 탕액이 200 mL가 되도록 달인다. 이후 두 탕액을 섞어서 3-6회에 나누어 따뜻하게 복용한다. 2-3일 내에 다 복용한다. 또는 원서의 용량을 참고하여 밀환이나 고제를 만들어 장기복용할 수도 있다.

[방증제요]

여위고 기력이 없으며 기침을 하면서 식욕이 부진한 경우

[적용 환자군]

여윈 체격으로 피부가 건조하고 메말랐으며 빈혈기가 있다. 또는 외양은 큰 이상이 없어보이지만 체중이 이미 뚜렷하게 줄고 피부가 힘없이 처지는 경우도 있다. 식욕부진과 함께 음식맛을 느끼지 못하고 식사량도 적어서 영양결핍이 생긴다. 감기와 가래섞인 기침이 잦고 미열이 동반된다. 풀어지는 대변도 자주 나오며 부종이나 체강내의 삼출액도 흔히 관찰된다. 맥은 세약(細弱)하며 설질은 연한 색조이다. 고령자, 악성종양의 수술이나 방사선 요법 이후, 위절제후, 폐기능 저하, 과다출혈 이후, 극도의 영양결핍 등 상황에서 많이 볼 수 있다.

[적용 병증]

아래의 병증과 위에 서술한 환자군의 특징이 부합하는 경우에 처방의 투약을 고려할 수 있으며, 또한 근거기반의학적 근거에 따른 진단을 통해서도 처방을 활용할 수 있다.

1. 체격이 여위고 식욕이 없는 악성종양환자. 혹은 고령 환자가 암 완화요법을 받는 경우 투여한다. 폐암, 대장암, 위암, 다발성골수종 등에 쓴다(B).[1]

2. 빈혈이 나타나는 질환. 철결핍성빈혈, 재생불량성빈혈, 골수증식이상증후군 등

3. 만성 기침과 천식이 나타나는 질환. 결핵, 규폐증, 폐기종 등

4. 가슴이 두근거리고 숨이 차면서 답답한 증상이 주요 소견으로 나타나는 심기능부전, 심박이상(B)[2]

5. 근육의 위축이 나타나는 질환. 노인의 영양불량, 노인성치매, 근위축, 운동신경원 질환 등

[주의사항]

1. 이 처방은 완만하게 작용하는 편이므로 장기간 복용해야 효과를 볼 수 있다.

2. 대두황권이 없으면 담두시로 대체하여 투약할 수 있다. 이와 유사하게 백렴이 없는 경우 연교로 대체할 수 있다.

[각주]

1. 일본의 한 연속증례보고에서는 식욕부진을 호소하는 악성종양 환자 8명에 대한 치험을 소개하였다. 서여환을 투약한 후, 6명의 폐암 환자에서 식욕이 개선되었고(음식섭취량이 공급량의 28%에서 79%로 증가), 다른 1명의 담관암 환자와 림프종 환자 1명에서는 효과가 없었다. 이외에 종양과 무관한 식욕부진 환자 6명에게 서여환을 투여한 결과 3명의 환자는 효과가 있었고(심부전 1례, 대전자 골절 환자 2례), 다른 3명의 환자는 효과가 없었다(각각 폐렴, 우울증 동반 당뇨병, 식욕부진). [深谷良, 菅生昌高, 海老澤茂, 等. 食欲不振 14症例に対する薯蕷丸の治療効果に関する検討. 日本東洋医学雑誌, 2011;62(6):727−35.]

2. 중국의 한 단일군 연구에서는 불응성 심부전 및 부정맥이 있는 76명의 환자에 대한 서여환의 효과를 관찰하였다. 69명의 환자(90.7%)가 서여환을 복용한 후 1등급 이상으로 심장기능이 개선되었으며 54명의 환자(71.1%)가 정상적인 심장박동을 보였다고 보고하였다. 심장이 비대해진 29명의 환자 중 19명(65.5%)이 치료 후 심장이 수축되었다. [邵桂珍, 王延周. 薯蕷丸治疗心功能减退疗效分析. 中医杂志, 1992(1):35−6.]

소건중탕

경전의 허로방이며 온중보허(溫中補虛)방으로 활용되어 왔다. 체중을 증가시키며 설사와 가슴 두근거림을 치료하는 효능이 있다. 현대 연구에서는 이 처방에 황기를 더하면 항궤양 작용이 발휘된다는 점과 함께 항경련, 면역증강, 간보호 작용이 확인되었다. 여윈 체격으로 만성의 복통이 있고 대변이 마르고 덩어리지는 것을 특징으로 하는 질환에 적용한다.

[경전배방]

계지 三兩(去皮), 작약 六兩, 감초 二兩(구운 것), 생강 三兩(작은 것), 대조 三兩, 교이 一升. 이 여섯가지 약물을 물 七升과 같이 달여 三升이 되도록 하여 찌꺼기를 제거하고 교이를 넣고 약한 불에서 녹인다. 一升을 따뜻하게 하루 세 차례 복용한다.(《傷寒論》《金匱要略》)

주:《金匱要略》에서 이 처방의 감초 용량은 三兩이다.

[경전방증]

배 안쪽이 당기고 통증이 있다(《傷寒論》 100조). 가슴 안쪽이 두근거리고 답답하다(《傷寒論》 102조). 허로가 있어 배가 당기고 코피와 몽정이 있으며 팔다리가 시리고 아프다. 손발에 번열이 나면서 인후와 입안이 마른다(《金匱要略》 六). 남자에서는 몸이 누런빛이 되며 소변이 많이 나온다(《金匱要略》十五). 부인에서는 복중통이 있다(《金匱要略》二十二).

[추천 처방]

계지 15 g, 생백작약 30 g, 자감초 10 g, 생강 15 g, 홍조 30 g, 이당 30 g. 이들을 물 1,100 mL와 같이 달여 300 mL가 되도록 달인 뒤 이당을 넣어 녹인 후 두세 차례에 나누어 따뜻하게 복용한다.

[방증제요]

여위고 무기력하며 뱃속이 아프고 가슴속이 두근거리면서 답답한 경우. 코피나 손발의 번열, 몽정, 인후와 구강의 건조 등이 있는 경우도 있다.

[적용 환자군]

여윈 체격으로 흉곽이 편평하고 피부는 누런빛을 띠거나 희고 광택이 없다. 손발도 누런색이며 머리카락도 누런빛이고 가늘고 연하며 숱이 적다. 성격은 명랑하고 정신적으로도 안정되어 있다. 배는 편평하며 복벽이 얇고 긴장되어 있다. 복직근 표면이 솟아올라 있으나 누르면 힘이 없고 압통도 뚜렷하지 않다. 복직근의 긴장이 없거나 배 전체가 유연하고 무력한 경우도 보인다. 배꼽 주변의 만성 통증이 있으며 대체로 돌발성으로 나타난다. 대변은 마르고 덩어리져서 심하면 밤처럼 나오기도 한다. 식사량이 적고 식사속도도 느리며 단 음식을 좋아하고 배고픔을 잘 느끼면서 배가 고프면 힘들어하고 예민해진다. 피로하고 손발이 시리고 아프며 가슴이 두근거리고 몸이 달아오르는 듯한 느낌이 들면서 땀이 나는 소견 등이 흔히 보이며 손발닥이 뜨겁다고 하는 일도 있다. 입마름과 빈뇨도 잦다. 맥은 약하거나 부대(浮大)하지만 누르면 잡히지 않는다. 설질은 연하여 늘어지고 설태는 희고 얇다. 이런 체질이 일어나는 원인 요소로는 영양실조나 기아, 피로 등을 들 수 있으며 소아에게서 자주 관찰된다.

[적용 병증]

아래의 병증과 위에 서술한 환자군의 특징이 부합하는 경우에 처방의 투약을 고려할 수 있으며, 또한 근거기반의학적 근거에 따른 진단을 통해서도 처방을 활용할 수 있다.

1. 만성적인 복통이 나타나는 질환. 만성 위염(A)[1], 위염 및 십이지장염, 위하수, 위암, 만성장염, 과민성대장증후군, 신경성 위장장애, 만성복막염, 알러지성 자반증 등

2. 변비가 나타나는 질환. 습관성 변비, 영유아 변비, 불완전장폐색, 선천성 긴결장(congenital dolichoclon), 거대결장증 등

3. 여위고 얼굴이 누런빛이며 식욕부진이 동반되는 여러 종류의 만성 질환. 소화기질환 – 만성간염, 간경화, 황달, 비소화기질환 – 고혈압, 저체중, 저혈당, 빈혈, 심박이상(B)[2], 불면 등. 내성균에 의한 폐렴[3], 난치성 사마귀[4] 등의 감염성 질환에도 투약할 수 있다.

4. 마른 여성의 유선 소엽증식증에 의한 통증, 월경통 등

5. 체중이 줄고 얼굴색이 창백한 소아의 저체중, 영양불량, 식

욕부진, 빈혈, 신경성빈뇨, 두통, 기립성조절장애(B)[5,6], 굴절 및 조절장애[7] 등

[가감 및 합방]

1. 얼굴색이 누렇고 근육이 이완되어 있으며 부은 모습인 경우에는 황기 15 g을 더한다.

2. 식욕부진이 있고 얼굴색이 초췌한 경우에는 인삼 10 g이나 당삼 15 g을 더한다.

3. 얼굴색이 누렇고 피부가 건조하며 월경통이나 산후의 쇠약 소견이 보이는 경우 당귀 15 g을 더한다.

4. 격렬한 복통과 함께 배가 북처럼 부풀어오른 경우 대건중탕을 합방한다.

[주의사항]

1. 비만한 환자에게는 신중히 투여한다.

2. 고혈당인 경우 교이의 용량을 적절히 줄이거나 처방에 포함시키지 않도록 한다.

3. 환자에 따라서는 이 처방을 복용한 후 장명음이나 설사가 나타날 수 있으며, 이때는 백작약의 용량을 줄이면 된다.

4. 이당은 "허약한 것을 보하고 갈증을 멈추며 출혈을 없앤다"(《名醫別錄》), "뱃속이 당기는 것을 잘 완화시키고 복통을 가장 잘 멈춘다"(《長沙藥解》)라고 하여 이 처방에서 중요한 위치를 차지하는 약물이므로 빠져서는 안 된다.

[각주]

1. 비위허한증으로 변증된 만성 위축성 위염 환자 60명이 참여한 중국의 한 무작위 대조 연구에서는 시험군 환자 30명에게 황기건중탕을 투약하였고, 대조군 30명에게는 비타민 제제(Veminaline)을 각각 8주간 투약하였다. 그 결과 황기건중탕 투여군의 증상 개선율은 90.0%로 대조군의 비타민 보충제 (63.3%)보다 더 나은 효과를 보였다. [付强, 王祖龙, 蒋士卿. 黄芪建中汤治疗慢性萎缩性胃炎脾胃虚寒证 30例. 中医杂志, 2013;54(18):1600-1.]

2. 일본의 한 연속증례연구에서는 소건중탕을 투약하여 좋은 경과를 보였던 4명의 동계(動悸) 환자 치험을 소개하였다. 환자들은 모두 동계 외에 뚜렷한 위장 증상(식욕 부진, 설사), 약한 체격, 얇은 피하 지방, 복피구급이 있었다. 저자는 심각한 위장 증상의 유무가 소건중탕증과 동계에 사용하는 다른 계지처방들의 감별점이라고 주장하였다. [山崎武俊, 峯尚志, 土方康世.動悸に対して小建中湯が有効であった虚証の 4症例. 日本東洋医学雑誌, 2015;66(4):331-6.]

3. 일본의 한 증례보고에서는 고령의 남성 패혈증 환자의 경과를 소개하였다. 이 환자는 혈액 배양에서 폐렴막대균(Klebsiella pneumoniae)이 발견되었으나 감염원이 뚜렷하지 않아 장내 세균이 이동한 것으로 추정되었다. 2주간의 항생제 처치 이후에도 이장열(remittent fever)과 혈액배양 검사상 양성 소견이 지속되었으므로 세균 내성을 고려하여 항생제 사용을 중단해야 했다. 환자의 고연령, 허약한 체력, 건조하고 마른 피부, 식은땀 및 긴장된 복직근 등 소견을 고려하여 황기건중탕을 투여하기로 했다. 그 결과 환자의 체온이 떨어지기 시작하고 약 1개월 후 체온이 정상으로 돌아왔다. 혈액 배양검사 소견은 음성이 되었다. 황기건중탕 투여 후 백혈구의 수가 유의하게 증가했으며, 저자는 환자의 면역기능이 향상된 것이 패혈증 치료에 효과적인 이유라고 설명하였다. 황기건중탕과 항생제의 동시 사용은 황기건중탕 효능에 영향을 미치는데 그 이유는 항생제에 의한 장내 세균총 파괴가 황기건중탕의 유효 성분에 대한 장내 대사를 방해하기 때문일 수 있다. [南沢潔, 古田一史, 三潴忠道, 等. 敗血症治療に黄耆建中湯が有効であった一例. 日本東洋医学雑誌, 2002;53(5):515-9.]

4. 일본 증례보고에서 엄지 발가락에 난치성 사마귀가 있는 어린이의 치험을 소개하였다. 이 환아는 반복적인 냉동요법, 경구 의이인 과립, 국소비타민 D3 및 살리실산 투여에도 불구하고 환자의 면역체계가 제대로 조절되

지 않아 치료효과가 나타나지 않은 것으로 판단되었다. 환자의 면역력저하
를 고려하여 마행의감탕에 소건중탕을 합방하여 투여한 결과 10일 후에는
병변이 줄어들고, 10개월 후에는 병변이 사라졌다. [Kobayashi H, Tsuruta D,
Tamiya H, et al. Recalcitrant subungual verruca of a child successfully treated with
combination use of traditional Japanese herbal medicines, shokenchuto and makyo-
yokukanto. The Journal of Dermatology, 2011;38(12):1193–5.]

5   소아 기립성조절장애 환자 75명이 참여한 중국의 한 무작위 대조 연구에서
    는 시험군에 배정된 45명에는 황기건중탕(현훈이 있을 경우 승마, 반하 추
    가, 복통이 있을 경우 백작약 추가)을 투약하였고, 나머지 30명의 환자들에
    게는 오리자놀 및 비타민 B1을 투약하였다. 황기건중탕 투약군에서는 반수
    이상의 환자가 증상의 현저한 호전을 경험하였다. 이는 수축기 혈압 상승,
    뇌로의 적절한 혈액 공급과 관련이 있을 수 있다고 하였다. 환자들은 이와
    동시에 피로 및 현기증과 같은 증상도 완화되었다. [朱红赤, 张延军, 蔡晶.
    黄芪建中汤治疗儿童直立性调节障碍 45例. 中医杂志, 2003(2):123.]

6. 일본에서의 증례보고에서는 사회공포증, 기면증, 두통, 기립성현훈, 식욕 부
    진 등을 보인 불안장애, 기립조절장애 환자 1례의 치험을 소개하였다. 환자
    는 복진상 양측 복직근구급, 배꼽의 양측 압통 및 배꼽 위의 두근거림 등의
    소견에 따라 기허로 볼 수 있었다. 이에 따라 환자에게 황기건중탕을 투여
    한 결과 증상이 개선되었다. 저자는 심신적 원인을 가진 기립성조절장애를
    간기허증의 관점에서 접근하여야 한다는 점에서 황기건중탕이 효과적이었
    다고 설명하였다. [平林香, 佐藤浩 子, 佐藤真人, 等. 小児の不安障害·起立
    性調節障害の病態に西洋医学的治療との併用により黄耆建中湯が奏功した
    症例. 日本東洋医学雑誌, 2017;68(4):362–5.]

7. 일본 증례보고에서는 나안시력 및 교정시력이 약한 조절긴장장애(가성근
    시) 환자로 서양의학적 치료가 효과없었던 1례를 소개하였다. 환자는 피로
    감을 느낄때 시력이 현저하게 저하되었으며 항상 복통과 식욕부진이 있었
    다. 복진상 복력은 약하고 복직근이 긴장되어 있으므로 소건중탕에 해당
    하였다. 이에 따라 소건중탕을 투여하여 환자의 피로와 복통이 완화되었으
    며 육안 및 교정 시력이 모두 상승하였다. 약 4개월 복용 후 육안 시력은 1.2
    로 유지되었고 피곤해도 시력 저하가 없었다. 가성근시는 일반적으로 모양
    체근육의 과도한 긴장과 관련이 있으며, 과거에는 이를 수독증으로 보고 오
    령산으로 치료하는 경우가 많았다. 저자는 이 환자가 피로와 복통 및 기타
    위장관 증상의 명백한 징후가 있다고 보았기 때문에 소건중탕을 사용하였

다. 소건중탕은 진경작용이 있으므로 모양체근육의 경련을 어느 정도 개선할 수 있다. [高橋浩子, 田中耕一郎, 千葉浩輝, 等.疲労時に増悪する調節緊張による視力低下に小建中湯が有効であった一症例. 日本東洋医学雑誌, 2017;68(1):23-8.]

소시호탕

경전의 소양병(少陽病) 처방이며 화해(和解)방으로 활용되어 왔다. 한열왕래와 흉협고만을 치료하고 무기력증과 구토를 치료하는 효능이 있다. 현대 연구에서는 해열, 항염증, 면역력 조절, 인터페론 생성 유도, 기억력 개선, 스트레스 조절 등 작용이 확인되어 있다. 추웠다 더웠다 하는 증상과 함께 흉협고만이 있어 가슴이 답답하고 구역감이 있으며 식욕이 저하되는 등의 소견이 특징적인 질환에 적용한다.

[경전배방]

시호 半斤, 황금 三兩, 반하 三升(洗), 인삼 三兩, 감초 三兩(구은 것), 생강 三兩(切), 대조 十二枚(擘). 이 일곱가지 약물을 물 一斗二升과 같이 달여 六升이 되도록 한 뒤 찌꺼기를 제거하고 三升을 취해 一升을 따뜻하게 하루 세 차례 복용한다.(《傷寒論》《金匱要略》)

[경전방증]

상한에 걸린 지 5, 6일이 되어 중풍으로 추웠다 더웠다 하고 흉협고만이 있으며 식욕이 없고 가슴이 답답하면서 자주 구역질이 나오거나, 혹은 가슴은 답답하지만 구역질은 나오지 않기도 한다. 갈증이 나고 배가 아프며 옆구리 아래에 비경(痞硬)이 있고 가슴

아래가 두근거리면서 소변이 잘 나오지 않으며 입마름은 없으나 몸에 미열이 있고 기침이 난다(《傷寒論》96조). 추웠다 더웠다 하는 증상이 주기적으로 나타나며 식욕이 없다(《傷寒論》97조). 상한에 걸린지 4, 5일이 지나 몸에 열과 오풍이 있고 목덜미가 뻣뻣하며 옆구리 아래가 그득하면서 손발은 따뜻하고 갈증이 있다(《傷寒論》99조). 부인이 중풍(中風)으로 7, 8일이 지났는데 계속해서 추웠다 더웠다 하면서 증상이 일어날 때 월경이 바로 멎는다(《傷寒論》144조). 조열(潮熱)이 나고 무른변이 나오며 소변에 문제가 없는데 흉협만(胸脇滿)이 없어지지 않는다(《傷寒論》229조). 협하가 경만(硬滿)하여 대변을 보지 못하면서 구역질이 나고 혀에 백태가 있다(《傷寒論》230조). 협하가 경만(硬滿)하고 헛구역질이 나서 음식을 먹을 수가 없으며 한열이 왕래하는데 아직 토법이나 하법을 쓰지는 않았고 맥은 침긴(沈緊)하다(《傷寒論》266조). 구역질하면서 발열이 있다(《傷寒論》379조). 모든 종류의 황달로 배가 아프고 구토가 있다(《金匱要略》十五). 산모가 울모(鬱冒)에 걸려… 대변이 단단하며 구역질로 음식을 먹을 수가 없다(《金匱要略》二十一).

[추천처방]

시호 20-40 g, 황금 15 g, 강반하 15 g, 당삼 15 g 혹은 인삼 5 g. 자감초 5-15 g. 생강 15 g. 홍조 20 g. 이들 물 1,100 mL와 같이 달여 300 mL가 되면 두세 차례에 나누어 따뜻하게 복용한다. 감기로 발열이 심하면 시호를 대량 사용한다. 병세에 따라 하루에 4회까지 복약해서 땀이 나도록 한다. 오심이나 구토가 있는 경우에는 복용량이 너무 많아서는 안 된다.

[방증 제요]

열감과 냉감을 교대로 느끼거나 질환의 증상이 간헐적으로 반복되면서 흉협고만과 가슴의 답답함이 있고 구역질이 잦아 식욕이 없으며 황달, 복통, 기침, 가슴아래의 두근거림, 갈증, 의식혼미 등이 나타나는 경우

[적용 환자군]

중간정도의 체형이거나 마른 체격으로 영양상태는 보통이거나 좋지 않은 편이다. 얼굴색은 누렇거나 푸르스름하며 피부는 건조하고 광택이 없어 허약한 모습이다. 무표정하며 말이 없고 기분이 가라앉아 있으며 우울증으로 힘들어하는 모습을 보인다. 환자는 의욕이 없고 특히 식욕부진이나 성욕감소, 무기력 등을 호소하며 찬 것을 싫어하고 입안에 쓴맛이 돌며 인후부가 말라있다. 성격이 민감하고 의심이 많으며 수면장애가 있다. 흉협부의 증상이 많은 편으로 가슴이 답답하면서 통증이 있거나 혹은 윗배 또는 양쪽 늑골 아래를 누르면 저항감과 불쾌감이 있다. 유방통이나 액와부 림프절 종대, 어깨와 목덜미 및 사타구니의 종괴 및 통증 등이 보이기도 한다. 감기와 기침, 민감성 피부증상, 근골격계의 통증 등이 잦다. 대부분의 환자가 이환된 질환의 만성 경과를 보이며 반복적으로 재발되고 잘 낫지 않는다.

[적용 병증]

아래의 병증과 위에 서술한 환자군의 특징이 부합하는 경우에 처방의 투약을 고려할 수 있으며, 또한 근거기반의학적 근거에 따른 진단을 통해서도 처방을 활용할 수 있다.

1. 발열이 나타나는 질환(A)[1], 인플루엔자(A)[2], 로타바이러스장염, 폐렴, 급만성편도체염, 학질, 상한, 여성의 갱년기 발열 등 각종 원인불명열

2. 식욕부진과 오심구토가 나타나는 질환. 바이러스간염(A)[3-7], 간경화[8,9], 알코올성간질환(B)[10], 약인성간손상(A)[11], 수술 후 간손상(B)[12], 만성담낭염, 만성위염(B)[13,14], 위궤양, 간암의 보조요법 등[15,16]

3. 기침이 나타나는 질환. 폐렴, 기관지염, 간질성폐렴(A)[17], 흉막염, 기관지천식, 기침변이형천식, 결핵 등

4. 림프절 종대가 나타나는 질환. 림프절 종대, 림프절염, 림프결핵, 악성종양의 림프절 전이, 만성림프절세포 백혈병, 악성림프종, 에이즈 등

5. 반복적으로 재발하는 알러지 질환. 과민성비염, 화분증, 일광성피부염, 습진, 아토피피부염(A)[18], 탈모 등

6. 반복적으로 재발하는 염증성 이비인후과 질환. 이하선염, 고막염, 화농성중이염, 구강염, 각막염, 홍채염 등

7. 자가면역성 질환. 하시모토갑상선염, 류마티스관절염, 강직성 척추염, 쇼그렌증후군, 전신성 홍반성 루푸스 [19], 자가면역성간염, 사르코이도시스[20] 등. 사람T세포림프친화바이러스 관련 척수

질환[21], 비후성경막염[22]

8. 우울감이 주요 소견인 질환. 우울증, 신경성식욕부진, 심인성발기부전 등

[가감 및 합방]

1. 인후나 식도의 이물감이 있고 가래 또는 침거품이 많은 경우 반하후박탕을 합방한다.

2. 입과 눈이 건조하고 갈증이 있는데 물을 많이 마시지는 않으며 소변이 잘 나오지 않으면서 설사가 있는 경우 오령산을 합방한다.

3. 얼굴색이 초췌하고 누런빛이며 배가 아프고 월경량이 적은 편이면 당귀작약산을 합방한다.

4. 만성 발열이 오랫동안 호전되지 않고 자한이 있는 경우 계지탕을 합방한다.

5. 기침을 하면서 끈적이는 가래를 뱉고 흉협고만 및 심와부의 압통이 있는 경우 소함흉탕을 합방한다.

6. 타는듯한 열감이 동반되는 관절 통증에는 치자백피탕을 합하여 처방한다. 치자백비탕을 합방한다.

7. 림프절종대 및 림프세포 증식질환에는 연교 30 g을 더한다.

8. 지속적인 기침이 호전되지 않고 소량의 흰 가래가 섞여 나오는 경우 건강 10 g, 오미자 10 g을 더한다.

9. 인후통에는 길경 10 g을 더한다.

10. 피부 알러지가 있고 몸과 눈이 가려우며 두통이 있는 경우

에는 형개 10 g을 더한다.

[주의사항]

1. 일본에서의 보고에 따르면 소시호탕으로 인한 간손상 및 간질성 폐렴의 증례가 보고되었다.[23,24] 간기능부전 환자에게는 신중히 투여한다.

2. 이 처방은 장기간 복용하거나 많은 용량을 복용해서는 안 된다. 발열성 질환에는 통상 5일분을 투약하며, 만성질환의 경우 복용기간을 적당한 수준에서 늘려나가되 3개월 정도 복용한 후에는 간기능 및 신기능 검사를 시행할 것을 권고한다.

3. 처방에 포함된 황금은 고용량으로 투약해서는 안되며, 특히 간질환이 있는 환자의 경우 각별한 주의가 필요하다.

4. 연구에 따르면 소시호탕은 스테로이드와 동시에 사용하는 경우 스테로이드의 혈중 농도를 저하시킬 수 있다고 한다.[25]

[각주]

1. 일본에서 실시한 무작위 대조 연구에서는 감기 후 5일 이상 증상이 지속되는 250명의 환자를 대상으로 소시호탕의 효과를 규명하였다. 환자들의 호소 증상으로는 구강의 불편감(입맛이 쓰고 입안이 끈적거리는 느낌이 있으며 미각에 이상이 느껴짐) 식욕부진, 전반적인 피로 등이 있었다. 시험군에 배정된 131명의 환자에게 소시호탕을 대조군이 되는 119명에는 위약을 투여하였고 치료기간은 1주일 이내였다. 이 연구에서 소시호탕은 위약(64.1% 및 43.7%)보다 훨씬 더 효과적이었고, 인후통, 피로, 거담, 거식증, 관절 근육통과 같은 증상을 크게 개선할 수 있었다. [加地正郎, 柏木征三郎, 山木戸道郎, ほか. TJ-9ツムラ小柴胡湯の感冒に対する Placebo 対照二重盲検群間比較試験. 臨床と研究, 2001(78):2252-68.]

2. 발병한지 48시간 이내의 A형 인플루엔자 환자 14명이 참여한 일본의 한 무
    작위 대조 임상시험에서는 6명의 환자에게 마황탕과 소시호탕을 투여했
    고, 8명의 환자에는 오셀타미비르를 투여하였다. 그 결과 두 군의 해열 효과
    가 유사한 것으로 나타났다. [Yae gashi H. Efficacy of coadministration of maoto
    and shosaikoto, a Japanese Traditional Herbal Medicine (Kampo Medicine), for
    the treatment of Influenza A infection, in comparison to Oseltamivir. 日本補完代
    替医療学会誌, 2010(7):59−62.]

3. 만성 활동성 간염 222명이 참여한 일본의 한 무작위 대조 연구에서는 시험
    군 116명에게는 소시호탕을 투약하였고, 대조군 106명에는 위약으로써 10%
    농도의 소시호탕을 투약하였다. 그 결과 소시호탕은 ALT와 AST를 유의하
    게 감소시키고 HBeAg 음전율을 증가시키는 경향이 확인되었다. [Hirayama C,
    Okumura M, Tanikawa K, et al. A multicenter randomized controlled clinical trial of
    Shosaiko−to in chronic active hepatitis. gastroenterol Jpn, 1989;24(6):715−9.]

4. 일본에서의 단일군 연구에서는 HBeAg(+) 만성 B형간염 환아 14례에 대해
    소시호탕을 투여한 결과 7명의 어린이(50%)가 HBeAg 음성이 되었으며, 이
    와 같은 효과가 나타난 평균 시간은 0.47년(0.2−0.9년)이었다. 한편, 4명의 환
    아에서는 HBeAb가 생성되었다. 같은 기간 동안 만성 B형간염 환자 22명의
    연간 HBeAg 클리어런스율은 22.7%라는 점을 고려하면 이 연구의 결과는
    소시호탕은 HBeAg 제거에 상당한 효과가 있음을 시사한다. [Tajiri H, Ko-
    zaiwa K, Ozaki Y, et al. Effect of sho−saiko−to (xiao−chai−hu−tang) on HBeAg
    clearance in children with chronic hepatitis B virus infection and with sustained liver
    disease. Am J Chin Med, 1991;19(2):121−9.]

5. HBeAg(+) 만성 B형 간염으로 진단된 43명의 소아가 참여하는 일본의 한
    무작위 대조 연구에서는 시험군 23명에 소시호탕을 투여하고, 대조군 20
    례에는 별도의 처치를 하지 않았다. 이 연구를 통해 소시호탕이 AST와
    ALT를 개선할 수 있는 것으로 밝혀졌다. 또한 소시호탕은 HBeAg 음전율
    및 혈청전환율을 개선하였다(43.5% 및 25.0%). [Shiraki K, Tanimoto K, To-
    gashi T, et al. A study of the efficacy of shosaikoto in children with HBe antigen−
    positive chronic hepatitis B. Shonika Rinsho (Japanese Journal of Pediatrics),
    1991(44):2146−51.]

6. 일본의 한 연구에서 만성 활동성 B형간염 환자 8명의 말초혈액의 단핵구
    를 조사한 결과, 소시호탕이 HBV에 대한 세포 및 체액 면역을 크게 향상시

킬 수 있는 것으로 드러났다. [Kakumu S, Yoshioka K, Wakita T, et al. Effects of TJ-9 Sho-saiko-to (kampo medicine) on interferon gamma and antibody production specific for hepatitis B virus antigen in patients with type B chronic hepatitis. Int J Immunopharmacol, 1991;13(2-3):141-6.]

7. 인터페론 치료를 마친 만성 C형 간염 환자 101명이 참여한 일본의 한 무작위 대조 연구에서는 시험군 49명에 소시호탕을 투약하고, 대조군 52명에 간 보호제를 투약하여 24개월간 추가 치료를 시행하였다. 연구결과 시험군은 대조군에 비해 유의하게 우수한 트랜스아미나제 및 HCV-RNA의 감소 결과를 나타냈다. [中島修, 曽根美好. インターフェロン療法後の C型慢性肝炎に対する小柴胡湯の有用性の検討-第2報-. 臨床と研究, 1998(75):1883-8.]

8. 일본에서의 임상연구에서는 ALT가 80 미만인 C형간염 간경변 환자 156명에 대해서 간 보호요법을 시행하며 다양한 약물이 간암 발병률에 미치는 영향을 관찰했다. 저자는 복합 글리시리진, 우르소데옥시콜산, 소시호탕 및 십전대보탕의 조합이 각각의 단독치료보다 간암 발병률을 더 잘 줄일 수 있음을 발견했다. [多羅尾和郎. C型慢性肝炎からの発癌への肝庇護療法への影響. 臨床消化器内科, 2007(22):961-9.]

9. 일본에서 실시한 무작위 대조 연구에서는 간경변증 환자 260명을 대상으로, 치료군에 간암 예방을 위해 소시호탕을 투여하였다. 관찰기간은 5년이었다. HBsAg가 검출되지 않는 환자가 소시호탕을 복용하면 간암발병률이 현저히 감소하고 5년 생존율이 개선되는 것이 확인되었다. [Oka H, Yamamoto S, Kuroki T, et al. Prospective study of chemoprevention of hepatocellular carcinoma with Sho-saiko-to (TJ-9). Cancer, 1995;76(5):743-9.]

10. 알코올성 간질환 환자 49명이 참여한 일본의 한 무작위 대조 연구에서는 3개월의 관찰기간 동안 24명의 환자에게는 소시호탕을 투여하고, 25명의 환자에게는 소시호탕 합 인진오령산을 투약하였다. 연구 결과 두 치료 모두 증상과 간 기능 개선에 유사한 효과가 있는 것으로 나타났으며, 소시호탕과 인진오령산의 병용은 ALP 감소에 더 큰 영향을 미쳤다. [高橋久雄, 丸山勝也. アルコール 性肝障害に対する漢方薬の臨床. 医学のあゆみ, 1993(167):811-4.]

11. 일본에서 실시한 무작위 대조 연구에서는 다나졸로 인한 간 손상을 대상으로 다나졸 투여 1주일 전 소시호탕을 복용하기 시작한 군과 다나졸과 동시에 소시호탕을 복용한 군의 경과를 비교하였다. 그 결과 소시호탕과 다나

졸의 동시투여는 간손상을 줄일 수 없지만, 소시호탕을 다나졸 복용 일주일 전에 개시하면 다나졸에 의한 간 손상을 크게 줄일 수 있다는 것이 드러났다. [Ya ginuma T, Okamura T, Takeuchi T, et al. Preventive effect of traditional herbal medicine, shosaiko−to, on danazol−induced hepatic dama ge.Int J gynaecol Obstet, 1989;29(4):337−41.]

12. 호흡기 및 소화기 수술을 받은 66명의 환자가 참여한 일본의 한 임상연구에서는 소시호탕의 수술 후 간손상에 대한 치료 및 예방 효과를 관찰하였다. 1군에 배정된 16명의 환자에는 수술 전에만 소시호탕을 투약하였고, 2군에 배정된 17명의 환자에는 수술 전과 후에 모두 소시호탕을 투여했고 3군의 33명 환자에는 약물을 투약하지 않았다. 연구기간 동안 세 군 환자의 임상증상 및 혈액생화학적 지표의 변화를 측정했다. 2군의 임상증상 호전도는 1군보다 나은 결과를 보였다. 3군의 혈액생화학적 지표는 수술 후 증가했으나, 한약을 투여한 1군 및 2군에서는 혈액생화학적 지표의 유의한 증가가 없거나 시간의 경과에 따라 신속하게 정상화되는 결과를 나타냈다. [薄場彰, 高令山, 元木良一. 術後肝障害に対する小柴胡湯の効果. 日本東洋医学雑誌, 1992;43(1):1−12.]

13. 일본의 단일군 연구에서는 21명의 만성 위염 환자에게 소시호탕을 6개월 이상 투약하여 메스꺼움, 구토, 상복부 통증, 복통, 속쓰림, 트림 및 피로감 등의 증상을 개선할 수 있었다고 보고하였다. 추가 연구에 따르면 소시호탕은 헬리코박터 파일로리에 대한 억제 효과가 있는 것으로 나타났다. 내시경상 표재성 위염 환자의 병변은 개선되었으나, 위축성 위염에서는 개선을 확인할 수 없었다. [中島修, 曾根美好. 慢性胃炎に対する小柴胡湯の効果. 日本東洋医学雑誌, 1996;46(4):539−45.]

14. 중국에서 실시한 단일군 연구에서는 소시호탕 가 황련을 40일간 복용한 만성 표재성 위염 환자 86명 중 44례(51.2%)가 완치되었고 27례(31.4%)가 개선되었다고 보고하였다. 총 유효율은 82.6%였다. 추가 분석에 따르면 위열증(97.1%)의 유효율은 간위불화증(84.4%), 비허허한증(52.6%)보다 높았고, 담즙 역류 환자의 유효율(94.4%)은 담즙 역류가 없는 환자(74%)보다 높았다. [吳瑞贤. 小柴胡加黄连汤治疗慢性浅表性胃炎. 中医杂志, 1991(4):30−1.]

15. 일본의 한 증례보고에서는 간 우엽의 거대 간암이 양측 폐에 다발성 전이를 일으킨 상태의 환자에 대한 치험을 소개하였다. 환자는 항암제 UFT를 복약한 후 간기능이 저하되었으나 소시호탕을 병용투약한 후 제반 증상

이 점차 해소되었다. 환자는 소시호탕을 투약한지 4개월 후 알파태아단백 (AFP) 및 PIVKA II 표지자의 수치가 정상 범위로 회복되었으며, 8개월 경과 후에는 흉부 뢴트겐 사진상 간암 폐전이의 소실이 확인되었다. CT 소견상 으로도 우측 간 종양의 복수 및 음영이 소실되었다. 소시호탕을 복용한 후 재발하지 않았다. 가벼운 빈혈을 제외하고 환자는 좋은 전신 상태를 보였다. [林天明, 品川晃二. 画像診断と腫瘍マーカーにより肺内転移を伴う原発性進 行肝癌と診断し, UFT と小柴胡湯による治療が奏効した1例. 日本東洋医学 雑誌, 1995;46(1):69-75.]

16. 일본 증례보고에서는 간경변과 간암으로 진행된 B형간염 증례를 소개하였 다. 환자는 기존의 간 보호제와 인터페론을 투여받은 후에도 여전히 질병이 진행되었고, 이에 소시호탕과 동충하초를 복용하기 시작했다. 환자는 한 달 후 식욕이 정상으로 돌아왔고, 간 기능과 황달 지표가 현저하게 개선되었으 며, 3개월 후 전신 피로가 개선되어 일상생활이 가능하게 되었다. [余頌焯, 余頌涛. 小柴胡湯, 冬虫夏草が奏効した肝硬変, 肝癌の一例. 日本東洋医学 雑誌, 1994;45(2):407-9.]

17. 29명의 간질성 폐렴 환자가 참여한 일본의 한 임상연구에서는 9명의 환자에 게는 소시호탕을 투여하고 20명의 환자는 무처치 대조군으로 두어 경과를 관찰하였다. 그 결과 소시호탕을 복용한 환자 1명에서는 상당한 관해가 있 었고, 3명의 환자에게서 경도의 개선이 관찰되었으며 5례에서는 효과가 없 었다. 대조군에서는 관해가 없었다. [田中裕士, 菅谷文子, 山岸雅彦, 等. 特 発性間質性肺炎に対する小柴胡湯の治療効果の検討, 1995;45(3):587-94.]

18. 국소 글루코코르티코이드를 투약 중인 아토피성 피부염 환자 65명이 참여 한 일본의 한 무작위 대조 연구에서는 시험군에 41명을 배정하고 소시호탕 을 병용투약하였다. 연구결과 소시호탕을 투약한 후 2명의 환자는 스테로 이드 제제 사용을 중단하였으며, 87%의 환자가 스테로이드 사용량이 감소 하였다. 대조군의 경우 62.5%의 환자만이 스테로이드 사용량이 감소하였다. [下田祥由, 橋爪鈴男, 森田昌士, ほか. アトピー性皮膚炎に対するツムラ小柴 胡湯の効果. 皮膚科における漢方治療の現況, 1991(2):15-24.]

19. 일본 증례보고에서는 안면 및 등 피부 병변이 있는 전신성 홍반성 루푸스 환자 1례를 소개하였다. 환자는 항핵항체검사상 1:640의 역가를 보였으며 다른 검사소견은 음성이었다. 흉협고만과 피부발진을 근거로 소시호탕 합 사물탕을 투여하였다. 3개월간의 투약 후 발진이 악화되는 경향이 있었으며

항핵항체 역가는 크게 변하지 않았다. 이에 따라 피부 발진과 발적 및 열에 의해 가려움증이 악화되는 경향성을 고려하여 소시호탕, 황련해독탕 및 의이인을 투약하였다. 그 결과 피부의 발진이 점차 가라앉았고 6개월간의 복용 후에는 피부 병변이 모두 소실되었다. 그 후 한약의 복용량을 줄이자 환자의 증상이 재발하여 다시 기존의 복용량을 다시 투약한 후 증상이 점차 완화되었다. 항핵 항체는 2년간의 투약 후 음성으로 변했다. [新井信, 佐藤弘, 代田文彦. 小柴胡湯合黄連解毒湯加薏苡仁を用いて皮膚症状の改善とともに抗核抗体が陰性化した 전신성 홍반성 루푸스의 1例. 日本東洋医学雑誌, 51(2):247−54.]

20. 沈奮怡. 小柴胡汤为主治疗结节病6例. 中国中西医结合杂志, 1994(8):493−4.

21. 일본에서의 한 증례보고는 진행성의 보행장애와 배뇨장애 및 팔다리의 감각장애를 보이는 사람T세포림프친화바이러스 골수병증 환자 1례의 치험을 소개했다. 이 환자에서는 서양의학적 치료 효과가 좋지 않았다. 흰 설태와 현맥, 중등도의 복력 및 우측의 흉협고만 증상을 바탕으로 소시호탕과립을 7.5 g/d 투여하였다. 투약 당일 환자는 두근거림과 전신쇠약감을 호소하였다. 투약 3일째에는 소시호탕 투여량을 5 g/d로 변경했다. 4일 후 두근거림과 쇠약감이 자연적으로 호전되면서 본래의 주소 증상도 빠르게 개선되었다. 팔다리의 무감각이 개선되고 근력이 증가하였으며, 팔다리의 건반사 및 병리적 반사에는 뚜렷한 변화가 없지만 이전보다 보행이 더 쉬워져서 평지에서 독립적으로 걸을 수 있게 되었다. 저자는 소시호탕의 효과가 항 염증 및 면역 조절 효과, 특히 사이토카인 매개 면역 조절과 관련이 있다고 설명하였다. [増井義一, 大澤伸昭, 吉田麻美, 等. 小柴胡湯が有効であった human T-cell Lymphotropic Virus Type I associated Myelopathy の 1例. 日本東洋医学雑誌, 1995;45(3):609−14.]

22. 일본에서의 한 증례보고는 결절성 홍반과 비후성경막증을 앓는 환자의 치험을 소개하였다. 초진 시 왼쪽 눈 주변의 두통과 미열이 있어 표증으로 진단할 수 있었고 식욕부진, 체중 감소, 지속되는 만성의 염증이 있어 반표반리증으로 볼 수 있었기에 계지탕합소시호탕을 투여하였다. 환자는 약 복용 일주일 후 두통과 미열이 완화되고 결절성 홍반이 퇴축되는 경향을 보였으며 염증 지표도 개선되었다. 이후 소시호탕만을 계속 복용한 결과 1개월 복용 후 염증 지표는 정상 소견으로 회복되었으며, MRI 상으로도 비후성 경막의 소실이 확인되었다. [藤木富士夫, 河野真司, 平田道彦. 小柴胡湯が奏効した結節性紅斑をともなう肥厚性硬膜炎の1例. 日本東洋医学雑誌,

2010;61(1):51-5.]

23. 2017년에 보고된 한약인성 간질성 폐렴에 대한 문헌고찰 연구에서는 59개의 문헌 및 73명의 환자 정보가 포함되었다. 간질성 폐렴을 일으키는 가장 흔한 처방은 소시호탕(간질성 폐렴환자의 26%), 시령탕(16%), 청심연자탕(8%), 방풍통성산(8%) 등이었으며, 이러한 처방에서 가장 일반적으로 사용되는 약물은 황금과 감초였다. 간질성 폐렴의 89%는 한약 복용 후 3개월 이내에 발생했다. 환자의 36%는 약물 중단 후 자발적으로 회복되었고 나머지는 면역억제제 치료가 필요했다. 환자의 18%는 기계적 환기가 필요했고 4명은 사망했다. [Enomoto Y, Nakamura Y, Enomoto N, et al. Japanese herbal medicine-induced pneumonitis: A review of 73 patients. Respiratory InvestIgAtion, 2017;55(2):138-44.]

24. Daibo A, Yoshida Y, Kitazawa S, et al. A case of pneumonitis and hepatic injury caused by a herbal drug (sho-saiko-to). Nihon Kyobu Shikkan gakkai Zasshi, 1992;30(8):1583-8.

25. Homma M, Oka K, Ikeshima K, et al. Different effects of traditional Chinese medicines containing similar herbal constituents on prednisolone pharmacokinetics. Journal of Pharmacy and Pharmacology, 1995(47):687-92.

소청룡탕

경전의 해천병(咳喘病) 처방으로 산한화음(散寒化飮)방으로 활용되어 왔다. 기침과 천식, 상복부의 수음(水飮), 거품을 토하는 증상, 발한 등을 치료하는 효능이 있다. 현대 연구에서는 해열, 천식 완화, 항염증, 항알러지, 부신수질 및 폐의 기능 개선 작용이 확인되어 있다. 오한이 있으면서 입이 마르지 않고 가래와 침, 콧물 등의 분비물의 양이 많으면서 맑은 소견이 특징인 질환에 적용한다.

[경전배방]

마황 三兩(거절한 것), 계지 三兩, 세신 三兩, 건강 三兩, 감초 三兩(구운 것), 작약 三兩, 오미자 半升, 반하 半升(洗). 이들 여덟가지 약물을 물 一斗와 같이 달인다. 먼저 마황을 넣고 二升을 줄인 후, 위에 뜬 거품을 제거하고 남은 약을 넣어 三升까지 달인다. 찌꺼기를 제거하고 一升씩 따뜻하게 복용한다. 복용 후 입이 약간 건조한 정도까지 둔다.(《傷寒論》《金匱要略》)

[경전방증]

상한으로 표가 풀리지 않고 심하에 수기(水氣)가 있어 헛구역질을 하고 열이 나면서 기침이 나오며 갈증이 나거나 설사가 있고 목이 메면서 소변이 잘 나오지 않고 아랫배가 그득하거나 숨이 가쁘다(《傷寒論》40조). 상한으로 심하에 수기(水氣)가 있고 기침을 하면서 숨이 약간 가쁘고 열이 나는데 갈증은 없다(《傷寒論》41 조). 일음(溢飲)이 있는 경우에는 발한법을 써야 한다(《金匱要略》 十二). 치받아오르는 심한 기침으로 누워있을 수조차 없다(《金匱 要略》十二). 부인이 거품을 토한다(《金匱要略》二十二).

[추천 처방]

건강 10 g, 세신 10 g, 오미자 10 g, 계지 10 g, 자감초 10 g, 백작 약 10 g, 자마황 10 g, 강반하 10 g. 이들을 물 1,000 mL와 같이 달 인다. 뚜껑을 열고 달여 300 mL가 되면 두세 차례에 나누어 따뜻 하게 복용한다.

[방증제요]

기침이 있으면서 코맹맹이 소리가 나고 물처럼 맑은 가래와 콧 물이 다량 나오면서 입은 마르지 않는 경우

[적용 환자군]

얼굴이 청회색인 경우가 대부분이며 극히 소수의 환자가 얼굴 이 붉고 번들거린다. 얼굴이 매우 어두운 빛이고 눈 주변이 푸르 스름한 경우도 있으며, 얼굴이 붓고 눈밑도 도톰하게 솟아오른 모 습이 보이기도 한다. 기침과 천식이 있고 많은 양의 콧물과 가래 가 나오는데 물처럼 흐르거나 달걀 흰자처럼 투명하기도 하고 거 품이 나기도 한다. 설태와 설면은 축축하게 젖어있고 입안에 맑은 침이 많이 고이며 입마름이 없다. 피곤하고 몸이 무거우며 움직이

는 것을 좋아하지 않고, 움직이면 숨이 차오른다. 찬기운을 싫어하는데 특히 등이나 가슴의 찬 느낌을 뚜렷하게 호소한다.

[적용 병증]

아래의 병증과 위에 서술한 환자군의 특징이 부합하는 경우에 처방의 투약을 고려할 수 있으며, 또한 근거기반의학적 근거에 따른 진단을 통해서도 처방을 활용할 수 있다.

1. 맑은 가래가 특징인 기침과 천식. 급만성기관지염(A)[1], 기관지천식(A)[2,3], 만성폐쇄성폐질환 등

2. 맑고 양이 많은 눈물과 콧물이 나타나는 질환. 화분증(A)[4], 알러지 비염(A)[6], 바이러스성결막염, 누낭염

3. 부종 또는 국소부종이 나타나는 질환. 특발성 부종, 성대부종, 삼출성중이염(A)[7], 음낭수종, 급성 폐수종 등

[가감 및 합방]

1. 번조나 입마름에는 생석고 15 g을 더한다.

2. 몸이 약하고 가슴이 두근거리며 천식으로 숨이 차는 경우 마황을 제외한다.

3. 만성 기관지천식으로 얼굴이 누런빛이며 근육이 힘이 없어 이완되어 있고 부종이 보이는 경우 옥병풍산을 합방한다.

4. 스테로이드 제제를 장기간 복용하였고 얼굴이 회색빛인 경우 부자 10 g을 더한다.

[주의사항]

1. 이 처방의 복용 후 입마름과 갈증이 나타나는 것은 정상적인 반응이므로 차가운 물이나 과일을 먹지 않도록 한다.

2. 체질적으로 여위고 허약한 환자는 이 처방을 많이 복용해서는 안되며, 증상이 개선된 이후에는 계지감초용골모려탕이나 생맥산 등의 처방으로 변경하여 투약할 수 있다.

3. 이 처방은 장기간 복용해서는 안 된다. 신부전 환자에게는 신중하게 투약하거나 투약을 금한다.

[각주]

1. 경증 및 중등도의 기관지염 환자 192명이 참여한 일본의 한 무작위 대조 연구에서는 시험군 101명에 소청룡탕을 7일간 투여하고, 대조군 91명에는 위약을 투여했다. 연구결과 소청룡탕 투여군의 전체 유효율이 더 높고(57.4% 대 42.9%, P=0.06) 기침 및 객담 증상과 환자의 삶의 질 개선이 더 뚜렷한 것으로 나타났다. 추가 분석에 따르면 체력에 문제가 없고 기침과 물같은 가래가 나오는 환자에서 더 현저한 효과가 나타났다. [宮本昭正, 井上洋西, 北村諭, ほか. TJ-19 ツムラ小青竜湯の気管支炎に対する Placebo 対照二重盲検群間比較試験. 臨床医薬, 2001;17:1189-214.]

2. 69명의 기관지천식 환자의 경과를 관찰한 일본의 한 단일군 연구에서는 기존 기관지 확장제에 소청룡탕을 4-8주 병용투약하여 기침, 천명음, 객담, 비강 분비물, 재채기 및 수면 증상이 개선되었다. 소청룡탕 투여를 통해 뚜렷한 효과가 나타난 환자는 18.8%, 중등도 이상의 효과를 보인 환자는 52.2%, 경도 이상의 개선을 보인 환자들은 79.9%였다. [江頭洋祐, 吉田稔, 長野準. 気管支喘息に対する小青竜湯の臨床効果. 日本東洋医学雑誌, 1995;45(4):859-76.]

3. 불안 증상을 동반하는 기관지천식 환자 139명이 참여한 일본의 한 무작위 대조 연구에서는 각각 시박탕 투여군에 71명, 소청룡탕 투여군에 68명을 배정하고 24주간 투약을 시행하였다. 이 연구에서는 시박탕이 소청룡탕에 비

해 뚜렷한 효과가 있는 것으로 나타났다. 두 그룹의 전체적인 개선율은 각각 66.2%와 7.3%였다. [西澤芳男, 西澤恭子, 吉岡二三, ほか. 漢方薬の抗不安作用に基づく気管支喘息患者の症状悪化の改善効果: 柴朴湯と小青竜湯の無作為比較試験. 日本東洋心身医学研究, 2003(18):11–7.]

4. 경증의 화분증 환자 29명이 참여한 일본의 한 무작위 대조 연구에서는 꽃가루가 날리기 전 예방을 목적으로 15명의 환자에게는 소청룡탕을 투여하고, 14명의 환자에게는 케토티펜을 투여했다. 그 결과 두 약물 모두 알러지성 비염(각각 66.7%, 64.3%), 재채기(각각 66.7%, 64.3%), 콧물(60%, 57.1%), 코막힘(86.7% 및 85.7%)에 효과적이며, 두 약물의 증상 개선 효과가 비슷한 것으로 나타났다. [大屋靖彦. スギ花粉症に対する小青竜湯の季節前投与の有効性について. 漢方診療, 1991(10):42–8.]

5. 화분증으로 진단되었고 허증이 없는 것으로 확인된 94명의 환자가 참여한 일본의 한 무작위 대조 연구에서는 45명의 환자에게는 소청룡탕을 투약하고 49명의 환자에게는 월비가출탕을 투약하였다. 그 결과 두 처방 모두 눈의 가려움증(각각 55.6%, 65.3%), 눈물(13.3%, 16.3%), 콧물(53.3%, 67.3%)의 개선 등 지표에서 양 군간 효과율이 비슷한 것으로 나타났다. 단, 소청룡탕의 콧물 개선 효과가 더 나았다. [森壽生, 嶋崎讓, 倉田文秋, ほか. 春期アレルギー性鼻炎(花粉症)に対する小青竜湯と越婢加朮湯の効果−両剤の効果の比較検討−. [Therapeutic Research, 1997(18):3093–9.]

6. 만성 알러지 비염 환자 220명이 참여한 일본의 한 무작위 대조 연구에서는 시험군으로 배정된 110명의 환자에 소청룡탕을 2주간 투약했으며, 대조군 환자 110명에게는 위약이 주어졌다. 그 결과 소청룡탕 투여군의 뚜렷한 유효율 및 일반적 유효율은 각각 12.0%, 32.6%로 위약군의 5.3%, 12.8%에 비해 유의하게 우수한 결과를 보였다. 소청룡탕은 재채기, 콧물, 코막힘 증상을 유의하게 개선시켰다. [馬場駿吉, 高坂知節, 稲村直樹, ほか. 小青竜湯の通年性鼻アレルギーに対する効果−二重盲検比較 試験−. 耳鼻咽喉科臨床, 1995(88):389–405.]

7. 급성 삼출성 중이염 환자 34명이 참여한 일본의 한 무작위 대조 연구에서는 시험군(20명 환자, 28개의 귀)에는 소청룡탕 합 월비가출탕을 투여했고 대조군(14명 환자, 18개의 귀)에는 카보시스테인과 클라리트로마이신을 투여하였다. 그 결과 소청룡탕 합 월비가출탕 투여군에서 대조군에 비해 유의한 개선효과가 확인되었다(75.0% 및 38.9%). 또, 소청룡탕 합 월비가출탕 투

여군에서 고실 기능 곡선 및 고실 삼출이 더 개선되었으며 치료효과도 보다 신속하게 나타났다. [井上裕章. 成人滲出性中耳炎急性例に対する小青竜湯·越婢加朮湯併用投与の速効性. 耳鼻と臨床, 2001(47):361-6.]

소함흉탕

경전의 결흉병(結胸病) 처방이며 청열화담(淸熱化痰)방으로 활용
되어 왔다. 가슴통증과 끈적이는 가래 및 변비를 치료하는 효능이
있다. 흉복부의 통증이 있고 가래가 누렇고 끈적거리며 변비가 있
는 소견이 특징적인 질환에 적용한다.

[경전배방]

황련 一兩, 반하 半升(洗), 과루 大者 一枚. 이 세가지 약물을
물 六升과 같이 달인다. 먼저 과루를 달여 三升을 취한 뒤 찌꺼기
를 제거하고 남은 약을 넣어 二升이 되도록 달인다. 찌꺼기를 제
거하고 세 차례에 나누어 따뜻하게 복용한다.(《傷寒論》)

[경전방증]

소결흉병은 바로 심하(心下)에 있고 누르면 아프며 맥은 부활(浮
滑)하다(《傷寒論》138조).

[추천 처방]

황련 5 g, 강반하 15 g, 전과루 40 g. 이들을 물 1,000 mL와 같이
달여 탕액이 300 mL가 되도록 한 뒤 두세 차례에 나누어 따뜻하게
복용한다.

[방증제요]

가슴이 답답하면서 통증이 있고 누런 가래를 토하며 변비와 윗배를 누르면 아프면서 맥은 부활(浮滑)한 경우

[적용 환자군]

얼굴이 붉고 기름기가 번들거리며 심리적으로 불안초조하다. 가슴이 답답하고 통증이 있으며 기침과 천식이 동반되고 가래는 누런색으로 찐득거리고 양이 많다. 설질은 붉고 설태는 누렇고 질척거리며 맥은 부활(浮滑)하다. 검상돌기 아래에서 윗배에 저항감과 통증이 있다. 식욕부진과 오심구토가 나타나기도 하며 잘 풀리지 않는 변비나 심번 및 어지러움, 불면 등도 간혹 보인다.

[적용 병증]

아래의 병증과 위에 서술한 환자군의 특징이 부합하는 경우에 처방의 투약을 고려할 수 있으며, 또한 근거기반의학적 근거에 따른 진단을 통해서도 처방을 활용할 수 있다.

1. 윗배의 통증과 변비가 나타나는 질환. 담낭염, 췌장염, 담즙역류성위염, 급만성위염, 유문협착, 급성식도염, 역류성식도염

2. 가슴이 답답하면서 기침과 누런 가래가 나오는 질환. 감기, 흉막염, 폐렴, 기관지염, 천식, 기관지확장, 자발성 기흉, 부비동염, 유방질환 등

3. 어지러움과 두통이 나타나는 질환. 고혈압, 관상동맥질환, 당뇨, 현훈 등

[가감 및 합방]

1. 오심과 구토에는 죽여 10 g, 생강 15 g을 더한다.

2. 가래가 끈끈해서 단단하게 엉겨붙는 경우 길경 15 g을 더한다.

3. 가슴통증이 있거나 심와부가 답답하고 단단하게 긴장되면서 통증이 있는 경우 지실 10 g, 지각 10 g을 더한다.

4. 관상동맥질환 및 협심증에는 총백 15 g, 천궁 15 g을 더한다.

5. 가슴과 옆구리 통증이 심한 경우 사역산을 합방한다.

6. 입안에 쓴맛이 돌고 한열이 왕래하는 경우 소시호탕을 합방한다.

7. 기침과 천식에는 마행감석탕을 합방한다.

[주의사항]

1. 환자에 따라 이 처방을 복약한 후 설사가 나오거나 대변에 점액이 섞이는 경우가 있다. 이 소견은 전통적으로 담(痰)이 배출되는 것으로 인식되어 왔으므로 긴장할 필요가 없다.

2. 환자가 무른변을 본다고 하거나 설질의 색이 옅은 경우 신중하게 투약한다.

속명탕

고대의 풍비병(風痱病) 처방이며 거풍산한(祛風散寒)방으로 활용되어 왔다. 병약한 상태이면서 혀가 마비되었거나 근무력, 이상감각, 기침, 천식 등의 소견이 나타나는 경우를 치료하고 뇌혈류를 개선하는 효능이 있다. 현대 연구에서는 신경세포를 허혈성 손상에서 보호하는 작용이 확인되어 있다. 팔다리의 마비와 이상감각에서 언어장애에 이르는 임상소견이 돌발적으로 나타나는 질환에 적용한다.

[경전배방]

마황, 계지 , 당귀, 인삼, 석고, 건강, 감초 三兩, 천궁 一兩, 행인 四十枚, 이 아홉가지 약물을 물 一斗에 같이 달여 四升이 되면 一升을 따뜻하게 복용하여 약간 땀이 나도록 한다. 얇은 이불을 등에 대고 앉아 땀을 내서 낫도록 한다. 땀이 나지 않는다면 다시 복용한다. 금하는 바는 없으나 바람을 쐬지는 말아야 한다.(《金匱要略》附方:《古今錄驗方》-小續命湯)

[경전방증]

중풍(中風)으로 비(痱)가 생겨 몸을 스스로 움직일 수 없고 말을 할 수도 없으며 머리에 무엇인가 씌운 듯이 멍해서 아픈 곳을 알지 못하고 손발이 당기며 돌아눕지도 못하는 것을 치료한다. 엎

드려 누울 수 없고 기침이 심하여 기가 치받아 오르며 얼굴과 눈이
붓는 것도 치료한다(《金匱要略》五).

[추천 처방]

마황 15 g, 계지 15 g, 당귀 15 g, 인삼 15 g, 생석고 15 g, 건강
15 g, 자감초 15 g, 천궁 5 g, 행인 15 g. 이들을 물 1,000 mL와 같
이 달여 300 mL가 되도록 한 뒤 두세 차례에 나누어 따뜻하게 복
용한다.

[방증제요]

몸을 스스로 지탱할 수 없고 말을 할 수도 없으며 아픈 곳이 불
분명하면서 당겨 돌아눕기가 힘든 경우

[적용 환자군]

중후하고 건장한 체격으로 얼굴색은 누렇고 어두우며 피부는
거칠고 건조하면서 붓는 소견이 보인다. 땀은 적으며 두통이나 목
덜미와 등의 시린 통증이 나타나는 경우가 있고 몸에 당기는 느낌
이 들면서 관절통증이 나타난다. 가래끓는 소리가 나는 기침을 하
기도 한다. 지연반응을 보이며 말을 더듬거나 보행 및 삼킴이 곤
란하기도 하다. 입에 침이 많이 고이며 설태는 희고 질척거리거나
물기가 축축하다. 추운날씨로 찬기운에 갑작스럽게 노출된 것이
원인이다.

[적용 병증]

아래의 병증과 위에 서술한 환자군의 특징이 부합하는 경우에 처방의 투약을 고려할 수 있으며, 또한 근거기반의학적 근거에 따른 진단을 통해서도 처방을 활용할 수 있다.

1. 급성이완성마비나 다른 원인에 의한 마비. 길랑바레증후군, 급성척수염, 뇌간뇌염, 저칼륨혈증, 신경근염, 안면신경마비 등

2. 돌발성 언어장애 및 삼킴장애가 나타나는 질환. 뇌졸중(A)[1], 뇌종양 등

3. 지각장애 및 감각이상이 나타나는 질환. 신경근염, 길랑바레증후군, 다발성경화, 만성뇌출혈, 모야모야병[2]

4. 신경병증성 통증을 동반하는 근육긴장이상 소견이 나타나는 질환. 파킨슨 증후군, 중풍후유증, 류마티스관절염, 통풍 등

5. 기침, 안면부종, 기관지염, 천식, 폐렴 등

[가감 및 합방]

1. 이 처방에서 인삼을 제외하고 황금을 더하여 서주속명탕(西州續命湯)이라 부른다. 풍습(風濕)에 의한 허리 및 다리의 긴장과 통증을 치료한다.

2. 이 처방에서 당귀를 제외하고 부자, 방풍, 백작약, 방기, 황금을 더하여 천금소속명탕(千金小續命湯)이라 부른다. 뇌졸중으로 죽을 것 같은 느낌이 들면서 몸이 굳고 입과 눈이 틀어지며 혀가 굳어 말을 하지 못하는 소견 등이 갑자기 발병하여 심리적으로 우울한 상태를 치료한다.[3]

3. 徐靈胎의 경험에 따르면 소속명탕에서 부자와 계지를 제외하고 대황을 더하면 담화(痰火)에 의한 중풍을 치료한다고 한다.

[주의사항]

뇌출혈로 혈압의 상승폭이 크고 맥대이경(大而硬)한 경우에는 신중히 투약한다.

[각주]

1. 2013년의 메타분석에서는 서양의학적 요법과 비교하여 소속명탕이 급성 뇌졸중의 치료에 보다 우수한 효과가 확인되었으며, 증상과 신경기능을 더 잘 개선시킬 수 있을 것이라고 보고하였다. [Fu D L, Lu L, Zhu W, et al. Xiaoxuming decoction for acute ischemic stroke: A systematic review and meta-analysis. Journal of Ethnopharmacology, 2013;148(1):1–13.]

2. 자발성 기저동맥 폐색이라고도 알려진 모야모야병은 뇌혈관 협착 및 폐색, 뇌허혈 및 뇌출혈을 주요 증상으로 하는 질환이다. 일본에서의 증례보고에 따르면 머리가 무거워지고 육체적, 정신적 피로를 호소하는 54세 남성 환자가 모야모야병으로 진단받았는데, 기존 치료에 실패한 후 어혈증으로 진단받아 소속명탕과 계지복령환으로 치료한 결과 증상이 호전되었다고 한다. [Hiyama Y, Itoh T, Shimada Y, et al. A Case Report of Moyamoya Disease: Successfully Treated With Chinese Medicine. The American Journal of Chinese Medicine, 1992;20(3n4):319–24.]

3. 일본의 한 후향적 연구에서는 소속명탕이 효과적이었던 사례와 효과적이지 않았던 사례 사이의 임상적 차이를 분석하여 소속명탕증을 제안하였다. 1) 뇌혈관장애, 근육 긴장성 두통, 비정형적인 안면 통증, 특발성 안면신경마비, 신경염, 자율신경장애, 골수염, 척수기능장애, 안검경련, 다발성 경화증, 다발성 관절염 등은 한의학에서 '풍사(風邪)'의 침입에 의한 질환으로 간주된다. 2) 안색창백, 사지궐냉 등 소음병 혹은 허한증상이 없으나, 병증이 한랭에 의한 것이거나 한랭에 의해 가중되며, 환자가 따뜻한 자극을 좋아하고 맥이 침약하며 구갈은 없고 내열이 있는 경우 상열하한경향이 나타날

수 있다. 단, 하지부에는 번열감이 발생하지 않는다. 3) 혀가 크게 부어있으면서 심하비경이 있는 것이 본 방증에서 가장 중요한 징후이다. 4) 두통이 일어나는 부위가 후뇌(hindbrain)를 중심으로 분포하며, 이와 더불어 어깨결림과 근긴장성 두통이 있는 것이 처방의 주요 목표증상이 된다. 측두부, 전액부, 두정부의 두통으로 혈관성 소인이 명확한 정황이라면 이 처방을 쓸 일이 적다. 5) 소속명탕은 쉽게 감기에 걸리는 사람에게는 권장하지 않는 처방이다. 6) 심각한 수면장애, 식욕부진, 심각한 변비 또는 설사, 가슴통증, 천명음, 심계항진, 복통 등이 있다면 본 처방을 주의하여 사용한다. [寺澤捷年, 土佐寬順, 檜山幸孝, 等. 小続命湯に関する一考察(II)−小続命湯の適応病態. 日本東洋医学雑誌, 1986;37(1):1−7.]

시령탕

고대의 학질 치료 처방이며 화해(和解)방으로 활용되어 왔다. 해열, 이수, 지사, 소종 효능이 있다. 현대 연구에서는 항염증, 이뇨, 면역조절, 스테로이드 유사 작용 등이 확인되어 있다. 더웠다 추웠다 하고 입이 마르며 설사 및 소변이상 등이 나타나는 소견이 특징적인 질환에 적용한다. 현대에는 자가면역과 관련한 질환에 많이 사용된다.

[원서배방]

시호 一錢六分, 반하 七分(7번 탕포한 것), 황금, 인삼 감초 각 六分, 백출, 저령, 복령 각 七分半, 택사 一錢二分半, 계지 五分. 이 약물들을 물 二盞, 생강 三片과 같이 달여 一盞이 되도록 한 뒤에 따뜻하게 복용한다.(《丹溪心法附餘》)

[원서의 방증]

발열, 설사, 리허를 치료한다(《丹溪心法附餘》). 상한의 설사와 발열을 치료한다(《仁齊直指方論》). 상풍, 상서, 학질에 매우 효과적이다(《世醫得效方》). 발진, 설사, 소변불리를 치료한다(《保嬰撮要》). 열다한소한 학질, 입마름, 심번, 수면부족을 치료한다(《保嬰撮要》). 발열 중 구강건조, 잦은 설사에 시령탕 하루분의 효과는 매우 뛰어나다(《醫學傳心錄》). 설사, 발열, 입마름, 리허증을 치료한다(《雜病廣要》).

[추천 처방]

시호 20 g, 황금 10 g, 강반하 10 g, 생쇄삼 5 g, 생감초 5 g, 백출 20 g, 복령 20 g, 저령 20 g, 계지 15 g, 택사 20 g, 건강 10 g, 홍조 20 g. 이상의 약물을 물 1,200 mL에 넣어 300 mL가 되도록 달인 뒤 두세 차례에 나누어 따뜻하게 복용한다. 복용 후 바람을 피하도록 하고 찬 음식을 먹지 않는다. 따뜻한 물을 마시고 약간 땀을 내면 더 좋다.

[방증제요]

더웠다 추웠다하며 입이 마르고 설사와 소변이상 등이 동반되는 경우

[적용 환자군]

누런 안색과 부은 용모를 보이며 색소반이 보이는 경우도 있다. 혀가 통통하고 커서 주변에 치흔이 있다. 오풍, 오한이 있고 피부가 가렵거나 홍진이 있다. 전신 통증을 호소하는 경우도 있다. 식욕부진이 있으며 갈증이 있지만 물을 마시지는 않고 물을 마시더라도 토하기도 한다. 트림과 복부팽만, 오심 및 구토가 있으며 설사를 하거나 풀어지는 대변을 본다. 소변불리 혹은 사지의 부종, 혹은 체강내 삼출액이 있는 환자에 활용 가능하다.

[적용 병증]

아래의 병증과 위에 서술한 환자군의 특징이 부합하는 경우에 처방의 투약을 고려할 수 있으며, 또한 근거기반의학적 근거에 따른 진단을 통해서도 처방을 활용할 수 있다.

1. 부종이 나타나는 질환. 1) 만성간염(A)[1], 간경화복수, 간경화에 의한 경직성, 통증성 근육경련(B)[2] 등 간질환. 2) 급성신염(B)[3], 미만성 메산지움증식성 IgA신염(A)[4], 성인 IgA신증(A)[5], 신증후군(B)[6], 신장 아밀로이드증[7], 신이식 후 단백뇨(B)[8], 특발성 혈뇨(A)[9], 백혈병 등 악성종양에서의 보조치료(A)[10] 등과 관련이 있는 신장질환, 3) 노인성 하지부종(B)[11], 방사선요법 후 주변조직부종(B)[12,13], 수술 후 국소부종(A)[14-16], 독사 교상 후 부종[17], 악성종양으로 인한 복수(B)[18], 황반부종, 급성뇌경색(A)[19], 임신성 부종(B)[20], 임신중독증(B)[21], 심부전[22] 등

2. 발열, 설사가 나타나는 질환. 여름 감기, 위장염(A)[23,24], 가을 설사, 궤양성대장염, 크론병[25] 등

3. 자가면역성 질환. 쇼그렌증후군, 류마티스성 관절염(A)[26,27], 전신성홍반성낭창[28], 하시모토병, 피부근염, 성인 스틸씨병[29], 자가면역성간염[30], 원발성담즙성간경화[31], 특발성혈소판감소성자반증[32], Evans증후군[33] 등

4. 자가면역성 피부질환. 심상성건선(A)[34], 심상성천포창[35], 호산구성 농포성 모낭염[36], 결절성 낭성 여드름[37], 천공 농양성 두부모낭염 및 모낭주위염[38], 피부 켈로이드(A)[39] 등

5. 임신 중 자가면역 질환. 면역성 습관성유산(A)[40-42], 거대융

모막하혈종[43], 다낭성난소증후군(B)[44,45] 등. 장기이식 후 거부반응에 시령탕을 투여하는 것과 관련한 연구도 진행되었다.

6. 비뇨기계 섬유화질환(B)[46]. 경화성지방육아종, 음경해면체경화증, 복막후섬유화, 출혈성방광염, 전립선비대수술 후 요도협착 예방[47], 전립선비대에 의한 빈뇨(B) 등[48]

7. 이비인후과 질환. 삼출성 중이염(A)[49], 난청(A)[50,51], 포도막염(B)[52,53] 등

[가감 및 합방]

1. 피부의 가려움증 및 관절과 근육 통증이 있을 경우 형개 15 g, 방풍 15 g을 더한다.

2. 배가 그득하면서 트림이 나오는 경우 반하후박탕을 합방한다.

3. 과소월경에는 당귀작약산을 합방한다.

[주의사항]

1. 일부 환자에서 설사가 심해질 수 있다. 계속 복용하면 개선된다.

2. 복약 후 찬물을 마시지 않는다. 목이 마르면 따뜻한 물을 마시는 것이 좋다.

3. 일본에서는 이 처방에 의한 폐손상(B)[54], 간손상[55] 등이 보고되었다.

4. 시령탕과 당질코르티코이드의 병용투여가 당질코르티코이드 약물농도에 영향을 주지 않는다는 연구가 있다.[56]

[각주]

1. 만성 B형간염 환자 100명이 참여한 일본의 한 무작위 대조 연구에서는 시령탕이 간보호제(프로페팔정)와 비교시 간 기능에 유사한 영향을 미치는 것으로 나타났다. [佐々木大輔, 須藤利之, 国兼誠, ほか. 慢性肝炎に対するカネボウ柴苓湯エキス細粒の有用性の検討–封筒法比較試験による調査. Progress in Medicine, 1989(9):2923–37.]

2. 일본의 단일군 연구에서는 간경변에 의한 경직성 통증성 근육경련 환자 7례에 대해 시령탕 투여 후 6명의 환자가 증상이 개선되었으며 유효했던 사례에서는 통상 2주 내 효과가 나타났다고 보고하였다. [中尾昌弘, 平野东桓, 平谷定彦, 等. 慢性肝疾患とくに肝硬変にみられる硬直性有痛性筋痙攣(こむら返り)に対する柴苓湯の使用経験. 日本東洋医学雑誌, 2009;60(1):78–80.]

3. 만성 사구체신염 환자 22명이 참여한 일본의 전향적 임상연구에서는 단백뇨 치료 효과를 관찰할 목적으로 12명의 환자에게는 시령탕 및 카모스타트를 병용투여하였고, 10명의 환자에게는 시령탕만을 투여하였다. 연구 결과 시령탕 단독 투여는 효과가 있었으나 약효가 나타나기까지 효과가 느렸고 (8주 후) 재발율이 높았다. 이에 비해 병용요법은 빠른 효과(2주 후)와 함께 명백한 부작용 없이 효과가 장기 지속되는 것으로 나타났다. [秋山雄次, 大野 修嗣, 藤卷敏久, 等. 慢性糸球体腎炎に対するメシル酸カモスタットと柴苓湯の併用療法について. 日本東洋医学雑誌, 1996;47(3):405–10.]

4. 일본에서 진행된 전향적 무작위 대조 연구에서 신규 진단된 미소 메산지움 증식이 나타난 소아 IgA신증 환자 101례에 대해 시령탕 치료군 50례 중 46례가 2년간 치료를 완료하였으며, 대조군 51례 중 48례가 치료를 완료하였다. 연구 결과 시령탕은 환자의 단백뇨와 혈뇨를 유의하게 개선하고 소변의 정상화율을 높였다. [吉川徳茂, 伊藤拓, 酒井糾, ほか. 巣状・微小メサンギウム増殖を示す小児期 IgA 腎症における柴苓湯治療のプロスペクティブコントロールスタディ. 日本腎臓学会誌, 1997(39):503–6.]

5. 일본에서 실시한 무작위 대조 연구에서 IgA신증 환자 44명을 대상으로 시령탕 투여군 22명, 딜티아젬 투여군 22명으로 나누어 24주 치료를 시행하였다. 그 결과 시령탕이 단백뇨를 현저히 감소시킬 수 있는 것으로 나타났다 [猿田享男, 小西孝之助. 腎疾患に対する漢方薬の効果–柴苓湯を中心に. 21世紀の医療と漢方, 1994:157–65.]

6. 중국의 단일군 연구에서는 글루코코르티코이드 의존성 신증후군 환자 69 명에 대해서 시령탕 병용 37례, 사이클로포스파미드(cyclophosphamide) 병용 32례의 경과를 관찰하였다. 이 연구에서 시령탕은 질병의 재발을 줄이고 스테로이드 투여량을 줄이며 임상적 효과는 사이클로포스파미드와 유사하다는 것이 드러났다. [Liu XY. Therapeutic effect of chai-ling-tang (sairei-to) on the steroid-dependent nephrotic syndrome in children. Am J Chin Med, 1995;23(3-4):255-60.]

7. 일본에서의 증례보고에서는 신장 아밀로이드증을 동반한 만성 류마티스관절염 환자를 소개하였다. 주요 증상은 단백뇨와 현미경적 혈뇨였으며 2주 동안 시령탕을 투약한 후 증상이 모두 개선되었다. 약 1년의 치료 후 단백뇨와 미세혈뇨는 완전히 소실되었다. [浅岡俊之, 鈴木輝彦, 瀧浪慎介. 慢性関節リウマチに伴う2次性腎アミロイドーシスの蛋白尿, 血尿に柴苓湯が著効した1症例. 日本東洋医学雑誌, 1999;49(4):647-52.]

8. 일본에서는 신장이식 후 단백뇨가 발생한 11명의 환자를 대상으로 시령탕의 효과를 관찰하기 위한 단일군 연구를 수행하였다. 해당 연구에서 4명의 만성 거부반응 환자는 효과를 보이지 못했고, 거부반응이 없었던 7명의 경우 3명에서 단백뇨 호전이 있었고 1명은 신기능이 개선되었다. [国方聖司, 石井德味, 秋山隆弘, 等. 腎移植術後の蛋白尿に対する柴苓湯投与の効果. 日本東洋医学雑誌, 1995;45(4):911-7.]

9. 특발성 혈뇨 환자 82명이 참여한 일본의 한 무작위 대조 연구에서는 시험군에 배정된 50명의 환자에 28일간 시령탕을 투여하고, 대조군 32명에는 별도의 처치를 하지 않았다. 이 연구에서는 시령탕이 혈뇨를 현저히 완화시킬수 있는 것으로 나타났다. [鈴木康之, 町田豊平, 小野寺昭 一, ほか. 特発性血尿に対する柴苓湯の臨床効果. 泌尿器外科, 1994(7):325-7.]

10. 일본에서 실시한 무작위 대조 연구에서 화학요법을 받고있는 217명의 암 환자 중 80명에게 시령탕을 투여했다. 이 연구에서 시령탕은 신기능을 보호하며 메스꺼움, 피로, 구토, 설사 및 기타 증상에도 효과적이라는 사실이 확인되었다. 그러나 골수억제에는 완화 효과가 없었다. [大川順生, 戎野庄一, 渡辺俊幸, ほか. 泌尿器科領域におけるツムラ柴苓湯による抗癌剤副作用緩和に及ぼす臨床的効果の検討. Biotherapy, 1990(4):1445-60.]

11. 일본에서 실시한 무작위 대조 연구에 따르면 발등 부종이 있는 고령 환자 43명에서 시령탕과 오령산을 각각 투여한 결과 두 처방의 효과는 비슷한

수준이었다(약 60%). 그러나 오령산은 허증 환자에 더 효과적인 것으로 나타났다. [石岡忠夫. 高齢者の軽度足背浮腫に対する五苓散と柴苓湯の体力差を考慮した効果比較漢方の臨床, 1997(44):1091-5.]

12. 일본의 한 증례보고에서 방사선치료 후 방사선 괴사 및 말초 부종이 나타난 환자의 치험례를 소개했다. 환자는 양약 경구투여 치료에 큰 호전이 없었다. 저자는 과거 두개내 부종에서 오령산이 효과적이었던 경험과 함께 환자에게서 명백한 우측 흉협고만이 확인되었고, 방사선치료 후 두개내 조직의 괴사 및 염증이 소양병기에 해당한다고 해석하여 소시호탕과 오령산을 합방한 시령탕을 투여하였다. 복약 9개월 후 두부 MRI에서 두개내 부종이 현저하게 개선되었으며 운동성 실어증의 증상도 감소했다. [原田佳尚, 松村耕三, 新井一. 定位放射線治療後の放射線脳壊死の周辺浮腫に柴苓湯が有効であつた1例. 日本東洋医学雑誌, 2018;69(2):140-4.]

13. 일본에서의 연속증례보고에서 두경부 종양으로 방사선치료를 받은 후 림프부종이 있는 4명의 환자의 치험례가 소개되었다. 이들에게 시령탕을 투여한 후 2례에서 완전관해가 이루어졌다. 방사선치료 시작 후 초기에 시령탕을 투여한 경우에 효과가 있었다. [Nagai A, Shibamoto Y, Ogawa K. Therapeutic Effects of Saireito (Chai-Ling-Tang), a Traditional Japanese Herbal Medicine, on Lymphedema Caused by Radiotherapy: A Case Series Study. Evidence-based Complementary and Alternative Medicine, 2013(6911):241629.]

14. 일본에서는 후천성 안검하수증 환자 49명이 참여하는 전향적 비무작위 임상연구가 이루어졌다. 이 연구에서는 수술 후 난치성 부종이 발생한 안검 80개의 경과를 관찰하였다. 별다른 치료를 하지 않을 경우 안검의 부종이 8주 이상 지속될 수 있으나, 시령탕을 복용하는 경우에는 부종이 현저하게 감소하였으며 수술 후 8주간 복약을 지속하는 경우 부종은 모두 소실되었다. [Naoki M, Natsuko K, Toshihito M, et al. The Effectiveness of Saireito, a Traditional Japanese Herbal Medicine, in Reducing Postoperative Edema after Acquired Ptosis Surgery: A Prospective Controlled Trial.Evidence-Based Complementary and Alternative Medicine, 2018:1-8.]

15. 일본에서 실시한 무작위 대조 연구에 따르면 고관절치환술을 받은 17명의 환자에 대해 수술 2일 전부터 수술 2주까지 8명의 환자에 대해 시령탕을 투여한 경우 대조군과 비교하여 수술 후 허벅지 부종 및 전신염증이 현저하게 개선되었다. [Y.Kishida, H.Miki, T.Nishii, et al. Therapeutic effects of Saireito

(TJ-114), a traditional Japanese herbal medicine, on postoperative edema and inflammation after total hip arthroplasty. Phytomedicine, 2007(14):581-6.]

16. 외상 및 수술에 의한 하지부종 환자 64명이 참여한 일본의 한 무작위 대조 연구에서는 시험군에 배정된 38명의 환자에게 시령탕을 투여하였고, 대조군 26명에는 별도의 처치를 하지 않았다. 연구 결과 시령탕의 투여는 부종의 해소를 크게 가속화할 수 있으며 부종 해소의 중앙값이 59.4일에서 15.8일로 감소하는 것으로 나타났다. 또한 수술 이전에 시령탕을 복용하면 효과가 보다 우수하였고 10명의 환자는 하지부종이 발생하지 않았다. 부종 소실에 걸리는 시간의 중앙값은 9.5일이었다. [五十嵐一郎. 外傷および手術後の下肢腫脹に対する漢方療法の臨床的検討. 整形外科, 1993(44):127-31.]

17. 일본의 사례 보고에서는 독사에 물린 후 피하 출혈과 부종, 다발성 장기기능장애가 발생한 2례를 소개하였다. 이 증례의 환자는 일상적인 치료와 동시에 경구로 시령탕을 투여한 결과 환자의 사지 부종이 현저히 감소하였다. 그러나 시령탕은 뱀독에 의한 장기 손상을 억제하지는 못하였다. [中永士師明. マムシ咬傷に対して柴苓湯を併用して2例. 日本東洋医学雑誌, 2013;64(4):216-21.]

18. 일본의 연속증례연구에서는 6례의 암성 복수 사례가 소개되었다. 이들 환자에 시령탕을 투여한 후 복부창만과 하지부종이 개선되었고, 핍뇨 환자는 소변 배출량이 크게 증가했으며 삶의 질이 향상되었다. [森脇義弘, 山本俊郎, 片村宏, 等. 癌性腹膜炎の腹腔内液体貯留に対する柴苓湯エキス顆粒の使用経験. 日本東洋医学雑誌, 1992;43(2):297-301.]

19. 급성 뇌경색 환자 99명이 참여한 일본의 한 무작위 대조 연구에서는 시험군에 배정된 43명 환자에게 시령탕을 투여하고 대조군 56명에는 별도의 처치 없이 경과를 관찰하였다. 연구 결과 시령탕 투여군에서는 급성 뇌경색 증상이 현저히 감소되었다. [中江啓晴. 脳梗塞急性期における柴苓湯の有効性. 漢方と最新治療 2013(22):329-32.]

20. 임신성 부종 및 기능성 소화불량이 있는 환자 50명이 참여한 일본의 한 무작위 대조 연구에서는 각각 시령탕에 백출 또는 창출을 더하여 4주간 투여하고 경과를 관찰하였다. 그 결과 두 군 모두에서 부종이 현저하게 감소했는데 특히 시령탕 가 백출군에서는 소화불량 증상이 현저하게 개선되었다. [多久島康司, 道上文和. 妊娠に伴う下肢浮腫と上部消化器症状に対する柴苓湯の有用性について-蒼朮製剤と白朮製剤の比較検討-. 医学と薬学, 2010(64):709-15.]

21. 일본의 단일군 연구에서 경미한 임신중독환자 13례에 시령탕을 투여한 결과, 12명의 환자에서 부종이 개선(92%)되었고, 모든 증례에서 태반 혈액공급이 개선되었다. [伊藤公彦, 井谷嘉男, 田守陳哉. 臍帯動脉血流計測からみた妊娠中毒症に対する柴苓湯の効果. 日本東洋医学雑誌, 1996;46(4):555-60.]

22. 일본의 한 증례보고에서 심부전 환자의 치험을 소개하였다. 이 환자는 갈증 및 전해질 균형의 조절 불능으로 인하여 심부전이 반복적으로 재발하는 상태였다. 이 증례에서는 갈증, 다음증, 빈뇨, 뇨량감소, 구고증 및 우측의 흉협고만 등을 바탕으로 시령탕을 병용투약하였다. 그 결과 환자는 갈증과 흉협고만이 없어졌으며 심부전의 재발도 멈췄다. [沟部宏毅, 新井信, 佐藤弘, 等. 柴苓湯の併用で心不全をコントロールすることができた一例. 日本東洋医学雑誌, 1994;45(1):123-7.]

23. 일본에서 실시한 무작위 대조 연구에서는 로타바이러스에 감염된 40명의 어린이 중 20명에게 시령탕을 경장투여하였다. 이를 통해 어린이의 구토는 크게 개선되었으나, 설사증상에서는 뚜렷한 효과가 없었다. [吉矢邦彦, 中澤聡子. ロタウイルス感染症に対するツムラ柴苓湯のコントロールスタディ. 小児科臨床, 1992(45):1889-91.]

24. 일본에서 실시한 무작위 대조 연구에서는 감염 후 소화불량으로 발열, 기침 및 설사 증상을 나타내는 87명의 어린이에게 시령탕 혹은 정장제를 투여하여 경과를 관찰하였다. 연구 결과 시령탕의 투여는 증상을 완화하고 입원률을 낮출 수 있음이 확인되었다. [伊藤仁, 伊藤康彦, 浅井雅美, ほか. 乳幼児感冒性消化不良症における柴苓湯(ツムラ)の効果: 整腸剤との比較検討. 小児科診療, 1992(55):2089-92.]

25. 일본에서의 한 증례보고에서는 하루에 수차례 연변과 점액변이 주로 나타나는 크론병 여성 환자에게 임상소견 및 시령탕의 면역조절메커니즘을 바탕으로 시령탕을 투여한 치험을 소개하였다. 환자에게는 시령탕과 함께 잠정막의 보호작용을 가진 자소유(油)를 병용하였다. 연구 결과 환자는 하루에 한 번 정상적인 모양의 대변을 배출하여 시령탕의 용량을 줄이고 유지요법으로 소량의 자소유만 투여하였다. 이후 환자는 관해에 이르렀다. [井齋偉矢. 柴苓湯とシソ油により寛解が得られたクローン病の一例. 日本東洋医学雑誌, 1999;50(1):37-42.]

26. 류마티스 관절염 환자 49명이 참여한 일본의 무작위 대조 연구에서는 시령탕 투여군 24명과 로벤자리트 투여군 25명의 경과를 비교하여 관찰했다.

이 연구에서는 시령탕이 류마티스 관절염 환자의 증상 완화에 더 효과적이었다(각각 38.9% 및 15%). 부작용도 시령탕 투여군에서 더 적었다. [松浦美喜雄. 慢性関節リウマチ(RA)診療における柴苓湯の効果. Modern Physician, 1994(14):403-8.]

27. 미국의 한 단일군 임상연구에서는 30명의 류마티스 관절염 환자를 대상으로 시령탕의 효과를 관찰하였다. 총 18명의 환자가 참여를 완료하였는데, 그 중 5명은 효과가 있었고 6명은 효과가 없었다. 4명의 환자는 순응도가 좋지 않았으며 2명은 복통과 변비 및 설사로 연구참여를 중단하였다. [Borigini MJ, Egger MJ, Williams HJ, et al. TJ-114 (Sairei-To), an Herbal Medicine in Rheumatoid Arthritis.J Clin Rheumatol, 1996;2(6):309-16.]

28. 일본에서의 한 증례보고에서는 발열, 다발성 관절통, 피부발진, 항핵항체 및 항 DNA항체의 양성소견, 혈청의 보체 C3 수치의 저하 등 소견을 동반하는 전신성 홍반성 루푸스 환자의 치험을 소개하였다. 프레드니손 투여 후 환자의 체온은 정상이 되었고 관절통과 발진도 소실되었다. 한편, 혈청 보체 수치는 정상이 되었고 항핵항체와 항DNA항체 수치도 감소하였다. 스테로이드 투여를 중지한 후에 환자의 혈청 보체 수치가 점차 감소하므로 이에 대응하기 위해 시령탕을 투약하였다. 그 결과 환자의 혈청 보체 수치가 완만하게 정상으로 회복되어 스테로이드 투여량을 더 줄일 수 있었다. [伊東俊夫. 柴苓湯投与が有効であつた全身性エリテマトーデス1例. 日本東洋医学雑誌, 1992;42(3):349-52.]

29. 일본의 한 증례보고에서는 스테로이드 의존성 polycyclic형 성인 스틸병 환자의 치험을 소개하였다. 이 증례에서는 스테로이드 투여량을 줄여나가는 과정에서 증상이 재발하고 염증 지표가 반등하므로 이에 대응하기 위해 시령탕을 투여하여 관절통 및 기타 증상, 백혈구수, CRP 및 ERP 등에 개선이 있어 스테로이드 용량을 성공적으로 줄일 수 있었다. [小林陽二, 赫彰郎. 柴苓湯の併用が有効であつたと考えられる Chronic Polycyclic System 型を呈する成人型 Still 病の一例. 日本東洋医学雑誌, 1991;41(4):227-31.]

30. 일본의 한 증례보고에서는 자가면역성 간염을 앓는 82세 여성환자의 치험을 소개하였다. 이 증례의 환자는 글루코코르티코이드와 우르소데옥시콜산(UDCA)을 복용한 후에도 간기능 및 트랜스아미나제가 여전히 비정상 상태였으나 시령탕 투여 후 트랜스 아미나아제가 정상으로 회복되었다. 그 후 환자는 글루코 코르티코이드 복용을 완전히 중단하였고 간 기능은 정상으

로 유지되었다. [Fukunishi S, Nishida S, Nakamura K, et al. Co-Administration of Saireito Enabled the Withdrawal of Corticosteroids in an Elderly Woman with Autoimmune Hepatitis. Internal Medicine, 2016;55(1):43-7.]

31. 일본에서의 한 증례보고에서는 원발성 담즙성 간경변증 환자 1례가 소개되었으며 이 환자는 우르소데옥시콜산을 복용하고 간 기능 지표가 크게 개선되었음에도 불구하고 ESR, IgM 및 혈청 총담즙산치가 높게 유지되는 상태였으며 전신피로 역시 개선되지 않았다. 저자는 환자의 흰 설태, 치흔, 구고증, 입마름 및 우측의 흉협고만을 표적으로 시령탕을 투여하였다. 그 결과 환자의 피로, ESR, IgM 값, 혈청총담즙산치 및 간 기능이 개선되었다. 다만 시령탕의 복약을 중단한 후에는 재발경향이 있었다. 전체 치료과정 중 혈청 AMA 항체 값에는 유의한 변화가 없었다. [浅冈俊之, 鈴木輝彦. 原発性胆汁性肝硬変に柴苓湯·ウルソデオキシコール酸併用療法が奏功した一症例. 日本東洋医学雑誌, 1999;50(1):49-55.]

32. 일본에서의 한 증례보고에서는 특발성 혈소판 감소성 자반병 환자에서 프레드니손 40 mg/d 투여로 혈소판은 $12.4 \times 10^4/\mu L$로 증가하였으나, 스테로이드 감량과정 중 혈소판 수가 감소하였다. 연구의 저자는 시령탕을 병용하였고, 스테로이드를 12.5 mg으로 감량한 후에도 혈소판 수가 여전히 $10 \times 10^4/\mu L$ 이상으로 유지될 수 있었다고 보고하였다. [小畑伸一郎, 木村圭志, 前田和弘. 柴苓湯の併用が副腎皮質ホルモン減量に有用であつた特発性血小板減少性紫斑病の一例. 日本東洋医学雑誌, 1990;41(2):99-101.]

33. 에반스증후군은 혈소판 감소증을 동반하는 자가면역 용혈성 빈혈이 나타나는 질환으로 자반병과 같은 출혈 경향을 유발할 수 있다. 일본의 한 증례에서는 프레드니손을 복용한 후에도 에반스 증후군 증상이 잘 조절되지 않은 51세 남성 환자의 치험이 소개되었다. 이 환자는 시령탕을 1주일간 병용 투약한 후 혈소판이 $6.1 \times 10^4/\mu L$에서 $12.3 \times 10^4/\mu L$로 증가하였다. 헤모글로빈은 일주일 후 9.5 g/dL에서 12.0 g/dL로 증가했다. 프레드니손의 용량을 줄인 후에도 환자는 여전히 양호한 상태이지만 직접 쿰스 검사와 혈소판 관련 면역글로불린 검사에서는 여전히 양성이었다. [Horikoshi A, Shida M, Abe M, et al. A case of Evans's syndrome in which thrombocytopenia and hemolysis was improved by Sairei-to. Rinsho Ketsueki. 1995;36(10):1237-9.]

34. 일본의 한 무작위 대조 연구에서 심상성 건선 환자 104명 모두에 국소 스테로이드 요법을 시행하면서 이에 더하여 치료군 49명에게 시령탕을 투여

한 결과, 홍반과 피부박리가 현저히 감소하고 전반적인 유효율이 향상되는 것으로 나타났다(63.8% 대 44.2%). [久木田淳, 原田昭太郎, 藤澤龍一, ほか. 乾癬のステロイド外用療法における TJ-114(柴苓湯)の併用効果の検討. 臨床医薬, 1991(7):927-36.]

35. 일본의 증례보고에서 심상성 천포창 증례가 소개되었다. 환자는 프레드니솔론 투여 후 체간과 사지에 물집이 생기지 않았으나 미란부위의 상피화가 잘 이루어지지 않았고, 구강 점막에 물집이 남아 있었다. 이 증상에는 시클로포스파미드의 투여도 뚜렷한 효과가 없었다. 저자에 따르면 수포성 질환은 비정상적인 수분과 체액 대사에 의한 것이며, 소시호탕은 스테로이드 약물의 항 염증 효과를 높일 수 있으므로 시령탕을 투여했다고 하였다. 시령탕 투여 5일 후 구강 점막 수포의 재생이 멈추고 미란의 재상피화가 빠르게 나타났다. 그 이후로 프레드니솔론 복용량은 점차 줄었었으며 물집도 다시 나타나지 않았다.

36. 농포가 특징적 소견인 원인불명의 비감염성 피부염증에 대한 일본의 단일군 임상연구에는 7명의 호산구성 농포성 모낭염 환자가 참여하였다. 이들 환자에서 시령탕 투여 후 완전 관해율은 43%, 유효율(완전 관해+부분 관해)은 100%였다. [Kato H, Nomura T, Katoh M, et al. Eosinophilic pustular folliculitis: A published work-based comprehensive analysis of therapeutic responsiveness. The Journal of Dermatology, 2016;43(8):919-27.]

37. 결절성 여드름은 난치성 여드름의 일종이다. 일본에서 실시한 단일군 연구에서는 결절성 여드름 환자 25명을 대상으로 12주 동안 전통적인 서양의학적 치료와 함께 시령탕을 병용투여했으며, 이들의 유효율(50% 이상 개선)은 84%였다. 또한 시령탕의 투여를 통해 비대성 흉터가 개선되었다. 2명의 환자는 경미한 간효소 수치의 상승을 보였고, 1명의 환자는 손발 떨림이 발생하여 투약을 중단했다. [Kurokawa I. Successful adjuvant alternative treatment with Saireito (Japanese Herbal Medicine) for nodulocystic acne. J Nutr Disord Ther, 2017(7):3.]

38. 일본의 한 증례보고에서는 두부의 천공성 모낭염과 모낭주위염증이있는 2명 환자의 치험를 소개하였다. 이 증례에서는 환자들에게 시령탕을 3개월간 투여한 후 증상의 뚜렷한 개선이 있었다. [Ichiro K.Perifolliculitis capitis abscedens et al. suffodiens successfully treated with Saireito. Journal of Dermatology, 2019;46(8):1-2.]

39. 수술, 화상, 외상 이후의 비후성 반흔 환자 50명이 참여한 일본의 한 무
작위 대조 연구에서는 일상적인 외용 스테로이드 투여 및 병변부위 관절
의 압박요법을 기본 치료로 하고 시험군에 배정된 29명의 환자에게는 추
가로 12주간의 시령탕 병용투여를 시행하였다. 그 결과 시령탕 투여군에서
는 흉터의 길이와 경결 및 발적이 감소하였고 압통, 자발적인 통증 및 가려
움증이 완화되었다. [渡邊義輝, 浅井真太郎, 飛田晶, ほか. 外傷および術
後のケロイド·肥厚性瘢痕に対する柴苓湯の有 用性について. 医学と薬学,
2012(67):245-9.]

40. 일본에서 실시한 단일군 연구에서는 최소 세 차례 이상의 조기유산을 경험
하고 ANA 또는 ACA 양성 면역학적 습관적 유산 진단을 받은 87명의 여성
을 대상으로 시령탕을 투여한 결과, 임신에 이른 환자가 49명이었고 그 중
31명이 성공적으로 출산했다고 보고하였다. 추가 분석에 따르면 시령탕은
ACA 역가를 줄이고 비정상적인 면역 반응을 조절할 수 있는 것으로 드러
났다. [假野隆司, 土方康世, 清水正彦, 等. 抗核抗 体価と抗カルジオリピン
抗体抗体量と指標とした自己免疫異常不育症に対する柴苓湯療法の有効機
序の検討. 日本東洋医学雑誌, 2008;59(5):699-705.]

41. 일본에서 진행된 전향적 임상연구에서 항인지질항체로 인한 조산 및 자궁
내발달장애를 경험한 19명의 여성에 대해 15명에게 시령탕 및 저용량 아스
피린(81 mg 매일)을 투여하고 다른 4명의 환자에 대해서는 아스피린만 복
용하거나 약물을 복용하지 않는 대조군으로 두었다. 그 결과 시령탕 투여군
의 80.0%가 36주 이상 임신유지에 성공한 반면 대조군은 성공하지 못한 것
으로 나타났다. [Takakuwa K, Ooki I, Nonaka T, et al. Prophylactic therapy for
patients with reproductive failure who were positive for anti-phospholipid antibod-
ies. Am J Reprod Immunol, 2006(56):237-42.]

42. 일본의 단일군 연구에서는 습관적 유산을 경험한 21명의 anti-Beta2-GPI
IgG 검사 양성 여성에 대해 시령탕 및 저용량 아스피린(글루코 코르티코이
드 복용 유무에 관계없이)을 투여한 결과, 17건에서 성공적인 임신을 확인
하였다. 다만, 4명의 환자에서는 유산이 있었다. 융모막염색체 이상으로 인
한 유산 2건을 제외하면 이 치료요법의 습관성유산 치료효과율은 89.5%
였다. [Taro Nonaka, Makiko Takahashi, Chika Nonaka, et al. Treatment for
patients with recurrent fetal losses positive for anti-cardiolipin beta2 glycoprotein I
antibody using Sairei-to (Chai-ling-tang) and low-dose aspirin. J Obstet gynae-
col Res, 2019;45(3):549-55.]

43. 일본에서의 한 증례보고는 임신 22주간 자궁 내 성장 지연과 양수과소증을 동반한 거대 융모막하혈종 진단을 받은 임산부의 치험례를 소개했다. 환자는 리토드린 자궁수축주사 및 맥아당, 항생제 투여를 받았으며 추가적으로 시령탕을 복용함으로써 임신 33주에 제왕절개를 성공적으로 받을 수 있었다. 수술 중 500~600 g의 짙은 갈색의 응고되지 않은 혈액이 태반 융모혈종강에서 배출되었으며, 태반을 검사한 결과 경계에 명확한 섬유질 병소가 발견되었다. [Naoko N, Shunji S, Yukie H, et al. Massive Subchorionic Hematoma (Breus' Mole) Complicated by Intrauterine growth Retardation. Journal of Nippon Medical School, 2001;68(1):54-7.]

44. 일본에서 실시한 단일군 연구에서는 클로미펜에 효과가 없었고 임신할 예정인 다낭성난소증후군이 있는 여성 11명을 대상으로 시령탕을 투여한 결과 6례에서 배란주기의 정상화를 확인할 수 있었다. 무효 사례와 비교하여 시령탕이 효과적이었던 증례에서는 어혈 및 수체 점수가 높고 테스토스테론 수치가 낮았다. 또한 모든 시령탕 투여군에서는 난소 과다자극 반응이 없었다. [中山毅. クロミフェン無効な多嚢胞性卵巣証候群に対し柴苓湯の併用療法が奏効した6症例の検討. 日本東洋医学雑誌, 2015;66(2):83-8.]

45. 일본에서 시행된 단일군 연구에서는 다낭성난소증후군 환자 17명을 대상으로 시령탕을 2개월간 투여하였다. 그 결과 12명(70.6%)에서 배란이 나타났고, LH, LH/FSH가 감소했다. 치료 전후 모두에서 테스토스테론은 정상이었다. 약물에 반응하지 않은 환자에서는 내분비호르몬 수치에 큰 변화가 없었다. 정상 여성 8례에 대한 시령탕 투여는 내분비 수치에 큰 영향을 미치지 않았다. [Atsushi Sakai, Zenjiro Kondo, Kazuhiko Kamei, et al. Induction of Ovulation by Sairei-to for Polycystic Ovary Syndrome Patients. Endocrine Journal, 1999;46(1):217-20.]

46. 일본에서 실시한 다기관 단일군 연구에는 시령탕을 4주 이상 복용한 일련의 요로계 섬유증 환자가 포함되어 있으며, 그 효과는 다음과 같았다. 경화성 지방육아종 환자 5명에서는 유효율이 80%였고, 77례의 음경 해면체 경화증 환자에서 유효율은 77.9%, 후복막 섬유화 18례에서의 유효율은 61.1%였으며, 출혈성 방광염 67례에서 유효율은 방사선치료군 77.8%, 비방사선치료군 82.8%였다. [志田圭三, 今村一男, 片山喬, 等. 各種泌尿器疾患に対する柴苓湯の臨床効果: 線維化疾患を中心として. 泌尿器科紀要, 1994;40(11):1049-57.]

47. 전립선 비대로 경요도 전립선 절제술을 받은 142명의 환자가 참여한 일본의 한 무작위 대조 연구에서는 시험군에 배정된 70명의 환자에게 수술 후 요로협착에 대한 예방을 위해 시령탕을 투여하였다. 시험군에서는 요로협착의 발생이 1례에 불과했으나, 별도의 처치가 없었던 72명의 대조군 중에서는 8명의 환자가 요로협착이 발생하였다. 추가 연구에 따르면 시령탕은 시령탕증[간울화화(肝鬱化火), 비기허, 수체] 환자에게만 효과적이었다. 요로협착이 발생한 무처치대조군의 환자 8명에 대하여 시령탕을 투여한 후 5명이 호전되었다. [大岡均至. 尿道狭窄の予防・治療との柴苓湯の有用性について. 日本東洋医学雑誌, 2016;67(3):244–50.]

48. 일본에서의 연속증례연구에서는 알파1-아드레날린성 수용체 차단제와 항안드로겐요법에 효과가 없었던 전립선비대 환자 12명에 시령탕을 투여한 결과 낮에는 배뇨량이 증가하고 밤에는 배뇨량이 감소했으며 낮에는 배뇨 빈도가 변화가 없었고 야간에는 배뇨빈도가 감소하였다. 이를 통해 시령탕으로 전립선비대 환자의 증상과 삶의 질이 크게 향상됨을 알 수 있다. [杉山高秀, 大西規夫, 尾上正浩, 等. 前立腺肥大症に対する汉方制剤: 柴苓汤の有用性の検討—夜间频尿症状の改善效果についての検討—. 泌尿器科紀要, 2002;48(6):343–6.]

49. 소아 분비성 중이염 환자 42명(귀 64케이스)이 참여하는 일본의 한 무작위 대조 연구에서는 시험군에 21명(귀 32케이스)을 배정하여 시령탕을 투여하였고, 대조군에도 21명(귀 32케이스)를 배정하여 세팔로틴을 투여하였다. 4주간의 약물 투여 후 경과를 확인한 결과 분비성 중이염에 대한 시령탕의 투여의 관해율은 43.8%였다. [佐藤宏昭, 中村一, 本庄巖, ほか. 滲出性中耳炎へのツムラ柴苓湯の治療效果. 耳鼻咽喉科臨床, 1988(81):1383–7.]

50. 일본에서 시행된 무작위 대조 연구에서는 이폐색 증상을 호소하는 저음역대 신경성 난청 환자 155명을 시령탕 투여군 76명, 이소소르비드 투여군 75명으로 배정하여 경과를 관찰한 결과 두 군간 효과가 유의한 차이가 없음을 확인하였다. [金子達. 低音障害型感音難聴に対する柴苓湯とイソソルビドの有效性の比較. 漢方と最新治療, 2010(19):233–9.]

51. 일본에서 실시한 단일군 연구에서는 신경성 난청 환자 10명을 대상으로 시령탕을 투여했다. 이 중 3명은 대동맥염증후군에 의한 것이었고, 7명은 원인 불명이었다. 시령탕과 글루코코르티코이드의 병용투여는 환자의 스테로이드 사용량 감소 및 청력 유지에 도움이 되었다. [Kanzaki J, O-Uchi T,

Tsuchihashi N.Steroid–Responsive Sensorineural Hearing Loss: Combination Therapy with Prednisolone and Sairei–to. ORL, 1993;55(1):24–9.]

52. Miki S, Y Fujita, Y Tanouchi, et al. Clinical studies of Japanese Kampo medicine Sairei–to on uveitis. AtarashiIgAnka (J.Eye), 1990(7):601–4.

53. Kato Y, W Harada, M Zako, et al. Effects of herbal medicine Sairei–to on sarcoid uveitis. Folia Ophthalmol Jpn, 1995(46):732–4.

54. Komiya K, Ishii H, Ohama M, et al. Sai–rei–to–induced Lung Injury: A Case Report and Brief Review of the Literature.Internal Medicine, 2012;51(24):3421–5.

55. Nishioji K, Itoh Y, Sakamoto Y, et al. A case of drug–induced hepatitis caused by Oriental herb–drug sai–rei–to. Nihon Shokakibyo gakkai Zasshi, 1994;91(10):2016–20.

56. Homma M, Oka K, Ikeshima K, et al. Different effects of traditional Chinese medicines containing similar herbal constituents on prednisolone pharmacokinetics. Journal of Pharmacy and Pharmacology, 1995(47):687–92.

시호가용골모려탕

경전의 소양병 및 정신질환 치료 처방이다. 전통적으로는 화해(和解), 안신(安神) 처방으로 흉만, 번경(煩驚), 섬어(譫語)를 치료하고 몸을 가볍게 하는 효능이 있다. 현대 연구에서는 항우울, 불안심리를 개선, 진정, 수면개선, 항전간 등의 작용이 확인되어 흉만, 번(煩), 경(驚), 신중(身重) 등의 소견이 특징적인 질환에 적용한다.

[경전배방]

시호 四兩, 황금 一兩半, 인삼 一兩半, 계지 一兩半(去皮), 복령 一兩半, 반하 二合半(洗), 대황 二兩, 용골 一兩半, 모려 一兩半(熬), 생강 一兩半(切), 대조 6枚(擘), 연단 一兩半. 이 열두 약물을 물 八升과 같이 달여 四升이 되도록 하여 대황을 장기알처럼 잘라 다시 한두 차례 달인 후에 찌꺼기를 제거하고 따뜻하게 一升을 복용한다.(《傷寒論》)

[경전방증]

상한이 생긴지 8, 9일에 하법을 썼더니 흉만과 번경, 소변불리, 섬어가 생기고 온몸이 무거워 돌아눕기도 힘든 환자(《傷寒論》107)

[추천 처방]

시호 15 g, 강반하 10 g, 당삼 10 g, 황금 10 g, 복령 15 g, 계지 10 g 혹은 육계 5 g, 용골 10 g, 모려 10 g, 법제대황 10 g, 생강 15 g, 홍조 15 g. 이들을 물 1,100 mL와 같이 달여 300 mL가 되도록 한 뒤 두세 차례에 나누어 따뜻하게 복용한다.

주: 변비가 있다면 생대황을 후하하여 쓴다. 연단은 현재 많이 사용하지 않는다.

[방증제요]

가슴이 그득하고 배꼽에 두근거림이 있으며, 답답함이나 잘 놀라는 증상을 호소한다. 수면 및 배뇨이상이 있으며 섬어(譫語)가 있고 몸이 무거워 돌아눕기도 힘들다고 한다. 설태는 황니(黃膩)하고 맥은 현경(弦硬) 하거나 활이유력(滑而有力)한 소견이 보인다.

[적용 환자군]

체격은 중간정도이거나 건장하다. 얼굴이 길쭉한 환자가 많으며, 안색은 누렇거나 흰색이며 피부 광택은 적다. 무표정하고 피로한 모습이다. 성격은 내향적인 편으로 스스로에 대한 평가도 좋지 않다. 진료실에서 증상에 대한 서술이 간략하고 말이 느리며 심한 스트레스, 좌절감, 뇌손상 등의 관련요인이 확인된다. 주로 수면장애, 피로감, 오한, 가슴답답함, 두근거림, 어지러움, 이명, 불안, 인후이물감[1] 등의 자각증상이나 트라우마 등을 호소하는 경우가 종종 있다. 설태는 누렇고 두꺼우며 대변은 건조하고 단단하여 잘 풀어지지 않는 편이다. 복력은 강한 편이며 양늑하부를 누르면 저항감이나 단단하게 경직된 느낌을 확인할 수 있다. 복부에 탄성은 없고 복부 대동맥 박동이 뚜렷하며 심박이 빠르다.

[적용 병증]

아래의 병증과 위에 서술한 환자군의 특징이 부합하는 경우에 처방의 투약을 고려할 수 있으며, 또한 근거기반의학적 근거에 따른 진단을 통해서도 처방을 활용할 수 있다.

1. 정신적 장애가 나타나는 질환. 스테로이드에 의한 불면[2], 우울[3], 공포증, 정신분열증, 위식도역류질환(A)[4], 과민성대장증후군

2. 대사증후군과 심혈관질환. 고혈압[5], 이상지질혈증[6], 관상동맥죽상경화증, 뇌동맥경화증 등

3. 운동장애가 나타나는 신경과질환. 파킨슨병, 뇌전증, 소아뚜렛증후군, 소아뇌성마비, 안검경련[7] 등

4. 인지기능장애가 나타나는 신경과 질환. 뇌손상, 신경성난청, 노년성치매, 뇌위축증, 소아대뇌발달장애 등

5. 성호르몬 이상과 관련된 질환. 성기능장애[8], 무월경, 갱년기장애, 남성호르몬결핍증후군[9,10], 고프로락틴혈증(A)[11]. 또한 전립선암(B)[12], 정자의 질 개선(B)[13], 탈모, 여드름 등에도 활용할 수 있다.

6. 공황과 두근거림 및 몸이 무거우면서 붓는 소견이 나타나는 심장질환. 심장신경증, 심박이상, 심기능부전 등(B)[14,15]

[가감 및 합방]

1. 번조, 하복부의 통증, 변비가 있는 경우 도인 15 g, 망초 10 g, 자감초 5 g을 더하여 쓴다.

2. 뇌경색이나 번조 또는 불면이 있으며 설질이 보라빛이고 안색이 검붉은 경우 적작약 15 g, 목단피 15 g, 도인 15 g을 더하여 쓴다.

3. 불안초조하고 가슴이 답답하며 배가 그득할 경우 치자 15 g, 후박 15 g, 지각 15 g을 더하여 쓴다.

4. 설사와 체중감소, 식욕부진이 있는 경우 대황을 제외하고 자감초를 5 g 더하여 쓴다.

[주의사항]

본 처방 복용 중 설사나 복통이 나타나는 경우 약물을 중단하면 부작용이 사라진다.

[각주]

1. 일본에서 실시한 단일군 연구에서는 인두이물감 환자 30명에 대해 시호가용골모려탕을 투여한 결과 4주 후 평가에서 현저한 효과 28%, 보통의 효과 36%, 경도의 개선 16%를 보고하였다. [Katsuhisa I, Motoaki I, Toshikazu A, et al. Effect of Saikokaryukotsuboreito in Patients with Abnormal Sensation in the Throat. Practica Oto-Rhino-Laryngologica, 1987;80(3):507-10.]

2. 일본의 한 증례보고에서는 프레드니손 요법을 받는 중증 근무력증 환자에게 동반된 불면에 대한 치험을 소개하였다. 환자는 불면증과 더불어 흉협고만과 충실한 상태의 복력 등 소견을 보였으며 시호가용골모려탕을 투여한 후 수면상태가 크게 개선되었다. [中江啓晴, 熊谷由紀絵, 小菅孝明. プレドニゾロン加療中の重症筋無力症患者の不眠症に対して柴胡加竜骨牡蠣湯が

奏効して1例. 日本東洋医学雑誌, 2012;63(4):251-4.]

3. 일본의 한 증례보고에서는 가정폭력이 원인이 된 청소년 우울증 환자에 대한 치험을 소개하였다. 복증을 바탕으로 시호가용골모려탕을 투약하여 환자의 우울증이 신속하게 호전되었다. [松橋俊夫. 青春期危機と漢方-柴胡加竜骨牡蛎湯が奏効した家庭内暴力の一例. 日本東洋医学雑誌, 1989;40(1):33-41.]

4. 비미란성 위식도역류질환(NERD)은 우울증 및 불안초조 증상을 자주 동반한다. 90명의 비미란성 위식도역류질환 환자가 참여한 중국의 한 무작위 대조 연구에서는 시험군에 배정된 45명의 환자에게 PPI와 시호가용골모려탕을 병용투약하였다. 연구 결과 PPI만을 투약한 대조군에 비해 시호가용골모려탕 투여군에서 뚜렷한 증상 완화가 관찰되었다(유효율 86.7% 대 67.7%, $P<0.05$). [胡学军, 花海兵, 姚平, 等. 柴胡加龙骨牡蛎汤联合兰索拉唑治疗非糜烂性胃食管反流病45例. 中医杂志, 2011;52(1):60-1.]

5. 일본의 한 증례보고에서는 교감신경의 긴장상태를 동반하는 경증 고혈압환자의 치험을 소개하였다. 이 환자는 시호가용골모려탕을 3개월간 복용한후 수축기혈압과 이완기혈압이 모두 현저하게 감소하였다. 이뿐만 아니라자율신경기능검사를 통해 교감신경 우위 상태에서 부교감신경 우위 상태로변화한 것을 확인할 수 있었다. 이는 시호가용골모려탕이 자율신경기능에대한 조절 효과가 있어 교감신경 항진에 의한 고혈압 치료에 사용될 수 있음을 시사한다. [小田口浩, 若杉安希乃, 伊東秀憲, 等. 柴胡加竜骨牡蛎湯服用により自律神経機能の変化と降圧効果が認められた高血圧症例. 日本東洋医学雑誌, 2008;59(1):53-61.]

6. 경증에서 중등도의 고혈압 환자를 대상으로 시호가용골모려탕을 3개월간투약하여 경과를 관찰하였던 일본의 한 무작위 대조 연구에서는 이 처방의투약이 고밀도 지단백 콜레스테롤(HDL)의 수치를 높일 수 있다고 보고하였다. [Saku K, Hirata K, Zhang B, et al. Effects of Chinese herbal drugs on serum lipids, lipoproteins and apolipoproteins in mild to moderate essential hypertensive patients. J Hum Hypertens, 1992(6):393-5.]

7. 일본의 한 증례보고에서는 특징적인 복증에 따라 시호가용골모려탕을 투여받은 눈꺼풀 떨림 환자 1명의 치험을 소개하였다. 환자는 치료를 시작한지 1주일이 지난 후 증상의 호전을 보였으며 이후 소량의 작약감초탕을 합방하여 4주를 추가투약한 후 완치되었다고 한다. 이후 작약감초탕을 단독

으로 투약하였을 때는 효과가 분명하지 않아 시호가용골모려탕을 다시 투약하니 비로소 효과가 있었다. [中江啓晴, 熊谷由紀絵, 小菅孝明. 柴胡加竜骨牡蛎湯が奏効して眼瞼痙攣の1例. 日本東洋医学雑誌, 2014;65(1):1-4.]

8. 일본의 한 증례보고에서는 정신분열증 치료를 위해 향정신성약물(올란자핀, 플루페나진 데카노에이트)을 복용한 후 성기능장애(각각 발기부전, 사정불능)가 발생한 두명의 남성 환자에 대한 치험을 소개하였다. 두 환자는 모두 시호가용골모려탕의 복약 후 성기능장애가 개선되었다. [Takashi T, Uchida H, Suzuki T, et al. Effectiveness of Saikokaryukotsuboreito (Herbal Medicine) for Antipsychotic—Induced Sexual Dysfunction in Male Patients with Schizophrenia: A Description of Two Cases. Case Reports in Psychiatry, 2014;2014:1-3.]

9. 후기 발현 남성 성선기능저하증(LOH)로 진단되었으나 안드로겐 수치가 저하되지 않은 22명의 환자가 참여한 일본의 단일군 연구에서는 시호가용골모려탕(7.5g/일)을 2개월간 투약한 후 참여자의 관련 증상이 뚜렷하게 감소하였으며 안드로겐 수치에는 영향이 없었다고 보고하였다. [Tsujimura A, Takada S, Matsuoka Y, et al. Clinical trial of treatment with saikokaryukotsuboreito for eugonadal patients with late—inset hypogonadism—related symptoms. Aging Male, 2008(11):95-9.]

10. 일본의 한 단일군 연구에서는 후기 발현 남성 성선기능저하증(LOH) 증상이 있는 31명의 환자를 대상으로 안드로겐 수치의 높고 낮음 여부에 따라 시호가용골모려탕 또는 테스토스테론 대체요법을 시행하였다. 두 요법은 각각 사이토카인(IL-8, IL-13, IFN-γ, TNF-a) 수치 및 안드로겐 수치를 개선시키는 것이 확인되었다. 따라서, 두 요법은 모두 여러 안드로겐 상태에서의 후기 발현 남성성선기능저하증의 증상 치료에 효과가 있음을 알 수 있었다. [Tsujimura A, Miyagawa Y, Okuda H, et al. Change in cytokine levels after administration of saikokaryuukotsuboreito or testosterone in patients with symptoms of late—onset hypogonadism. Aging Male, 2011(14):76-81.]

11. 중국의 한 임상연구에서는 정신분열증 치료를 위해 risperidone을 복용한 후 고프로락틴혈증이 발생한 환자 60명을 대상으로, 시험군에 배정된 30명에 대해 시호가용골모려탕(거 건강, 대조, 연단, 가 용치, 석창포, 원지, 복신, 단삼, 합환피)을 투여하고 대조군 30명에게는 12주 동안 bromocriptine을 투여하였다. 시호가용골모려탕을 복용한 지 12주 후에 환자의 프로락틴 수치가 현저하게 감소한 것으로 나타났다(108.34±40.02 μg/L에서 43.28±

39.12 μg/L). 시호가용골모려탕의 치료 효과는 브로모크립틴과 유사하지만 부작용은 더 적었다. 브로모크립틴 투여군에서는 정신분열증 증상이 증가하고 리스페리돈 복용량도 증가했다. [姜宝顺, 陈允恩, 马建华. 柴胡加龙骨牡蛎汤加减方治疗利培酮所致高催乳素血症的临床研究. 中国中西医结合杂志, 2018;38(10):117-9.]

12. 전이성 전립선암 환자에게 한약을 사용하면 사망 위험을 크게 줄일 수 있다는 사실이 밝혀졌으며, 그 중에서 가장 널리 활용되는 처방은 시호가용골모려탕이었다. [Liu J M, Lin P H, Hsu R J, et al. Complementary traditional Chinese medicine therapy improves survival in patients with metastatic prostate cancer. Medicine, 2016;95(31):e4475.]

13. 일본에서 실시한 무작위 대조 연구에서는 희소정자증 남성 28명을 각각 시호가용골모려탕 투여군 12명과 보중익기탕 투여군으로 나누어 배정한 후 약물을 12주간 투약한 결과 두 군 모두에서 정자 농도의 증가(각각 41.7% 및 18.8% 유효율) 및 정자 운동성의 증가(각각 41.7% 및 50% 유효율)가 있었음이 드러났다. [平松正義, 前原郁夫, 高橋勝, ほか. 男性不妊患者に対する柴胡加竜骨牡蛎湯, 補中益気湯治療の経験. 漢方医学, 1993(17):246-8.]

14. 일본의 한 단일군 연구에서 기분장애가 있는 심혈관질환 환자 9명을 대상으로 시호가용골모려탕을 투여한 결과, 7명의 환자에게서 심계항진, 가슴의 답답함, 심인성 기침, 불면 등 증상의 현저한 개선과 강압 및 항부정맥 효과가 관찰되었다. [片寄大, 白土邦男. 循環器外来における柴胡加竜骨牡蠣湯の使用経験. 日本東洋医学雑誌, 2001;52(1):25-38.]

15. 일본의 한 단일군 연구에서는 갑상선기능한진증 병발 심부전 환자 8명에 시호가용골모려탕을 투약하여 하지부종 및 폐부종을 비롯한 심부전 증상이 모두 호전되었음을 보고하였다. 연구자들은 갑상선기능항진증으로 인한 교감신경흥분이 "번경(煩驚)" 및 "섬어"와 일치하고, 갑상선기능항진증 병발 심부전은 "흉만", "소변불리", "일신진중불가전측"과 일치하며 갑상선기능항진증 병발 심부전의 소견은 《傷寒論》의 시호가용골모려탕증의 묘사와 일치한다고 설명하였다. [雪村八一郎. 甲状腺機能亢進症の心不全に柴胡加竜骨牡蠣湯が有効であつた8症例. 日本東洋医学雑誌, 1986;36(3):197-204.]

시호계지건강탕

경전의 학질 치료처방이며, 전통적으로 조화(調和)를 목적으로 하는 처방으로 활용되어 왔다. 번조와 두근거림을 안정시키고 갈증을 해소하며 발한과 설사를 조절하는 효능이 있다. 현대 연구에서는 항피로, 항불안, 항우울, 자율신경장애 개선, 혈관이상경련 개선, 진정, 수면개선, 해열 등의 작용이 확인되어 있다. 호전되지 않는 만성 발열, 가슴과 배의 두근거림, 입마름, 식욕부진, 설사 등 소견이 보이는 질환에 적용한다.

[경전배방]

시호 半斤, 계지 三兩(去皮), 건강 二兩, 과루근 四兩, 황금 三兩, 모려 二兩(熬), 감초 二兩(炙). 이 일곱 약물을 물 一斗二升과 같이 달여 六升이 되도록 한 뒤, 찌꺼기를 제거하고 다시 달여 三升이 되도록 한다. 이에 一升을 따뜻하게 하루 세 차례 복용하도록 한다. 처음 복용했을 때는 약간 번(煩)이 있으며 다시 복용하면 땀이 나면서 낫는다.(《傷寒論》《金匱要略》)

[경전방증]

상한이 생긴지 5–6일에 이미 발한시켰는데 다시 사하시켰을 때 흉협부위가 그득하고 약간 뭉치며 소변이 잘 나오지 않고 갈증은 나지만 구역질이 나지 않으며 머리에서만 땀이 나고 한열왕래와 심번이 있다(《傷寒論》 147). 학질에서 추위가 많고 약간 열이 있는 경우 혹은 추위만 있는 경우에 본 처방을 쓴다(《金匱要略》 四).

[추천처방]

시호 20 g, 계지 15 g 혹은 육계 10 g, 건강 10 g, 천화분 20 g, 황금 15 g, 모려 10 g, 자감초 10 g을 물 1,100 mL와 같이 300 mL가 되도록 달여 두세 차례에 나누어 따뜻하게 복용한다.

[방증제요]

한열이 교대로 나타나며 흉협고만(胸脇苦滿)이 있고 가슴이 답답함을 호소한다. 땀이 잘 나고 입이 마르며 무른 변을 보는 경향이 있다.

[적용 환자군]

영양상태는 보통이며 외모가 초췌하다. 말이 빠르고 쉽게 입이 마르며 눈을 자주 깜빡이고 미간에 주름이 잡히는 등 초조한 감정상태를 잘 드러낸다. 민감한 성격으로 얼굴과 귀가 붉게 달아올라 뜨거워지고 자주 가슴이 답답하다고 호소하거나 긴장감과 불안감으로 심박이 빨라지고는 한다. 식욕은 정상으로 음식섭취에는 불편함이 없으며 오심이나 구역도 없다. 설사가 잦고 대변이 풀어지는 편이지만 점액이나 혈액이 섞여나오지는 않는다. 입은 말라있으며 긴장하거나 피로한 경우 더 심해져 물을 마셔도 갈증이 해소되지 않는다. 열기를 싫어하고 얼굴, 겨드랑이, 손바닥, 발바닥 등에 땀이 잘 나며 긴장하면 더 심해진다. 복부는 마른 편으로 복력은 약하고 복부 주위에 박동을 느낄 수 있다. 신체는 건강하나 매일 업무로 노심초사하여 정신적 피로에 육체적 피로가 중첩되는 상황이며 수면시간이 짧고 식사시간도 불규칙하다. 심리적으로 강한 긴장상태를 보여 업무에 집중이 잘 되지 않으며 퇴근 후 피로가 매우 심하다. 과도한 업무를 하면서 많은 땀을 흘리며 식생활이 불규칙한 청장년 여성에게서 자주 관찰된다.

[적용 병증]

아래의 병증과 위에 서술한 환자군의 특징이 부합하는 경우에 처방의 투약을 고려할 수 있으며, 또한 근거기반의학적 근거에 따른 진단을 통해서도 처방을 활용할 수 있다.

1. 재발성, 주기성 발열질환으로 감기, 학질, 불명열 등

2. 기침이 있고 가슴의 답답함을 호소하는 질환. 흉막염, 폐결핵, 폐문 림프절 종대, 폐렴, 기관지염, 기관지천식 등

3. 설사가 나타나는 질환. 만성간염, 조기간경화, 만성담낭염, 만성위염, 소화성궤양, 과민성대장증후군 등

4. 두근거림 및 다한증이 나타나는 질환. 불안장애, 공황장애, 외상후스트레스장애(A)[1], 말더듬증, 갱년기장애(B)[2], 히스테리, 불면 등

5. 수술 후 국소 통증(B)[3], 만성양수과다증(B)[4]

[가감 및 합방]

1. 안색이 누렇고 초췌하며 월경이상이 있으면서 어지럽거나 복통이 동반되고 몸이 붓는 증상 등이 있는 경우 당귀작약산을 합방한다.

2. 갈증과 부종이 있는 경우 오령산을 합방한다.

3. 땀을 많이 흘리고 두근거림과 불안감을 호소하는 경우 부소맥 30 g, 홍조 20 g을 더하여 처방한다.

[주의사항]

일본에서는 본 처방에 의한 간질성폐렴[5], 간손상[6]이 보고되었다.

[각주]

1. 동일본 대지진 및 쓰나미로 외상후스트레스장애가 발생한 43명의 환자가 참여한 일본의 한 무작위 대조 임상시험에서는 시험군에 배정된 21명에는 시호계지건강탕을 투여하고, 대조군 환자에게는 별도의 처치를 하지 않은 상태에서 경과를 관찰하였다. 연구 결과 2주간의 시호계지건강탕 투약은 환자의 심리적 및 신체적 증상을 크게 개선할 수 있었다. [Numata T, gunfan S, Takayama S, et al. Treatment of Posttraumatic Stress Disorder Using the Traditional Japanese Herbal Medicine Saikokeishikankyoto: A Randomized, Observer—Blinded, Controlled Trial in Survivors of the great East Japan Earthquake and Tsunami. Evidence—Based Complementary and Alternative Medicine, 2014;2014:683293.]

2. 일본의 연속증례보고에서는 기침, 마른 기침, 코막힘, 인후통 등 호흡기 증상이 있는 갱년기증후군 환자 4명에 대해 시호계지건강탕 투여로 갱년기증후군 소견과 호흡기 증상이 모두 개선되었던 사례를 소개하였다. [木村容子, 永尾幸, 黒川貴代, 等. 呼吸器症状に着目して柴胡桂枝乾姜湯を投与した更年期女性の4症例. 日本東洋医学雑誌, 2013;64(3):166—72.]

3. 일본의 단일군 연구에서는 수술 후 국소 통증이 있는 10명의 환자(확대근
   치적 유방절제술, 폐엽절제술, 위절제술, 담낭절제술, 자궁적출술 포함)로 별
   도로 허실에 대한 판단을 하지 않고 모든 환자에게 시호가용골모려탕을 투
   여한 결과 8명의 환자의 통증이 완화되었다. 효과가 없었던 2례는 모두 근
   치적 유방절제술 후 발생한 통증이었다. [櫻井重樹, 常田享詳, 谷岡浩. 手
   術後晩期疼痛に対する柴胡桂枝乾姜湯応用の試み. 日本東洋医学雑誌,
   1990;41(2):103−11.]

4. 중국에서 실시한 무작위 대조 연구에서는 가벼운 흉부 압박감, 숨가쁨, 심
   계항진, 부종, 배뇨 감소를 동반한 만성 양수과다증 환자 70명에 대해 저
   염식이요법과 물 섭취량 조절을 시행하고, 추가적으로 치료군에는 시호계
   지건강탕 합 저령탕(거 천화분)을 40명에게 투여하였다. 치료 과정은 7일
   로, 연구 결과 한약 추가 투여군에서의 유효율이 뚜렷하게 높았다(82.5% 대
   36.7%, P<0.01). 또, B−초음파를 통한 양수지수도 치료군에서는 24.17±1.74
   cm에서 20.76±1.63 cm로 감소하였으며, 대조군에서는 유의한 변화가 없었
   다. 이에 시호계지건강탕 합 저령탕은 비정상적인 자궁 높이를 개선하고, 비
   정상적인 복부 체증을 치료하며, 태심요원(胎心遙远) 및 태위불청(胎位不
   清)을 치료함을 알 수 있다.

5. Enomoto Y, Nakamura Y, Enomoto N, et al. Japanese herbal medicine−induced
   pneumonitis: A review of 73 patients. Respiratory Investigation, 2017;55(2):138−
   44.

6. Yutaka S, Makoto F, Tatsuya N, et al. Recurrent Drug−induced Liver Injury
   Caused by the Incidental Readministration of a Kampo Formula Containing Scutel-
   lariae Radix.Internal Medicine, 2018;57(12):1733−40.

시호계지탕

경전의 태양소양병병(太陽少陽幷病) 처방이며 전통적인 화해(和解) 처방이기도 하다. 해열 및 통증 억제와 함께 영위조화(營衛調和)의 효능이 있다. 현대 연구에서는 해열, 항바이러스감염, 간보호, 항염증, 땀샘에 의한 체온조절 및 위장관에 대한 양방향 조절, 면역력 증대, 체액성 면역 및 세포성 면역에 대한 관여, 진정, 진통 등의 작용이 확인되었다. 여윈 체격이면서 더웠다 추웠다 하는 증상과 함께 나타나는 복통이나 관절통증 및 피부손상 등이 특징적인 질환에 적용한다.

[경전배방]

계지(去皮), 황금 각 一兩半, 인삼 一兩半, 감초 一兩(炙), 반하 二合半(洗), 작약 一兩半, 대조 六枚, 생강 一兩半, 시호 四兩. 이 아홉가지 약물을 물 七升으로 三升이 될 때까지 달인 후에 찌꺼기를 제거하고 一升을 따뜻하게 복용한다.(《傷寒論》《金匱要略》)

[경전방증]

상한으로 6-7일이 되어 발열이 있고 오한이 조금 나며 관절에 통증이 있고 약간의 구역질과 심하지결(心下支結)이 있고 외증이 아직 낫지 않은 환자(《傷寒論》146조), 심복부의 갑작스러운 통증이 있는 환자(《金匱要略》十)

[추천 처방]

시호 20 g, 계지 10 g, 황금 10 g, 인삼 10 g 혹은 당삼 15 g, 자감초 5 g, 강반하 10 g, 백작약 10 g, 홍조 15 g, 생강 10 g. 이 약물들을 물 1,100 mL와 같이 넣어 300 mL가 되도록 달인 후 두세 차례에 나누어 따뜻하게 복용한다.

[방증제요]

더웠다 추웠다 하는 소견과 함께 관절의 통증이 있으면서 외증이 모두 소실되지 않았거나 가슴 및 배에 급성의 통증이 나타난 경우

[적용 환자군]

여윈 체격으로 영양상태가 좋지 않은 편이며, 만성의 경과를 보이고 체중이 줄어들고 있는 경우가 많다. 기분의 저하, 식욕부진, 불면, 가슴 두근거림, 자한, 피로 등 증상이 보인다. 복직근이 긴장되어 있거나 늑하부에 탄성이 없다. 맥은 약하거나 세(細)하다. 경과가 복잡하고 증상의 표현도 다양하여 통증이 찌르는 듯 강렬하거나, 당기는 듯하고 전기가 흐르는 것 같다는 환자도 있다. 발열은 지속되는 편이며 피부손상이나 근육 및 관절 산통(酸痛)이 있다. 피부에 두드러기, 구진, 홍반이 반복적으로 발생하는 환자에게도 적합하다.

[적용 병증]

아래의 병증과 위에 서술한 환자군의 특징이 부합하는 경우에 처방의 투약을 고려할 수 있으며, 또한 근거기반의학적 근거에 따른 진단을 통해서도 처방을 활용할 수 있다.

1. 발열성 질환 및 감염성 질환. 일반 감기(B)[1], 인플루엔자, 폐렴[2], 폐결핵, 흉막염, 학질, 티푸스, 쓰쓰가무시병, 뎅기열, 간염, 산후감염발열 등

2. 돌발성, 경련성 복통이 특징적 소견인 질환. 만성위염[3], 소화성궤양(A)[4], 담석증, 급성췌장염후거대가성낭종[5], 과민성대장증후군 등이 포함되며 잘 낫지않는 비복근경련에도 쓸 수 있다(B).[6]

3. 삼차신경통(B)[7], 늑간신경통, 대상포진후유증, 좌골신경통 등의 신경통. 또한 SAPHO증후군[8]과 같은 결합조직질환에서 발생하는 관절통증[9]에도 효과적이다.

4. 알러지 비염, 꽃가루 알러지, 과민성자반증, 두드러기, 탈모[10], 기관지천식, 코골이[11] 등의 알러지성 질환

5. 남녀 갱년기의 조열, 오한, 발한, 심계, 불면, 흥분, 초조, 어깨통증 등(A)[12,13]

6. 간질(B)[14]

[가감 및 합방]

1. 설사와 입마름 및 부종이 있는 경우 오령산을 합방한다.

2. 알러지 질환에는 형개 10 g, 방풍 10 g을 더한다.

[각주]

1. 일본에서 실시한 단일군 연구에서는 1년에 6회 이상 감기에 걸린 18명의 어린이를 대상으로 감기예방을 위해 시호계지탕을 투여한 결과, 22%의 환자에서 현저한 예방효과가 나타났고, 67%에서는 통상적인 예방효과가 관찰되었다. 특히 발열, 식욕저하 증상이 명확히 개선되었다. [秋葉哲生, 荒木康雄, 中島章, 等. 柴胡桂枝湯長期服用による易感冒儿の改善効果について. 日本東洋医学雑誌, 1991;41(3):149~55.]

2. 일본의 증례보고에서는 만성 폐쇄성 폐질환의 급성 악화가 있는 고령 여성의 사례를 소개했다. CT 상 좌측 폐 전체와 우측 폐 상엽에 광범위한 염증이 관찰되었으며, 경미한 양측 흉막 삼출액과 함께 고열을 동반하는 기침, 가래, 식욕부진 및 섬망등 증상이 있었다. 항생제를 투약하였으나 증상의 뚜렷한 호전이 없었으며 오히려 약물 발진이 나타나 해당 약제의 사용을 중단하였다. 이후 환자의 복증상 약간 약한 복력, 가벼운 흉협고만, 복피구급 등 소견에 근거하여 시호계지탕을 처방하였다. 환자는 시호계지탕을 복용한 후 발열, 식욕부진, 섬망 등 전신 증상이 개선되었으며 CT 상 폐침윤 병변의 호전도 관찰되었다. 병후 조리를 위해 보중익기탕을 연속으로 처방하였다. 저자는 항생제 외에도 시호계지탕이 태양-소양병기의 급성염증에 사용할 수 있는 치료가 될 수 있다고 설명하였다. [阿南栄一朗, 阿南まどか, 織部尚宏. 柴胡桂枝湯投与が奏効した慢性閉塞性肺疾患急性増悪の1例. 日本東洋医学雑誌, 2012;63(6):401~6.]

3. 일본에서의 한 증례보고에서는 장상피화생이 병발한 만성위염의 증례를 소개하였다. 윗배의 팽만감과 식욕부진이 환자의 주요 증상이었으며, 양약을 투약하였으나 반응이 없었다. 이에 따라 체중의 감소, 복진상 심하비 및 흉협고만 소견, 부현(浮弦)한 맥상 등을 고려하여 시호계지탕을 처방하였다. 복약 후 환자의 증상은 뚜렷하게 개선되고 체중이 증가하였으며, 위내시경상의 염증 소견도 호전되었다. 그러나 그 외 조직병리학적 변화는 분명하지 않았다. 저자는 시호계지탕의 주요 메커니즘은 심리적 효과와 위 배출능 증가에 있다고 보고, 위벽보호인자를 증가시키고 위산 분비를 억제하는 효과는 상대적으로 약하다고 추정하였다. [藤森勝也, 荒川正昭. 柴胡桂枝湯が自覚症状を著しく改善させた腸上皮化生を伴う慢性胃炎の一例. 日本東洋医学雑誌, 1994;44(4):553~60.]

4. 위궤양 환자 51명이 참여한 일본의 한 무작위 대조 연구에서는 위궤양의 재

발 예방에 대한 시호계지탕과 H2 수용체 길항제 효능을 비교하였다. 이 연구에서 시호계지탕 투여군에는 40명의 환자가 배정되었으며, H2 수용체 길항제 투여군 및 두 약물의 병용투여군에는 각각 32명과 54명의 환자가 배정되었다. 결과적으로 세 군의 위궤양 재발률 관련 결과는 큰 차이가 없었다. 이는 시호계지탕이 H2 수용체 길항제와 유사한 효과가 있지만 부작용이 적음을 시사한다. [中原朗, 樫村博正, 福富久之. 胃潰瘍柴胡桂枝湯, 四逆散単独投与. 日経メディカル(別冊付録), 1988(17):20−1.]

5. 일본 증례보고에서는 급성 췌장염 후 거대 췌장가성낭종을 앓고있는 환자 1례를 소개했다. 환자는 복통 및 식욕부진과 함께 전형적인 복진 소견(중등도의 복력, 심하비경, 흉협고만, 복직근의 긴장, 배꼽 위의 두근거림 및 주변 부위의 압통)을 호소하였으므로 시호계지탕에 부자를 더하여 처방하였다. 4개월 후 환자의 증상은 소실되었으며, 낭종의 부피도 현저하게 감소되었음을 확인할 수 있었다. [松井龍吉, 小林祥泰. 急性膵炎后の巨大仮性膵囊胞に対し柴胡桂枝湯加附子が有効であつた1症例. 日本東洋医学雑誌, 2009;60(3):379−84.]

6. 일본에서 시행된 단일군 연구에 따르면 비복근경련이 있는 혈액투석 환자 9명에 대해 작약감초탕이 효과가 없을 때 시호계지탕을 투여한 결과 효과적이었다고 한다. [Shinya F, Sadahiro S. Nine Dialysis Cases with Recurrent Calf Cramps Successfully Treated with Kampo Medicines. Kampo Medicine, 2018;69(4):366−73.]

7. 일본에서 실시한 단일군 연구에서는 2주 동안 소시호탕 합 계지가작약탕을 투여한 삼차 신경통 환자 34명에서 치료의 전체 유효율이 73%였다고 보고하였다. 한약과 함께 카바마제핀을 복용한 19명의 환자 중 14명은 완치되었고, 11명은 카바마제핀 복용량이 감소하였다. 소시호탕 합 계지가작약탕을 단독투여한 11명의 환자 중에서는 8명의 증상이 개선되었다. [大野健次, 延原弘明. 三叉神経痛に対する小柴胡湯・桂枝加芍薬湯併用療法の効果. 日本東洋医学雑誌, 1995;46(1):55−61.]

8. SAPHO증후군은 피부병변과 골손상이 주된 소견인 증후군이다. 중국에서 실시된 무작위 대조 연구에서 SAPHO증후군 환자 40명에 대해 20명에는 시호계지탕가감방(거 생강, 대조, 가 생황기, 당귀, 금은화, 토복령, 현호색, 편강황; 가감은 여드름이 명확한 경우 고삼과 목단피, 피진이 악화되는 경우 야국화와 적소두, 요천부의 통증에는 보골지와 속단을 더하여 활용)

대조군 20례에는 알렌드로네이트를 투여하였다. 12주간의 투약 후 시호계지탕 투여군의 골관절통증 및 기능 지표는 대조군에 비해 유의하게 나은 결과를 보였다. 심각한 부작용은 관찰되지 않았다. [李忱, 刘晋河, 郝伟欣, 等. 柴胡桂枝汤加减治疗 SAPHO 综合征临床观察. 中国中西医结合杂志, 2017(4):46−9.]

9. 일본에서의 한 사례보고에서는 관절 증상을 동반하는 장척농포증 1예를 소개했다. 환자는 피진, 관절통 등이 있었고 이와 함께 가벼운 흉협고만, 심하비경, 배꼽 주변의 두근거림이 관찰되므로 시호계지탕을 처방하였다. 1개월간의 복용 후 관절통과 피부발진이 개선되었다. 원래의 처방에 길경을 더하여 1년간 투약을 지속하였다. 최종적으로 관절통 및 피진은 완전히 소실되었다. [堀田 広満, 及川哲郎, 伊藤剛, 等. 関節痛を合併した掌蹠膿疱症に柴胡桂枝湯が有効であつた 症例. 日本東洋医学雑誌, 2001;62(6):722−6.]

10. 일본의 한 연속증례에서는 시호계지탕가용골모려방의 투약으로 범발성 탈모증을 호전시킨 두 환자의 치험을 소개하였다. 환자들은 시호계지탕을 투약하기 시작한지 2주 후부터 새롭게 모발이 자라기 시작했다. 원형탈모증의 발병은 면역계, 내분비계 및 정신과적 소견 등 다양한 요인과 관련이 있는 것으로 알려져있다. 저자는 시호와 황금이 면역 조절 효과가 있고 계지탕은 기혈조화의 작용이 있으며, 용골, 모려는 진경, 안신효과가 있어 이 증례의 치료에서 효과를 나타냈을 것이라 추정하였다. [桂敏夫. 柴胡桂枝湯加竜骨牡蛎と全頭型円形脱毛症の2例. 日本東洋医学雑誌, 1994;44(4):561−8.]

11. 일본에서 시행된 단일군 연구에서는 코골이 환자 12명을 대상으로 시호계지탕을 2주간 투여하여 2명의 환자가 증상이 완전히 소실되었으며 4명의 환자는 50% 이상의 개선이 있었다고 보고하였다. 나머지 환자중 5명도 일정부분 효과가 관찰되었으며, 1명의 환자는 반응하지 않았다. 시호계지탕의 효과는 코골이의 빈도와 지속 시간보다는 코골이 소리에 반영되었으며, 환자는 약물 중단 후 2−4일 이내에 원래 상태로 돌아갔다. [竹迫賢一, 日吉俊紀. いびきに対する柴胡桂枝湯の治療効果. 日本東洋医学雑誌, 1993;44(1):31−5.]

12. 일본의 연속증례 연구에서는 갱년기 냉증과 안면홍조로 인한 불면증을 치료하기 위해 시호계지탕을 투여하여 효과적이었던 3건의 사례(남성 1명과 여성 2명)를 소개했다. 저자는 소양감은 가벼운 통증으로 볼수 있다는 관점을 바탕으로 지절번동(肢節煩疼)의 범위에 팔다리 관절의 열감이나 통증

및 불편함 외에 손발의 발진과 가려움도 포함시킬 수 있다고 보았다. 또한 저자들은 심하지결(心下支結) 또한 심하비경 외에 복직근과 뱃가죽의 긴장 및 중완혈 부위의 응결까지를 포함하는 것으로 해석하였다. [大谷かほり, 木村容子, 伊藤隆. "憎寒壮熱"による不眠に柴胡桂枝湯が著効した3症例. 日本東洋医学雑誌, 2018;69(2):168-72.]

13. 갱년기증후군 환자 53명이 참여한 일본의 한 전향적 임상연구에서는 35명의 환자에게 호르몬대체요법을 시행하였고, 18명의 환자에게는 시호계지탕을 투약하였다. 3개월 후 두 그룹의 갱년기 증상 지수와 불안감이 현저히 감소했는데 호르몬대체요법군에서 보다 현저한 효과가 관찰되었다. 홍조와 발한에 대한 호르몬대체요법의 치료 효과는 시호계지탕보다 우수하였고, 시호계지탕은 호르몬대체요법에 비해 과잉 행동, 심계항진, 어깨 통증 및 불면증 치료에 더 효과적이었다. 호르몬대체요법을 시행한 환자들에서는 혈중 FSH 수치가 감소하고 질 상피 에스트로겐 활성 세포가 재생되었으나, 시호계지탕 투여군에서는 그와 같은 효과는 없었다. 이는 시호계지탕의 효과가 에스트로겐과 관련이 없다는 점에서 호르몬대체요법에 비해 안전성에 이점이 있을 수 있음을 시사한다. [奧田雄二. 更年期障害の治療に対する柴胡桂枝湯の臨床効果. 日本東洋医学雑誌, 2016;67(4):323-30.]

14. 한국에서 진행된 전향적 단일군 연구에 따르면 항전간약 2개 이상이 효과가 없었던 불응성 뇌전증 환아 54명에 대해 시호계지탕을 6개월간 투여한 후 44.4%의 환아에서 발작이 50% 이상 감소했다. 그 중 6개월 이내에 발작이 없었던 소아는 24.1%였으며, 특히 국소 간질 환자에게 더욱 좋은 효과가 확인되었다. 경미한 발진 및 발열 등 2례의 부작용이 보고되었다. [Jinsoo L, Kwan ghyun S, gwiseo H, et al. Effect and Safety of Shihogyejitang for Drug Resistant Childhood Epilepsy. Evidence-Based Complementary and Alternative Medicine, 2016;2016:1-9.]

신기환

경전의 허로병 처방이며 온신이수(溫腎利水)방으로 활용되어 왔
다. 소변을 잘 통하게 하고 허리와 무릎을 튼튼하게 하며 숨가쁨
과 소갈을 치료하는 효능이 있으므로, 요통이 있으면서 무릎에 힘
이 없고 아랫배가 뻣뻣하게 긴장되며 소변이 잘 나오지 않는 것이
특징적 소견인 질환 및 고령자의 조리에 적용한다. 현대 연구에서
는 뇌혈류 및 망막중심동맥혈류 증가, 말초순환 개선, 남성 고환
의 정자수 증가, 인슐린 분비 촉진, 인슐린 저항성 개선, 고령자의
대사수준 개선, 신경세포 및 골격근 생장의 촉진 등 작용이 확인
되어 있다.

[경전배방]

건지황 八兩, 서여 四兩, 산수유 四兩, 택사 三兩, 목단피 三
兩, 복령 三兩, 계지 一兩, 부자 一兩(炮). 이 여덟가지 약물을 가
루내어 꿀과 함께 오자대로 만든다. 술과 함께 十五丸을 복용한
다. 二十五丸까지 복용할 수 있다. 하루 두 차례 복용한다.(《金匱
要略》)

[경전방증]

다리쪽의 마비가 점점 위로 번져서 아랫배까지 감각이 없어진
다(《金匱要略》 五). 허로로 요통이 있으며 아랫배가 긴장되고 당

기면서 소변이 잘 나오지 않는다(《金匱要略》六). 무릇 숨이 차면 미음(微飲)이 있는 것이다(《金匱要略》十二). 남자의 소갈은 오히려 소변량이 많아서 한되를 마시면 소변도 한되 나온다(《金匱要略》十三). 부인질환이 있으면서 먹고 마시는 것에는 문제가 없는데 번열로 잠들수가 없고 오히려 숨이 차는 것은 어째서인가? 스승이 답하기를 이를 전포(轉胞)라고 하는데 소변을 보는 것이 어렵고 포계(胞系)가 꼬여서 병에 이른 것이니 소변을 통하게 하면 나을 것이다. 여기에 신기환을 쓴다(《金匱要略》二十二).

[추천 처방]

생지황 20-40 g, 산약 15 g, 산수유 15 g, 택사 15 g, 목단피 15 g, 복령 15 g, 육계 5 g, 법제부자 5 g. 이들을 물 1,100 mL와 같이 달여 300 mL가 되도록 달인 뒤 두세 차례에 나누어 따뜻하게 복용한다. 원서 처방의 비율을 참고하여 환제로도 투약할 수 있다.

[방증제요]

여원 체격으로 기운이 없으며 아랫배의 감각이 없어지거나 긴장되고 당기면서 소변이 잘 나오지 않고 요통과 소갈, 숨참이 있는 경우

[적용 환자군]

얼굴색이 검거나 화장한 것처럼 붉은 편으로 피부는 건조하고 힘없이 쳐지며 붓는 양상을 보이면서 광택이 없다. 체형은 비교적

비대한 편이나 근육은 연약하며, 중년층이나 고령자에게서는 점점 야위어가는 소견도 자주 보인다. 식욕이 왕성하지만 체중은 감소하며 정력이 감퇴하고 자주 피로하다. 간헐적으로 번열 및 입마름이 나타난다. 아랫배의 복벽이 약하고 이완되어 있으며 눌러도 저항감이 없다. 아랫배의 복력이 윗배에 비해 뚜렷하게 약하고 심하면 위쪽은 튀어나와있고 아래쪽은 함몰된 듯한 배 모양이 관찰되는 경우도 있다. 아랫배가 긴장되고 당기며 냉감이 동반되는 통증이 있고 손이나 따뜻한 것에 접촉하는 것을 좋아하기도 한다. 복직근이 널빤지처럼 굳어있는 경우도 있는데 깊이 눌러보면 안쪽이 비어있는 느낌이 든다. 소변이 방울방울 떨어지고 시원하게 나오지 않으며 소량의 소변을 자주 보게 되는데 요실금이나 요저류가 동반되기도 한다. 남자에게는 발기부전과 저류, 정자 활동성 저하, 난임이 있을 수 있고 여자에게는 성욕저하, 월경불순과 함께 유산이나 난임이 종종 보인다. 허리의 통증과 발과 다리의 시린느낌 및 위약감, 하반신의 냉감과 감각저하, 반복적으로 나타나는 무기력 등이 관찰된다. 맥은 현경(弦硬)하고 공대(空大)하며 가볍게 눌러야 잡힌다. 설질은 연하고 통통하여 입안에 가득 차며 붉거나 어두운 색이고 설태가 없는 경우도 간혹 있다.

[적용 병증]

아래의 병증과 위에 서술한 환자군의 특징이 부합하는 경우에 처방의 투약을 고려할 수 있으며, 또한 근거기반의학적 근거에 따른 진단을 통해서도 처방을 활용할 수 있다.

1. 부신기능저하를 특징으로 하는 질환. 갑상선기능저하증, 알도스테론증, 애디슨병, 스테로이드 부작용[2], 2형당뇨(A)[3], 고프로락틴혈증(B)[4], 이상지질혈증(B)[5] 등 대사 및 내분비 질환

2. 허리와 대퇴부 통증이 나타나는 근골격계 질환. 요추질환(A)[6-9], 경추질환(A)[10], 관절염증(B)[11], 골다공증(B)[12], 타박상(B)[13] 등. 이외에도 잠수병에 의한 불완전척수손상(B)[14], 무중력상태에서의 수분대사이상에 투약할 수 있다.

3. 부종과 소변불리가 나타나는 질환. 당뇨병성 신증(A)[15], 만성신염, 신증후군, 신우신염, 신결핵, 신결석, 요로결석, 간경화복수, 림프수종(A)[16] 등

4. 빈뇨와 절박뇨, 요실금이 나타나는 질환(B)[17], 요붕증, 방광괄약근마비, 신경성빈뇨(A)[18], 과민성방광(A)[19], 만성전립선염(A)[20,21], 전립선비대(A)[22-25], 야뇨증(A)[26], 산후의 부종이나 요저류 또는 유뇨증, 수술 후 요실금[27], 수술 후 요저류(A)[28], 척수성 요저류

5. 어지럽고 눈앞이 아찔아찔하며 귀울림이 나타나는 뇌질환과 이비인후과 질환. 고혈압(A)[29], 뇌동맥경화, 백내장, 녹내장, 당뇨병성 망막병증(A)[30], 감각신경성 이명(B)[31], 난청(B)[32], 알츠하이머(A)[33] 등. 우울(B)[34], 불안(B)[35], 다발성 위축증[36] 등에서도 치료효과가 보고되었다.

6. 만성기침이 나타나는 질환. 만성기침(B)[37], 만성기관지염, 만성기관지천식(B)[38,39]

7. 중고령자 남성의 성기능 저하, 발기부전(B)[40], 유정, 조루,

정자감소증(B)[41], 난임(B)[42] 등

8. 월경이상과 관련된 질환. 비정상 질출혈, 기능성자궁출혈, 난임, 유산 등. 노인성 질염에도 쓴다(A).[43]

9. 근육 및 말초신경병증. 비복근경련, 통증(A)[44], 간경화에 의한 하지근육통, 경련(B)[45,46], 당뇨병성 말초신경병증(A)[47], 항암화학요법에 의한 말초신경손상(A)[48-50]

10. 피부가 건조하고 검붉으며 환부에 열과 가려움, 태선화가 있고 궤양이 장기간 유합되지 않고 어두운 색조로 유지되며 연부조직이 경화되는 소견. 당뇨병성 피부병증, 영양성 피부질환, 노인 피부소양증(A)[51], 수포성유천포창(A)[52]

11. 말초혈관질환으로 발생한 간헐성 파행(A)[53], 하지의 감각이상(B)[54], 다발성 혈관염에 의한 냉감 및 감각이상에도 투약할 수 있다.[55]

12. 입마름이 주요 소견인 질환. 쇼그렌증후군, Mikulicz병[56]

[주의사항]

1. 신기환은 건강기능식품이 아니다. 건강하고 병이 없는 사람이나 젊고 체력이 왕성한 사람이 장기복용하지 않도록 한다.

2. 체격이 건장하고 얼굴빛이 어두우며 기름기가 돌고 맥이 활삭(滑數)한 소견에는 신중히 투약한다.

3. 배가 그득하고 설사가 있으면서 식욕이 부진한 경우에는 투약하지 않는다.

부기: 재생신기환은 이 처방에 회우슬, 차전자를 더한 것으로

일본에서는 우차신기환이라고 한다. 고혈압성 신장질환, 당뇨병성 신증, 당뇨발, 신부전, 간경화 복수 등과 같이 신기환증이면서 부종이 뚜렷한 경우에 적용한다.

[각주]

1. 고혈압, 뇌혈관질환, 동맥경화, 당뇨병 및 이상지질혈증 등 기왕력으로 삶의 질에 감소한 54명의 고령 환자가 참여한 일본의 한 무작위 대조 연구에서는 2주간의 경과관찰 후 17명의 환자에게는 팔미환을 투약하고, 19명의 환자에게는 홍삼을 투약하였으며 나머지 18명에 대해서는 팔미환과 홍삼을 병용 투여하였다. 그 결과 팔미환과 홍삼 모두 환자의 증상을 호전시킬 수 있지만, 병용투여가 가장 효과적인 것으로 나타났다. 추가분석에 따르면 이 연구에서의 중재는 실증 환자에게 더 효과적이었다는 점에서 처방에 대한 전통적 이해와는 차이를 보였다. [金子仁, 中西幸三, 村上光, ほか. 八味地黄丸・紅参併用療法による不定愁訴改善効果の検討多施設間二重盲検法による評価. Therapeutic Research, 1989;10:4951-65.]

2. 중국에서의 한 연속증례보고에서 글루코코르티코이드 부작용(정신이상, 현기증, 비만 및 다한증) 4건 모두 신기환을 투여한 후 개선되었다고 보고하였다. [沈继泽. 以金匮肾气丸为主治疗强的松引起的并发症. 中医杂志, 1987(1):45-6.]

3. 2형 당뇨병 환자 69명이 참여한 일본의 무작위 대조 연구에서는 시험군에 배정된 환자에게 1개월간 우차신기환을 투약하였다. 연구결과 우차신기환 투여로 HOMA-IR이 유의하게 감소하였는데, 이는 우차신기환이 인슐린 저항성을 개선할 수 있음을 시사한다. 복약을 중단하고 한달이 경과한 후 HOMA-IR은 본래의 수준으로 돌아왔다. [佐藤祐造. 21世紀の漢方医学. 日本東洋医学雑誌, 2011;62(1):1-16.]

4. 일본의 한 후향적 연구에서는 고프로락틴 혈증이 있는 난임여성 18명에게 팔미지황환을 투여하였다. 그 결과 15명 환자의 프로락틴 수치가 19.4± 10.5 ng/mL로 감소하였으며, 3명의 환자는 프로락틴의 기저치가 100-300 ng/mL 수준이었으나 약물 투약 후 30 ng/mL 이하로 감소하였다. 우차신기환에 잘 반응한 8명의 환자들은 복약을 중단한 후에도 6개월 동안 프로락

틴 수치에 변화가 없었다. 무월경 환자 6명 중 4명은 배란이 이루어졌다. 11명의 환자들은 성공적으로 임신 및 출산에 이르렀으며, 임신 전후의 내분비 수치도 정상상태를 유지하였다. [Usuki S, Usuki Y. Hachimijiogan Treatment is Effective in the Management of Infertile Women with Hyperprolactinemia or Bromocriptine-resistant Hyperprolactinemia. The American Journal of Chinese Medicine, 1989;17(3n4):225-41.]

5. 이상지질혈증이 있는 고령 환자 24명이 참여한 일본의 한 단일군 연구에서는 팔미지황환을 7개월간 투여한 결과 혈청의 고밀도지단백 콜레스테롤 및 지질 과산화물 수치가 감소했다고 보고하였다. 그러나, 투약을 중단한 후에는 효과가 사라졌다. [Yoshida H, Kusukawa R, Watanabe N, et al. The Effects of Ba-wei-wan (Hachimijiogan) on Plasma Levels of High Density Lipoprotien-cholesterol and Lipoperoxide in Aged Individuals. The American Journal of Chinese Medicine, 1985;13(1n4):71-6.]

6. 일본에서 실시한 무작위 대조 연구에서는 요추의 퇴화를 동반한 허리와 다리 통증이 있는 20명의 환자를 대상으로, 크로스오버 디자인을 사용하여 우차신기환과 벤포티아민(benfotiamine)의 효능을 비교하였다. 4주간의 투약 후 우차신기환은 휴식 및 운동 상태에서의 허리 통증 및 다리의 마비 증상 개선에 있어 벤포티아민보다 나은 결과를 보였다. 신허증 환자 12명과 비신허증 환자 8명 사이에 신기환에 대한 반응은 차이가 없었다. [関根利佳, 渡辺廣昭, 御村光子, ほか. 腰椎由来の腰下肢痛に対する牛車腎気丸の効果 -ビタミン B1 誘導体製剤との比較検討-. 痛みと漢方, 2003(13):84-7.]

7. 요추관협착증 환자 27명이 참여한 일본의 한 무작위 대조 연구에서는 시험군에 배정된 19명의 환자에게 팔미지황원을 8주간 투약하였고, 다른 8명의 환자에게는 프로피온산(비스테로이드성 소염진통제)을 투약하였다. 그 결과 팔미지황원은 활동 중 허리 통증, 하지 불안 및 냉감을 대조군 대비 현저하게 감소시켰으며 간헐적 파행도 개선했다. 그 외의 다른 신체적 징후에서는 뚜렷한 변화가 관찰되지 않았다. 추가 분석에 따르면 팔미신기환은 중등도에서 중증의 냉증환자보다는 냉증이 없는 환자들에서 더 효과적이었다. [林泰史, 才藤栄一, 高橋修. 腰部脊柱管狭窄症に対する八味地黄丸の有用性. geriatric Medicine, 1994(32):585-91.]

8. 요추관협착증으로 만성 요통이 있으나 수술 적응증은 아닌 89명의 환자가 참여한 일본의 한 무작위 대조 연구에서는 30명의 환자를 우차신기환 투여

군으로 배정하고, 29명의 환자에게는 비스테로이드성 소염제인 프로스타글란딘E2, 비타민 B12 및 H2 억제제를 투약하였다. 나머지 30명의 환자는 두 종류 중재의 병용요법을 받았다. 총 3개월의 치료기간 경과 후 세 군은 대체로 비슷한 효과를 보였다. 요통 점수는 각각 6.7, 6.5, 6.8에서 3.5, 4.5, 3.2로 감소감소하였고, 하지 마비 점수는 각각 5.6, 5.7, 5.9에서 4.2, 3.9, 3.2로 감소했다. [前島貞裕, 片山容一. 脊椎·脊髓疾患1. 頸部脊椎管狹小化病変に対する術後の漢方療法.漢方と最新治療, 2004(13):232−6.]

9. 일본에서의 한 후향적 연구는 요추협착증 환자 151명에 대하여 서양의학 요법을 단독으로 적용한 환자 40명의 경과와 한약을 병용투약한 환자 111명의 경과를 비교하여 한약을 병용할 경우 프레가발린 및 아편계 진통제의 사용량을 유의하게 줄일 수 있다고 보고하였다. 가장 일반적으로 사용된 처방은 우차신기환과 팔미지황원이었다. [Oohata M, Aoki Y, Miyata M, et al. Japanese traditional herbal medicine reduces use of pregabalin and opioids for pain in patients with lumbar spinal canal stenosis: a retrospective cohort study. JA Clinical Reports, 2017;3(1):60.]

10. 수술 후 통증과 감각이상 및 기타 잔여증상을 호소하는 경추 협착증 환자 24명이 참여한 일본의 한 무작위 대조 연구에서는 팔미지황원, 우차신기환, 우차신기환가부자의 세 한약처방을 2개월간 투여한 후 효과를 비교하였다. 세 군의 통증 완화율은 각각 24.8%, 37.1%, 45.5%였고, 무감각 완화율은 각각 21.4%, 24.2%, 28.5%였다. 우차신기환 가 부자는 수술 후 경부척추협착증의 증상을 개선하는 데 가장 효과적이었다. [前島貞裕, 片山容一. 脊椎·脊髓疾患1. 頸部脊椎管狹小化病変に対する術後の漢方療法. 漢方と最新治療, 2004(13):232−6.]

11. 일본의 한 연속증례연구에서는 퇴행성무릎관절염이 있는 4명의 고령환자에게 신허증을 고려한 팔미지황원의 투약이 효과적이었음을 보고하였다. 이 연구에서는 무릎관절의 변형 정도에 따라 다양한 처방조합을 활용했는데 변형이 적은 경우에는 보익제를, 변형이 심한 경우에는 국부의 습열로 보아 청열이수제를 합방하였다. [前田繁男, 無敵剛介. 変形性膝関節症に対する八味地黄丸を中心とした漢方治療の有用性. 日本東洋医学雑誌, 1994;44(4):569−74.]

12. 골다공증에 의한 통증이 있는 66명의 환자가 참여한 일본의 한 무작위 대조 연구에서는 48명의 환자에게는 한약을 처방(계지가출부탕 20명, 우차

신기환 12명)하였고 18명의 환자에는 비스테로이드성 소염진통제를 투약하였다. 모든 군의 환자에서 9개월간의 투약 후에도 골밀도 수치의 개선은 관찰되지 않았다. 4주 시점에서는 한약과 NSAID의 통증 점수가 비슷하게 개선되었으나 8주 후 한약의 효과가 비스테로이드성 항염증제보다 현저하게 향상된 것으로 나타났다. [大竹哲也, 堀口勇, 家島仁史, 等. 退行期骨粗鬆症の疼痛と骨量減少に対する漢方薬の効果. 日本東洋医学雑誌, 1998;49(3):449-55.]

13. 골관절 질환이 있는 고령 환자 10명(관절 염좌 4명, 타박상 3명, 척추 압박골절 1명, 관절염 2명)에 대한 일본의 한 연속증례연구에서는 모든 환자에 대해 치타박일방 합 팔미지황원을 투약하여 현저한 증상의 개선이 있었음을 보고하였다. [Hijikata Y, Miyamae Y, Takatsu H, et al. Two Kampo Medicines, Jidabokuippo and Hachimijiogan Alleviate Sprains, Bruises and Arthritis. Evidence-based Complementary and Alternative Medicine, 2008;4(4):463-7.]

14. 일본의 연속증례연구에서는 근무력, 아랫배의 감각저하, 배뇨장애 및 보행장애 등 증상이 나타난 불완전 척수손상 환자 3명의 치료 경과를 소개하였다. 이 연구에서는 고압산소요법과 신기환의 병용요법은 고압산소요법만을 단독으로 적용하는 것보다 증상의 회복을 앞당길 수 있다고 보고하였다. [伊藤敦之. 潜水病の陳旧化症例に高圧酸素治療と八味丸を併用した稀有なる症例. 日本東洋医学会誌, 1981;32(3):167-73.]

15. 일본에서의 한 후향적 연구에서는 항콜린제에 효과를 보이지 않던 과민성 방광 환자 11명을 대상으로 팔미지황원 및 그 가미방을 투여한 결과 배뇨 관련 증상과 삶의 질이 현저하게 개선된 것으로 나타났다. [八木宏, 西尾浩二郎, 佐藤両, 等. 抗コリン剤抵抗性過活動膀胱に対する八味地黄丸およびその加味方の効果の検討. 日本東洋医学雑誌, 2013;64(2):99-103.]

16. 일본에서 실시한 무작위 대조 연구에서는 수술 후 림프부종(상지 또는 하지)을 가진 80명의 환자를 대상으로 압박요법을 모두에게 시행하는 한편 추가로 40명의 환자에게 우차신기환을 1개월간 병용투약하였다. 우차신기환 병용투약군은 압박요법의 단독적용과 비교하여 상지부종(15±3.4% 대 5.7±1.2% 둘레 감소, P<0.05) 및 하지부종(17.5±2.8% 대 6.7±0.8% 둘레 감소, P<0.05)을 현저하게 감소시킬 수 있었다. [阿部吉伸. リンパ浮腫に対する牛車腎気丸の効果. 漢方医学, 2002(25):284-287; 阿部吉伸, 小杉郁子, 笠島史成, ほか. リンパ浮腫と漢方. Progress in Medicine, 2003(23):1538-9.]

17. 일본의 한 후향적 연구에서는 4-8주 동안 우차신기환을 복용한 하부요로 증상 환자 109명의 의무기록(남성 86명, 여성 23명)을 분석한 결과 50명의 환자에서 효과가 나타났음을 보고하였다. 추가 분석에 따르면 심근허혈 및 뇌경색을 동반한 긴박감, 잔뇨 감각이 있는 환자에서 치료효과가 더 좋았던 반면, 배뇨장애를 호소하는 환자에서는 효과가 좋지 않았다. [吉田実. 腎虛と下部尿路症状−牛車腎気丸を投与した109例の検討. 日本東洋医学雑誌, 2006;57(5):633−7.]

18. 기저질환 없이 빈뇨와 배뇨통 및 잔뇨감을 호소하는 20명의 환자(신경성빈뇨 18명, 만성 전립선염 2명)가 포함된 일본의 한 무작위 대조 연구에서는 이들 증상에 대하여 저령탕 및 신기환을 4주간 투약하고 효과를 관찰하였다. 저령탕을 투여받은 환자 9명의 유효율은 88.9%였고, 신기환을 투여받은 환자 11명의 유효율은 100%였다. 한편, 신기환 투여군의 치료에 대한 반응 속도가 더 빨랐다. [布施秀樹, 酒本護, 岩崎雅志, ほか. 尿路不定愁訴に対する猪苓湯および八味地黄丸の効果. 泌尿器外科, 1995(8):603−9.]

19. 일본에서 실시한 한 무작위 대조 연구에서는 45세 이상 과활동성방광 환자 704명에 대해 우차신기환 투여군 352명, 프로피베린 투여군 352명을 각각 배정하고 1년간 투약을 진행한 결과, 1개월 시점에서는 프로피베린의 효과가 뚜렷하였으나 2개월 후에는 우차신기환군의 치료효과가 더 우수하였다. 치료 종결 시점에서 우차신기환 투여군에서의 전반적인 증상 점수와 삶의 질은 대조군에 비해 더 우수하였다. 두 군에서 부작용 보고는 각각 4건과 375건이었다. [西澤芳男, 西澤恭子, 吉岡二三, ほか. 過活動性膀胱の健康関連生活の質改善に対する牛車腎気丸と propiverine hydrochloride の前向き無作為比較試験. 漢方と最新治療, 2007(16):131−42.]

20. 만성 전립선염 환자 48명이 포함된 일본의 한 무작위 대조 연구에서는 14명의 환자에게 우차신기환을 투약하고, 13명에게는 시프로플록사신을 투약하였으며 9명의 환자는 두 약물의 병용투약군에 배정하였다. 다른 12명의 환자에 대해서는 세라펩타제를 적용하였다. 4주간의 투약기간이 경과한 후 네 군의 2주 시점 증상 개선율은 각각 60.0%, 54.5%, 68.1%, 33.3%였고, 우차신기환, 시플로플로사신 및 병용투약군의 4주 후 증상 개선율은 각각 80.0%, 66.7%, 71.4% 였다. 우차신기환은 직장수지검사 및 전립선액 백혈구 수치 검사상의 소견 개선에 모두 효과가 있었다. [堀場優樹, 加藤忍, 田中利幸, ほか. 牛車腎気丸の慢性前立腺炎に対する有用性の検討−本剤と ciprofloxacin のオープン比較試験−. 現代東洋医学, 1994(15):37−44.]

21. 일본에서의 크로스오버 연구에서는 양성전립선 비대증, 전립선 비대증, 잦은 배뇨와 절박함을 나타내는 과민성 방광 환자를 대상으로 우차신기환 및 탐술로신의 병용투여와 탐술로신 단독투여의 효능을 4주의 투약기간 경과 후 비교하였다. 그 결과 전립선비대증 및 과민성방광 환자에게 탐술로신에 더해 우차신기환을 추가로 투여하더라도 빈뇨 증상이 개선되지는 않았지만, 전반적인 삶의 질이 향상되는 것으로 나타났다. [石塚修, 山西友典, 後藤百万, ほか. LUTS: 新たなエビデンス漢方製剤の臨床効果-牛車腎気丸を中心として. Urology View, 2009(7):81-4.]

22. 전립선비대증 환자 53명이 참여한 일본의 한 무작위 대조 연구에서는 각각 8주의 기간 동안 27명의 환자에게는 신기환을 투여하고, 26명의 환자에게는 저령탕을 투여하였다. 두 처방의 유효율에는 유의한 차이가 없었으나(약 80%, 치료 중단을 포함하면 약 40%), 신기환이 증상을 더 포괄적으로 개선할 수 있었다(배뇨지연, 배뇨시간 연장, 요실금, 잔뇨감, 빈뇨 등). [酒本護, 岩崎雅志, 風間泰蔵, ほか. 八味地黄丸および猪苓湯の前立腺肥大症に対する効果の検討. 第13回泌尿器科漢方研究会講演集, 1996;7-14.]

23. 일본에서 실시한 단일군 연구에서는 전립선비대증 환자 41명을 대상으로, 팔미지황원을 투여한 결과 전체 유효율이 40%인 것으로 나타났다. 팔미지황원은 배뇨상태와 요실금 및 삶의 질 점수를 개선했으며 중증 불완전 배뇨 환자에서 효과가 더 좋았다. 저자는 이 연구에서 팔미지황원 치료의 낮은 유효율을 분석했는데, 투약용량 및 투약기간이 짧았던 것과 관련된 것으로 추정되었다. 2명의 환자는 투약 후 발생한 위장장애로 연구참여를 중단하였다. [吉村耕治, 寺井章人, 荒井陽一. 前立腺肥大症に対する八味地黄丸少量2週間投与の治療成績. 泌尿器科紀要, 2003;49(9):509-14.]

24. 전립선비대증 환자 30명이 참여한 일본의 한 단일군 연구에서는 우차신기환(7.5 g/일)의 투약 후 증상 호전이 있었던 환자는 20명(66.7%)였고, 요흐름 검사 수치가 개선된 환자는 14명(46.7%)이었다. 총유효율은 70%였으며 이는 더 적은 용량의 우차신기환(5.0 g/일) 투여에 비해 효과적이었다. 추가 분석에 따르면 우차신기환의 효능은 변증유형과 무관하였다. [八竹直, 金子茂男, 松浦健, 等. 前立腺肥大症の保存的療法-八味地黄丸の増量による臨床効果の検討および「証」と臨床効果の関係について. 泌尿器科紀要, 1985;31(3):545-51.]

25. 일본의 한 단일군 연구에서는 알파1 수용체 차단제 및 항콜린제에 반응하

지 않는 하부요로증상 환자 60명에게 팔미지황원 및 제생신기환을 투약하고 경과를 관찰하였다. 그 결과 전체적으로 배뇨 증상과 삶의 질 점수가 유의하게 개선되었고, 야뇨증의 빈도는 감소하였으나 최대 소변량과 잔뇨량에는 유의한 영향이 없었다. [Yagi H, Sato R, Nishio K, et al. Clinical efficacy and tolerability of two Japanese traditional herbal medicines, Hachimi-jio-gan and gosha-jinki-gan, for lower urinary tract symptoms with cold sensitivity. J Tradit Complement Med, 2015;5(4):258-61.]

26. 일본에서의 한 크로스오버 연구에서는 야행성다뇨증 환자 36명을 대상으로 우차신기환과 푸로세미드의 효능을 비교하였다. 4주간의 투약 결과 우차신기환과 푸로세미드는 모두 야뇨증과 삶의 질을 크게 개선하고 이로 인한 야간뇨 및 수면장애의 빈도를 줄이며, 푸로세미드는 우차신기환에 비해 야뇨증의 빈도와 양을 더 크게 감소시키는 것으로 나타났다. [Yoshimura K, Shimizu Y, Masui K, et al. Furosemide versusgosha-jinki-gan, a blended herbal medicine, for nocturnal polyuria: a randomized crossover trial. Lower Urinary Tract Symptoms, 2012(4):77-81.]

27. 일본의 한 증례보고에서는 뚜렷한 신허증이 관찰되지 않는 야뇨증 환자 형제에 대한 육미지황원 투약 경과를 소개하였다. 처음에 형은 시호계지탕을 복약하였고, 동생은 갈근탕을 복약하였으나 증상에 변화가 없어 두 환자 모두에게 육미지황원을 합방하여 투약한 결과 점진적인 호전이 관찰되었다. 효과가 나타나기까지는 약 10주 이상의 투약기간이 소요되었으며, 완치까지는 20주 이상이 걸렸다. 증례의 환자들은 치료를 마친 후에도 거의 1년 동안 육미지황환을 계속 복용하였다. [石田和之, 佐藤弘. 六味丸が著効した夜尿症の兄弟例. 日本東洋医学雑誌, 2009;60(6):635-9.]

28. 자궁탈출증으로 보중익기탕을 투여중인 환자 19명이 참여한 일본의 무작위 대조 연구에서는 12명의 환자를 선정하여 팔미지황원을 병용투약하였다. 보중익기탕 단독투여군과 팔미지황원의 병용투약군 사이에 배뇨빈도에는 차이가 없었다. 다만, 팔미지황원 병용투약을 시작한 지 1-2주가 경과한 후 잔뇨감이 현저하게 감소하였다. 추가 분석에 따르면 복부 감소 및 소복불인증이 있는 환자는 그렇지 않은 환자보다 더 큰 효과를 경험하였다. [織部和宏, 西田欣広. 子宮脱の術後不快感に対する八味地黄丸の効用. 月刊漢方療法, 2006(10):282-8.]

29. 4개의 무작위 대조 연구를 분석한 2014년의 메타분석에서는 기존의 항고

혈압제와 신기환의 병용요법은 항고혈압제 단독투약에 비해 혈압을 더 낮추지는 못하였다고 보고하였다. 다만 신기환을 병용한 경우 성기능, 혈중의 지질수치 및 신장기능 등 지표에서 보다 나은 개선 및 보호효과가 확인되었다. [XJ Xiong, PQ Wang, XK Li, et al. Shenqi pill, a traditional Chinese herbal formula, for the treatment of hypertension: A systematic review. Complementary Therapies in Medicine, 2015;23(3):484−93.]

30. 각막의 민감도와 눈물 분비량 감소소견을 보이는 표층성 점상 각막병증 병발 제 1형 당뇨환자 50명이 참여한 일본의 한 무작위 대조 연구에서는 시험군 25명에게 3개월간 우차신기환을 투약하고, 대조군 25명에는 위약을 제공하였다. 이 연구에서 우차신기환은 각막 민감도를 크게 개선하고 눈물 분비를 증가시키며 표층성 점상 각막병증에 대한 호전 효과를 보였다. [Nagaki Y, Hayasaka S, Hayasaka Y, et al. Effects of goshajinkigan on corneal sensitivity, superficial punctate keratopathy and tear secretion in patients with insulin−dependent diabetes mellitus. The American Journal of Chinese Medicine, 2003(31):103−9.]

31. 이명 환자 39명이 참여한 일본의 무작위 대조 연구에서는 무효증례에 대한 교차를 허용한 상태에서 경과를 관찰하였다. 통계에 따르면 우차신기환을 복용한 환자가 30명이었고, 조등산을 복용한 환자가 30명이었으며 총 치료기간은 8주였다. 우차신기환의 유효율은 50%였으며, 조등산 투여의 유효율은 30%였고 유효사례의 대다수에서 5개월 이내에 효과가 나타났다. 추가 분석에 따르면 우차신기환의 효능은 하지 통증, 무감각 및 부종의 존재와 관련이 없었다. [大西信治郎. 耳鳴·難聴の漢方治療. JOHNS, 1990(6):535−9.]

32. 일본에서 실시한 단일군 연구에서는 80데시벨 이상의 급격한 난청 환자 5명을 대상으로 우차신기환을 투여한 결과 3례가 완치되었고 1례가 현저하게 개선되었다고 보고하였다. [神崎順徳, 福田洋典. 突発性難聴に対する牛車腎気丸併用療法. 日本東洋医学雑誌, 1992;43(2):315−7.]

33. 항콜린제를 투여하지 않은 알츠하이머병 환자 33명(MMSE 점수 분포 0−25점)이 참여한 일본의 한 무작위 대조 연구에서는 16명의 환자를 시험군으로 배정하여 팔미지황원을 8주간 투약하였고, 대조군 17명에는 위약을 제공하였다. 연구 결과 시험군의 MMSE는 13.5±8.5에서 16.3±7.7로 증가하였고 바텔지수는 61.8±34.6에서 78.9±21.1로 개선되었으며, 뇌혈관 박동성 지수는 2.5±1.7에서 1.9±0.5로 감소하였다. 대조군에서는 투약 전후의 지표에 유의한 차이가 없었다. 치료를 종결하고 8주가 경과한 후에도 두 군

간의 지표에 유의한 차이가 없었다. [Iwasaki K, Kanbayashi S, Chimura Y, et al. A randomized, double-blind, placebo-controlled clinical trial of the Chinese herbal medicine "ba wei di huang wan" in the treatment of dementia. Journal of the Americangeriatrics Society, 2004(52):1518-21.]

34. 피로가 주소증이며 기존의 치료에 효과를 보이지 않는 중증 우울증 환자 20명이 참여한 일본의 한 단일군 연구에서는 육미지황원 또는 팔미지황원을 4주간 투약하고 경과를 관찰하였다. 6명의 환자는 뚜렷한 효과가 있었고 6명의 환자에서는 경미한 효과가 관찰되었으며 나머지 8명은 효과가 없었다. 추가분석 결과 효과가 나타난 모든 환자에게는 소복불인 증상이 있었다. [KAZUO Y, GOHEI Y, SHIGENOBU K.Effectiveness of herbal medicine (Rokumigan and Hachimijiogan) for fatigue or loss of energy in patients with partial remitted major depressive disorder. Psychiatry and Clinical Neurosciences, 2005(59):610-2.]

35. 일본에서 실시한 단일군 연구에서 15명의 우울증 환자를 대상으로 팔미지황원을 2주간 투여한 결과 기분장애와 초조감에 대한 유효율은 각각 73.3%와 86.7%였다. 그러나 불안감, 우울상태에 대해서는 뚜렷한 효과는 없었다. [尾崎哲, 下村泰樹. 八味地黄丸の意欲賦活作用と抗焦躁作用について. 日本東洋医学雑誌, 1993;43(3):429-37.]

36. 일본의 한 증례보고에서는 기립성 저혈압을 주소로 하는 다계통 위축 환자의 치험을 소개하였다. 약 7일간의 팔미지황환 투약 후 기립성 저혈압이 호전되었고 동반되었던 보행장애도 일정부분 개선되었다. 환자는 뇌척수병변이 있고 복증은 전형적인 소복불인, 소복구급, 정중심(正中芯) 등으로 신허를 바탕으로 치료할 수 있는 소견이었다. 저자는 이같은 소견들이 있었기 때문에 팔미지황환이 유효했을 것이라고 설명하였다. [松井龍治, 小林样泰, 山口拓也, 等. 八味地黄丸が有効であった多系統萎縮症の一例. 日本東洋医学雑誌, 2011;62(4):565-9.]

37. 일본에서의 연속증례 연구에서는 우울증과 인두폐쇄, 심하비, 요통이 동반된 마른기침을 호소하는 만성의 스트레스성 기침 환자 2명의 경과를 소개했다. 증례의 환자들은 반하후박탕으로는 효과가 없었으나 팔미지황환을 투약한 후 증상이 뚜렷하게 개선되었다. 저자는 정신적 스트레스로 인한 기울증이 만성화 과정에서는 점차 기허증으로 진행되는데 신허증으로 납기(納氣)작용이 감소되어 마른 기침이 나타났기 때문에 팔미지황환의 병용투

약이 효과를 보인 것이라 추정하였다. 한편, 저자는 팔미지황환증의 환자라고 하더라도 이환기간이 짧거나 저연령 환자인 경우 소복불인이 없을 수 있다고 설명하였다. [木村容子, 佐藤弘, 伊藤隆. ストレスが関与した慢性咳嗽に八味地黃丸が有效であった2症例. 日本東洋医学雑誌, 2016;67(4):394-8.]

38. 일본에서의 단일군 연구에서는 만성 천식 환자 11명을 대상으로 팔미지황환을 투여하였다. 10명의 환자는 8-12주간 복약하였고 1명은 위의 불편감이 발생하여 복약을 중단하였다. 복약을 마친 환자 중 7명은 증상이 개선되었고 2명은 변화가 없었으며 1명은 악화되었다. 한편, 경구 스테로이드를 복용한 7명 중 2명은 스테로이드 복용을 중단하였고 2명에서는 스테로이드 복용량이 줄었다. 유효했던 환자에서는 치료 전 대비 최대 호기 유량이 20% 증가했다. [伊藤隆, 柴原直利, 新谷卓弘, 等. 八味地黃丸の慢性喘息に対する效果(第2報). 日本東洋医学雑誌, 1996;47(3):443-9.]

39. 신양허증으로 변증된 기관지천식 환자 80명이 참여하는 중국의 한 무작위 대조 연구에서는 기존의 통상적 요법과 함께 시험군에 배정된 40명의 환자에 대해 금궤신기환 투약 및 경혈첩부법(백개자, 세신, 감수, 현호색, 포부편, 육계를 양쪽 폐수, 정천, 신수혈에 부착)을 1개월간 시행하였다. 천식 조절 테스트 설문지에 따르면 금궤신기환 및 경혈첩부법의 시행은 천식 조절률을 향상시켰으며(완전 조절률 45.0% 대 7.5%, 부분 조절률 50.0% 대 40.0%, $P<0.01$) 혈청 IgE 함량 및 면역세포상태를 크게 개선하였다. [蒋朱秀, 郑小伟, 江劲, 等. 金匱肾气丸联合穴位敷贴对支气管哮喘临床缓解期肾阳虚证患者免疫功能的影响. 中医杂志, 2016;57(11):938-41.]

40. 경증 발기부전 환자 48명이 참여한 일본의 한 무작위 대조 연구에서는 24명의 환자에게는 리마프로스트를 투여했고, 다른 24명의 환자에는 우차신기환을 8주간 투여하였다. 이 연구를 통해 우차신기환은 음경둘레와 성교완료율을 개선할 수 있음이 확인되었다. 다만, 이 두 지표에서는 리마프로스트가 보다 효과적이었으며, 발기의 강도 및 발기 유지에 있어서는 두 약제의 효과가 비슷하였다. [Sato Y, Horita H, Adachi N, et al. Effect of oral administration of prostaglandin E1 on erectile dysfunction. British Journal of Urology, 1997(80):772-5.]

41. 과소정자증 환자 28명 및 무정자증 환자 7명의 의무기록을 분석한 일본의 한 후향적 연구에서는 팔미지황환을 8-28주간 투여한 결과 78%의 환자에서 정자 수가 늘어났고 정자활동성은 53% 환자에서 개선되었으며, 56%의

환자에서 정자밀도의 향상이 관찰되었다고 보고하였다. 다만, 팔미지황환은 무정자증 환자에서는 효과를 나타내지 못하였다. [Usuki S.Hachimijiogan changes serum hormonal circumstance and improves spermatogenesis in oligozoospermic men.Am J Chin Med, 1986;14(1–2):37–45]

42. 일본에서의 한 후향적 연구에는 평균 144일 동안 우차신기환을 복용한 난임 남성 53명의 경과가 소개되었다. 환자의 41.5%는 정자가 증가했으며 환자의 54.7%에서 정자운동성 증가가 확인되었고 환자의 75.5%에서 정자운동 효율지표가 개선되었다. 치료기간 중 네 환자의 아내가 성공적으로 임신했다. [三浦一陽, 松橋求, 牧昭夫, 等. 男性不妊症患者に対する八味地黄丸の臨床効果について. 泌尿器科紀要, 1984;30(1):97–102.]

43. 일본에서 실시한 무작위 대조 연구에서는 88명의 노인성 질염 환자에게 팔미지황원을 투약한 결과 비정상적인 질분비물을 나타낸 66명 중 65명이 호전되었고, 질가려움증 환자 11명 중 10명이 호전되었다. 또한, 질 출혈을 호소하는 환자 62명 중 60명에서 개선이 있어 총유효율은 90%를 상회하였다. 추가 연구에 따르면 팔미지황원은 혈청 FSH, E1, E2에 영향을 미치지 않았으며 질조직 E1, E2, E3, 테스토스테론, FSH 및 프로락틴 수준에도 영향을 미치지 않았다. [Chen J T, Hirai Y, Hamada T, et al. Hachimijiogan Having no Estrogenic Activity is Effective for Senile Colpitis. Nippon Sanka Fujinkagakkai Zasshi, 1987;:39(11):2051–8.]

44. 비복근 경련을 동반하는 간경변증 환자 75명이 포함된 일본의 한 무작위 대조 연구에서는 38명의 환자에게 우차신기환을 투약하고, 37명의 환자에게는 작약감초탕을 투약하여 12주 후의 결과를 비교하였다. 경련성 통증 및 삶의 질의 개선은 작약감초탕에 비해 우차신기환 투여군에서 뚜렷하였다. [西澤芳男, 西澤恭子, 雨森保憲, ほか. 牛車腎気丸と芍薬甘草湯の肝硬変患者の有痛性こむら返りに対する鎮痛効果と安全性: 多施設無作為抽出, 比較試験による効果の検討−牛車腎気丸の肝硬変症に伴う有痛性"こむら返り"に対する臨床効果と安全−. 痛みと漢方, 2000(10):13–8.]

45. 근육경련을 동반하는 간경변 환자 31명을 관찰한 일본의 한 후향적 연구에서는 팔미지황환을 4주간 투약한 이후 모든 환자에서 근육경련의 빈도가 줄었으며, 61.3% 환자에서 증상이 완전히 소실되었음을 보고하였다. 이 효과는 오령산 합 작약감초탕에 비해 뛰어난 것이다. [高森成之, 安藤貴志. 肝硬変に伴うこむら返りに対する八味地黄丸の有用性に関する検討. 日本東洋

医学雜誌, 1994;45(1):151-7.]

46. 일본에서의 단일군 연구에서는 근육경련이 있는 간경변 환자 12명을 대상
으로 4주간 팔미지황원을 투여한 결과 모든 환자에서 근육 경련이 소실되
었다. [Motoo Y, Taga H, Yamaguchi Y, et al. Effect of Niuche-Shen-Qi-Wan
on Painful Muscle Cramps in Patients with Liver Cirrhosis: A Preliminary Report.
The American Journal of Chinese Medicine, 1997;25(1):97-102.]

47. 제2형 당뇨병 환자 116명이 참여한 일본의 한 무작위 대조 연구에서는 당
뇨합병증의 예방 효과를 확인할 목적으로 시험군에 배정된 74명의 환자에
게 통상적인 혈당강하 요법과 더불어 우차신기환을 5년의 기간 동안 병용
투약하였다. 이 연구에서 시험군과 기존의 혈당강하 요법만을 받은 대조군
간 당뇨병성 신병증 및 망막병증의 발생률은 큰 차이가 없었다. 그러나, 우
치신기환을 병용한 경우 발목반사의 감소 소견이 뚜렷하게 개선되었을 뿐
만 아니라 공복혈당 및 당화혈색소의 조절에 있어서도 보다 나은 결과가 확
인되었다. 이 결과는 우차신기환의 혈당 조절 및 신경병증 개선과 관련한
효과를 시사한다. [Watanabe K, Shimada A, Miyaki K, et al. Long-term effects
of goshajink IgAn in prevention of diabetic complications: A randomized open-
labeled clinical trial. Evidence-Based Complementary and Alternative Medicine,
2014:128726.]

48. 일본에서 실시한 무작위 대조 연구에서 mFOLFOX 화학요법을 받은 진행
성 대장암 환자 45명 중 22명에게 우차신기환을 투여한 결과 우차신기환이
3도 이상의 신경 독성을 현저히 감소시킬 수 있었으며 화학요법의 효능에는
영향을 미치지 않았다. [Nishioka M, Shimada M, Kurita N, et al. The Kampo
medicine, goshajinkIgAn, prevents neuropathy in patients treated by FOLFOX
regimen. International Journal of Clinical Oncology, 2011(16):322-7.]

49. TC (docetaxel + cyclophophamide) 항암화학요법을 받은 후 1도 이상의 신
경독성 부작용이 나타난 자궁내막암 및 난소암 환자 29명이 참여한 일본의
한 무작위 대조 연구에서는 모든 환자에 대해 비타민 B12를 투여함과 동시
에 14명의 시험군 배정 환자에 대해서는 우차신기환을 병용투약하였다. 그
결과 우차신기환이 TC요법에 의한 말초신경병증을 억제할 수 있다는 것
이 밝혀졌다. [Kaku H, Kumagai S, Onoue H, et al. Objective evaluation of the
alleviating effects of goshajinkigan on peripheral neuropathy induced by paclitaxel/
carboplatin therapy: A multicenter collaborative study. Experimental and Thera-

peutic Medicine, 2012(3):60-5.]

50. 2015년에 발표된 GENIUS 연구에서는 FOLFOX 화학요법을 받은 182명의 대장암 환자를 우차신기환 투여군과 위약투여군으로 무작위 배정한 후 12주기의 화학요법 주기 동안 투약을 진행하였다. 그 결과 우차신기환은 2도 이상의 신경병증 발생을 예방할 수 없는 것으로 나타났다. 다만 우차신기환 투여군에 시술된 화학요법 강도가 더 강했다는 사실은 점을 통해 우차신기환이 경도의 초기 신경병증에 활용될 수 있을 것임을 시사한다. [Oki E, Emi Y, Kojima H, et al. Preventive effect of goshajinkigan on peripheral neurotoxicity of FOLFOX therapy (gENIUS trial): a placebo-controlled, double-blind, randomized phase III study. Int J Clin Oncol, 2015;20(4):767-75.]

51. 일본에서의 크로스오버 연구에서는 노인성소양증 환자 32명을 대상으로 팔미지황환과 케토티펜푸마르산염을 각 2주간 투약하면서 효능을 비교하였다. 팔미지황환의 유효율은 34%, 중간 유효율은 44%였으며 케토티펜푸마르산염의 유효율은 47%, 중간 유효율은 31%로, 두 치료의 효과는 비슷한 것으로 나타났다. 추가 분석에 따르면 팔미지황환은 체력이 양호한 환자들보다 체력이 비교적 좋지 않은 환자들에게서 더 현저한 효과를 나타냈다. [石岡忠夫, 靑井禮子. 老人性皮膚ソウ痒症に対する八味地黃丸とフマル酸ケトチフェンの薬効比較. 新薬と臨床, 1992(41):2603-8.]

52. 중국에서 실시한 무작위 대조 연구에서는 수포성 유사천포창 환자 30명에게 클로코코르티코이드 요법을 시행하면서 시험군에 배정된 15명의 환자에게는 4주 동안 금궤신기환을 병용투여하였다. 연구결과 금궤신기환 투여군의 유효율이 대조군에 비해 높았다(93.33% 대 73.33%, P<0.05). 추가 연구에 따르면 금궤신기환은 수포성 천포창 환자의 피부 병변에서 GR-α의 발현을 효과적으로 향상시키고 GR-β의 발현을 감소시켜 글루코 코르티코이드에 대한 피부의 민감성을 향상시킬 수 있었다. [刘保国, 李志英, 杜明. 金匮肾气丸配合激素治疗大疱性类天疱疮疗效观察及对糖皮质激素受体表达的影响. 中国中西医结合杂志, 2006(10):881-4.]

53. 일본에서의 단일군 연구에서는 말초동맥질환과 간헐적 파행을 가진 14명의 환자를 대상으로, 팔미지황원을 6개월간 투여한 결과 보행손상 평가설문지 점수가 크게 개선되었으며 통증, 보행 거리 및 속도도 현저하게 향상되었다. 모든 환자에서 효과가 있었고 환자의 50%가 뚜렷한 효과(점수가 100점 이상 증가)를 보였다. [Kawago K, Shindo S, Inoue H, et al. The Effect of Hachimi-

Jio—gan (Ba—Wei—Di—Huang—Wan) on the Quality of Life in Patients with Peripheral Arterial Disease - A Prospective Study Using Kampo Medicine.Ann Vasc Dis, 2016;9(4):289—94.]

54. 일본의 연속증례연구에서 하지마비 환자 2례의 팔미지황환 치험이 소개되었다. 팔미지황환의 투약을 통해 환자들의 증상이 호전되었으며 심장-발목 혈관 계수의 개선이 있었다. 이는 팔미지황환이 하행대동맥의 순응도 개선에 긍정적인 영향을 미쳤음을 시사한다. [西田清一郎, 佐藤広康. 八味地黄丸にて高齢患者の自覚症状と CAV I (Cardio—Ankle Vascular Index) が改善した2症例. 日本東洋医学雑誌, 2012;63(2):109—15.]

55. 일본 증례보고에서는 결절성 다발성 혈관염에 의한 하지의 냉감과 감각이상 치험례를 소개하였다. 이 환자는 신허증으로 진단되어 우차신기환을 처방받아 복용하고 증상이 호전되었다. 다만, 말초신경전도속도에는 변화가 없었다. 우차신기환은 말초신경 손상을 치료하는 데 효과가 없지만, 자각증상의 개선효과를 나타내는 것으로 보인다. 그 메커니즘은 척수에서의 κ-오피오이드 수용체의 자극과 관련이 있을 수 있다. [山川淳一, 守屋純二, 日下一也, 等. 冷感, 異常知覚に牛車腎気丸が有効であった結節性多発性血管炎の1例. 日本東洋医学雑誌, 2006;57(5):651—4.]

56. 일본에서의 증례보고에 따르면 스테로이드 의존성 Mikulicz병 환자가 팔미지황환을 복용한 후 침샘 부종이 사라지고 혈청 IgG도 개선되었으며 스테로이드 감량 후에도 증상이 재발하지 않았다고 한다. [津田笃太郎, 八代忍, 蒲生裕司, 等. ミクリッツ病における八味地黄丸のステロイド減量効果: 症例報告. 日本東洋医学雑誌, 2009;60(5):513—8.]

십전대보탕

고대의 허로병 처방이며 기혈음양을 모두 보하는 처방으로 활용
되어 왔다. 기력을 보충하고 안색과 식욕, 허열을 개선하며 새로
운 살을 돋게하는 효능이 있다. 현대 연구에서는 조혈 촉진, 면역
조절, 장내세균총 조절, 항종양, 항노화, 항스트레스, 항골다공
증, 방사선 손상에서의 회복 촉진 등 작용이 확인되어 있다. 만성
질환에서 몸이 허약해지고 여위어 초췌한 모습을 보이면서 섭식
장애가 나타나는 등의 소견이 특징적인 여러 만성 소모성 질환에
적용한다.

[원서배방]

인삼, 육계(去粗皮, 不見火) 천궁, 지황(洗, 酒蒸, 焙), 복령
(焙), 백출(焙), 감초(炙), 황기(去盧), 천당귀(洗, 去盧), 백작약을
등분한다. 이 열한가지 약물을 크게 썰어 매번 二大錢을 물 一盞,
생강 三片, 대추 三片와 같이 달여 三片이 되도록 하여 시간에 구
애받지 말고 따뜻하게 복용한다(《太平惠民和劑局方諸虛門》).

[원서의 방증]

남녀의 모든 허로부족, 오로칠상(五勞七傷), 섭식장애, 오랜병
에 의한 허손, 때때로 나타나는 조열(潮熱), 사기가 뼈와 척추에
침범해 생긴 긴장과 통증, 몽정, 누렇고 초췌한 얼굴빛, 다리의 위

약, 모든 질병의 후유증, 심리적 문제에 의한 기혈의 손상, 기침으로 숨이 차고 가슴이 그득한 증상, 비기(脾氣)와 신기(腎氣)의 약화, 오심번열을 모두 치료한다.

[추천 처방]

인삼 10 g, 황기 15 g, 백출 10 g, 복령 10 g, 당귀 10 g, 백작약 10 g, 숙지황 15 g, 천궁 10 g. 육계 5 g, 자감초 5 g. 물 1,000 mL를 300 mL가 되도록 달여 하루 두 차례 복용한다.

[방증제요]

얼굴이 누렇고 빈혈이 있으며 극도로 여위고 맥이 약하면서 창상이 오랫동안 유합되지 않는 경우

[적용 환자군]

온몸에 중증의 소모성 소견이 보여 체형이 극히 여위었으며 피부는 건조하고 생기가 없으며 얼굴빛도 누렇고 초췌하다. 눈 주변과 입술 및 설질이 모두 옅은 흰색으로 빈혈기가 있다. 식욕부진하고 입안은 말라있고 설태가 벗겨져 혓바닥이 반짝거리고 미란이 보이며 어두운 색조를 띈다. 창상이 오래 유합되지 않아 맑은 삼출액이 나오며 탈항이나 자궁탈수 등도 보인다. 설사가 오래 멎지 않고 계속되거나 출혈이 멎지 않는 경우도 보인다. 맥은 크고 무력하며 혹은 맥이 미세(微細)하거나 지완(遲緩)한 경우도 있다. 여러 질환의 말기 소견이나 중병을 앓은 후, 대량의 출혈이 있은 후,

또는 산후의 극도로 허약한 상태 등에서 많이 보인다.

[적용 병증]

아래의 병증과 위에 서술한 환자군의 특징이 부합하는 경우에 처방의 투약을 고려할 수 있으며, 또한 근거기반의학적 근거에 따른 진단을 통해서도 처방을 활용할 수 있다.

1. 만성 소모성 질환과 수술후 손상으로 기력의 저하, 허약감, 섭식장애, 창백한 안색, 메마른 머리카락, 빈혈 등 소견이 나타나는 경우. 만성간염(A)[1], 신장성빈혈(A)[2], 혈액투석환자의 피로(B)[3], 골수증식이상증후군, 슈와크만-다이아몬드증후군[4], 류마티스관절염[5], 전신성 홍반성 루푸스[6], 소모성 질환, 접종효과 증가[7,8], 수술 전 자가수혈에 의한 빈혈 예방(A)[9], 노인 피부소양증(B)[10] 등 피부병, 월경 후의 두통(B)[11], 산후유즙부족(A)[12]

2. 반복적으로 재발하는 항생제 내성균 관련 감염질환. 중이염(A)[13], 수술 후 메티실린 내성 황색포도상구균 감염(A)[14], 욕창의 항생제내성균 감염(A)[15], 누공, 열공(B)[16], 만성 B형간염(B)[17]

3. 악성종양의 보조요법. 암환자의 영양상태 및 면역기능 개선(A)[18-20], 악성종양수술 후 재발율 감소(A)[21], 유선암치료 보조요법(A)[22,23], 폐암 보조요법(B)[24], 대장암(A)[25], 부인과종양(A)[26], 화학 및 방사선요법의 보조요법(A)[27,28], 간암색전술 보조요법(A)[29], 췌장암 펩타이드 백신의 보조요법[30], 바이러스성 간염 환자의 간경화 소견에 대한 간암 진행 예방(A)[31]

[가감 및 합방]

1. 맥이 침세(沈洗)한 경우 포부자 5 g을 더한다.

2. 혈변과 질출혈이 있고 색이 어두운 경우 포건강 5 g을 더한다.

3. 이 처방에서 황기와 육계를 제외하면 팔진탕이 된다. 팔진탕도 임상에서 널리 활용하는 처방이다.

[주의사항]

체격이 건장하고 피부색이 검으면서 혈액의 점성이 높은 경우, 설질이 붉고 설태가 누런빛이며 맥이 활실(滑實)한 경우, 오심과 구토가 있고 배가 그득하게 불러오르는 경우 등에는 신중하게 투약하여야 한다.

[각주]

1. 일본에서의 후향적 연구에서는 만성 C형간염에 인터페론+리바비린 항바이러스 치료를 받은 후 빈혈이 발생한 67명의 환자를 대상으로 십전대보탕을 투약하여 헤모글로빈 수치가 현저하게 개선되었음을 보고하였다. 십전대보탕을 복용한 환자 중 13%만이 리바비린을 감량하였으나 십전대보탕을 투약하지 않은 대조군 환자의 43% 부작용으로 리바비린을 감소 또는 중단해야 했다. [Sho Y, Fujisaki K, Sakashita H, et al. Orally administered Kampo medicine, Juzen-taiho-to, ameliorates anemia during interferon plus ribavirin therapy in patients with chronic hepatitis C. J gastroenterol, 2004;39(12):1202-4.]

2. 신부전으로 혈액투석을 시행중이며 에리스로포이에틴에 반응하지 않는 신성빈혈 환자 42명이 참여한 일본의 한 무작위 대조 연구에서는 시험군에 배정된 22명의 환자에 대하여 십전대보탕을 12주간 투여하였다. 그 결과 십전대보탕을 투여한 환자들의 헤모글로빈 수치는 유의하게 증가(8.4±1.1에서 9.5±1.3 g/dL, P=0.0272)하였으며 C- 반응성 단백질 수치가 크게 감소(1.4±1.7에서 0.6±0.8 mg/dL, P=0.0438)하였다. 헤모글로빈의 증가는 C-반

응성 단백질의 감소와 관련이 있으며, 이는 십전대보탕이 빈혈 개선에 미치는 영향이 항염증 효과와 관련이 있음을 시사한다. [Nakamoto H, Mimura T, Honda N. Orally administered Juzen-taiho-to/TJ-48 ameliorates erythropoietin (rHuEPO)-resistant anemia in patients on hemodialysis. Hemodial Int, 2008, 12, Suppl 2:S9-S14.]

3. 피로가 주소증인 혈액투석 환자 17명이 참여한 일본의 한 단일군 연구에서는 십전대보탕을 8주간 투여하여 12명의 환자에서 주소증이 개선되었었음을 보고하였다. 1명의 환자는 효과가 없었으며, 4명은 연구도중 복약을 중단하였다. 추가 분석에 따르면 십전대보탕은 전신피로 및 하지피로에도 효과가 있었다. [室賀一宏. 維持透析患者の倦怠感に対する十全大補湯の効果について. 日本東洋医学雑誌, 1999;49(5):823-7.]

4. 일본에서의 한 사례보고에서는 골수이형성증후군 환자를 치료하기 위해 십전대보탕젤리제를 투여한 결과 빈혈과 혈소판감소증이 성공적으로 개선된 증례를 소개했다. 환자는 처음에 십전대보탕에서 사물탕에 해당하는 약재의 용량을 증량(각 약물별로 5 g)하여 투여하였다. 효과가 나타난 후에는 소화기 증상에 대응하기 위해 사물탕 약재의 용량을 감량하였다(각 3 g). 그러나 증상이 재발하였으므로 다시 사물탕 구성 약재를 증량(각 5 g)하였으나 경과의 호전이 없어 교이를 10 g/d로 늘리고 사물탕 약재의 용량도 6 g으로 추가로 증량하였다. 이같은 치료 과정을 거쳐 헤모글로빈과 혈소판 수치가 개선되었으며 뚜렷한 위장관의 부작용도 나타나지 않았다. 저자는 조혈 장애의 경우 십전대보탕이 효과적이지 않을 때에는 교이를 추가하면 독성을 줄이고 효능을 높일 수 있다고 제안하였다. [貝沼茂三郎, 迎はる, 古庄憲浩, 等. 骨髄異形成証候群による貧血·血小板減少に十全大補湯加膠飴が奏効した1例. 日本東洋医学雑誌, 2011, 62(3):363-368]

5. 일본에서의 한 증례보고에 따르면 빈혈이 뚜렷한 만성 류마티스관절염 환자의 치험을 보고하였다. 이 환자는 계지작약지모탕 투여 후 뚜렷한 효과가 없었기 때문에 이를 기허 및 혈허로 간주하고 십전대보탕을 투여하여 류마티스 활성이 감소하고 빈혈이 개선되었으며 식욕도 증가하였다고 보고하였다. [高橋宏三, 寺澤捷年, 島田多佳志, 等. 十全大補湯が奏効した慢性関節リウマチの一例. 日本東洋医学雑誌, 1992;42(3):343-7.]

6. 일본 증례보고에서는 전신성 홍반성 루푸스에 의한 불응성 혈소판 감소증을 치료하기 위해 투여한 십전대보탕의 효과를 보고하였다. 이 증례에서는

약물 복용 후 환자들의 혈소판 수치가 상승하고 스테로이드 투여량이 감소했으며 항 DNA 항체가 음성으로 전환되었다. [引網宏彰, 小暮敏明, 喜多敏明, 等. 全身性エリテマトーデスの難治性血小板減少症に十全大補湯が奏効した一例. 日本東洋医学雑誌, 1997;48(3): 327–33.]

6. 일본에서 실시한 무작위 대조 연구에서는 인플루엔자 예방 접종을 받은 인플루엔자 고위험 노인 90명 중 시험군에 배정된 44명의 환자에게 십전대보탕을 투약하였다. 그 결과 백신 접종자의 A/Victoria/210/2009(H3N2)항체역가가 더 높았으며, 이는 십전대보탕이 항인플루엔자 백신 접종 후 항체역가와 효과 지속시간을 증가시킬 수 있음을 시사한다. [Saiki I, Koizumi K, goto H, et al. The long-term effects of a kampo medicine, juzentaihoto, on maintenance of antibody titer in elderly people after influenza vaccination. Evid Based Complement Alternat Med, 2013;568074.]

8. 일본에서의 동물 연구에 따르면 십전대보탕과 보중익기탕은 Lactobacillus 기반 HPV 백신의 접종 효과를 높이고 HPV에 대한 점막 I형 면역 반응을 향상시킬 수 있다고 한다. [Taguchi A, Kawana K, Yokoyama T, et al. Adjuvant effect of Japanese herbal medicines on the mucosal type 1 immune responses to human papillomavirus (HPV) E7 in mice immunized orally with Lactobacillus-based therapeutic HPV vaccine in a syner gistic manner. Vaccine, 2012;30(36):5368–72.]

9. 일본에서 실시한 무작위 대조 연구에서는 고관절 전치환술이나 회전 비구절골술을 계획하고 있는 18명의 여성 환자 중 9명을 시험군으로 배정하고 수술 21일 전부터 하루 전까지 십전대보탕을 투약하였다. 자가 혈액 수집(각 회 400 mL, 총 1,200 mL)은 수술 21일, 14일 및 7일 전에 수행되었다. 그 결과 수술 전 십전대보탕을 복용하면 수술 전후의 헤모글로빈 수치가 크게 향상되고, 자가 수혈로 인한 빈혈을 줄일 수 있는 것으로 나타났다. [Kishida Y, Nishii T, Inoue T, et al. Juzentaihoto (TJ-48), a traditional Japanese herbal medicine, influences hemoglobin recovery during preoperative autologous blood donation and after hip surgery. International journal of clinical pharmacology and therapeutics, 2009;47(12):716–21.]

10. 일본의 연속증례연구에서는 십전대보탕으로 효과가 있었던 노인성 가려움증 환자 4명의 경과를 보고하였다. 환자의 건성 피부를 바탕으로 혈허로, 고령, 피로, 핍력, 쉽게 감기에 걸리는 등의 증에 따라 기허로 보고 소량의 십전대보탕을 2-6주간 투여한 결과 경과의 개선이 관찰되었다. 저자는 십전대보

탕이 가려움증 유발 물질의 농도를 감소시킬 뿐만 아니라 가려움증에 대한 신체의 민감도를 감소시킬 수 있다고 설명하였다. [鴎田治. 老人性皮膚癌痒症に対する十全大補湯の有用性. 日本東洋医学雑誌, 2000;50(5):877-81.]

11. 일본의 한 후향적 연구에서는 월경 후기 편두통 환자 9명에 대한 십전대보탕 투여 경과를 보고하였다. 이 연구의 모든 환자는 과소월경과 함께 월경 4-5일차에 월경량 감소 시 발생하는 두통을 호소하였으며 오한과 피로 등의 기허 소견이 동반되었다. 이들에 대해 십전대보탕을 투여한 결과 모든 증례에서 두통이 크게 개선되었다. [木村容子, 佐藤弘, 伊藤隆. 月経後期の片頭痛に十全大補湯が有効であった9症例の検討. 日本東洋医学雑誌, 2018;69(1):22-8.]

12. 일본에서 실시한 무작위 대조 연구에서는 산후유즙분비 부전 여성 72명을 대상으로 갈근탕, 십전대보탕, 궁귀조혈음, 길경탕 및 유방 마사지의 효과를 비교하였다. 그 결과 모유 분비 증가의 효과는 십전대보탕 투여에서 가장 뚜렷하게 나타났다. 유방 마사지의 효과도 십전대보탕 투여와 유사하였다. [河上祥一, 西村純子, 楪木美智子, ほか. 乳汁分泌不足感に対する漢方療法.産婦人科漢方研究のあゆみ, 2003(20):140-3.]

13. 87명의 재발성 급성 중이염 환아(연령: 6-48개월)가 참여한 일본의 한 무작위 대조 연구에서는 표준적인 급성 중이염 치료를 기본으로 시행하면서 시험군에 배정된 39명의 환아에게는 십전대보탕을 3개월의 기간 동안 병용 투약하였다. 시험군에서 3개월 내 한차례 이상 급성 중이염 발생률은 십전대보탕을 복용하지 않은 대조군(71% 대 92%)보다 현저히 낮았으며 발생 빈도는 57% 감소(월 발작 0.61±0.54 대 1.07±0.72); P=0.005)하였다. 또한, 십전대보탕을 복용한 환아들의 감기 횟수 및 항생제 사용 시간은 크게 감소하였다. [Ito M, Maruyama Y, Kitamura K, et al. Randomized controlled trial of juzen-taiho-to in children with recurrent acute otitis media. Auris Nasus Larynx, 2017;44(4):390-7.]

14. 일본에서 실시한 무작위 대조 연구에서는 신경수술 후 메티실린 내성 황색 포도상구균 감염증 환자를 대상으로, 표준격리치료에 더해 십전대보탕, 보중익기탕을 투여하였다. 그 결과 MRSA 감염시간을 크게 단축할 수 있었는데, 이는 십전대보탕 및 보중익기탕의 투약이 더 많은 환자가 더 짧은 시간에 MRSA에 대해 음성으로 전환하는 데 도움이 된다는 것을 보여준다. [Karibe H, Kumabe T, Ishibashi Y, et al. The effect of Japanese herbal medicine on

MRSA carrier in neurosurgery. No Shinkeigeka, 1997;25(10):893-7.]

15. 만성 욕창 환자 28명이 참여한 일본의 무작위 대조 연구에서는 이들 중 16명의 환자에게 12주간 십전대보탕을 투여하였다. 그 결과 십전대보탕은 욕창이나 환자의 영양 상태 개선에는 큰 영향을 미치지 못하였지만 상처 분비물에서 MRSA를 현저하게 감소시킬 수 있음이 밝혀졌다. [永井弥生, 長谷川道子, 田子修, ほか. 十全大補湯の褥瘡に対する効果の検討. 漢方と最新治療, 2009(18):143-9.]

16. 일본의 연속증례연구에서는 소아의 누공, 열공 9례의 치험을 소개하였다. 십전대보탕의 복약을 시작한 후 목에 병변이 있었던 1명의 환아와 복부에 병변이 있었던 4명의 환아는 4주 내에 유합이 이루어졌다. 회음부에 병변이 발생한 4명의 환아는 복약을 시작한지 6개월 내에 유합되었다. [千葉庸夫. 小児例における瘻孔閉鎖を目標とした十全大補湯の使用経験. 日本東洋医学雑誌, 46(3):427-31.]

17. 일본의 한 후향적 연구에서는 글리시리진 및 우르소데옥시콜산에 반응을 보이지 않고 ALT의 이상소견이 있는 만성 C형 간염환자 32명에 대한 십전대보탕의 병용투약 효과를 관찰하였다. 단순 간염환자의 경우 십전대보탕의 병용을 통해 62.5%의 환자에서 ALT의 현저한 감소(25%이상의 변화)가 관찰되었으며, 간경변 환자들 중에서는 54.2%에서 ALT의 현저한 감소가 관찰되었다. 대부분 환자는 복약 3개월 후부터 명확한 ALT의 감소가 나타났으며, 일부 환자들은 6개월 복용 후에 효과가 나타나는 경우도 있었다. 또한 40%의 환자는 치료 2년 후에도 ALT 개선이 계속되었다. [多羅尾和郎, 坂本康成, 上野誠, 等. C型慢性肝疾患(慢性肝炎・肝硬変症)難治例に対して十全大補湯は第3の肝庇護剤になりえるか. 日本東洋医学雑誌, 2010;61(1):1-8.]

18. 일본의 한 단일군 연구에서는 진행성 췌장암 환자 30명에게 십전대보탕을 투약한 결과 Foxp3(+) Treg 세포를 현저하게 감소시키고 T 세포 면역 조절을 강화할 수 있었다고 보고하였다. 십전대보탕은 췌장암 환자의 항종양 면역 반응을 조절한다. [Ikemoto T, Shimada M, Iwahashi S, et al. Changes of immunological parameters with administration of Japanese Kampo medicine (Juzen-Taihoto/TJ-48) in patients with advanced pancreatic cancer.Int J Clin Oncol, 2014;19(1):81-6.]

19. 뇌종양 환자 29명이 참여한 일본의 한 무작위 대조 연구에서는 모든 환자에게 십전대보탕을 투약하면서 시험군에 배정된 환자에게는 베타 인터페

론 요법을 병용하였다. 연구 결과, 베타 인터페론 요법의 적용 여부와 무관하게 십전대보탕은 종양 환자의 면역기능을 현저하게 개선될 수 있음이 확인되었다. [Miya gami M, Katayama Y. Improvement of host−immunity by adjuvant therapy with juzen−taiho−to for patients with brain tumors.No Shinkeigeka, 2003;31(4):401−9.]

20. 위암 수술 후 화학요법을 받는 23명의 환자가 참여하는 일본의 한 무작위 대조 연구에에서는 이들 중 11명의 환자에게 14주간 십전대보탕을 병용투약하였다. 이 연구에서는 십전대보탕의 투약이 세포독성T세포 및 조절T세포의 비율을 개선함으로써 항종양면역기능을 향상시킬 수 있음을 보여주었다. [今野弘之, 丸尾祐司, 馬塲正三, ほか. 胃癌術後補助化学療法における十全大補湯併用による免疫能改善効果. Biotherapy, 1997(11):193−9.]

21. 위암 수술 후 경구 5−FU 보조항암화학요법을 받는 95명의 환자가 참여한 일본의 한 무작위 대조 연구에서는 이들 중 43명의 환자에 2년의 기간 동안 십전대보탕을 병용투약하였다. 그 결과 치료군과 대조군의 5년 생존율에는 큰 차이가 없었다(74.3% 대 73.5%). 추가 분석에 따르면 십전대보탕은 I기 및 II기 환자의 5년 생존율을 추가로 향상시키지 못하였으나 III기 및 IV기 환자의 5년 생존율을 현저하게 향상시켰다(87% 및 25% 대 22% 및 0%). 또한 중앙생존기간(35.1개월 및 14.2개월)도 크게 연장시키는 효과가 확인되었다. [山田卓也. 癌における 5−FU 経口剤と十全大補湯(TJ−48)の併用効果に関する無作為比較試験. Progress in Medicine, 2004(24):2746−7.]

22. 대만에서의 한 후향적 연구에서는 유방암 화학요법 중 백혈구감소증이 발생한 304례 중 47례에 십전대보탕을 병용투약하였다. 그 결과 백혈구(특히 호중구) 및 헤모글로빈 수치가 크게 향상되었으나, 항종양 효능에는 큰 영향을 미치지 않았다. [Huang S M, Chien L Y, Tai C J, et al. Effectiveness of 3−Week Intervention of Shi Quan Da Bu Tang for Alleviating Hematotoxicity Among Patients With Breast Carcinoma Receiving Chemotherapy. Integrative Cancer Therapies, 2013;12(2):136−44.]

23. 일본의 한 무작위 대조 연구에서는 항함화학요법 및 내분비요법을 받는 진행성 유방암 환자 119명 중 58명에게 십전대보탕을 병용투약하였다. 전체 결과에서는 진행성 유방암 환자의 생존기간 개선이 없었으나, 추가분석 결과 허증환자의 생존기간은 십전대보탕 복용 후 현저하게 늘어난 것으로 드러났다. 이는 십전대보탕이 허증의 환자에게 효과적임을 시사한다. [安達勇,

渡辺亨, 程錦雁, ほか. 進行乳癌における補助療法としての十全大補湯の有用性の検討.癌と化学療法, 1989(16):1538-43.]

24. 일본의 한 임상연구에 따르면 십전대보탕은 화학요법을 받는 외래 폐암 환자의 삶의 질을 개선할 수 있으며, 특히 체력의 개선에 긍정적인 영향을 미친다고 한다. [石浦嘉久, ほか. 非小細胞肺癌外来化学療法患者の QOL に対する十全大補湯の効果. 癌と化学療法, 2016(43):331-4.]

25. 테가푸르 투여 및 보조항암요법을 받는 대장암 환자 44명이 참여한 일본의 무작위 대조 연구에서는 이들 중 24명의 환자에 십전대보탕을 병용투약하였다. 관찰결과 십전대보탕은 TP 및 P450의 활성을 조절할 수 있었다. 십전대보탕은 종양 조직에서 5-FU의 농도를 증가시키고 정상 조직에서 5-FU의 농도를 감소시켜 종양 조직에 대한 화학요법제의 선택성을 증가시키고 이와 더불어 간손상을 줄였다. [戸田智博, 松崎圭祐, 川野豊一, ほか. 大腸癌に対する Tegafur 徐放性製剤(SF-SP)と十全大補湯(JTX)の術前および術後併用療法の検討-とくに組織内濃 度と Thymidine Phosphorylase (TP) 活性について-. 癌の臨床, 1998(44):317-23.]

26. CAP 항암화학요법을 받는 자궁경부암, 난소암 및 자궁내막암 환자 32명이 참여한 일본의 한 무작위 대조 연구에서는 시험군에 배정된 19명의 환자에게 화학요법 시행 1주 전부터 4주 후까지 인삼양영탕 합 십전대보탕을 투여하였다. 이 연구를 통해 인삼양영탕 합 십전대보탕이 항암화학요법에 의한 골수억제의 회복과 신장기능 보호에 기여할 수 있음이 확인되었다. [藤原道久, 河本義之. 婦人科悪性腫瘍の化学療法による骨髄抑制に対する十全大補湯の効果. 産婦人科漢方研究のあゆみ, 1998(15):86-9.]

27. 흉부종양(주로 자궁암 및 유방암)으로 방사선요법을 받는 83명의 환자가 참여한 일본의 한 무작위 대조 연구에서는 이들 중 43명의 환자에 십전대보탕을 병용투약하였다. 그 결과 방사선요법으로 인한 거식증, 피로, 메스꺼움, 구토 및 설사가 대폭 감소하였다. [橋本省三, 田中幸房. 癌の放射線治療時の副作用. 産婦人科の世界, 1990, 42 suppl:176-84.]

28. 90명의 진행성 식도암 환자가 참여한 중국의 한 무작위 대조 연구에서는 방사선요법 및 화학요법과 함께 45명의 시험군 배정환자에 팔진탕을 6주간 병용투약하였다. 팔진탕의 병용은 방사선요법과 화학요법의 효능을 향상시키고(유효율 82.2% 대 62.2%, P<0.05), II-III도 방사선 식도염을 감소시킬 수 있는 것으로 나타났다(II도 및 III도 방사선 식도염의 발생률은 각각 6.67%

및 6.67% 대 22.2% 및 22.2%). 이외에도 팔진탕은 폐렴(11.1% 및 4.4% 대 28.9% 및 17.8%), 골수 억제(11.1% 대 2.2% 대 22.2% 및 24.4%), 간 및 신장 손상(2.2% 및 0% 대 11.1% 및 11.1%) 등 이상반응의 발생을 줄이고 면역 기능과 삶의 질을 향상시킬 수 있었다. [李小军, 冯春兰, 罗海亮, 等. 八珍汤辅助放化疗治疗中晚期食管癌45例临床观察. 中医杂志, 2016;57(5):416-9.]

29. 일본에서 실시한 무작위 대조 연구에서는 간암으로 동맥경화색전술(TACE)을 시행한 20명의 환자 중 10명에게 수술 3일 전 8일 동안 십전대보탕을 복용토록 했다. 그 결과 TACE 후 메스꺼움과 구토가 크게 줄었다. [長友英博, 重平正文. ツムラ十全大補湯による抗癌剤(シスプラ チン)の副作用軽減効果について. 漢方医学, 1992(16):116-9.]

30. 진행성 췌장암으로 개인 맞춤형 펩타이드 백신을 접종받은 57명의 환자가 참여한 일본의 한 무작위 대조 연구에서는 28명의 환자를 시험군에 배정하여 십전대보탕을 투약하였다. 이 연구에서 십전대보탕의 투약이 백신의 항원특이성과 체액성 면역 및 세포성 면역을 증강시키지는 못하였다. 그러나, 십전대보탕은 환자의 체력과 영양상태를 개선시킬 수 있었다. [Yutani S, Komatsu N, Matsueda S, et al. Juzentaihoto Failed to Augment Antigen-Specific Immunity but Prevented Deterioration of Patients' Conditions in Advanced Pancreatic Cancer under Personalized Peptide Vaccine. Evid Based Complement Alternat Med, 2013;981717.]

31. B형과 C형 간염으로 인한 간경변증 환자 52명이 참여한 일본의 한 무작위 대조 연구에서는 24명의 시험군 배정 환자에 십전대보탕을 병용투약하여 간암 진행위험 감소 및 환자 생존시간 연장과 관련한 효과를 확인하였다. [樋口清博, 清水幸裕, 安村敏, ほか. 臨床研究-十全大補湯による肝 発癌抑制効果の検討: 肝硬変症例を対象に. 肝胆膵, 2002(44):341-6.]

O

오령산

경전의 이수(利水) 처방이며, 통양화기(通陽化氣) 및 건비이수(健脾利水)방으로 활용되어 왔다. 입마름과 구토, 설사, 어지러움 및 두통을 멎게하고 소변을 잘 통하게 하는 효능이 있다. 현대의 연구에서는 간보호, 지질강하, 알코올성지방간 억제, 이뇨, 전해질 대사의 조절, 두개내압 상승 억제 등 작용이 확인되어 있다. 입이 마르고 물을 토하거나 설사를 하며 땀이 나면서 소변은 잘 나오지 않는 소견을 특징으로 하는 질환에 적용한다.

[경전배방]

저령 十八銖(去皮), 택사 一兩 6수, 백출 十八銖, 복령 十八銖, 계지 半兩(去皮). 이 다섯가지 약물을 찧어 산제로 만들어 물에 방촌비 분량씩 타서 하루에 세 차례 마신다. 따뜻한 물을 많이 마셔 땀을 내면 낫는다.(《傷寒論》《金匱要略》)

[경전방증]

태양병에 발한법을 써서 땀을 많이 낸 후 위중(胃中)이 마르고 번조가 생겨 잠을 이루지 못하고 물을 마시려 한다… 맥이 부(浮)하고 소변이 잘 나오지 않으며 열이 약간 나고 소갈이 있을 경우 오령산으로 치료한다(《傷寒論》 71조). 발한법을 쓴 후 맥이 부삭(浮數)하고 번갈이 있다(《傷寒論》 72조). 상한에 땀이 나면서 갈증이 생긴다(《傷寒論》 73조). 중풍(中風)에 열이 나서 6, 7일이 지나도 풀리지 않아 괴롭고 표리증(表裏證)이 있으며 갈증이 나서 물을 마시려 하고 물을 마시면 곧 토한다(《傷寒論》 74조). 비증(痞證)이 풀리지 않고 입안이 마르면서 가슴이 답답하여 소변이 잘 나오지 않는다(《傷寒論》 156조). 곽란으로 두통과 열이 있고 몸에 통증이 있으며 열이 많아서 물을 마시려고 한다(《傷寒論》 386조). 마른 사람이 배꼽 아래가 두근거리고 입에서 거품을 토하면서 어지러워한다(《金匱要略》 十二).

[추천 처방]

저령 20 g, 택사 30 g, 백출 20 g, 복령 20 g, 계지 15 g 혹은 육계 10 g. 이들을 물 1,100 mL와 같이 달여 탕액이 300 mL가 되도록 한 뒤, 하루 두세 차례에 나누어 따뜻하게 복용한다. 산제로 복용해도 된다. 매회 5 g, 하루 두세 차례 복용한다. 쌀죽이나 뜨거운 물에 개어 복용한다.[1]

[방증제요]

갈증이 있고 소변이 잘 나오지 않으며 물을 마시기만 해도 토하는 경우가 있다. 땀이 나고 구토를 하거나 입안이 건조하며 번열이 있고 두근거림이나 어지럼증 또는 설사가 보이기도 한다.

[적용 환자군]

환자마다 체형이 달라 비만한 체격과 마른 체격을 모두 볼 수 있다. 입마름이 특징적으로 갈증이 매우 뚜렷하며 찻잔을 항상 소지하고 연신 따뜻한 물로 입을 축이는데 물을 마시고 나면 위에 불쾌감이 생기는 경우가 많다. 설질은 통통하고 크며 연하고 주변에 치흔이 보인다. 설태는 희고 두꺼우며 끈적거리거나 물기가 축축하다. 윗배가 불편하다고 하며 물이나 거품을 토하는 경우가 잦고 위내진수음이 있으며 뚜렷한 장명음이 들리기도 한다. 설사나 풀어지는 대변을 보고 차가운 음료나 과일을 먹으면 쉽게 설사를 한다. 소변량은 적고 소변의 색이 누런 편으로 시원하게 나오지 않아서 소변을 보려해도 잘 나오지 않는다. 부종이나 체액저류가 관찰된다. 피부색은 누렇고 광택이 없으며 잘 붓고 땀이 많으며 삼출물이나 수포가 흔히 생긴다. 음주가 잦거나 글루탐산 나트륨 또는 건강보조식품을 남용하여 대사장애에 이른 경우에 많이 보인다.

[적용 병증]

아래의 병증과 위에 서술한 환자군의 특징이 부합하는 경우에 처방의 투약을 고려할 수 있으며, 또한 근거기반의학적 근거에 따른 진단을 통해서도 처방을 활용할 수 있다.

1. 수양성 설사가 나타나는 질환. 여름, 가을의 위장형 감기, 급성 장염, 전염성 설사(A)[2], 소화불량(B)[3], 화학요법 후 설사, 지방간 설사, 항생제 설사, 방사선 대장염(B)[4], 음주 후 설사, 영유아 설사 등

2. 물을 토하는 소견이 나타나는 질환. 급성위염, 임신구토, 과음에 의한 구토, 약물성 구토(B)[5], 유문협착[6], 신생아구토(A)[7], 수술 후 오심구토(A)[8,9], 물에 빠진 이후의 구토 등

3. 부종이 나타나는 질환. 노인의 하지부종(B)[10], 심부전(B)[11], 월경 시에 생기는 부종, 월경전증후군, 신성고혈압, 통풍, 고요산혈증, 만성신부전으로 인한 투석환자(B)[12], 화학요법 후 발생한 급성신부전(B)[13] 등. 하복부 림프부종에도 쓸 수 있다(B).[14]

4. 체액저류 소견을 나타내는 질환. 심낭압전, 수신증, 흉막삼출[15], 복수[16], 위저류증, 음낭수종, 정계정맥류(B)[17], 요로결석(B)[18], 수신증, 양수과다증, 양수과소증(A)[19] 등

5. 입마름이 있고 물을 많이 마시면서 소변을 자주 보는 소견이 나타나는 질환. 쇼그렌증후군, 요붕증, 재발성 코르티코트로핀-바소프레신 분비증후군(B)[20], 뇌하수체종, 부신종양, 가성알도스테론증, 소아다음증, 약인성 구강건조증(B) 등

6. 두통과 어지러움이 나타나는 질환. 난치성 두통, 월경두통(B)[21], 삼차신경통(B)[22], 기타 신경통[23], 수두증(A)[24], 두개내압상승에 의한 두통, 만성경막하혈종(B)[25] 및 수술 후 재발 예방(A)[26], 메니에르병, 현훈, 멀미, 임신중독증, 원발성 고혈압(B)[27], 기립성저혈압(A)[28] 등

7. 광공포증, 비문증, 두통이 나타나는 안과질환. 녹내장, 중심장액성 맥락망막병증, 시신경유두부종, 황반부종, 가성근시(B), 유리체혼탁, 야맹증, 급성누낭염, 망막중심정맥폐쇄증[29], 보그트-고야나기-하라다병(Vogt-Koyanagi-Harada disease, VKH)

8. 땀이 많이 나고 삼출액 및 과각화 소견이 나타나는 질환. 편평사마귀, 황색종, 지루성피부염, 탈모, 다형성홍반, 수두, 대상포진, 난치성 습진, 특발성 피부염(A)[30], 손발의 수포성습진, 구강점막백반 등

9. 대사증후군과 간질환. 단순성비만, 지방간, 만성간염, 간경화, 종양치료 후 간손상

10. 신경근 및 말초연부조직의 부종. 경추질환, 요추질환[31]

11. 기관지천식(B)[32]

[가감 및 합방]

1. 만성열과 함께 림프절의 부종, 가슴답답함 및 오심과 식욕부진이 있는 경우 소시호탕을 합방한다.

2. 배가 그득하고 트림이 나오며 인후의 이물감이 있고 설태가 두껍고 끈적거리는 경우 반하후박탕을 합방한다.

3. 여름철에 많은 땀을 흘리고 두통과 심한 갈증이 있으면서 소변이 잘 나오지 않으면 활석 15 g, 한수석 15 g, 생석고 20 g, 자감초 5 g을 더하는데 이를 영계감로음이라고 한다.

4. 허리와 대퇴부의 통증 및 고혈압에는 회우슬 30 g을 더한다.

5. 황달 또는 고빌리루빈혈증에는 인진을 30 g 더한다.

[주의사항]

1. 이 처방은 탈수를 교정하는 작용이 있으나 중등도 이상의 탈수 및 전해질 이상이 악화된 경우 이 처방만으로는 치료가 어렵다.

수액 및 기타 전해질 교정치료와 함께 오령산 투여를 시행한다.

2. 소수의 환자에게서 이 처방 복용 후 설사나 변비가 나타날 수 있다. 이 경우 투약 용량을 줄이거나 복약을 중단하도록 한다.

3. 물을 토하는 경우에는 산제를 투약하는 것이 좋으며, 상부 위장관 증상이 없으면 탕제를 투약할 수 있다.

4. 오령산을 복용한 후에는 따뜻한 물을 마셔서 약간의 땀을 내는 것이 좋다. 평상시에도 찬음식을 먹지 않도록 한다.

5. 일본에서는 이 처방 복용 후 발생한 부작용으로 급성 세뇨관 간질성 신염(Acute tubulo−interstitial nephritis) 및 간질성 신염 포도막염 증후군(Tublointerstitial nephritis and uveitis syndrome) 발생 보고가 있다.[33]

6. 이 처방과 비스테로이드성 소염진통제는 상호작용이 존재할 수 있다.[34]

[각주]

1. 수습내정증으로 변증된 신증후군 환자 41명이 참여한 중국의 한 무작위 대조 연구에서는 21명의 환자에게는 오령산(하루분 약재 용량 27 g)을 투약하였고, 20명의 환자에게는 오령탕(하루분 약재 용량 96 g)을 투여하였다. 두 군 모두 평균 소변량이 투약 전에 비해 유의하게 증가하였고, 체중도 현저하게 감소하였으나 효과는 오령산이 더 현저하였다. 두 약물 모두 24시간 요 단백 및 혈청 알부민 수치에는 별다른 영향이 없었다. 수습내정증 신증후군 환자의 이뇨 및 부종에 대한 오령산의 효과는 오령탕보다 현저히 우수하였다. [金汝真, 余仁欢, 高辉, 等. 五苓散与五苓汤治疗肾病综合征水湿内停证的临床对照研究. 中医杂志, 2012;53(7):572–3, 577.]

2. 구토와 설사 및 복통을 동반하는 노로바이러스 위장염 환자 33명이 참여한 일본의 한 무작위 대조 연구에서는 각각 11명의 환자에게는 오령산을 투약

하고, 11명의 환자에게는 작약감초탕을 투약하였으며, 나머지 11명은 무처치 대조군에 배정하여 경과를 관찰하였다. 그 결과 각 군의 구토 시간은 각각 79.1±27.5분, 83.6±20.1분, 1701.8±377.2분, 설사 시간은 각각110.0±30.0분, 129.5±28.6분, 1728.2±352.0분으로 나타났다. 또, 복통의 지속 시간은 각각 122.3±26.5분, 105.0±16.0분, 1813.6±357.1분으로 나타났다. 이 결과는 노로바이러스 위장염으로 인한 구토, 설사 및 복통에 대한 오령산의뚜렷한 효과를 보여준다. 또 작약감초탕을 병용하면 복통을 더 효과적으로 개선할 수 있었다. [三浦陽子, 山岸由佳, 三鴨廣繁, ほか. 感染性下痢症に対する漢方治療の効果に関する検討.産婦人科漢方研究のあゆみ, 2011(28):102-4.]

3. 여름철에 찬음식을 섭취한 후 심와부발생한 19명의 환자를 관찰한 일본의 한 단일군 연구에서는 오령산의 투약이 16명의 환자에서 효과가 있었고, 3명의 환자에서는 효과가 없었다고 보고하였다. 효과적이었던 증례와 그렇지 않았던 증례를 비교분석한 결과 백태(白苔)와 심하비경이 오령산의 표적 증상임을 발견하였다. [木村容子, 杵渕彰, 稲木一元, 等. 五苓散が有効であった夏季の冷飲食後に生じた心窩部痛の検討. 日本東洋医学雑誌, 2010;61(5):722-6.]

4. 전립선암 치료를 위한 방사선요법을 받은 후 발생한 급성 방사선 장염 및 설사 환자 20명에 대한 일본의 단일군 연구에서는 18명의 환자(90%)가 오령산을 지속적으로 복약한 뒤 증상이 호전되었음을 보고하였다. 호전이 없었던 2명의 환자(10%)들도 오령산의 용량을 두배로 증량하여 투약한 후 경과의 개선이 있었다. [尾崎正時. 放射線照射による下痢に対する五苓散の効果. 日本東洋医学雑誌, 2012;63(4):255-60.]

5. 정신질환 치료를 위한 선택적 세로토닌 재흡수 억제제 복용 후 메스꺼움 및 소화불량이 발생한 20명의 환자를 관찰한 일본의 한 단일군 연구에서는 오령산의 투약을 통해 9명의 환자가 증상이 완전히 소실되었고, 4명의 환자에게서 상당한 호전이 있었음을 보고하였다. 이외 2명의 환자는 경미한 개선을 보였으며, 5명의 환자는 효과가 없었다. [Yamada K, Yagig, Kanba S. Effectiveness of gorei-san (TJ-17) for Treatment of SSRI-Induced Nausea and Dyspepsia: Preliminary Observations. Clinical Neuropharmacology, 2003;26(3):112-4.]

6. 일본의 한 증례보고에서는 유문협착으로 구토가 지속되는 환자에 대한 치험을 소개하였다. 환자는 뇌경색이 발병한 후 오랜기간 침상에 누운 상태로 비위관 영양을 하는 상태였다. 구토가 반복적으로 발생하므로 이에 대한 검

사 결과 유문부의 반흔성 협착이 관찰되어, 이에 대한 치료를 위해 육군자탕을 비위관 및 위내시경 풍선 확장술을 활용하여 투여하였으나 경과에 변화가 없었다. 이후 환자에게서 심부전 증상이 나타났으므로 이에 대응하기 위해 오령산으로 처방을 변경한 후에 구토 증상이 소실되었다. 검사상 유문부의 협착에는 뚜렷한 변화가 없었으나 위 확장 소견이 줄어들었으며, 심부전 증상 또한 현저하게 개선되었다. [松井龙吉, 山口拓也, 小林祥泰, 等. 幽門狭窄症に伴う反復性の嘔吐症に対し五苓散が有効であった一症例. 日本東洋医学雑誌, 2012;63(6):378-83.]

7. 구토를 호소하는 환아 20명이 참여한 일본의 한 무작위 대조 연구에서는 13명의 환아에게는 오령산 좌약을 투여하고, 7명의 환아에게는 돔페리돈 좌약을 투여하였다. 그 결과 두 그룹의 유효율은 각각 92.3%와 71.4%로 나타났다. [西惠子, 高田加壽代, 浅野聡美, ほか. 小児の嘔吐に対する五苓散坐剤の効果-ドンペリドン坐剤との比較-. 日本病院薬剤師会雑誌, 1998(34):1173-6.]

8. 일본의 한 무작위 대조 연구에서는 양성 부인과질환으로 전신마취 후 복강경수술을 받은 환자 99명에 대하여 수술 전 오령산을 투여한 결과 수술 후 메스꺼움, 구토 빈도 및 횟수가 현저히 감소한 것으로 나타났다. [Kori K, Oikawa T, Odaguchi H, et al. go-rei-san, a Kampo medicine, reduces postoperative nausea and vomiting: A prospective, single-blind, randomized trial. The Journal of Alternative and Complementary Medicine, 2013(19):946-50.]

9. 일본의 한 무작위 대조 연구에서는 부인과 질환으로 전신마취를 받은 83명의 환자에 대하여 수술 종료 1시간 전 오령산을 비위관 투여하였으나, 이는 수술 후 메스꺼움과 구토를 완화하지 못하는 것으로 나타났다. [Kume K, Kasuya Y, Ozaki M.Effect of goreisan, a traditional Japanese Kampo medicine, on postoperative nausea and vomiting ingynecological patients. JA Clinical Reports, 2017;3(1):52.]

10. 하지부종이 있는 43명의 고령 환자가 참여한 일본의 한 크로스오버 임상연구에서는 오령산과 시령탕의 효과를 비교한 결과 두 약제를 투여한 환자군의 총유효율은 각각 67%와 62%로 비슷함을 확인하였다. 추가분석 결과 오령산에서 효과를 보인 환자는 허증으로 분류된 비율이 77%였기 때문에 실증 또는 허실중간증 환자에 비해 허증이 많았음을 알 수 있었다. [石岡忠夫. 高齢者の軽度足背浮腫に対する五苓散と柴苓湯の体力差を考慮した効果比

較. 漢方の臨床, 1997(44):1091-5.]

11. 일본에서의 연속증례연구에서는 이뇨제로 효과가 없었던 심부전 환자 2명에 대한 경과보고를 통해, 이 증례에서 오령산을 투여한 결과 소변량이 증가하고 심부전 증상이 완화되었으며 복약을 지속한 1년 내에는 심부전의 급성 악화가 발생하지 않았다고 보고하였다. [玉野雅裕, 加藤士郎, 岡村麻子, 等. 難治性高齢者心不全に対して五苓散追加投与が有効であった2症例. 日本東洋医学雑誌, 2018;69(3):275-280.]

12. 투석불균형증후군(근육경련 포함) 환자 20명의 경과를 관찰한 일본의 한 단일군 연구에서는 환자들에게 오령산을 8주간 투여한 결과 근육경련이 현저하게 감소하고 저혈압이 개선되었다고 보고하였다. [和田健太朗. 血液透析患者の除水困難症・筋痙攣に対する五苓散の効果. 日本東洋医学雑誌, 2012;63(3):168-75.]

13. 중국의 단일군 연구에서 시스플라틴 또는 아드리아마이신 화학요법 후 발생한 급성 신부전 환자 24명(경도 신부전 21명, 중등도 신부전 3명)에 오령산을 투여(탕제로 투여, 기허에는 가 황기, 당삼, 부종에는 가 상백피, 복령피, 변비에는 가 대황, 요통에는 가 두충)한 결과 21명의 환자가 증상의 완전한 관해에 이르렀으며, 1명의 환자에서 현저한 효과가 나타났고 2명의 환자는 효과가 없었다고 보고하였다. [程剑华, 龙浩, 赵德慧, 等. 五苓散加味治疗化疗性肾衰的临床研究. 中医杂志, 1993(1):42-3+4.]

14. 자궁내막암 및 자궁경부암에 대한 근치적 수술(후복막 림프절절제술 포함)을 시행한 후 하복부의 림프부종(특히 회음부-서혜부-외음부)가 발생한 21명의 환자가 참여한 일본의 한 단일군 연구에서는 증상의 치료를 위해 오령산 및 종합적인 물리치료의 병용요법을 적용하였다. 환자에게서 효과가 분명하게 나타나지 않는 경우에는 시령탕, 우차신기환을 합방하여 투여하였다. 그 결과 오령산 투여의 유효율은 78%였고, 복부둘레 감소 중간값은 2.1 cm(95% CI 1.3-2.85)였다. 시령탕 및 우차신기환의 병용투여까지 시행하였음에도 경과개선이 없었던 환자는 8%에 불과하였는데, 특히 오령산 합 시령탕의 효과가 보다 현저하였다. [Komiyama S, Takeya C, Takahashi R, et al. Feasibility study on the effectiveness of goreisan-based Kampo therapy for lower abdominal lymphedema after retroperitoneal lymphadenectomy via extraperitoneal approach. Journal of Obstetrics and gynaecology Research, 2015;41(9):1449-56.]

15. 일본의 한 증례보고에서는 승모판 협착증의 치료를 위해 수술적 승모판 치

환술을 받은 후 심부전으로 인한 우측 흉막삼출이 발생한 환자의 경과를 보고하였다. 이 증례는 고용량 이뇨제 투약의 효과가 없어 오령산을 병용투여한 결과 경과의 호전이 관찰되었다. [薄木成一郞, 西本隆. 僧帽弁置換術後の難治性胸水に対して五苓散追加が有効であった一症例. 日本東洋医学雑誌, 2012;63(2):103-8.]

16. 일본에서의 한 증례보고에서는 대량의 혈성 복수가 병발한 진행성 위암 환자의 치험을 소개하였다. 처음 증상에 대처하기 위해 계지가작약대황탕을 투여하였으나 효과가 없었다. 이에 따라 오령산을 고용량(3배)으로 투여한 결과 많은 양의 배뇨가 이루어지면서 복수가 감소하여 환자가 퇴원할 수 있었다. 양약 이뇨제는 사용하지 않았으며, 전해질 이상 및 혈압 강하 소견도 관찰되지 않았다. [雨宮修二. 五苓散が奏効した癌性腹膜炎腹水の一例. 日本東洋医学雑誌, 1993;44(2):179-84.]

17. 음낭수종 환아 72명의 경과를 관찰한 일본의 한 후향적 연구에서는 이중 16명의 환자에게 오령산을 투여하고, 56에게는 별도의 처치를 하지 않고 추척검사를 시행하였다. 연구 결과 오령산을 복용한 환자들의 증상 관해율이 그렇지 않은 환자들에 비해 현저하게 나았으며, 수술 적응증 발생 비율도 감소하였다. 이 효과는 복약 중단 후에도 6개월까지 지속되었다. [Takeda N, Tanaka K, Watanabe E, et al. Efficacy of the traditional Japanese medicinegoreisan for the resolution of spermatic cord hydrocele in children. Surgery Today, 2018;48(2):175-9.]

18. 일본의 한 연구에 따르면 오령산을 복용하는 건강인 참여자는 소변의 칼슘 옥살레이트 결정 형성이 감소하였으나, 저령탕을 복용한 환자들에게서는 별다른 효과가 확인되지 않았다. 이는 오령산이 소변 결석을 예방할 수 있음을 시사한다. [吉村一宏, 三宅修, 奥山明彦, 等. 猪苓湯及び五苓散のヒト尿中蓚酸カルシウム結晶形成に及ぼす作用の検討. 泌尿器科紀要, 1998;44(1):13-6.]

19. 일본의 한 후향적 연구에서는 전경골 부종이 관찰되는 92명의 임신 중인 여성 환자에 대해 21명의 환자에게는 오령산을 투약하고 71명에게는 별도의 처치없이 경과를 추적하였다. 그 결과 시험군에서 양막낭의 크기가 현저하게 증가하여 오령산이 양수 과소증 치료에 도움이 될 수 있음을 발견했다. [Makimoto F, Akiyama J, Sato K, et al. Amniotic Pocket Changes Following Wu-Ling-San Treatment forgestational Edema. The American Journal of Chinese

Medicine, 2013;41(2):293-9.]

20. 일본에서의 한 증례보고에서는 주기성 ACTH, ADH 부적절분비증후군 환자 2명의 치험을 소개하였다. 환자들의 관련 소견 발생시점에 오령산을 투여하면 구강건조증, 소변감소증, 구토, 침흘림, 졸음, 우울증, 고혈압 증상, 발한, ACTH, ADH, 코티솔, 전해질 및 소변 17-OHCS, 17-ks 등 소견이 효과적으로 조절되었다. [小 崎武.周期性 Adreno-corticotropic Hormone (ACTH)・Anti-Dillretic Hormone (ADH) 分泌過剰症に対する五苓散料エキ ス細粒による治療の試み. 日本東洋医学雑誌, 1995;45(4):899-903.]

21. 37명의 월경기 편두통 환자가 참여한 일본의 한 단일군 연구에서는 냉증을 표적으로 오수유탕을 투약했으나, 3개월간 만족스러운 치료효과가 없었다. 이후 수습(水濕)의 관점에서 월경기간에 오령산을 병용투약한 결과 다른 변증소견이 없음을 전제로 치료 효과가 70%에 달하였다. 효과적이었던 증례와 그렇지 않았던 증례의 사진(四診)상 차이를 추가로 분석한 결과 비가 내리기 전에 발생하는 두통 및 두중감과 함께 부종, 어지러움, 배뇨장애 등을 호소하는 환자군이 오수유탕 합 오령산에 잘 반응한다는 것이 확인되었다. [木村容子, 田中彰, 佐藤弘, 等. 呉茱萸湯で効果不十分な月経関連片頭痛患者に五苓散を月経周期に合わせて投与した症例の検討. 日本東洋医学雑誌, 2017;68(1):34-9.]

22. 일본의 한 연속증례연구에서는 카바마제핀의 부작용을 견디지 못한 삼차신경통 환자 4명에 대해 설진상 수독증 소견이 관찰되어 오령산을 투여한 결과 통증이 호조절되었음을 보고하였다. [Kido H, Komasawa N, Fujiwara S, et al. Efficacy of go-rei-san for Pain Management in Four Patients with Intractable Trigeminal Neuralgia. Masui, 2017;66(2):184-6.]

23. 타지마 등의 연구자들은 한센병 후유증에 의한 하지의 신경통에 오령산을 투여하여 좋은 결과가 있었음을 보고하였다. 연구자들은 만성 통증의 메커니즘이 말초신경의 섬유화 및 국소혈류장애로 인한 세포내외의 나트륨/칼륨 이온 교환 억제가 과도한 세포외 칼륨 이온에 의한 신경 흥분성 증가에 있다고 설명하였다. 이 연구에서 오령산은 세포 외부의 칼륨 이온 농도를 감소시킬 수 있었다. 한편, 만성 염증 및 혈류장애로 인한 신경의 부종은 국소의 수체(水滯)로 간주할 수 있다. 이 두 가정을 바탕으로 살펴볼때 환자가 기혈양허(氣血兩虛)에 해당하고 뚜렷한 수독(水毒) 소견이 없었음에도 오령산에 좋은 효과를 보였다는 점은 현대 생리/병리학의 관점에서 경방을

활용할 수 있음을 시사한다. 또한 저자들은 이 같은 관점이 경방의 활용 범위를 확장할 수 있는 방법이라 제안하였다. [田島康介, 吉田補文, 松村崇史. ハンセン病の後遺症による難治性下肢神経障害性疼痛に対して五苓散が著効した一症例. 日本東洋医学雑誌, 2010;61(7):917-9.]

24. 뇌실 복강 단락술을 받은 원발성 정상압수두증 환자 56명이 참여한 중국의 한 무작위 대조 연구에서는 시험군에 배정된 28명의 환자에게 수술 3일 후 오령산을 투약하고, 28명의 대조군 환자에게는 위약을 투여한 후 각각 수술 후 6주 및 3개월 시점에 결과를 평가하였다. 시험군의 경우 28명의 환자 중 증상의 완전 소실이 21건(80.8%), 부분적 경과 개선이 3건(11.5%)이었고, 대조군의 경우 증상의 완전 소실이 14건(51.9%)였으며 부분적 경과 개선은 11건(40.7%)였다. 이 결과는 오령산의 효과를 보여주며, MMSE 및 180도 방향전환시 필요 보행수 측정에서도 현저한 개선을 보여주었다. [Zu-Peng C, Xin Z, Li-Fa H, et al. Treatment of Idiopathic Normal-Pressure Hydrocephalus by Wuling Powder Combined Ventriculoperitoneal Shunt Surgery: an Efficacy Observation. Chinese Journal of Integrated Traditional & Western Medicine, 2016;36(11):1312-5.]

25. 12개의 단일군 임상연구 및 증례연구를 검토한 2019년도의 서술고찰에서는 보존적 치료를 받는 70명의 만성경막하혈종 환자에 대한 오령산의 유효율은 84%였으며, 평균 치료기간은 3.4개월이었다고 보고하였다. [Kwon S, Jin C, Cho KH.Oreongsan, an herbal medicine prescription developed as a new alternative treatment in patients with chronic subdural hematoma: a narrative review. Integr Med Res. 2019;8(1):26-30.]

26. 5개의 무작위 대조 연구를 검토한 2019년의 서술고찰에서는 오령산이 경막하혈종의 경막 외 Aquaporin 4 수치를 감소시켜 만성 경막하혈종의 수술 후 재발을 막을 수 있다고 보고하였다. [Kwon S, Jin C, Cho KH. Oreongsan, an herbal medicine prescription developed as a new alternative treatment in patients with chronic subdural hematoma: a narrative review. Integr Med Res, 2019;8(1):26-30.]

27. 본태성 고혈압 환자 72명이 참여한 일본의 단일군 연구에서는 통상의 고혈압 치료 프로그램과 함께 오령산 합 천마구등음 가감방(거 야교등, 복신, 가황기, 지황, 갈근, 하고초, 택사, 방기, 하수오)을 2주간 투여하였다. 2주간의 투약 후 환자의 심박수, 수축기 및 이완기 혈압이 현저히 감소되었고 보행

거리는 6분으로 늘어났다. [Ke Y, Pu J, Zheng J. Essential hypertension treated by wuling powder and modified tianmagouteng decoction: A cohort study without controls. Complementary Therapies in Medicine, 2013;21(6):609–12.]

28. 일본의 크로스오버 연구에서는 기립성 저혈압이 있는 10명의 당뇨병 환자에 대하여 1개월간 오령산을 투약한 후 효능을 평가하였다. 오령산을 복약한 환자 10명 중 9명이 기립성 저혈압 증상이 개선되고 수축기 혈압이 감소하였으나, 위약을 복약한 10명의 환자는 경과에 어떠한 변화도 없었다. [中村宏志, 中村隆志, 中川理, ほか. 糖尿病患者における起立性低血圧に対する五苓散の効果. Diabetes Frontier, 2000(11):561–3.]

29. 일본의 한 증례보고에서는 스테로이드 요법 시행 후 반복적인 출혈이 발생하는 중심성망막정맥폐쇄증 환자의 경과를 소개하였다. 환자는 신체 소견과 국소 출혈 및 부종의 상태에 따라 온청음과 오령산을 처방받았다. 복약을 시작하고 10개월이 경과한 후 환자의 시력이 개선되었으며 망막부종과 출혈은 소실되었고, 혈관 신생도 없었다. [森壽美. 温清飲と五苓散が有効であった網膜中心静脈閉塞症の1例. 日本東洋医学雑誌, 2000;50(5):891–5.]

30. 습열증으로 변증된 아토피 피부염 환자 24명을 대상으로 시행된 한국의 무작위 대조 연구에서는 12명의 환자에게는 황련해독탕 합 오령산을 투약하였고, 다른 12명의 환자에게는 황련해독탕을 단독으로 투약하였다. 4주간의 치료 후 두 군의 환자들은 유사한 정도의 피부염 소견 개선이 있었다. [Choi I, Kim S, Kim Y, et al. The effect of TJ-15 plus TJ-17 on atopic dermatitis: a pilot study based on the principle of pattern identification. The Jornal of Alternative and Complementary Medicine, 2012(18):576–82.]

31. 일본 증례보고에서는 록소프로펜, 에플레레논, 경막 외 스테로이드와 같은 서양의학적 치료를 받은 좌골신경통 환자가 부자탕에는 반응하지 않았으나 오령산에 효과가 있었으며, 계지복령환을 합방하여 투여하여 더 현저한 개선이 있었던 사례를 보고하였다. [古谷陽一, 谷川聖明, 立野豊, 等. 五苓散料が有効であった坐骨神経痛の1例. 日本東洋医学雑誌, 2003;54(6):1091–5.]

32. 일본의 한 단일군 연구에서는 기관지천식 환아 41명에 대하여 오령산 과립을 경구 또는 관장으로 투여하고 효과를 관찰하였는데, 20명의 환아에서 효과가 있었고 9명은 약간의 효과를 보였으며 12명의 환아는 반응하지 않았다고 보고하였다. 효과가 있었던 증례에서는 다음과 같은 특성이 확인되었다. 1) 폐청진상 호흡음 증가 및 건성수포음 소견이 확인되었다. 환자의 증

상으로는 호흡곤란 및 지속되는 마름기침이 관찰되었다. 2) 복진상 진수음 (振水音), 배꼽 위의 두근거림, 심와부의 답답함 등 소견이 확인되었다. 전통적 오령산증인 입마름, 소변이상, 오심 및 구토 등은 치료 효과와 관련이 없었다. 저자에 따르면 오령산은 수분 평형을 조절하는 처방으로 건조한 기관지 점막을 습윤하게 하고 가래의 배출을 촉진하여 천식 증상을 감소시킬 수 있다고 한다. [大宜見義夫. 小児の気管支喘息の発作時における五苓散の有効性. 日本東洋医学雑誌, 1992;42(3):353−9.]

33. Suzuki H, Yoshioka K, Miyano M, et al. Tubulointerstitial nephritis and uveitis (TINU) syndrome caused by the Chinese herb "goreisan". Clinical & Experimental Nephrology, 2009;13(1):73−6.

34. 일본의 한 증례보고에서는 저나트륨혈증이 동반된 비소세포성폐암 환자의 경과를 소개하였다. 이 환자는 오령산을 복약한 후 저나트륨혈증 및 관련 증상이 개선되었는데, 이후 암성통증으로 멜록시캄을 병용투약한 후 저나트륨혈증이 재발하여 이를 중단한 후 다시 증상이 호전되었다고 하였다. 연구에 따르면 비스테로이드성 소염진통제는 COX−2를 억제하여 프로스글란딘 E2의 합성을 억제한다. 이에 따라 프로스타글란딘 E2의 AQP−2 저해작용이 약화되어 신장 수분의 재흡수 증가, 소변량 감소 및 희석성 저나트륨혈증에 이르게 된다. 오령산의 저나트륨혈증 교정 효과는 신장에서 프로스타글란딘 E2의 합성을 증가시킴으로써 이루어지는 것이다. 이때문에 오령산의 효과는 비스테로이드성 소염진통제에 의해 줄어들 수 있다. [坂本第彦, 果山一道, 木下義見, 等. 肺小細胞癌に併発した低ナトリウム血症に五苓散が有効であった1例. 日本東洋医学雑誌, 2015;66(2):124−30.]

오매환

경전의 궐음병(厥陰病)방이면서 회궐병(蛔厥病)의 전문 처방이다.
청상온하(淸上溫下), 온장안회(溫臟安蛔)방으로 활용되어 왔다.
안회(安蛔)와 제번(除煩) 및 설사, 통증, 사지의 냉증에 대한 치료
효능이 있다. 현대 연구에서는 항균, 소염, 회충의 마취, 항경련,
진통, 담낭수축 및 담즙분비 촉진, 랑게르한스섬 베타 세포의 보
호, 인슐린 저항성 개선 등 작용이 확인되어 있다. 팔다리가 차가워
지고 쥐어짜는 듯한 복통이 있으면서 번조와 구토, 설사 등이 특징
적 소견으로 나타나는 한열착잡(寒熱錯雜) 질환에 적용한다.

[경전배방]

오매 三百枚, 세신 六兩, 건강 十兩, 황련 十六兩, 당귀 四兩,
부자 六兩(炮, 去皮), 촉초 四兩(出汗), 계지 六兩(去皮) 인삼 六
兩, 황백 六兩. 이 열가지 약물을 가루내어 섞는다. 고주(苦酒)로
오매를 하루 담그고 핵을 제거해 찐 다음 五升을 쌀과 함께 익힌
다. 쌀이 익으면 함께 짓이겨 다른 약과 함께 절구에 넣고 꿀과 섞
은 다음 이천 번 정도 찧는다. 오자대 크기로 환을 만들어 식후 十
丸씩 하루 세 차례 복용하도록 한다. 二十丸까지 늘릴 수 있다.

[경전방증]

회궐인 경우 환자는 당연히 회(蛔)를 토하겠지만 지금 환자가 조용히 있다가 다시 안절부절 못하는 것은 장한(臟寒)이기 때문이다. 회가 위로 올라와 흉격 사이에 들어가므로 번조한 것이다. 잠깐 다시 멈추었을 때 음식을 먹으면 구역질이 나면서 다시 번조가 생기는 것은 회충이 음식냄새를 맡고 나왔기 때문으로 이 환자는 늘 회충을 토한다. 회궐인 경우에는 오매환으로 치료해야하며 이 처방으로 오래된 설사를 다스리기도 한다(《傷寒論》338조,《金匱要略》十九).

[추천처방]

오매 20 g, 황련 5–15 g, 황백 5 g, 당삼 10 g, 혹은 홍삼 5 g, 당귀 5 g, 세신 5 g, 육계 5 g, 법제부자 5 g, 건강 5 g, 천초 5 g. 이들을 물 1,200 mL와 함께 뚜껑을 열고 달여 300 mL가 되도록 한다. 두세 차례에 나누어 따뜻하게 복용한다. 복용 시에는 꿀 두 수저를 타서 먹거나 원처방의 비례대로 꿀로 환을 빚어 매번 5 g, 매일 두세 차례 복용하도록 한다.

[방증제요]

구토와 번조가 있으면서 팔다리가 차가워지고 통증 및 만성 설사가 있는 경우

[적용 환자군]

여윈 체격으로 얼굴색은 누런색인 경우가 많으며 푸르스름한 빛이 함께 감돌면서 붉은기가 보이는 경우도 있다. 얼굴에 번조가 드러나며 맥상이 거문고줄같이 팽팽하거나 경대(硬大)하여 살짝 손가락을 대기만 해도 느껴진다. 번열(煩熱)이 뚜렷하고 불면이 있으면서 가슴에 땀이 나고 입과 혀에 두드러기가 생기거나 잇몸이 붓고 아프다. 손발과 배는 얼음처럼 차가운 경우가 많다. 위로는 구토와 속쓰림, 가슴으로 기운이 치받는 느낌이 있고 아래로는 통증을 동반하는 설사가 있는데 통증이 심해서 기절하기도 한다. 배에서 기가 뭉쳐 위로 치받아오르는 느낌이 드는 경우도 있다. 한밤중이나 새벽에 발병하거나 심해지는 경우가 많은 편으로 대부분 만성 난치성 질환 환자에게서 보인다.

[적용 병증]

아래의 병증과 위에 서술한 환자군의 특징이 부합하는 경우에 처방의 투약을 고려할 수 있으며, 또한 근거기반의학적 근거에 따른 진단을 통해서도 처방을 활용할 수 있다.

1. 통증을 동반하는 설사가 나타나는 질환[1]. 과민성대장증후군, 크론병, 만성 비특이성 궤양성 대장염, 만성 세균성 이질, 트리코모나스 장염(A)[2], 당뇨병성 설사, 직장 폴립, 알러지성 대장염 등

2. 구토와 복통이 나타나는 질환. 담도회충질환, 담낭염

3. 위산역류 및 배가 꽉 차서 내려가지 않으면서 그득한 소견이 나타나는 질환. 만성 위축성 위염(A)[3], 담즙 역류성 위염, 당뇨병

성위마비(B)[4] 등

4. 불안초조가 나타나는 질환. 불안장애, 우울증, 월경통, 피부
질환 등

[주의사항]

1. 오매환의 방증은 복통형, 설사형, 역류형, 번열형 등 다양하
며 임상에서는 한가지 유형으로 나타나지 않는다.

2. 이 처방에는 마두령과 식물인 세신이 들어있으므로 설사형
이나 신장질환 환자에게는 신중히 투약한다. 처방을 장기간 투약
할 경우 정기적인 신장기능 검사가 필요하다.

3. 경과가 완만한 경우에는 환제를 처방하고, 급성의 경과를 보
이는 경우에는 탕제를 복용하게 한다.

[각주]

1. 일본의 한 증례보고에서는 단백상실성 장병증이 병발한 여성 류마티스
   관절염 환자 1례의 치험을 소개했다. 이 증례에서는 변증소견에 기반하
   여 감초사심탕, 계지가작약생강인삼탕, 부자갱미탕 등의 투약이 이루어졌
   으나 효과가 없는 상황에서 팔다리의 냉감 및 만성설사 증상을 표적증상
   으로 복통 및 복부의 열감, 구토 등을 고려하여 오매환을 병용한 결과 복
   약 2주 후 설사가 멎었다. [今井一彰, 貝沼茂三郎, 古田一史, 等. 蛋白漏出
   性腸症に対する烏梅圓の使用経験とその方意について. 日本東洋医学雑誌,
   2002;53(3):229-34.]

2. 176명의 트리코모나스 장염 환자가 참여한 일본의 한 무작위 대조 연구에
   서는 96명의 환자에게 오매환 (변증에 따라 처방내 한열 약물의 용량 가감)
   을 투약하였고, 80명의 환자에게는 메트로니다졸을 투약하였다. 두 약제의
   전반적인 유효율에는 차이가 없었으며, 트리코모나스 증상 개선과 관련한

효능도 유사한 것으로 나타났다. 다만, 설사 증상의 경우 오매환을 투약한 환자들이 더 빠른 호전을 보였다. [魏世超. 乌梅汤变量辨证治疗滴虫性肠炎96例疗效观察. 中医杂志, 1994(10):615-6.]

3. 만성 위축성 위염 환자 70명이 참여한 중국의 한 무작위 대조 연구에서는 40명의 환자에게 오매환을 3개월간 투약하고 30명에게는 소경, 향부자, 진피, 불수 등으로 구성된 위소(胃蘇)과립을 투약하며 경과를 관찰하였다. 두 약제를 투여한 환자군 모두 상복부의 통증과 복부 팽만, 식욕부진, 소화장애, 위산과다, 트림 등 소견을 개선할 수 있었으나 오매환의 효과가 보다 뚜렷하였다. 오매환을 투약한 환자군에서는 점막의 선체 위축 및 장상피화생의 개선에 있어 현저한 효과 20%, 일정 수준의 효과 45%가 확인되어 위소 과립에 비해 유의하게 나은 결과를 보였다. 헬리코박터 파일로리의 제거와 관련해서는 두 약제의 효과에 큰 차이가 없었다(각 군의 음성전환율 42.85% 대 40%, p>0.05). [张喜奎, 陈亦人, 张振忠. 胃萎灵治疗慢性萎缩性胃炎临床研究. 中医杂志, 2000(9):536-7.]

4. 당뇨병성 위마비 환자 80명이 참여한 중국의 한 무작위 대조 연구에서는 40명의 환자에게는 오매환(무른변을 보고 설태가 두껍고 질척이는 경우 반하 추가, 복부의 더부룩함이 있는 경우 지각 추가)을 투약하였고, 다른 40명에게는 돔페리돈을 4주간 투약하면서 경과를 관찰하였다. 오매환을 복용한 환자들 중에서는 12명에서 증상의 완전 소실이 보고되었으며, 12명은 현저한 효과가 있었고 다른 8명에서도 의미있는 효과가 나타나 총유효율은 80.0%로 집계되었다. 6개월간의 추적관찰에서도 오매환 투여군의 증상 재발율이 대조군에 비해 더 낮았다(8.3% 대 30.0%, p<0.05). [邹世昌. 乌梅丸加减治疗糖尿病性胃轻瘫40例. 中国中西医结合杂志, 2002(2):150-1.]

오수유탕

경전의 지통지구(止痛止嘔) 처방이며 온위(溫胃)방으로 활용되어
왔다. 거품을 토하며 두통이 있고 가슴이 답답하면서 그득한 증상
을 치료하는 효능이 있다. 복통과 함께 헛구역질이 나오고 거품을
토하며 두통과 설사가 있으면서 팔다리가 차가워지는 소견이 특징
적인 질환에 적용한다.

[경전배방]

오수유 一升(洗), 인삼 三兩, 생강 六兩(切), 대조 十二枚(擘).
이 네가지 약물을 물 七升과 같이 달여 二升이 되도록 한 뒤 찌꺼
기를 제거하고 七合을 따뜻하게 하루 세 차례 복용한다.(《傷寒論》
《金匱要略》)

[경전방증]

식사를 할 때 구역질이 난다(《傷寒論》243조). 소음병으로 토하
고 설사하며 팔다리가 차가워지고 번조가 심하여 죽을 지경이다
(《傷寒論》309조). 헛구역질을 하고 거품을 토하며 두통이 있다
(《傷寒論》378조, 《金匱要略》十七). 구역질이 나오고 가슴이 그
득하다(《金匱要略》十七).

[추천처방]

오수유 10 g, 인삼 10 g, 혹은 당삼 15 g, 생강 30 g, 홍조 20 g. 이들 약물을 물 900 mL와 같이 달여 200 mL가 되도록 한 뒤 두세 차례에 나누어 따뜻하게 복용한다.

[적용 환자군]

얼굴색이 창백한데 푸르스름한 기운이 돌거나 회색빛을 띄기도 하고 붉은기가 없다. 무기력감을 느끼면서도 답답함을 호소한다. 미간을 찌푸리고 있거나 광공포증 및 소리공포증이 나타나는 경우가 있다. 침대에 누워있을 때도 무릎은 굽히고 다리는 편 상태로 계속 뒤척이는데 손과 머리를 떨면서 극히 불안정한 소견을 보이기도 한다. 통증을 호소하는 일이 많고 특히 두통이 많은 편이며 격렬한 통증으로 터질 것 같거나 둔기로 맞은 것 같기도 하다고 호소하는 경우도 있다. 통증으로 신음소리가 그치지 않을 정도인 경우도 있으며 자기 손으로 머리를 치거나, 머리를 감싸안고 뛰어다니는 소견이 보이기도 한다. 오심과 구토가 잦고 위산의 역류나 거품을 토하는 증상도 나타난다. 입맛을 잃은 상태고 묽은 침이 입에 가득하다. 가슴이 팽만하고 막힌 느낌이 들며 진수음을 동반하는 경우가 많다. 설태는 희고 두껍거나 물기가 축축하다. 보통 찬음식을 먹었거나 한냉(寒冷) 약물의 과도한 복약력이 있다.[1]

[적용 병증]

아래의 병증과 위에 서술한 환자군의 특징이 부합하는 경우에 처방의 투약을 고려할 수 있으며, 또한 근거기반의학적 근거에 따른 진단을 통해서도 처방을 활용할 수 있다.

1. 구토가 나타나는 질환. 신경성구토, 급만성위염, 소화성궤양, 식도암, 분문경련, 유문경련, 수술 후의 유착성 유문폐색, 만성담낭염, 임신오조, 갱년기의 만성 구토, 헬리코박터 파일로리균 제균 치료의 보조요법(A)[2,3]

2. 두통이 나타나는 질환. 고혈압뇌병증, 두개내압상승에 의한 두통, 결핵성 수막염, 혈관신경성 두통, 습관성 두통(A)[4], 편두통(A)[5], 두개내 혈종, 만성 두통(B)[6], 메니에르증후군, 급성결막염, 급성 폐쇄각 녹내장, 시신경유두부종, 뇌전증 등. 요추천자 후 발생한 두통에도 쓸 수 있다(A).[7]

[가감 및 합방]

1. 물을 토하고 어지러움이 있으면 소반하가복령탕을 합방한다.

2. 두통과 어지러움이 있으면서 위의 팽만감과 진수음이 동반되면 영계출감탕을 합방한다.

[주의사항]

1. 오수유는 독성이 있으므로 고용량 투약에 신중해야 하며, 탕전시간을 길게 잡을 필요가 있다.

2. 오수유의 맛은 매우 쓰기 때문에 탕전을 시작하기 전에 뜨거

운 물에 여러차례 담궜다 빼야 한다.

3. 關久友 등은 연구에서 오수유탕의 복용으로 간기능(ALT, AST, GGT)이상 및 피부발진이 나타날 수 있다고 보고했다.

[각주]

1. 일본에서의 한 후향적 연구에서는 만성 두통 환자 84명에 대하여 오수유탕을 4주간 투약한 결과 57명이 호전 경과를 나타냈다고 보고하였다. 효과가 있었던 증례와 그렇지 않았던 증례의 비교를 통해 발이 차면서 복진상 위내정수, 흉협고만, 배꼽 주변의 압통, 복부의 두근거림 등 소견이 나타나는 것이 오수유탕의 방증임을 알 수 있었다. 투약에 반응이 없었던 23명의 환자에서는 위와 같은 특징적 양상이 관찰되지 않았다. [小田口浩, 若杉安希乃, 伊東秀憲, 等. 呉茱萸湯 responder の漢方医学的所見に関する統計学的検討. 日本東洋医学雑誌, 2007;58(6):1099−105.]

2. 헬리코박터 파일로리 감염에 대해 오메프라졸과 아목시실린 항균요법을 받은 환자 63명을 대상으로 수행한 일본의 한 무작위 대조 연구에서는 시험군에 배정된 환자 32명에 대해 2주간 오수유탕을 투약하였다. 복약 종료 4주 후 오수유탕을 병용한 시험군의 헬리코박터 파일로리 제거율은 기존의 60%에서 80%로 증가했다. 중대한 부작용은 관찰되지 않았다. [Higuchi K, Arakawa T, Ando K, et al. Eradication of Helicobacter pylori with a Chinese herbal medicine without emergence of resistant colonies. American Journal of gastroenterology, 1999(94):1419−20.]

3. 일본의 한 연속증례보고에서는 3제 요법에 실패한 헬리코박터 파일로리 만성 위염 환자 3명의 경과를 소개하였다. 모든 증례에서 오수유탕과 라베프라졸의 추가 투약후 성공적인 제균이 이루어졌다. [Nagata Y, Nagasaka K, Koyama S.Successful eradication of Helicobacter pylori with a herbal medicine, goshuyuto (Wu Zhu Yu Tang), plus rabeprazole after failure of triplet therapy with vonoprazan a report of three cases. Journal of Digestive Diseases, 2018;19(7):439−42.]

4. 만성 두통 환자 53명이 참여한 일본의 한 무작위 대조 연구에서는 시험군 환자 28명에게는 12주간 오수유탕을 투약하였고 25명의 환자에는 위약을 투약하였다. 이 연구에서 오수유탕은 은 두통발작의 빈도 및 월경기 근육

경련과 어깨결림을 현저하게 개선시킬 수 있었다. [Odaguchi H, Wakasugi A, Ito H, et al. The efficacy of goshuyuto, a typical Kampo (Japanese herbal medicine) formula, in preventing episodes of headache. Current Medical Research and Opinion, 2006(22):1587-97.]

5. 이환기간 1년 이상, 월 3회 이상 발작이 있는 편두통 환자 14명이 포함된 일본의 크로스오버 임상연구에서는 오수유탕을 28일간 투약하여 로메리진과 효과를 비교하였다. 이 연구에서 오수유탕은 편두통의 발작 빈도 및 통증 강도에 대한 개선 효괄에서 로메리진에 비해 통계적으로 유의하게 나은 효과를 나타냈다. 추가분석 결과 효과가 있었던 환자의 71.4%에서는 현지(弦遲)맥, 57.1%에서는 희고 축축한 설태, 64.3%에서는 진수음, 85.7%에서는 심하비경, 100%에서는 팔다리의 냉증 소견이 관찰되었다. [丸山哲弘. 片頭痛予防における呉茱萸湯の有用性に関する研究塩酸ロメリジンとのオープン・クロスオーバー試験. 痛みと漢方, 2006(16):30-9.]

6. 만성 두통 환자 88명이 참여한 일본의 한 무작위 대조 연구에서는 각 처방별로 오수유탕 투여군 44명 및 계지인삼탕 투여군 44명의 환자를 배정하여 4주간 투약하였다. 두 군에서 현저한 개선이 있었던 환자의 비율은 각각 56.8%와 38.6%였으며, 일정한 효과가 확인된 환자의 비율은 각각 79.5% 및 61.4%였다. 추가분석에 따르면 오수유탕이 효과적이었던 증례에서는 비만, 변비 및 팔다리의 냉감 등 소견이 관찰되었으며, 계지인삼탕이 효과적이었던 증례에서는 체중감소나 무른변 등의 증상이 자주 호소되었다. [関久友, 沖田直, 髙瀬貞夫, ほか. 慢性頭痛に対する呉茱萸 湯の効果封筒法による桂枝人参湯との比較. Pharma Medica, 1993(11):288-91.]

7. 요추천자술을 받는 295명의 환자를 대상으로 이루어진 일본의 한 무작위 대조연구에서는 오령산 투여군에 배정된 88명의 환자에게 시술 당일 저녁부터 익일까지 총 4차례 오령산을 투약하였다. 이외에 오수유탕 투여군에는 93명의 환자를 배정하였으며, 나머지 114명의 환자는 무처치 대조군으로 배정하여 경과를 관찰하였다. 이 연구에서 오수유탕은 시술후 1일차에 발생하는 두통을 완화시켰으며, 여성 환자에게 더욱 효과적이었다. [大竹哲也, 加藤いずみ, 斉藤繁, ほか. 腰椎麻酔後頭痛に対する呉茱萸湯・五苓散の効果. ペインクリニック, 1991(12):648-52.]

오적산

고대의 외감내상병(外感內傷病) 통치방으로 기, 혈, 담, 음, 식의 오적을 치료한다는 뜻이 담긴 처방이다. 해표(解表), 온중(溫中), 제습(除濕), 거담(祛痰), 소비(消痞), 조경(調經)의 효능이 있다. 오한이 있고 땀이 나지 않으면서 몸에 통증이 있고 구토가 있거나 배가 그득하고 월경불순이 나타나는 것을 특징으로 하는 질환과 한습(寒濕) 체질의 조리에 적용한다.

[원서배방]

백지, 천궁, 감초(炙), 복령(去皮), 당귀(去蘆), 육계(去粗皮), 작약, 반하(湯洗七次) 각 三兩. 진피(去白), 지각(去瓤, 炒), 마황(去根, 節) 각 六兩. 창출(米泔浸, 去皮) 二十四兩. 건강(爁) 四兩. 길경(去蘆) 十二兩, 후박(去粗皮) 四兩, 이 중 육계, 지각을 제외한 나머지 열세가지 약물을 가루로 만들어 색이 변할 때까지 초(炒)해서 식힌 후 육계, 지각을 가루로 만들어 섞는다. 매번 三錢씩 물 一盞半에 생강 三片을 넣어 같이 끓이고 찌꺼기를 제거하여 따뜻하게 복용한다.(《太平惠民和劑局方》)

[원서의 방증]

몸의 안을 조절하고 기를 순하게 하여 풍냉(風冷)을 쫓고 담음(痰飮)을 없앤다. 비위에 적체된 냉기(冷氣), 배와 옆구리가 그득하면서 아픈 것, 흉격에 쌓인 담, 구역과 오심을 치료한다. 외감풍한으로 내상을 입고 몸에 냉기가 생겨 가슴과 배가 답답하고 머리와 눈이 어지럽고 아프며 어깨와 등이 뻣뻣하게 당기고 팔다리가 늘어지며 한열왕래가 생기면서 음식을 잘 먹지 못하는 것들을 치료한다. 이외에 부인의 혈기가 조절되지 않아 가슴과 배가 아프고 월경불순이나 무월경이 생길때도 투약할 수 있다.

[추천처방]

생마황 15 g, 육계 10 g, 자감초 5 g, 창출 40 g, 후박 10 g, 강반하 10 g, 진피 15 g, 지각 15 g, 복령 10 g, 길경 15 g, 백지 10 g, 당귀 10 g, 천궁 10 g, 백작약 10 g, 건강 10 g. 이들을 물 1,500 mL와 같이 달여 탕액이 300 mL가 되도록 취한다. 두세 차례에 나누어 따뜻하게 복용한다. 원서의 비율대로 자루에 싸서 끓는 물에 달여 복용해도 된다. 매번 20 g씩 하루 두세 차례 복용한다.

[방증제요]

안색이 누렇고 어두우며 설태는 희고 두꺼우면서 몸이 피곤하고 무거우며 배가 그득하면서 설사를 하고 어지러움, 가래섞인 기침 또는 월경불순이 있는 경우

[적용 환자군]

체격은 비만하거나 건장한 편으로 복벽에 지방이 비교적 두꺼우면서 유연하다. 팔다리가 튼튼하다. 얼굴색이 누렇고 어두우며

피부는 대체로 건조하고 거칠다. 얼굴에 여드름이나 기미가 잘 생긴다. 몸은 피곤하고 무거우며 무기력감이 뚜렷하고 찬 기운을 싫어하며 땀이 잘 나지 않는다. 관절통증이 잦은데 특히 어깨와 등 통증, 허리 및 대퇴부 통증이 많으며 찬 기운이 있으면 더 뚜렷해진다. 설태는 희고 두꺼우며 오심과 구토가 있으며 배에 가스가 많이 차고 차가운 통증이 있으며 풀어지는 대변을 보거나 설사를 한다. 두통과 어지러움, 가슴의 답답함 및 두근거림, 공황, 불면, 다몽증 등이 흔하다. 기침을 자주 하며 가래가 많이 나온다. 여성의 경우 희발월경이나 무월경 등이 있다.

[적용 병증]

아래의 병증과 위에 서술한 환자군의 특징이 부합하는 경우에 처방의 투약을 고려할 수 있으며, 또한 근거기반의학적 근거에 따른 진단을 통해서도 처방을 활용할 수 있다.

1. 복통 및 복부의 팽만이 나타나는 질환. 급만성위장염, 위궤양, 십이지장궤양, 위경련, 탈장 등

2. 몸의 통증이 나타나는 질환. 요통, 경추통, 견관절주위염(B)[1], 좌골신경통, 류마티스, 손목터널증후군(B)[2] 등

3. 오한이 있고 땀이 나지 않는 소견이 나타나는 질환. 감기, 냉방병, 중풍, 염좌, 냉증 등

4. 월경불순이 나타나는 질환. 희발월경, 무월경(A)[3], 여드름, 비만, 대하, 난소낭종, 다낭성난소증후군 등

[주의사항]

1. 이 처방을 복용한 후에는 찬기운을 피하고 날것이나 차가운 음식을 먹지 않도록 하며 약간 땀이 나게 하는 것이 좋다.

2. 이 처방에는 마황이 함유되어 있어 공복에 복용하지 않도록 한다. 공복에 복용하면 두근거림이나 발한, 허약감 등이 잘 생긴다.

3. 이 처방은 온조(溫燥)한 성질이 강하므로 마른 체격으로 가슴의 답답함을 호소하거나 입이 마르면서 입술이 짙은 붉은빛인 경우에는 신중히 투여한다.

4. 환자에 따라서는 복용 후 수면을 깊이 취하지 못하는 경우가 있다.

[각주]

1. 일본의 연속증례연구에서는 견관절 장애가 병발한 혈액투석 환자 6명의 경과를 소개하였다. 모든 환자들은 표증 및 한증 소견이 함께 나타났다. 또한 피부건조와 근위축 등의 혈허 증상, 신부전 및 소변감소 등 수체(水滯) 증상, 피로 및 입마름 등 기허 증상이 동반되었다. 환자들 중 4명은 소화기 증상이 동반되었는데 한명은 진통제를 복용한 후 발생한 것이었다. 6 증례에서 모두 오적산 투약 후 증상이 호전되었다. [福原慎也, 千福貞博.維持透析患者における肩関節症状に対して五積散が有効であった6症例. 日本東洋医学雑誌, 2016, 67(4):364-70]

2. 일본의 연속증례 연구에서는 손목터널증후군이 있는 혈액투석환자 3명의 경과를 소개하였다. 환부를 따뜻하게 할 때 통증이 호전된다는 점을 통해 한습(寒濕)증으로 보아 오적산을 투약하였고, 이를 통해 경과가 개선되었다. [高久俊, 小菌英一, 高久千鶴乃, 等. 透析患者の手根 証候群の随伴症状の緩和に五積散が有用であった3例.日本東洋医学雑誌, 2016, 67(1):28-33]

3. 정신분열증으로 정신과 약물을 복용한 후 약물에 의한 무월경 및 고프로락틴혈증이 발생한 환자 67명이 참여한 중국의 한 무작위 대조 연구에서

는 각각 33명의 환자에게는 오적산을 병용투약하고, 34명의 환자에게는 아리피프라졸을 병용투약하여 경과를 관찰하였다. 연구결과 두 군의 총유효율은 유의한 차이가 없었으며(93.94% 대 91.18%, p>0.05) 오적산과 아리피프라졸은 프로락틴 수치의 감소에 대해 비슷한 효과를 보였다. 이와는 별도로 오적산은 체중, 허리둘레, 허리-엉덩이 비율 및 기타 비만 관련 지수의 현저한 감소 효과를 나타냈다. [夏时炎, 张颖然, 虞洪, 等. 五积散与小剂量阿立哌唑治疗抗精神病药物所致痰湿型闭经的临床研究. 中国中西医结合杂志, 2014, 34(12):1440-3]

옥병풍산

고대의 지한(止汗) 처방으로 보기고표(補氣固表)방으로 활용되어 왔다. 이상발한과 재채기, 풍병(風病)을 치료하는 효능이 있다. 현대 연구에서는 면역기능 조절, 항피로, 항알러지 등 작용이 확인되어 있다. 피로하면서 땀이 흐르고 오한이 느껴지는 소견이 특징적인 질환과 표허(表虛) 체질의 조리에 적용한다.

[원서배방]

방풍, 황기 각 一兩, 백출 二兩. 이들을 매일 三錢 복용한다. 물 一鐘半에 생강 三片을 넣어 달여 복용한다.(《丹溪心法》)

[원서의 방증]

자한(自汗)이 있다.(《丹溪心法》) 자한과 도한의 치료에 모두 효과가 있다(《古今醫統大全》). 남녀 모두에서 주리가 치밀하지 않아 풍사(風邪)에 쉽게 상해 어지러움이 생기고 심하면 머리와 목덜미의 뻣뻣한 통증과 어깨와 등이 긴장하며 오그라드는 증상, 그치지 않는 재채기, 맑은 콧물이 나타나는데 증상이 계속되고 오래도록 낫지 않을 때 이 처방을 복용할만하다(《管見大全良方》). 위기(衛氣)가 허하여 자한이 있고 풍사(風邪)에 잘 상한다(《張氏醫通》).

[추천 처방]

황기 30 g, 백출 30 g, 방풍 15 g. 이들을 물 1,000 mL와 같이 달여 300 mL가 되도록 한다. 두세 차례에 나누어 따뜻하게 복용한다. 천주머니에 각 20 g씩을 싸서 끓는 물에 담궈 우려내서 하루 2포씩 복용한다.[1]

[적용 환자군]

얼굴빛이 누렇고 어둡거나 희여멀건하며 광택이 없다. 때에 따라서는 검붉은 얼굴색인 경우도 있다. 땀이 많이 나서 피부가 축축한 편이다. 알러지가 잦아 재채기나 기침 및 눈의 가려움증이 나타난다. 피부의 가려움증이나 어지러움 및 몸의 통증 등도 있다. 면역질환이나 알러지 질환 환자들에게서 많이 보인다.

[적용 병증]

아래의 병증과 위에 서술한 환자군의 특징이 부합하는 경우에 처방의 투약을 고려할 수 있으며, 또한 근거기반의학적 근거에 따른 진단을 통해서도 처방을 활용할 수 있다.

1. 자한과 무기력이 나타나는 질환(B). 혈액질환, 항암화학요법 후, 수술 후 이상발한

2. 기후에 따라 감기 소견이 잘 나타나는 질환. 만성기관지염, 만성 폐쇄성 폐질환(A)[2], 폐섬유화증, 소아 및 고령자의 반복적인 호흡기 감염(A)[3-5], 소아의 이차성 면역결핍질환 등

3. 호흡기의 알러지성 및 자가면역성질환. 기관지천식(A)[6], 기

침변이형 천식, 알러지 비염(A)[7], 만성부비동염, 알러지성 기침, 알러지성 결막염(A)[8]

    4. 자가면역 관련성 신장질환. 신증후군(A)[9], 스테로이드 저항성 신증후군, 당뇨병성 신증

    5. 당뇨. 소아당뇨, 당뇨병성 다한증

    6. 피부에 가려움증과 통증이 나타나는 질환. 노인 대상포진, 수장족저각화증 등

    7. 비인두암에 대한 방사선 및 화학요법의 부작용 관리(A)[10]

[가감 및 합방]

    1. 체질적으로 허약하고 자한과 오풍이 잦으며 약간만 날씨가 추워져도 코가 막히고 콧물이 나오는 경우 계지탕을 합방한다.

    2. 당뇨병과 심뇌혈관질환등에서 피로와 다한증이 있고 얼굴이 붉으면서 설질이 어두우며 팔다리의 감각저하와 통증 및 다리가 붓는 소견이 보이는 경우 황기계지오물탕을 합방한다.

    3. 몸이 무겁고 땀이 잘 나며 다리가 붓는 경우 방기황기탕을 합방한다.

    4. 간기능 및 신기능 부전으로 무기력하고 배가 그득하면서 복수가 차는 경우 진무탕을 합방한다.

    5. 만성기관지염 및 기관지천식에서 탁한 기침소리가 나면서 얼굴빛이 누렇고 부종이 있으면 마황을 10 g 더한다.

[주의사항]

1. 이 처방을 과다한 용량으로 투약할 경우 가슴이 답답하거나 배가 그득한 느낌과 함께 식욕이 떨어지며 동시에 어지러움과 조열(潮熱) 등의 증상에 이를 수 있다.

2. 근육이 단단하고 변비가 있는 경우에는 저용량으로 투약하거나 투약을 재고한다.

[각주]

1. 일부 연구에서는 옥병풍산은 산제로 복용하여야 하며, 탕제는 효과가 좋지 않다고 보고하였다. 황기의 다당류 성분은 물에 녹지 않기 때문에 장내 세균총의 작용을 바탕으로 효과적인 면역 조절 성분으로 분해되어야 한다. [Sun H, Ni X, Zeng D, et al. Bidirectional immunomodulating activity of fermented polysaccharides from Yupingfeng. Research in Veterinary Science, 2017(110):22−28;Sun H, Ni X, Song X, et al. Fermented Yupingfeng polysaccharides enhance immunity by improving the foregut microflora and intestinal barrier in weaning rex rabbits. Applied Microbiology and Biotechnology, 2016;100(18):8105−20.]

2. 최근 1년 동안 두차례 이상 급성의 악화 소견을 나타냈거나, 한차례 이상 입원한 병력이 있으면서 최근 4주 이상 안정된 경과를 보이는 만성 폐쇄성 폐질환 환자 240명이 참여한 중국의 한 무작위 대조 연구에서는 120명의 환자를 시험군으로 배정하고 옥병풍산을 투약하였으며, 나머지 120명의 환자에게는 위약을 투약하였다. 그 결과 옥병풍산 복용 후 1년 이내에 환자의 급성 악화 소견 발생빈도가 현저하게 감소한 것으로 나타났다[1.15 대 1.55; risk ratio=0.677(95% CI 0.531−0.863); P=0.002]. 또한 관련 증상이 유의하게 감소했다. [Ma J, Zheng J, Zhong N, et al. Effects of YuPing Fenggranules on acute exacerbations of COPD: a randomized, placebo−controlled study. Int J Chron Obstruct Pulmon Dis, 2018(13):3107−14.]

3. 재발성 호흡기 감염 환아 1,236명이 참여한 12개의 무작위 대조 연구를 분석한 2016년도의 메타분석에서는 옥병풍산이 호흡기 감염 빈도(WMD −3.80배, 95% CI −4.86∼−2.74)를 크게 줄이고 증상을 개선(risk ratio: 1.44,

95% CI 1.19–1.75)할 수 있으며, 그 효능은 면역 조절과 관련이 있는 것으로 확인되었다. [Song T, Hou X, Yu X, et al. Adjuvant Treatment with Yupingfeng Formula for Recurrent Respiratory Tract Infections in Children: A Meta-analysis of Randomized Controlled Trials. Phytotherapy Research, 2016;30(7):1095-103.]

4. 반복되는 상기도감염, 알러지성 비염, 비정상적 발한이 나타나는 30명의 환자가 참여한 일본의 단일군 연구에서는 옥병풍산 과립제를 6-12개월 동안 투여한 결과 유효율이 80%에 달했다고 보고하였다. 각 질환별로는 재발성 상기도감염의 경우 95%의 유효율, 알러지성 비염에 대한 유효율은 77%, 비정상적인 발한 증상 완화에 있어서의 유효율은 45%였다. 효과가 있었던 증례의 80%에서 옥병풍산의 투여 용량은 0.7-1.4 g 정도의 극소량이었다. [高久俊, 高久千鶴乃, 平馬直樹, 等. 少量の玉屏風散末内服の体質改善薬としての有用性. 日本東洋医学雑誌, 2017;68(3):202-11.]

5. 감염성 합병증이 없으며 폐기허로 변증된 급성 뇌혈관질환 입원 환자 60명이 참여한 중국의 한 무작위 대조 연구에서는 환자들을 각각 옥병풍산 예방적 투여군 28명과 대조군(옥병풍산 미투여) 32명으로 배정하여 경과를 관찰하였다. 두 군의 환자들은 모두 기저질환 치료, 영양관리, 지지요법 등을 제공받았으며, 이와 더불어 교차감염을 예방하기 위한 엄격한 조치를 받았다. 옥병풍산 예방적 투여군 환자들에게는 상기의 관리와 더불어 옥병풍산 탕제의 병용투여가 10일간 이루어졌다. 연구결과 옥병풍산 예방적 투여군에서 폐렴이 발생하지 않은 환자의 비율은 82.14%(23/28)로 대조군의 56.25%(18/32)에 비하여 통계적으로 유의하게 나은 결과가 확인되었다. [严理, 陈咸川, 郭健, 等. 玉屏风散预防急性脑血管病患者医院获得性肺炎的随机对照临床研究. Journal of Integrative Medicine, 2010;8(1):25-9.]

6. 심근효소 이상소견을 보이는 만성 지속성 기관지천식 환아 156명이 참여한 중국의 한 무작위 대조 연구에서는 시험군에 80명의 환자를 배정하고 나머지 환자를 대조군으로 배정한 후 양 군에 기존의 표준 치료를 적용하면서 시험군에 대하여 옥병풍산을 추가로 3개월간 병용투약하였다. 이 연구에서 옥병풍산은 신체의 특이적, 비특이적 면역능을 강화하고 임상증상 및 심근효소의 이상소견을 개선할 수 있음이 확인되었다. [陈啸洪, 李华浚, 张佩红, 等. 玉屏风散联合常规疗法治疗小儿心肌酶谱异常慢性持续期支气管哮喘疗效观察. 中国中西医结合杂志, 2014;34(5):518-21.]

7. 알러지성 비염 환자 76명이 참여한 중국의 한 무작위 대조 연구에서는

모든 환자에게 세티리진을 투여하면서 시험군에 배정된 44명의 환자에 게는 옥병풍산을 28일간 병용투여하였다. 두 군 모두 임상증상 및 비갑 개 비후 소견이 개선되었다. 시험군과 대조군에서 유효했던 환자의 비율은 각각 95.45% 및 56.25%였으며 현저한 효과를 보인 환자의 비율은 각각 84..09% 및 46.87%였다. [Shi H Y, Zhuang Y, Wang X Y.Effect of Yupin gfeng droppill in treatment of allergic rhinitis. China journal of Chinese materia medica, 2014;39(12):2364-6.]

8. 알러지성 결막염 환자 118명이 참여한 중국의 한 무작위 대조 연구에서는 모든 환자에게 크로몰린 나트륨 점안액 처치를 시행함과 동시에 시험군에 배정된 74명의 환자에게 옥병풍산을 병용투약하였다. 연구결과 옥병풍산을 병용한 시험군의 유효율은 91.9%로 크로몰린 나트륨 점안액만을 단독으로 적용한 대조군의 유효율 75.0%에 비해 유의하게 나은 결과를 보였다. [Chen Y.Efficacy of sodium cromoglicate eye drops combined with yupingfeng granules in the treatment of allergic conjunctivitis. 眼科学报, 2013;28(4):201-3.]

9. 원발성 신증후군 환아 538명이 참여한 8건의 무작위 대조 연구에 대한 2018년의 메타분석에서는 옥병풍산이 질환의 유효율을 현저하게 향상시킬 수 있으며(RR: 1.35, 95% CI, 1.09-1.67; P=0.005) 재발률을 감소시키고(RR: 0.57, 95% CI, 0.45-0.71; P<0.001) 감염의 발생 또한 억제(RR:0.72, 95% CI 0.62-0.83;P<0.001)할 수 있음을 확인하였다. 옥병풍산의 효과는 면역 조절과 관련이 있다. [Shi X, Zhong X, Ding J.Adjuvant treatment with Yupingfeng formula for primary nephrotic syndrome in children: A PRISMA systematic review and meta-analysis of randomized controlled trials.Medicine (Baltimore), 2018;97(29):e11598.]

10. 방사선요법 및 화학요법을 병행하는 58명의 비인두암 환자가 참여한 중국의 한 무작위 대조 연구에서는 30명의 환자를 시험군에 배정하여 옥병풍산을 병용투여하였다. 이 연구에서 옥병풍산은 골수 억제, 간 손상, 위장관 증상, 구강점막의 증상 등을 현저하게 감소시키며, Foxp3+Treg 및 히알루론산의 수치 조절에도 관여한다는 점이 확인되었다. 이는 옥병풍산이 항종양 면역을 조절할 수 있음을 시사한다. [Huang J H, Mu Z L, Zhou X J, et al. Effect of Yupingfeng granules on HA and Foxp3+Treg expression in patients with nasopharyngeal carcinoma. Asian Pacific Journal of Tropical Medicine, 2015;8(8):674-6.]

온경탕

경전의 부인병 처방이며 양혈조경(養血調經)방으로 활용되어 왔다. 임신을 돕고 월경을 조절하며 피부를 부드럽게 하고 복통과 설사를 치료하는 효능이 있다. 현대 연구에서는 유사 에스트로겐 작용 및 시상하부–뇌하수체–성선축의 조절 작용이 확인되어 있다. 마른 체격으로 입술이 마르고 손발이 건조하며 아랫배의 불쾌감이 있으면서 설사가 나오는 소견 등을 특징적 소견으로 하는 월경부조, 무월경, 난임 등 부인과 질환에 적용하며, 초췌한 여성의 체질 관리에도 활용할 수 있다.

[경전배방]

오수유 三兩, 당귀 二兩, 천궁 二兩, 작약 二兩, 인삼 二兩, 계지 二兩, 아교 二兩, 생강 二兩, 목단피 二兩(去心), 감초 二兩, 반하 半升, 맥문동 一升(去心) 이 약물 열두가지를 물 一斗와 같이 달여 三升이 되도록 한 뒤 세 차례에 나누어 따뜻하게 복용한다.(《金匱要略》)

[경전방증]

부인이 오십세 가량이 되었는데 설사가 수십일동안 멈추지 않고 저녁만 되면 열이 나며 아랫배가 당기고 배가 그득하며 손발바닥에 번열이 있고 입술이 말랐다(《金匱要略》二十二). 부인이 아랫배가 차고 오랫동안 임신을 하지 못하였다. 이와 겸하여 붕루나 많은 월경 또는 무월경도 있다(《金匱要略》二十二).

[추천 처방]

오수유 5 g, 인삼 10 g, 혹은 당삼 15 g, 맥문동 20 g, 강반하 10 g, 자감초 10 g, 계지 10 g, 백작약 10 g, 당귀 10 g, 천궁 10 g, 목단피 10 g, 아교 10 g, 생강 10 g. 이들을 물 1,300 mL와 같이 달여 500 mL가 되도록 한 뒤, 아교를 넣어 두세 차례에 나누어 따뜻하게 복용한다. 혹은 홍조, 용안육 등을 같이 넣고 고제(膏劑)를 만들어 장기복용해도 좋다.

[방증제요]

월경불순, 난임 및 폐경 후 등의 상황에서 아랫배가 당기고 배가 그득하며 손발에 번열이 있고 입술이 마르는 경우

[적용 환자군]

체격은 중간정도이거나 말랐으며 피부는 건조하고 어두운 누런 빛을 띠면서 광택이 없다. 입술이 말라 쭈그러든 상태로 색이 어두우며 핏기가 없고 도톰하지도 않으며 갈라지고 껍질이 일어나 있다. 손발바닥은 건조하고 잘 갈라지거나 뾰족한 털이 있으며 통증이나 작열감이 있는 경우도 있다. 피로감이나 발열감, 통증 등 증상은 모두 아침에는 가볍고 저녁에는 심해지는 특성이 있어 밤에 잠에 들지 못하고 성욕도 떨어진다. 희발월경이나 무월경 또는

불규칙 질출혈이 있고 월경량은 작은 경우가 대부분이며 월경혈의 색은 옅거나 흑빛이다. 임신이 잘 되지 않고 유산도 잦다. 배는 유연한데, 아랫배에 가벼운 저항감과 압통이 있다. 대다수에서 산후의 대량출혈, 과도한 출산 및 유산력 등이 있으며 장기간의 설사나 만성질환, 영양실조 등의 과거력이 확인되는 경우도 있다.

[적용 병증]

아래의 병증과 위에 서술한 환자군의 특징이 부합하는 경우에 처방의 투약을 고려할 수 있으며, 또한 근거기반의학적 근거에 따른 진단을 통해서도 처방을 활용할 수 있다.

1. 무월경이 나타나는 질환. 배란장애(A)[1], 다낭성난소증후군(A)[2], 무월경(B)[3], 황체기능부전(A)[4], 자궁발육부전, 난임 등

2. 자궁출혈이 나타나는 질환. 습관성 유산, 기능성자궁출혈 등

3. 갱년기 부녀의 불명열, 체중 감소, 반복적인 설사, 식욕부진, 입술 및 손발바닥의 건조함, 하지의 냉증(A)[5], 불면 등. 갱년기우울증에도 쓴다(B).[6]

4. 월경량이 적고 색이 옅으며 국소 환부가 건조한 소견이 나타나는 여드름, 습진, 지장각화증, 입술염, 쇼그렌증후군(B)[7], 방아쇠수지(B)[8] 등

[가감 및 합방]

1. 무월경 환자이면서 마른 체격이 아닌 경우 생마황 5 g, 갈근 30 g을 더한다.

2. 가슴이 답답하며 불안감이 있고 구강궤양이 보이는 경우 황련아교탕을 합방한다.

3. 출혈에는 생지황 30 g을 더한다.

4. 대변이 마르고 덩어리지며 피부가 건조하고 거친 경우 도인 15 g을 더한다.

5. 탕액을 잘 복약할 수 있도록 하기 위해 대조 30 g을 더할 수 있다.

[주의사항]

1. 체격이 비만하고 건장하며 영양상태가 좋고 얼굴색이 붉으면서 윤기가 있는 경우 신중하게 투약한다.

2. 난임환자가 이 처방을 복용하다가 임신이 된 경우 투약을 중단한다.

3. 가슴과 배가 그득하고 구토가 나오거나 여성의 유방창통, 과다월경이 보이면서 습사(濕邪) 증후가 뚜렷한 경우 신중하게 투약해야하며 장기복용해서는 안 된다.

4. 이 처방을 복용할 때 돼지 족발, 닭발, 소힘줄 등 콜라겐이 풍부하게 함유된 음식을 많이 섭취하도록 한다.

[각주]

1. 비정상 배란 및 황체형성호르몬의 상승(≥10 mIU/mL) 소견을 보이는 21–32세 환자 100명(다낭성난소증후군 환자 38명 포함)이 참여한 일본의 한 무작위 대조 연구에서는 시험군 52명에게는 온경탕을 8주간 투약하였고, 대조군 48명에는 별도의 처치를 하지 않았다. 연구결과 온경탕을 투약한 52명의 환자 중 43명에서 황체형성호르몬이 감소하였고, 28명의 환자는 월경주기 이상 소견이 개선되었으며, 11명의 환자에서 배란이 이루어졌다. 특히, 다낭성난소증후군을 진단받지 않은 환자에 있어 온경탕은 황체형성호르몬을 현저하게 감소시키고 에스트라디올 수치를 증가시키는 것으로 확인되었다. 무처치 대조군의 환자들에게서는 별다른 변화가 관찰되지 않았다. [Ushiroyama T, Ikeda A, Sakai M, et al. Effects of unkei–to, a herbal medicine, on endocrine function and ovulation in women with high basal level of luteinizing hormone secretion. The Journal of Reproductive Medicine, 2001(46):451–6.]

2. 다낭성난조증후군 환자 64명이 참여한 일본의 한 무작위 대조 연구에서는 증상에 따라 계지복령환 또는 당귀작약산을 투약하였으나 배란이 이루어지지 않은 54명의 환자에 대하여 27명에게는 온경탕을 투여하였고, 27명에게는 변증에 따라 선택된 처방을 투여하였다. 8주간의 투여 결과 온경탕은 변증투여 처방에 비해 보다 우수한 황체형성호르몬 수치 강하 및 배란 자극 효과를 나타냈다. [Ushiroyama T, Hosotani T, Mori K, et al. Effects of switching to wen–jing–tang (unkei–to) from preceding herbal preparations selected by eight–principle pattern identification on endocrinological status and ovulatory induction in women with polycystic ovary syndrome. The American Journal of Chinese Medicine, 2006(34):177–87.]

3. 시상하부성 무월경 환자 157명(1도 무월경 97명, 2도 무월경 60명)이 참여한 일본의 한 단일군 연구에서는 모든 환자에게 온경탕을 8주간 투여하였다. 연구결과 허증환자 115명 및 실증환자 42명을 포함하는 모든 환자에서 난포자극호르몬, 황체형성호르몬, 에스트로겐 수치가 모두 현저하게 상승하였다. 배란은 1도 무월경 환자들 중 실증의 61.3%, 허증의 66.7%에서 관찰되었으며 2도 무월경의 경우 실증 27.3%, 허증 22.4%에서 배란이 이루어졌다. 따라서 이 연구에서 확인된 온경탕의 효과는 허실 소견과는 관련이 없었다. [Ushiroyama T, Hosotani T, Yamashita Y, et al. Effects of unkei–to on FSH, LH and estradiol in anovulatory young women with hyper– or hypo–functioning

conditions. American Journal of Chinese Medicine, 2003(31):763-71.]

4. 황체 기능 부전, 10일 미만의 황체기 유지기간, 10 ng/mL 미만의 황체기 프로게스테론 소견을 보이는 197명의 환자가 참여한 일본의 한 무작위 대조 연구에서는 시험군에 배정한 103명의 환자에게 온경탕을 투여하고, 나머지 94명의 환자는 무처치 대조군(최종적으로 88명의 데이터가 통계분석에 포함)에 배정하였다. 연구결과 월경주기 중 14-18일차에 온경탕을 투여한 시험군 환자들의 난포 크기 및 내막 두께에 모두 개선이 있었다(양 군에서의 호전 환자 비율은 각각 83/103 대 13/88). 따라서 온경탕은 황체 기능을 크게 향상시킬 수 있는 것으로 확인되었다. [Ushiroyama T, Ikeda A, Higashino S, et al. Unkei-to for correcting luteal phase defects. The Journal of Reproductive Medicine, 2003(48):729-34.]

5. 하지의 냉감을 호소하는 갱년기 환자 161명이 참여한 일본의 한 무작위 대조 연구에서는 각각 온경탕 투여군에 58명, 비타민 E 투여군에 55명, 무처치 대조군에 48명의 환자를 배정하였다. 8주간의 투약이 이루어진 후 결과에서 온경탕은 하지 혈류를 증가시키고, 하지의 냉감을 현저하게 감소시킬 뿐만 아니라 상지의 과도한 혈류 및 신체 상부의 일과성 열감을 억제할 수 있음이 드러났다. [Ushiroyama T, Sakuma K, Nosaka S.Comparison of effects of vitamin E and wen-jin g-tang (unkei-to), an herbal medicine, on peripheral blood flow in post-menopausal women with chilly sensation in the lower extremities: a randomized prospective study. The American Journal of Chinese Medicine, 2006(34):969-79.]

6. 호르몬대체요법에 반응을 보이지 않는 우울증 병발 갱년기 증후군 환자 24명이 참여한 일본의 한 무작위 대조 연구에서는 온경탕의 병용투여가 우울증을 개선할 수 있으며 그 효과는 당귀작약산보다 우수하였음을 보고하였다. [Koike K, Ohno S, Takahashi N, et al. Efficacy of the herbal medicine unkei-to as an adjunctive treatment to hormone replacement therapy for postmenopausal women with depressive symptoms. Clinical Neuropharmacology, 2004(27):157-62.]

7. 피부 및 점막 건조증상에 대한 일본의 연속증례연구에서는 《金匱要略》에서의 온경탕 증상인 "순구건조(脣口干燥)"를 바탕으로 온경탕을 투약한 결과 원발성 쇼그렌 증후군 환자 3명이 호전되었음을 보고하였다. 2명의 환자는 환부의 건조 소견이 현저하게 완화되었으며, 1명의 환자는 건조 소견의 변화는 없었으나 적혈구침강률이 정상으로 회복되었고 흉쇄관절염에도 호

전이 있었다. 연구자들은 이를 바탕으로 온경탕이 보습 효과를 가질 뿐 아니라 쇼그렌증후군에서의 면역계 이상을 개선하는 효과가 있는 것으로 보인다고 설명하였다. [小暮敏明, 渡辺実千雄, 伊藤隆, 等. 原発性シェーグレン証候群に対する温経湯の応用. 日本東洋医学雑誌, 1997;48(3):349-55.]

8. 일본의 연속증례보고에서는 손바닥의 번열감, 입과 입술의 건조, 피부의 건조감을 변증지표로 활용하여 온경탕을 투여한 방아쇠수지 환자 3명의 경과를 보고하였다. 모든 환자에게서 양호한 효과가 관찰되었는데, 저자는 이 결과가 온경탕의 순환 개선 및 항염증 효과에 힘입은 것이라 설명하였다. 또한, 저자는 온경탕이 에스트로겐 수준을 증가시켜 조직의 콜라겐 함량을 유지하고 인대와 건의 탄력을 개선함으로써 방아쇠 수지 증상의 완화에 이르를 수 있었을 것이라 추정하였다. [前田ひろみ, 伊藤ゆい, 吉永亮, 等. ばね指に対し温経湯が奏効した3症例. 日本東洋医 学雑誌, 2015;66(3):218-22.]

온담탕

고대의 정지병(靜志病) 처방이며 청열화담화위(清熱化痰和胃)방으로 활용되어 왔다. 장담(壯膽) 및 수면 촉진, 구토와 어지러움 및 두근거림 치료의 효능이 있다. 현대 연구에서는 진정, 항불안, 항우울 작용이 확인되어 있다. 오심과 구토, 어지러움, 가슴두근거림, 불면, 잘 놀라는 증상 등이 특징적인 질환에 적용한다.

[원서배방]

반하(湯洗七次), 죽여, 지실(麩炒去瓤) 각 二兩, 진피(去白) 三兩, 감초(炙) 一兩, 백복령 一兩半. 이들을 산으로 만들어 四錢을 물 一盞, 생강 五片, 대추 一介와 같이 달여 七分이 되도록 하여 찌꺼기를 제거하고 식전에 복용한다.(《三因極一病證方論》)

[원서의 방증]

큰 병이 있은 후 허번하여 잠을 이루지 못한다(《千金要方》). 심담허겁(心膽虛怯)으로 매사에 잘 놀라며 꿈이 많아 깊이 잠들지 못하며 이상한 것에 홀려 놀라고 두려워한다. 기가 울결되어 침이 고이고 침과 기가 서로 섞여 변하여 모든 증상을 만들어낸다. 숨이 차고 가슴이 두근거리며 여기에 저절로 땀이 흐르거나 팔다리가 붓고 입맛을 잃으며 가슴이 허하고 답답하며 앉으나 서나 불안하다.

[추천 처방]

강반하 15 g, 복령 15 g, 진피 15 g, 자감초 5 g, 지각 15 g, 죽여 10 g, 건강 5 g, 홍조 15 g. 이들을 물 1,000 mL와 같이 달여 300 mL 가 되도록 하여 복용한다. 하루 두세 차례 나누어 복용한다.

[방증제요]

허번(虛煩)으로 수면장애가 있고 공황, 다몽증, 불안정한 심리상 태, 불안초조 등이 잦으면서 오심, 어지러움, 숨참, 가슴두근거림, 무기력, 자한, 미각장애, 활맥(滑脈) 등이 나타나는 경우

[적용 환자군]

체형은 비만한 편으로 피부에는 기름기가 번들거리며 광택이 있다. 얼굴이 둥근편이며 안구가 크고 밝아 광채가 있으나 눈동자 가 흔들리고 불안정하다. 환각과 공황 증상을 자주 호소하는데 공 포감이 심한 편으로 어둠공포증, 동물공포증 등이 보인다. 항상 불안초조와 수면장애가 있으며 악몽을 많이 꾼다. 어지러움이 잦 아서 차나 선박 및 비행기, 음주 후의 어지러움 등이 있다. 가슴이 답답하고 두근거리며 땀이 흐르며 근육이 떨리는 경우도 흔히 보 인다. 오심을 자주 호소하며 심하면 구토가 있어서 물이나 담액을 토하는데 특히 긴장증이 있는 경우에 나타난다. 이 소견의 발병은 과도한 공포감이나 갑작스러운 사건이 너무 많은 경우 또는 업무 나 생활에서의 심리적 압박감이 심한 것과 관련이 있다.

[적용 병증]

아래의 병증과 위에 서술한 환자군의 특징이 부합하는 경우에 처방의 투약을 고려할 수 있으며, 또한 근거기반의학적 근거에 따른 진단을 통해서도 처방을 활용할 수 있다.

1. 공황과 불안이 나타나는 질환. 외상후스트레스장애, 공포증, 강박증, 불안증 등

2. 틱이나 경련이 나타나는 질환. 소아뚜렛증후군, 파킨슨병 등

3. 어지러움, 환각, 불면, 인지기능 감퇴가 나타나는 질환. 불면(B)[1], 정신분열증(A)[2], 현훈, 일산화탄소 중독 후 지연성 뇌손상(B)[3], 뇌졸중 후유증(A)[4], 알츠하이머 치매(A)[5,6] 등

4 위식도역류질환, 담즙역류성위염(A)[7]

5. 고혈압, 대사증후군(A)[8]

[가감 및 합방]

1. 가슴이 답답하고 번조와 불면, 빈맥이 있으면서 설태가 누렇고 두꺼운 경우 황련 5 g을 더한다.

2. 기면과 함께 누런 얼굴색과 무기력이 있고 맥이 완(緩)한 경우 마황 5 g을 더한다.

3. 두통과 어지러움 및 떨림이 있는 경우 천마 10 g을 더한다.

4. 불안과 함께 배가 그득한 경우 치자 15 g, 후박 15 g을 더한다.

5. 심리적으로 불안정하고 무기력하면서 맥이 활(滑)하지 않고 설질이 붉지 않으면 산조인탕을 합방한다.

6. 배가 그득하고 인후에 이물감이 있으면 반하후박탕을 합방

한다.

7. 근육의 경련과 불수의적 떨림이 있으면 전갈 5 g, 오공 10 g 을 더한다.

[주의사항]

1. 임산부에게는 신중하게 투약한다.

2. 이 처방을 복용한 후 위완부가 답답해지고 식욕이 떨어지며 위장의 연동운동이 빨라지면서 묽은 대변, 입마름, 수면시간 증 가 등의 반응이 나타날 수 있다. 복용을 지속하면 자연스럽게 없 어진다.[9]

[각주]

1. 담열내우(痰熱內擾)로 변증된 불면증 환자 90명이 참여한 중국의 한 무작 위 대조 연구에서는 황련온담탕 가미방(가 우담남성, 치자(초), 진주모)을 시 험군에 배정된 60명에게 4주간 식전 복용하도록 하였다. 대조군 30명에게는 디아제팜을 투약하였는데, 연구결과 황련온담탕이 디아제팜에 비하여 수면 상태의 개선에 더 나은 결과를 보였다. [张伟华, 黃韬. 黃连温胆汤治疗痰 热内扰型失眠60例. 中医杂志, 2012;53(2):158-9.]

2. 정신분열증 환자 1,437명이 참여하여 수행된 15개의 무작위 대조 연구를 분 석한 2017년의 한 메타분석에서는 온담탕이 위약 대비 유의미한 단기치료 효과를 보임을 확인하였다. 온담탕은 정신과 약물(클로로프로마진 및 리스 페리돈)과 유사한 단기치료 효과가 있으나 추체외로 증상과 같은 부작용은 없었다. 또한, 온담탕 및 정신과약물의 병용요법은 치료효과를 증대시키고 부작용을 줄이며 정신과약물의 사용량을 감소시킬 수 있는 것으로 드러났 다. [Deng H, Xu J.Wendan decoction (Traditional Chinese medicine) for schizo-phrenia. Cochrane Database Syst Rev, 2017;6(6):CD012217.]

3. 일산화탄소 중독에 따른 지연성 뇌손상 환자 22명이 참여한 중국의 한 단

일군 연구에서는 참여환자들에게 온담탕 합 백금환, 생맥산(팔다리의 떨림이나 마비에는 조구등, 전갈, 지룡, 건망을 추가하였고, 담탁(痰濁) 소견에는 우련지, 석창포, 우담담성을 추가하였다. 백자인과 부소맥은 발한 소견이 있는 경우 추가하였다.)을 4-8주의 기간 동안 투여하였다. 연구결과 7명의 환자가 증상이 완전히 회복되었고, 15명의 환자는 일정한 수준의 개선효과가 관찰되었다. [何玉梅, 薛素芬, 朱宏, 等. 温胆汤加减辨治—氧化碳中毒迟发脑病22例. 中医杂志, 2007(6):534.]

4. 뇌혈관사고 환자 2,214명을 대상으로 이루어진 26개의 무작위 대조 연구를 분석한 2015년의 한 메타분석에서는 온담탕이 허혈성 뇌혈관 질환 및 출혈성 뇌혈관 질환 환자의 신경기능을 향상시킬 수 있음을 확인하였다. [Xu JH, Huang YM, Lin g W, et al. Wen Dan Decoction for hemorrhagic stroke and ischemic stroke. Complementary Therapies in Medicine, 2015;23(2):298-308.]

5. 알츠하이머 치매 환자 38명이 참여한 일본의 한 무작위 대조 연구에서는 시험군에 배정된 환자 18명에게는 가미온담탕 및 도네페질의 병용요법을 12주간 시행하였으며, 대조군 환자 20명에 대해서는 도네페질만을 투여하였다. 연구결과 시험군 환자의 MMSE와 ADAS-Cog 점수가 유의하게 개선되었으며, 전두엽 부위의 국소 대뇌 혈류도 의미있는 증가를 보였다. 설사 등의 부작용은 관찰되지 않았다. [Maruyama M, Tomita N, Iwasaki K, et al. Benefits of combinin g donepezil plus traditional Japanese herbal medicine on cognition and brain perfusion in Alzheimer's disease: a 12-week observer-blind, donepezil monotherapycontrolled trial. Journal of the American geriatrics Society, 2006;54(5):869-71.]

6. Suzuki T, Arai H, Iwasaki K, et al. A Japanese herbal medicine (Kami-untan-to) in the treatment of Alzheimer's disease: A pilot study. Alzheimer Rep, 2001(4):177-82.

7. 위식도역류질환 및 담즙 역류성 위염 환자 3,253명이 포함된 33개의 무작위 대조 연구를 분석한 2015년도 메타분석에서는 온담탕이 두 질환에 비슷한 효과를 보였으며, 재발율은 12.4%로써 기존 치료의 44.0%에 비해 현저히 낮음을 보고하였다. [Ling W, Huang Y, Xu JH, et al. Consistent Efficacy of Wendan Decoction for the Treatment of Digestive Reflux Disorders. Am J Chin Med, 2015;43(5):893-913.]

8. 대사증후군 환자 2,512명을 대상으로 이루어진 31개의 무작위 대조 연구

를 분석한 2015년도 메타분석에서는 온담탕이 중성지방, 고혈압, 콜레스테롤, 저밀도 지단백질에 대한 감소 및 신장기능의 개선 효과가 있으며 고밀도 지단백질을 증가시킬 수 있음을 확인하였다. 이 연구에서 온담탕의 총유효율은 91.4%였고, 대조군의 유효율은 66.9%였다. [Huang YM, Xu JH, Ling W, et al. Efficacy of the wen dan decoction, a Chinese herbal formula, for metabolic syndrome. Altern Ther Health Med, 2015;21(4):54−67.]

9. 王彦晖. 温胆汤服药反应经验谈. 中医杂志, 2003(7):557.

온비탕

고대의 진통 처방이며 온하한적(溫下寒積)방으로 활용되어 왔다.
복통, 변비, 한적(寒積)을 치료하고 식욕을 증진시키는 효능이 있
다. 배꼽주변의 찬 통증이 있고 대변이 나오지 않는 질환에 작용
하며 장경색, 장염전 등 질환에 대하여 환자의 체질이 허약할 경
우 많이 활용한다.

[원서배방]

당귀, 건강 각 三兩, 부자, 인삼, 망초 각 二兩, 대황 三兩, 감초
二兩, 이 일곱가지 약물을 잘라 물 七升과 같이 달여 三升이 되도
록하여 하루 세 차례 복용한다.(《備急千金要方·卷第十三·心腹
痛第六》)

[원서의 방증]

극도로 여위고 복통이 있으며 대변을 보지 못하는 경우

[추천처방]

생대황 10-15 g, 현명분 10 g(충복하되 설사가 멈추면 중단한
다), 자감초 10 g, 법제부자 15 g, 건강 15 g, 홍삼 10 g, 당귀 15 g.
이들 약물을 물 1,100 mL와 같이 달인다. 먼저 부자를 30분간 달
이고 남은 약을 넣는다. 400 mL가 되도록 하여 세 차례에 나누어

복용한다.

[방증제요]
극도로 체중이 감소하고 복통이 있으며 변을 보지 못하는 환자

[적용 환자군]
야위고 초췌한 외모로 무기력하고 허약한 모습이다. 변비로 수일간 배변을 하지 못하며 배가 그득하면서 통증이 있으나 견디지 못할 정도는 아니다. 식욕이 없어 식사를 건너뛰는 것이 일상이다. 설태는 두껍고 찐득거리며 희거나 누렇다. 질환의 이환기간이 오래되었거나 체질이 극도로 허약한 경우가 많다.

[적용 병증]
아래의 병증과 위에 서술한 환자군의 특징이 부합하는 경우에 처방의 투약을 고려할 수 있으며, 또한 근거기반의학적 근거에 따른 진단을 통해서도 처방을 활용할 수 있다.

1. 복통과 변비가 나타나는 질환. 말기종양환자에서 장폐색이 있거나 수술 후 장유착이 반복되는 환자

2. 배에 차가운 통증이 있으며 설사가 나타나는 질환. 만성장염, 이질 등

3. 만성신부전과 같은 변비를 동반하는 만성 신장질환(B)[1,2], 만성신사구체신염, 당뇨병성 신증, 루푸스신증 등. 투석 환자에도 쓸 수 있다(B).[3]

[가감 및 합방]

1. 더운 것을 싫어하고 땀을 많이 흘리며 물을 마시려 들면서 대변이 건조하여 배변이 잘 안되는 경우 처방에서 부자와 건강을 제외하고 현삼 30 g, 맥문동 30 g을 더하여 투약할 수 있다.

2. 배꼽주변의 차가운 통증에는 육계 10 g을 더한다.

3. 변비가 해소된 후에도 식욕부진이 있는 경우 서여환을 합방한다.

[주의사항]

1. 환자가 나뭇가지처럼 매우 마른 체격이더라도 복통과 변비가 있으면 공하(攻下)시키는 것을 두려워하지 말고 배변이 이루어지는 것을 확인한 후 투약을 멈추면 된다.

2. 배에 냉감이 동반되는 통증이 있고 설태가 희면서 두꺼운 경우가 최적의 적응증이다.

[각주]

1. 만성신부전 환자 8명의 경과를 관찰한 일본의 한 임상연구에서 는 8명의 환자가 온비탕을 복용하였는데 이중 4명에서 신장기능 감소의 억제 및 투석시작시기 지연 등의 효과가 관찰되었다. [Mitsuma T, Yokozawa T, Oura H, et al. Clinical evaluation of kampo medication, mainly with wen-pi-tang, on the progression of chronic renal failure. Nihon Jinzogakkai Shi, 1999;41(8):769-77.]

2. 일본의 한 연구에 따르면 대황이 신부전증 치료에 사용될 때 설사를 줄이기 위해 법제대황을 투여하는 것이 바람직하며, 물에 달여 법제하는 것에 비해 열을 가하여 건조하는 방법을 활용하는 법제가 더 더 나은 효과를 보인다고 설명하였다. [尾崎崇. 加熱大黃と溫脾湯を用いた慢性腎不全の治驗. 日本東洋医学雜誌, 2006;57(6):787-91.]

3. 혈액투석을 받는 신부전 환자 46명이 참여한 일본의 임상연구에서는 온비탕을 병용한 시험군과 별도의 추가처치를 하지 않은 대조군의 경과를 비교 관찰하였다. 연구결과 온비탕의 투여는 혈액투석중인 환자의 체내 자유라디칼을 제거하고 팔다리의 냉증과 변비, 피로를 개선할 수 있음이 관찰되었다. [Ninomiya H, Mitsuma T, Takara M, et al. Effects of the Oriental medical prescription Wen-Pi-Tang in patients receiving dialysis. Phytomedicine, 1998; 5(4):245-52.]

월비가출탕

경전의 수기병(水氣病) 처방이며, 청열이수(淸熱利水)방으로 활용되어 왔다. 하지의 위약, 부종, 자한, 피부 가려움증을 치료하는 효능이 있다. 현대 연구에서는 항알러지, 이뇨, 항비만 등 작용이 확인되어 있다. 부종 및 과다발한을 동반하는 관절의 통증 및 피부병에 적용한다.

[경전배방]

마황 六兩, 석고 半斤, 생강 三兩, 감초 二兩, 백출 四兩, 대조 十五枚. 이 여섯 가지 약물을 물 六升과 같이 달인다. 먼저 마황을 달여서 위에 뜬 거품을 제거하고 남은 약을 넣고 三升이 될 때까지 달여 세 차례에 나누어 따뜻하게 복용한다. 오풍이 있다면 포부자 一枚를 더한다.(《金匱要略》)

[경전방증]

육극(肉極)으로 몸에 열이 나서 진액이 마르고 주리가 열려 땀이 많이 나면서 심한 통증이 있고 하초와 다리가 약해지는 것을 치료한다(《金匱要略》五). 리수(裏水)라는 것은 온몸과 얼굴 및 눈이 누렇게 부은 것으로 맥이 침(沈)하며 소변이 잘 나오지 않는 것으로 수(水)에 병이 든 것이다. 만일 소변이 많이 나오는 경우 진액이 소진되어 갈증이 나게 된다(《金匱要略》十四).

[추천처방]

마황 10-30 g, 생석고 15-40 g, 생강 15 g, 자감초 10 g, 백출 혹은 창출 20 g, 홍조 30 g. 이들을 물 1,100 mL와 같이 달여 탕액이 300 mL가 되도록 하여 두세 차례에 나누어 따뜻하게 복용한다.

[방증제요]

온몸이 눈까지 누렇게 붓고 소변이 편하게 나오지 않으며 땀이 나고 입마름과 함께 관절에 부종과 통증이 있는 경우

[적용 환자군]

체형은 중간 정도이거나 비만하며 부종 소견이 있다. 피부색은 황백색이거나 홍백색을 띠며 입술과 인후가 붉다. 땀이 많이 나고 더운 것을 싫어하며 고온다습한 계절에 자주 발병한다. 다리의 관절이 붓고 통증이 생기는 경우가 많으며 요산 수치 상승이나 통풍이 있기도 하고 무릎이나 발목관절에 종대와 삼출액이 관찰되는 경우도 있다. 인후통과 안구충혈이 잘 생기고 익상편이 보이기도 하며 더운 기운에 노출되면 피부의 발적, 소양감 및 습진, 미란, 삼출 등도 관찰할 수 있다. 무좀과 피부염, 두드러기 등이 많다.

[적용 병증]

아래의 병증과 위에 서술한 환자군의 특징이 부합하는 경우에 처방의 투약을 고려할 수 있으며, 또한 근거기반의학적 근거에 따른 진단을 통해서도 처방을 활용할 수 있다.

1. 부종 및 발한을 동반하는 관절통 소견이 나타나는 질환. 무릎골관절염, 류마티스관절염, 통풍 등

2. 과다발한이 나타나는 질환. 당뇨, 고지혈증, 단순비만, 뇌혈관질환, 액취증, 황한 등

3. 부종이 나타나는 질환. 신염, 특발성 부종 등

4. 피부의 미란과 궤양, 셀룰라이트, 켈로이드, 용종, 수포 등이 특징적 소견인 피부질환

5. 알러지 반응 또는 삼출성 염증이 주된 소견인 질환. 꽃가루알러지(A), 급성 삼출성 중이염, 천식(B)[2]

[가감 및 합방]

1. 관절통증이 극심한 경우 부자 15 g을 더한다.

2. 기침과 천식으로 숨이 치받아오르고 눈이 빠질 것 같으며 맥이 부대(浮大)한 경우 강반하 15 g을 더한다.

3. 얼굴이 황백색이고 부종이 있는 경우 방기황기탕을 합방한다.

[주의사항]

1. 이 처방을 복용한 후에 땀이 나거나 소변량이 증가할 수 있다.

2. 고령이고 체질이 허약하면서 여러종류의 질환을 앓고 있는 환자 또는 영양실조 환자의 경우 투약을 신중하게 고려하거나 금기로 한다.

3. 전통적인 투약경험에 따라 부종이 있는 경우에는 백출을 투약하고, 배가 그득하면서 설태가 두껍고 끈적이는 경우에는 창출

을 투약한다.

[각주]

1. 일본에서의 증례보고에서는 3일간 간헐적인 상복부 통증이 발생하여 내원한 12세 여아의 치험을 소개하였다. 영상 촬영 결과 거대한 후복막 림프관종 (9.5 cm×5.8 cm×10.0 cm)이 췌두 및 십이지장에 영향을 미치고 있었음이 드러났다. 이 환자에게 월비가출탕을 2.5 g 용량으로 하루 세차례씩 6개월간 복용하도록 한 후 MRI를 검토한 결과 림프관종이 3.5 cm×1.5 cm×1.2 cm 로 현저히 줄어들었다. 이후 환자는 수술 합병증없이 림프관종의 부분절제 술(95%)을 마쳤다. Tanaka H, Masumoto K, Aoyama T, et al. Prenatally diagnosed large mediastinal lymphan gioma: A case report. Clin Case Rep, 2018;6(9):1880−4.]

2. 일본의 후향적 연구에서는 한약의 투여가 효과적이었던 기관지천식 50례 (소아 26명, 성인 24명)를 분석하였다. 이 연구에서 소아환자는 월비가반하 탕(월비가출탕 유사 처방)합 반하후박탕의 유효율이 높았으며, 26례중 22례 에서 효과가 나타났다. 성인 환자의 경우 젊은 연령의 환자가 월비가반하탕 합 반하후박탕의 유효율이 높았다. 저자는 구토를 동반하는 소아 천식을 월 비가반하탕의 주요 적응증으로 제안하였다. [阿部勝利, 高木清文. 小児気 管支喘息に対する煎剤の越婢加半夏湯ならびにエキス剤の越婢加朮湯合半 夏厚朴湯の有効性. 日本東洋医学雑誌, 1991;42(2):271−81.]

육군자탕

고대의 비위병(脾胃病) 처방이며 건비익기(健脾益氣)방으로 활용되어 왔다. 식욕을 증진시키고 소화를 촉진하며 구역감을 멎게 하면서 화담(化痰)하는 효능이 있다. 현대 연구에서는 소화기능의 촉진, 위점막의 보호, 부신피질 및 자율신경의 기능조절 등 작용이 확인되어 있다. 식욕부진 및 무기력이 특징적인 질환에 적용한다.

[원서배방]

진피 一兩, 반하 一兩五分, 복령 一兩, 감초 一兩, 인삼 一兩, 백출 一兩五分. 이들 약물을 잘게 잘라 하루분으로 하여 대조 二枚, 생강 三枚를 더해 물에 달여 먹는다.(《醫學正傳》)

[원서의 방증]

담협기허(痰夾氣虛)로 딸꾹질이 난다(《醫學正傳》). 비위가 허약하고 음식생각이 적으며 오랫동안 학질과 설사로 고생하는 것을 치료한다. 내열(內熱)이 느껴지거나 소화가 잘 안되면서 신물이 올라오는 경우도 있다(《明醫雜著》).

[추천 처방]

당삼 15 g, 백출 10 g, 복령 10 g, 자감초 5 g, 강반하 10 g, 진피 15 g, 건강 5 g, 혹은 생강 15 g, 홍조 15 g. 이들 약물을 물 1,000

mL와 같이 달여 300 mL가 되도록 달인 뒤 두세 차례에 나누어 따뜻하게 복용한다.

[방증제요]

식욕부진과 오심 및 구토가 있는 경우

[적용 환자군]

체격이 여위고 얼굴색이 누런빛이며 광택이 없다. 식욕부진과 오심구토가 있고 배가 그득하면서 딸꾹질이 나거나 물 또는 흰 가래를 토하면서 어지럽고 눈앞이 아찔거리는 경우가 있다. 설질은 옅은 색이며 설태는 희다.

[적용 병증]

아래의 병증과 위에 서술한 환자군의 특징이 부합하는 경우에 처방의 투약을 고려할 수 있으며, 또한 근거기반의학적 근거에 따른 진단을 통해서도 처방을 활용할 수 있다.

1. 식욕부진, 구토, 위산역류가 주요 소견으로 나타나는 소화기 질환. 기능성 소화장애(A)[1-3], 급성 혹은 만성위염(A)[4], 위궤양, 위하수, 영아 비대성 유문협착[5], 위식도역류질환(A)[6-8], 역류성 인후염[9,10], 임신 중 입덧(B)[11], 허약 환자의 위장형 감기, 과민성대장증후군[12], 만성복막염, 내시경 점막하절제술 이후 조리(A)[13], 식도암, 위암수술(A)[14,15], 위장관 수술 후의 소화기 증상(B)[16], 부인과 수술(A)[17] 후 소화기 증상

2. 비소화기계통 질환[18]에서 나타나는 기능성 위장장애. 만성소모성질환에 의한 식욕부진 및 악액질(A)[19], 말기 악성종양의 악액질, 조산아의 빈혈(B)[20], 철분제(A)[21], 소염진통제(A)[22]와 같은 약물에 의한 소화기부작용, 신경성 식욕부진(B)[23], 우울장애(A)[24,25], 파킨슨병(A)[26-28], 노인성 치매(B)[29] 등의 신경계질환에도 활용할 수 있다.

3. 화학요법에 의한 오심구토, 식욕감소(A)[30-35]. 연구에 따르면 화학요법에 의한 말초신경독성에도 활용할 수 있다.[36,37]

4. 이 처방에 항섬유화 작용이 있다는 연구에 따라 폐섬유증이나 신장 섬유화 소견의 치료에 투약을 시도해 볼 수 있다.

[가감 및 합방]

1. 이 처방에서 반하와 진피를 제외하면 역시 널리 활용하는 처방인 사군자탕이 된다.

2. 얼굴색이 좋지 않고 가슴이 두근거리며 불면이 있으면서 옅은 월경색이 보이는 등 뚜렷한 혈허증이 있는 경우 이 처방에 당귀와 백작약을 더하여 귀작육군자탕으로 처방한다.

3. 기울(氣鬱)증상을 동반하는 비허 환자에게는 향소산을 합방한다.[38]

[주의사항]

1. 동물실험을 통해 식후에는 이 처방의 유효성분인 아트락틸로딘(Atractylodin)의 흡수량이 줄어든다는 점이 확인되었다. 이는 육군

자탕의 식전복용이 더 나은 효과를 가져올 수 있음을 시사한다.[39]

2. 일본에서는 육군자탕을 복용한 후 간질성 폐렴이 발생하였다는 보고가 있다.[40]

[각주]

1. 헬리코박터 파일로리 감염이 없으며 주소증이 속쓰림 및 우울증인 기능성 소화불량 환자 192명이 참여한 일본의 한 무작위 대조 연구에서는 모든 참여자에 위약을 2주간 투약한 후에도 증상이 지속되는 128명을 두개의 군으로 무작위 배정하였다. 시험군 64명에게는 육군자탕을 8주간 투여하고, 대조군 61명에게는 위약을 지속 투여하여 경과를 비교한 결과 육군자탕은 특히 식사후의 포만감/조기에 발생하는 포만감, 명치의 팽만감 등 전반적인 상부 위장관 증상을 개선할 수 있었다. 이 같은 증상의 개선은 불안 및 우울증의 개선과 양의 상관관계를 나타냈다. [Tominaga K, Sakata Y, Kusunoki H, et al. Rikkunshito simultaneously improves dyspepsia correlated with anxiety in patients with functional dyspepsia: A randomized clinical trial (the DREAM study). Neurogastroenterology & Motility, 2018;30(7):e13319.]

2. 기능성 소화불량 환자 247명이 참여한 일본의 한 무작위 대조 연구에서는 시험군에 배정한 125명의 환자에게 육군자탕을 8주간 투여하고 대조군 122명에게는 위약을 투여하였다. 연구결과 육군자탕을 투여한 시험군 환자의 전반적인 증상 개선율이 대조군에 비해 우수하였으며(33.6% 대 23.8%, P=0.09), 육군자탕은 상복부 통증(P=0.04) 및 식후 포만감(P=0.06) 개선에 특히 효과적이었다. 추가분석에서는 육군자탕 복용에 따른 아세틸화그렐린 수치의 상승이 경과의 호전과 관련이 있음이 확인되었다. [Suzuki H, Matsuzaki J, Fukushima Y, et al. Randomized clinical trial: rikkunshito in the treatment of functional dyspepsia—a multicenter, double-blind, randomized, placebo-controlled study. Neuro gastroenterol Motil, 2014;26(7):950-61.]

3. 기능성 소화불량증에 대한 육군자탕의 효과를 관찰한 일본의 한 무작위 대조 연구에서는 효과가 있었던 83명 환자의 증례와 그렇지 않았던 42명 환자 증례의 임상적 차이를 분석하였다. 연구결과 육군자탕은 음주력이 없는 환자에게서 효과를 나타냈으며, 특히 헬리코박터 파일로리에 감염되지 않은 경우 더 효과가 뚜렷하였다. 한편 육군자탕은 치료 전 혈중의 아세틸

화 그렐린 수치가 낮은 환자에게서도 효과를 나타내는 것으로 확인되었는데, 이 경우에는 헬리코박터 파일로리에 감염되지 않은 경우의 효과가 더 우수하다. [Togawa K, Matsuzaki J, Kobayakawa M, et al. Association of baseline plasma des-acylghrelin level with the response to rikkunshito in patients with functional dyspepsia. Journal of gastroenterology and Hepatology, 2016;31(2):334-41.]

4. 급성 위염 또는 돌발적 악화 소견이 있는 만성 위염 환자 207명이 참여한 일본의 한 무작위 대조 연구에서는 109명의 환자를 시험군에 배정하여 육군자탕을 4주간 투여하고 대조군에는 수용성 아줄렌을 투여하였다. 연구 결과 육군자탕은 식욕부진, 상복부의 통증 및 복부의 팽만과 피로증상을 뚜렷하게 호전시켰으며, 위내시경 소견 또한 크게 개선시켰다. 추가분석에서는 체력이 허약하거나 피로를 느끼면서 복진상 명치의 답답함 및 진수음, 긴장도가 낮은 복근 등 소견이 확인되는 환자에게서 육군자탕의 효과가 좋았음이 드러났다. [三好秋馬, 金子榮蔵, 中澤三郎, ほか. 胃炎(急性胃炎および慢性胃炎の急性増悪期)に対する TJ-43 ツムラ六君子湯の臨床評価 -水溶性アズレン配合剤を対照薬とした多施設比較試験-. 診断と治療, 1991(79):789-810.]

5. 일본의 한 증례보고에서는 육군자탕을 투여한 비후성 유문협착증 환아의 치험을 소개하였다. 증례의 환자는 아트로민을 정맥주사한지 1주일이 지난 후 분출성 구토가 멎었으나, 퇴원 후 지속적인 경구 아트로민 투여에도 불구하고 구토가 재발하였다. 상부 위장관 검사 결과 저하된 위운동성 및 이와 조영이 잘 아루어지지 않는 항진된 위장관 연동운동 소견이 관찰되었다. 이에 따라 위의 운동성을 향상시키고 위 근전도 활동성을 정상으로 회복시킬 목적으로 육군자탕을 1주일간 복약하게 하여 환자의 경과가 호전되었으며 구토도 멈추었다. [Oyachi N, Takano K, Hasuda N, et al. Effects of Rikkunshi-to on infantile hypertrophic pyloric stenosis, refractory to atropine. Pediatr Int, 2008;50(4):581-3.]

6. 라베프라졸 요법에 반응을 보이지 않는 위식도 역류성 질환 환자 104명이 참여한 일본의 한 무작위 대조 연구에서는 시험군 환자에게 육군자탕을 병용투여하고 대조군에는 라베프라졸의 용량을 2배로 증량하여 각각 4주간 치료하였다. 연구결과 양 군 모두에서 위식도 역류성 질환의 증상 점수가 유의하게 개선되었으며, 육군자탕 병용투여의 효과는 라베프라졸 증량 투여와 비슷하였다. 추가분석을 통해 남성의 비미란성 위식도 역류성 질환과 BMI가 낮은 환자들에게서 육군자탕의 효과가 보다 우수하였음을 확인하

였다.[Tominaga K, Iwakiri R, Fujimoto K, et al. Rikkunshito improves symptoms in PPI-refractoryg ERD patients: a prospective, randomized, multicenter trial in Japan. J gastroenterol, 2012;47(3):284-92.]

7. 위식도 역류성 질환으로 8주간 PPI를 복용한 후 속쓰림 및 기타 불편감이 발현된 47명의 환자에 대한 일본의 한 단일군 연구에서는 참여 환자들에 대하여 육군자탕을 6-8주간 투여하고 경과를 관찰하였다. 연구결과 환자들의 속쓰림, 포만감, 복부의 불편감, 복통 증상이 개선되었으며 식사 및 수면 상태도 모두 호전되었다. [Kawai T, Hirayama Y, Oguchi A, et al. Effects of rikkunshito on quality of life in patients with gastroesophageal reflux disease refractory to proton pump inhibitor therapy. J Clin Biochem Nutr, 2017;60(2):143-5.]

8. 위식도 역류성 질환이 있는 영아 45명의 경과를 관찰한 일본의 한 후향적 연구에서는 29명의 환아에게는 육군자탕[0.3 g/(kg.d)]을 3개월간 투여하였고, 다른 16명에게는 모사프리드를 동일한 기간 투여하였다. 관찰결과 육군자탕을 투여한 환자군은 모사프리드 투여군에 비해 구토 발생빈도가 보다 감소하였으며 체중도 더 증가하였다. [Otake K, Uchida K, Mori K, et al. Efficacy of the Japanese herbal medicine rikkunshito in infants with gastroesophageal reflux disease. Pediatr Int, 2015;57(4):673-6.]

9. 인후두 역류 질환으로 가성구마비가 발현된 106명의 환자가 참여한 일본의 한 무작위 대조연구에서는 모든 환자에 대하여 4-8주간 PPI를 투여한 결과 65명의 증상이 호전되었다. 반응을 나타내지 않은 환자 41명 중 22명에 대하여 육군자탕을 4주간 병용투여한 결과 14명의 증상에 호전이 있었다. [Nakano S, Iwasaki H, Kondo E, et al. Efficacy of proton pump inhibitor in combination with rikkunshito in patients complaining of globus pharyngeus. J Med Invest, 2016;63(3-4):227-9.]

10. PPI에 반응을 보이지 않는 인후두 역류 질환 환자 22명이 참여한 일본의 한 무작위 대조 연구에서는 육군자탕의 4주 투약을 통해 위배출이 촉진되며 인후 이상감각이 개선될 수 있음을 보고하였다. 한편, 육군자탕은 PPI와의 병용투약시 인후통 증상을 현저하게 개선하였다. [Tokashiki R, Okamoto I, Funato N, et al. Rikkunshito improves globus sensation in patients with proton-pump inhibitor-refractory laryn gopharyngeal reflux. World J gastroenterol, 2013;19(31):5118-24.]

11. 식욕부진 및 구토를 주소로 하는 임신 여성 49명의 경과를 관찰한 일본의

한 후향적 연구에서는 통상의 수액요법을 모든 환자에게 실시하는 한편, 육군자탕, 소반하가복령탕 또는 메토클로프라미드 정주요법을 병용하였다. 치료 1주일 후 3종류의 병용요법을 실시한 환자 모두에서 임신성 구토의 뚜렷한 호전이 있었으며, 특히 육군자탕을 투약한 환자들은 오심과 구토 및 식욕저하 모두의 현저한 개선을 보였다. 추가분석 결과 육군자탕은 기역증(氣逆證) 평가지표상의 점수가 높은 증례에서 효과적이었다. [中山毅, 西原富次郎, 深田せり乃. 六君子湯は妊娠悪阻による悪心嘔吐や食欲低下を軽減する. 日本東洋医学雑誌, 2017;68(2):105–10.]

12. 과민성 대장증후군 환자 63명이 참여한 대만의 한 무작위 대조 연구에서는 시험군에 배정된 32명의 환자에게는 향사육군자탕을 4주간 투여하였으며, 대조군에 배정된 31명에게는 시험약의 10% 용량을 같은 기간 동안 투여하였다. 연구결과 향사육군자탕을 투여한 시험군에서는 대조군 대비 설사 증상의 뚜렷한 개선이 관찰되었다. [Shih YS, Tsai CH, Li TC, et al. The effect of Xiang–Sha–Liu–Jun–Zi tang (XSLJZT) on irritable bowel syndrome: A randomized, double–blind, placebo–controlled trial. J Ethnopharmacol, 2019;238:111889.]

13. 내시경 점막하절제술을 받은 후 PPI를 복약하고 있는 13명의 환자가 참여한 일본의 한 무작위 대조 연구에서는 8명의 환자에게 8주간의 육군자탕 병용투여를 시행하였다. 대부분의 환자가 수술 후 복통과 변비 및 위배출 지연 등이 발생하였으나, 육군자탕 및 PPI의 병용투여를 실시한 경우 위장 증상 소견을 크게 개선시킬 수 있었다. [Uehara R, Isomoto H, Minami H, et al. Characteristics of gastrointestinal symptoms and function following endoscopic submucosal dissection and treatment of the gastrointestinal symptoms using rikkunshito.Exp Ther Med, 2013;6(5):1083–8.]

14. 식도암으로 수술을 받은 40명의 환자가 참여한 일본의 한 무작위 대조 연구에서는 20명의 환자에 대하여 수술 후 4주 경과시점을 기점으로 육군자탕을 48주간 투여하였다. 연구결과 육군자탕은 혈중의 아세틸화 그렐린의 수치를 크게 상승시켜 식욕과 음식의 섭취량을 증가시킴으로써 수술 후의 체중감소를 억제할 수 있었다. [Nakamura M, Nakamori M, Ojima T, et al. The effects of rikkunshito on body weight loss after esophagectomy. Journal of Surgical Research, 2016;204(1):130–8.]

15. 위암 치료를 위해 복강경 수술을 받은 환자 25명(부분위절제술 17명, 위전

절제술 8명)이 참여한 일본의 단일군 연구에서는 모든 환자에 대하여 육군자탕을 식전 복용으로 4주간 투여하였다. 이 연구에서 육군자탕은 상부 위장관 악성종양 수술 후 기능장애 평가지수의 현저한 개선을 이끌어 냈으며 이외에도 식이 장애로 인한 활동량 감소, 역류 증상, 덤핑증후군, 구역 및 구토 등 증상의 호전에 기여하였다. [Takiguchi S, Hiura Y, Takahashi T, et al. Effect of rikkunshito, a Japanese herbal medicine, on gastrointestinal symptoms and ghrelin levels in gastric cancer patients after gastrectomy. Gastric Cancer, 2013;16(2):167−74.]

16. 위장관 수술을 받은 14명의 소아 환자(8명은 소화불량 증상 발현, 6명은 무증상)에 대하여 육군자탕을 투여한 후 경과를 관찰한 일본의 한 사례대조연구에서는 육군자탕이 위의 근전도 상 운동성을 개선함으로써 소화불량 증상을 개선할 수 있었다고 보고하였다. [Yagi M, Homma S, Kubota M, et al. The herbal medicine Rikkunshi−to stimulates and coordinates the gastric myoelectric activity in post−operative dyspeptic children after gastrointestinal sur gery. Pediatr Surg Int. 2004;19(12):760−5.]

17. 부인과 질환의 치료를 위해 전신마취 후 복강경 수술을 시행하는 142명의 환자가 참여한 일본의 한 무작위 대조 연구에서는 시험군에 배정된 91명의 대조군에 대해 수술 전일 야간부터 수술 후 3일차까지 육군자탕을 투여하고, 수술 중에는 육군좌탕 좌약의 직장내 투여를 시행하였다. 대조군에 배정된 51명의 환자에 대해서는 별도의 추가 처치를 제공하지 않았다. 이 연구에서 육군자탕은 수술 후의 메스꺼움 및 구토를 개선하지 못하였으나, 환자의 정상적인 식사 섭취 개시시점을 앞당기는데 도움이 되었다. [Okuno S, Hirayama K, Inoue J, et al. Effects of rikkunshitoon the postoperative nausea and vomiting (PONV) after laparoscopic gynecological surgery. Masui. 2008;57(12):1502−9.]

18. 일본의 한 연속증례연구에서는 육군자탕의 투약이 소화기 외 영역의 질환에서 좋은 효과를 거두었던 사례를 소개하였다. 해당 연구에서는 각각 눈 주위의 홍반, 안면홍조, 무릎 관절염, 두드러기의 4 증례에 대한 관찰이 이루어졌다. 환자들은 개개인의 질환에 대한 처방으로 위장기능 장애가 발생한 후 육군자탕 복약을 시작한 후 원발 질환의 증상까지도 현저하게 감소하거나 소실되었다. 저자는 비허증(脾虛證) 소견에는 건비(健脾) 치료가 우선 필요하다는 점을 고려할 때 육군자탕을 통한 위장관 기능 조절은 하나의 중요한 진료 아이디어가 될 수 있다고 설명하였다. [盛岡頼子, 近田直子, 佐

藤弘. 六君子湯により胃腸以外の症状が改善した4症例. 日本東洋医学雑誌, 2012;63(3):191-5.]

19. 기계환기 및 경장영양을 시행해야 하는 중환자 23명을 대상으로 이루어진 일본의 한 무작위 대조 연구에서는 환자들 중 13명에게 육군자탕을 투여하고, 나머지 10명의 환자에게는 메토클로프라미드를 투여하였다. 관찰결과 복용 후 두 종류의 약물을 투여한 환자들간의 식이섭취 완료율은 유사하였으나 육군자탕을 투여한 환자군은 섭취속도의 개선이 보다 뚜렷하게 나타났다. [Hayakawa M, Ono Y, Wada T, et al. Effects of Rikkunshito (traditional Japanese medicine) on enteral feeding and the plasmaghrelin level in critically ill patients: a pilot study.J Intensive Care, 2014;2(1):53.]

20. 미숙아의 빈혈은 조산으로 발생하는 가장 흔한 혈액학적 합병증으로 보통 식욕부진과 수유장애 및 체중감소가 발생한다. 소아 빈혈 환아 95명이 참여한 중국의 한 무작위 대조 연구에서는 모든 환자에 대하여 출생 후 3일차에 에리스로포이에틴 투여를 시행하였고, 철분과 비타민 C, 비타민 E를 출생 후 14일차부터 경구섭취토록 하였다. 이들 중 시험군으로 배정한 47명의 환아에 대해서는 경구 또는 비강을통한 사군자탕의 병용투여를 시행하였다. 연구 결과 사군자탕의 병용투여는 빈혈을 개선하고 수혈의 위험율을 낮추며(17.0% 대 37.5%, P<0.05), 수유불내증(feeding intolerance) 환자의 비율을 감소(9명 대 18명)시켰다. 뚜렷한 부작용은 관찰되지 않았다. [刘巧玉, 张水堂, 李盛强, 等. 四君子汤联合重组人类促红细胞生成素治疗早产儿贫血95例. 中国中西医结合杂志, 2010;30(9):995-6.]

21. 임산부 빈혈 환자 120명이 참여한 일본의 한 무작위 대조 연구에서는 모든 환자에 철분제제를 투여하, 이와 별도로 시험군에 배정된 환자에는 14일간 육군자탕을 병용투여하였다. 연구 결과 육군자탕 및 철분제제의 병용은 철분제제 단독투여보다 우수한 효과를 보였다. 시험군의 환자들은 빈혈 [0.8(2.4-0.9) g/dL 및 0.3(2.1-1.2) g/dL, P=0.002]이 현저하게 개선되었으며, 철분제제에 대한 위장관계 부작용도 뚜렷하게 감소하였다. [伏木弘, 佐伯愛, 塩崎有宏. 六君子湯(TJ-43)併用投与による妊婦貧血治療のための経口鉄剤の副作用軽減の試み. 産婦人科漢方研究のあゆみ, 2003(20):138-9.]

22. 항염증제의 장기복용으로 위장관 증상이 발현된 다양한 형태의 류마티스 환자 40명의 경과를 관찰한 일본의 한 후향적 연구에서는 육군자탕을 투여하였을때 전반적인 증상의 개선율이 86%에 이른다고 보고하였다. 심하

비와 정중심(正中芯) 및 진수음 등 육군자탕증에 해당하는 환자들의 최종적인 개선율은 100%였다. [田中政彦, 秋山雄次, 大野修嗣, 等. 消炎鎮痛剤使用下消化器症状に対する六君子湯の有用性について. 日本東洋医学雑誌, 1993;44(1):1-6.]

23. 일본의 한 연속증례연구에서는 신경성 식욕부진 환자 1명 및 우울신경증 환자 1명의 경과를 소개하였다. 두 증례 모두 항우울제와 항불안제에 반응을 보이지 않았으나, 육군자탕을 투여한 후 식욕이 개선되었고 불면증 및 피로가 호전되었다. 다만, 불안 증상의 의미있는 변화는 관찰되지 않았다. [佐藤武, 武市昌士. 六君子湯が奏効した神経性無食欲症と抑うつ神経症の二症例. 日本東洋医学雑誌, 1994; 45(2):381-6.]

24. 우울증으로 플루복사민을 복약 중인 50명의 환자가 참여한 일본의 한 무작위 대조연구에서는 시험군에 배정된 25명의 환자에 8주간 육군자탕을 병용투여하였다. 연구 결과 육군자탕은 플루복사민에 의한 상부 위장관 부작용 (메스꺼움 및 구토)을 개선하였으나(발생율 6/25 대 13/25, P<0.05), 우울증 소견을 개선시키지는 못하였다. [Oka T, Tamagawa Y, Hayashida S, et al. Rikkunshi—to attenuates adverse gastrointestinal symptoms induced by fluvoxamine. Biopsychosoc Med, 2007(1):21.]

25. 우울증으로 밀나시프란을 복용중인 44명의 환자가 참여한 일본의 한 무작위 대조 연구에서는 시험군에 배정된 22명의 환장에게 8주간 육군자탕을 병용투여하였다. 연구 결과 육군자탕의 병용투약은 밀나시프란에 의해 발현된 위장장애로써 식욕부진과 위산결핍, 복통, 특히 메스꺼움 등을 크게 줄였으며, 항우울제 효능의 현저한 향상에도 기여하였다. [岡孝和. 六君子湯による SNRI(ミルナシプラン)誘発性の消化器症状に対する改善効果および抗うつ効果の可能性. Medical Tribune, 2008(41):82.]

26. 일본의 크로스오버 연구에서는 위장관 증상을 호소하는 파킨슨병 환자 17명을 대상으로 육군자탕을 4주간 투약하여 식욕이 크게 개선되었으며, 복통과 우울증에도 뚜렷한 효과가 있었음을 보고하였다. [Yakabi K, Yama guchi N, Ono S, et al. Open Label Trial of the Efficacy and Safety Profile of Rikkunshito used for the Treatment of gastrointestinal Symptoms in Patients with Parkinson's Disease: A Pilot Study. Curr Ther Res Clin Exp, 2017(87):1-8.]

27. 통상의 표준적 파킨슨병 치료 요법을 시행중인 55명의 환자가 참여한 홍콩의 한 무작위 대조 연구에서는 시험군에 배정된 28명의 환자에게 24주간

가미육군자탕(육군자탕 가 생지황, 당귀, 천궁, 조구등, 회우슬)을 투여하고 대조군 27명에는 위약을 투여하였다. 연구 결과 가미육군자탕을 투여한 시험군의 환자들은 대조군에 비해 비운동성 증상이 호전되었고, 의사소통능력도 개선되었다. [Kum WF, Durairajan SS, Bian ZX, et al. Treatment of idiopathic Parkinson's disease with traditional chinese herbal medicine: a randomized placebo-controlled pilot clinical study. Evid Based Complement Alternat Med, 2011;724353.]

28. 파킨슨병 환자 20명의 경과를 관찰한 일본의 단일군 연구에서는 변비를 호소하는 14명의 환자에게 육군자탕을 투여한 결과 위배출능이 현저하게 향상되었다고 보고하였다. [Doi H, Sakakibara R, Sato M, et al. Dietary herb extract rikkunshi-to ameliorates gastroparesis in Parkinson's disease: a pilot study. Eur Neurol, 2014;71(3-4):193-5.]

29. 식욕부진이 있는 알츠하이머 치매 환자 6명의 경과를 관찰한 일본의 한 단일군 연구에서는 육군자탕을 4주간 투여한 후 환자들의 음식 섭취량이 크게 향상되었음을 보고하였다. [Utumi Y, Iseki E, Murayama N, et al. Effect of Rikkunshi-to on appetite loss found in elderly dementia patients: a preliminary study. Psychogeriatrics, 2011;11(1):34-9.]

30. 시스플라틴을 활용한 항암화학요법을 시행하는 폐암환자 40명이 참여한 일본의 크로스오버 연구에서는 육군자탕(과립제, 1일 용량 7.5 g, 14일간 연속 투여)의 복용을 통해 식이섭취량의 감소율이 현저하게 개선될 수 있음(18% 대 25%, P=0.025)을 보고하였다. 이 같은 효과는 육군자탕에 의한 그렐린 수치 상승과 관련이 있다. [Yoshiya T, Mimae T, Ito M, et al. Prospective, randomized, cross-over pilot study of the effects of Rikkunshito, a Japanesetraditional herbal medicine, on anorexia and plasma-acylated ghrelin levels in lung cancer patients undergoing cisplatin-based chemotherapy. Invest New Drugs, 2019.]

31. 자궁경부암 및 자궁내막암으로 파클리탁셀+시스플라틴 항암화학요법을 받는 36명의 환자가 참여한 일본의 한 무작위 대조 연구에서는 모든 환자에게 항구토제를 제공하였고, 이와는 별도로 시험군에 배정된 19명의 환자에게는 항암화학요법 1일차부터 14일간 육군자탕을 병용투여하였다. 연구 결과 육군자탕은 화학요법 후 120시간 내에 메스꺼움 및 구토의 완전제어율(심한 메스꺼움 소실, 구토 소실, 구제약물 불필요)을 향상시켰다. [Ohnishi S, Watari H, Kanno M, et al. Additive effect of rikkunshito, an herbal medicine,

on chemotherapy—induced nausea, vomiting, and anorexia in uterine cervical or corpus cancer patients treated with cisplatin and paclitaxel: results of a randomized phase II study (JORTC KMP—02). J gynecol Oncol, 2017;28(5):e44.]

32. 일본의 한 동물실험 연구에서 육군자탕 좌제의 직장내 투여와 과립제 경구 투여를 비교한 결과 약동학적 성질이 유사하며, 생물학적 동등성과 구토에 대한 치료 효과가 확인되었다. 따라서, 항암화학요법을 시행 중인 환자에게서 메스꺼움 및 구토가 병발한 경우 한약의 냄새 및 맛에 의한 자극을 피하기 위해 육군자탕 좌제를 활용할 수 있다. [村田勇, 西山大青, 川崎浩範, 等. 院内製剤における六君子湯エキス含有坐剤の製剤学的特性及びラットを用いた生物学的同等性の評価. Yakugaku Zasshi, 2018;138(9):1169—79.]

33. 도세탁셀+플루오로우라실(5—FU)+시스플라틴 화학요법을 시행 중인 진행성 식도암 환자 19명이 참여한 일본의 한 무작위 대조 연구에서는 9명의 환자에게 육군자탕을 병용투여하여 메스꺼움과 구토 증상의 뚜렷한 감소 및 삶의 질 개선 등 효과를 확인하였다. [Seike J, Sawada T, Kawakita N, et al. A New Candidate Supporting Drug, Rikkunshito, for the QOL in Advanced Esophageal Cancer Patients with Chemotherapy Using Docetaxel/5—FU/CDDP. Int J Surg Oncol, 2011;715623.]

34. 시스플라틴 항암화학요법을 시행하는 식도암 환자 20명을 대상으로 일본에서 이루어진 크로스오버 연구에서는 항암화학요법 후 육군자탕(과립제, 1일 용량 7.5 g, 14일간 투여)을 복용한 환자들에게서 화학요법 4—6일 후 식이섭취량 감소의 발생 비율이 유의하게 감소(2% 대 30%, P=0.02)함을 확인하였다. 이는 육군자탕의 그렐린 수치 상승 효과와 관련되어 있다. [Hamai Y, Yoshiya T, Hihara J, et al. Traditional Japanese herbal medicine rikkunshito increases food intake and plasma acylated ghrelin levels in patients with esophageal cancer treated by cisplatin—based chemotherapy. J Thorac Dis, 2019;11(6):2470—8.]

35. 수술 금기증에 해당하거나 수술 후 재발로 S—1+시스플라틴을 투여한 10명의 위암환자가 참여한 일본의 한 크로스오버 연구에서는 육군자탕의 병용투여가 항암화학요법으로 인한 식욕부진을 줄이고 식이섭취량을 증가시킬 수 있음을 보고하였다. [Ohno T, Yanai M, Ando H, et al. Rikkunshito, a traditional Japanese medicine, suppresses cisplatin—induced anorexia in humans. Clinical and Experimental gastroenterology, 2011;4:291—6]

36. Chiou CT, Wang KC, Yang YC, et al. Liu Jun Zi Tang—A Potential, Multi—

Herbal Complementary Therapy for Chemotherapy-Induced Neurotoxicity. Int J Mol Sci, 2018;19(4):1258.

37. 간동맥색전술을 시술받는 51명의 원발성 간암 환자가 참여한 중국의 한 무작위 대조 연구에서는 시험군에 배정된 27명의 환자에게 육군자탕가황기를 경구투여하였다. 이 연구에서는 시험군에서 간 종양의 크기 및 알파태아단백의 감소가 대조군에 비해 뚜렷하게 나타나 육군자탕의 투여가 메스꺼움과 구토를 개선하고 간 부위의 통증 및 백혈구감소 등과 같은 부작용을 완화하며 환자의 전반적인 신체소견을 향상시킴을 알 수 있었다. 추가분석을 통해 육군자탕 병용투여군 환자들의 세포면역기능 개선 효과가 확인되었다. [Cheng HH, Zheng LS, Chen ZS, et al. Effect of Liujunzi Decoction (六君子 汤) Supplemented with Radix Astragali to Enhance Cellular Immune Function of Hepatocarcinoma Patients after Transcatheter Arterial Chemoembolization. Chinese Journal of Integrated Traditional and Western Medicine, 1998;3(4):209-11.]

38. 木村容子, 杵渕彰, 稲木一元, 等. 補脾剤と気剤の併用についての検討-香砂六君子湯および香蘇散と補脾剤の併用を中心に-. 日本東洋医学雑誌, 2010, 61(5):690-698.

39. Nahata M, Mizuhara Y, Sadakane C, et al. Influence of food on the gastric motor effect of the Kampo medicine rikkunshito in rat. Neurogastroenterology & Motility, 2018;30(2).

40. Maruyama Y, Maruyama M, Takada T, et al. A case of pneumonitis due to Rikkunshi-to. Nihon Kyobu Shikkangakkai Zasshi, 1994;32(1):84-9.

의이부자패장산

경전의 장옹(腸癰) 처방으로 소종산결(消腫散結), 투농(透膿)방으로 활용되어 왔다. 흉강과 복강의 만성 화농성 감염질환 및 "피부가 거칠고 각질이 일어나는" 것이 특징적인 질환에 적용한다.

[경전배방]

의이인 十分, 부자 二分, 패장 五分. 이들 세가지 약물을 빻아 가루로 만들고 방촌비 만큼을 물 二升에 넣고 물의 양이 절반이 되도록 달여 한번에 복용한다(《金匱要略》).

[경전방증]

장옹(腸癰)의 증상은 피부가 거칠고 각질이 일어나며 배의 피부가 팽팽해지는 것이다. 이것을 손으로 눌러보면 연하여 종기와 같은데 뱃속의 덩어리는 없다. 몸에 열도 없고 맥은 삭(數)하다. 이것은 장속에 농옹(膿癰)이 있는 것이다(《金匱要略》十八). 장옹(腸癰)은 아랫배가 붓고 더부룩하며, 누르면 아파서 임증과 같다. 소변은 스스로 조절할 수 있으며 때때로 열이나고 땀이나며 오한이 계속 있다(《金匱要略》十八).

[추천 처방]

의이인 50 g, 법제부자 10 g, 패장 20-40 g. 이들을 물 1,000 mL와 같이 달여 300 mL가 되면 두세 차례에 나누어 따뜻하게 복용한다.

[방증제요]

배가 아프고 농양과 부종과 함께 땀이 흐르고 오한이 동반되며 피부가 거칠고 각질이 일어나는 경우

[적용 환자군]

체력이 떨어져 있고 피로감으로 힘들어하며 얼굴빛에 광택이 없다. 배의 피부는 물고기의 비늘같이 거칠고 각질이 일어난다. 복직근은 당기고 긴장되어 있지만 복벽은 연하고 힘이 없으며 환부에서만 압통이 확인된다. 피부는 영양결핍 소견이 있고 건조하며 손상부위에 가피와 태선화 소견이 보이고 기저층의 수포가 나타나는 경우도 있다. 화농성 질환으로 만성의 경과를 보이며 열성(熱性)의 증상은 뚜렷하게 나타나지 않는다.

[적용 병증]

아래의 병증과 위에 서술한 환자군의 특징이 부합하는 경우에 처방의 투약을 고려할 수 있으며, 또한 근거기반의학적 근거에 따른 진단을 통해서도 처방을 활용할 수 있다.

1. 각종 농양. 만성 충수농양, 흉부와 복부의 다발성 농양, 간농양, 폐농양, 골반농양, 항문주위농양, 치주농양 등

2. 인설이 동반되는 건조한 피부소견 및 궤양을 주요 증상으로 하는 질환. 수부백선, 신경성피부염, 결절성 양진, 만성습진, 손발농포증, 손발각화증 등

[가감 및 합방]

1. 월경량이 적은 경우 당귀작약산을 합방한다.

2. 복통이 있으면서 누를 수도 없는 경우 대황목단피탕을 합방한다.

3. 고름의 성상이 맑고 점도가 낮은 경우 부자를 고용량 투약한다. 끈적이는 고름이 보이는 경우 패장초를 고용량 투약한다.

[주의사항]

패장초는 황화패장초를 쓴다. 패장 patrina scabiosifolia Fisch. ex Trevir. 황화용아, 패장 VALERIANACEAE, 패장 속의 Patrinia Juss. 패장 Patrinia scabiosifolia Fisch. ex Trevir. 백화패장초, 소패장 속을 기원으로 하는 것들은 위품이다.

이중탕

경전의 태음병 처방이며 온중구한(溫中驅寒)방으로 활용되어 왔다. 흉비증, 침흘림증, 설사, 구내염을 치료하는 효능이 있다. 현대 연구에서는 소화성궤양 발생의 억제, 혈압상승, 지혈, 부신피질기능 조절 등의 작용이 보고되어 있다. 구토, 설사, 소화불량, 심하비경, 입이 마르거나 갈증이 없으면서 침이 많이 나오는 소견 등을 특징으로 하는 질환에 적용한다. 이 처방은 인삼탕이라는 이름으로도 불린다.

[경전배방]

인삼, 건강, 감초(炙), 백출 각 三兩. 이 네가지 약물을 가루내어 꿀로 환을 빚어 달걀 노른자 정도 크기로 만든다. 끓인 물 몇합에 환 하나씩을 풀어 갈아부숴서 따뜻하게 복용한다. 낮에 서너 차례, 밤에 두 차례 복용한다. 뱃속에 열기운이 느껴지지 않으면 서너환까지 늘려서 복용하도록 하지만, 그렇게 하더라도 탕제의 효과에 미치지는 못한다.

탕제 제법: 이 네가지 약물을 용량을 맞춰 절편하고 물 八升과 같이 달여 三升이 되도록 한다. 찌꺼기를 제거하고 一升을 따뜻하게 복용한다. 하루 세 차례 복용한다. 복용 후에 따뜻한 죽 一升을 복용토록 하고 약간 열이 나더라도 옷을 벗거나 이불을 걷어서는 안 된다.(《傷寒論》《金匱要略》)

[경전방증]

곽란으로 두통이 있고 열이 나며 몸에 통증이 있다. 한(寒)이 많아서 물을 잘 마시지 못한다(《傷寒論》386조). 큰병이 나은 후에 침을 자주 뱉으며 오랫동안 낫지 않는 것은 가슴에 한(寒)이 들어 있기 때문이다(《傷寒論》396조). 흉비(胸痺)로 가슴속에 막힌 답답한 기운이 있고, 가슴에 기결(氣結)이 있어 가슴이 그득하며 옆구리 아래에도 가슴을 치밀어 올리는 듯한 느낌이 있다(《金匱要略》九).

[추천 처방]

인삼 15 g, 건강 15 g, 백출 15 g, 자감초 5 g. 이들을 물 1,000 mL와 같이 달이고 탕액을 300 mL 취한다. 두세 차례에 나누어 따뜻하게 복용한다.

[방증제요]

오한이 있고 따뜻한 것을 좋아하며 무기력하고 배가 그득하며 설사와 식욕부진, 심하비경이 있으면서 맑은 침을 많이 흘리기도 하는 경우. 설질은 옅은 붉은색이며 설태는 희고 두껍거나 끈적거리기도 함

[활용 대상군]

체격이 여위고 얼굴은 누런빛이며 피부색은 어두우면서 광택이 없다. 식욕부진이 있고 담백한 맛을 선호하며 구토, 복창증, 따뜻

하게 해주면 좋아지는 배의 차가운 통증이 있다. 대변은 묽고 냄새가 없으며 침, 콧물, 소변, 가래, 위산, 담즙, 장액, 백대하 등의 분비물이 묽고 양이 많다. 설질의 색이 엷고 통통하고 커져 있으며 설태는 희고 물기가 축축한 경우도 있다.

[적용 병증]

아래의 병증과 위에 서술한 환자군의 특징이 부합하는 경우에 처방의 투약을 고려할 수 있으며, 또한 근거기반의학적 근거에 따른 진단을 통해서도 처방을 활용할 수 있다.

1. 설사가 나타나는 소화기질환. 만성위염, 소화성궤양, 기능성소화불량, 과민성대장증후군, 궤양성대장염, 만성이질, 소아의 가을철 설사, 항생제 복용 후 설사, 화학요법 후 설사, 만성B형간염 항바이러스제 치료 후 부작용(A)[1], 만성장부전(B)[2] 등

2. 어두운 색의 출혈 소견이 특징인 출혈성 질환. 상부위장관출혈, 알러지성 자반, 혈소판감소성자반증, 출혈성 쇼크, 기능성자궁출혈 등

3. 가슴이 답답하면서 숨이 차는 소견이 특징인 질환. 협심증(B)[3], 류마티스성 심질환, 관상동맥질환, 저혈압, 만성폐쇄성폐질환, 간질성 폐렴 등의 폐질환(B)[4], 알러지성 비염(B)[5] 등

[가감 및 합방]

1. 가슴두근거림과 복통이 있는 경우 육계 10 g을 더한다.
2. 구강궤양 및 설사가 있으면 황련 5 g을 더한다.

3. 맥이 미약하고 무기력한 환자에는 부자를 10 g 더한다.

4. 체격이 심하게 여위고 식욕부진이 있는 경우 인삼을 10 g 증량할 수 있다.

5. 만성두통이 있다면 계지를 더한다(B).[6] 즉, 계지인삼탕이다.

6. 외감풍한, 인플루엔자 등을 겸한 경우에는 계지를 더한다(B).[7]

[주의사항]

1. 급성의 구토와 설사가 있는 경우 인삼을 쓰지 않으면 호전되지 않는다. 생쇄삼(生曬蔘), 홍삼(紅蔘) 모두 투약할 수 있다.

2. 복약 후 3–4일이 경과한 시점에 부종이 나타날 수 있다. 이는 적응증에 대한 정상적인 약물반응이므로 처방을 계속 복용하도록 하면 부종은 자연스럽게 소실된다.(《現代日本漢方處方手冊》)

부기: 부자이중탕은 이중탕에 부자를 가한 처방이다. 보통 부자를 10−20 g 활용하여 허한성의 복부 팽만 및 복통을 동반하는 설사에 적용한다. 환자의 안색이 어둡고 누런빛을 띄는 경우가 많으며 무기력, 식욕부진, 무력한 맥상, 희고 두꺼운 설태 등이 보인다. 상부위장관 출혈, 자궁출혈, 피하출혈, 코피 등 출혈성 질환및 쇼크나 허탈 등에도 투약할 수 있다.

[각주]

1. 페그인터페론과 리바비린 병용 항바이러스요법을 시행한 만성 C형 간염 환자 51명이 참여한 일본의 한 무작위 대조 연구에서는 시험군에 배정된 26명의 환자에게 진무탕 합 인삼탕을 투여하였다. 연구 결과 한약의 투여는 항바이러스요법의 유효율을 상승(조기 바이러스 반응은 56.0%에서 84.6%로

상승, 지속 바이러스 반응은 48.0%에서 76.9%로 상승)시키는 동시에 항바이러스요법의 치료 종료율을 향상시켰다. [Kainuma M, Furusyo N, Murata M, et al. The effectiveness of traditional Japanese medicine (Kampo), in combination with pegylated interferon α plus ribavirin for patients with chronic hepatitis C: A pilot study. Journal of Traditional Medicines, 2013(30):132−9.]

2. 일본의 한 연속증례연구에서는 만성 장부전 환자 7명(가성 장폐쇄 4례, 단장증후군 2례, 장폐색 1례)에게서 발생한 환자 4명의 복부 팽만, 3명 설사 및 2명의 재발성 감염에 대한 치료 경과를 보고하였다. 이중탕의 투여 후 6명의 환자에서 증상 개선이 관찰되었으나, 단장증후군 환자 1명은 효과가 없었다. 가성 장폐쇄 환자 4명의 장관 확장 소견은 모두 호전되었다. [Shuichiro U, Keiko O, Junsuke A, et al. "Ninjinto (ginseng Decoction)", a Traditional Japanese Herbal Medicine, Improves gastrointestinal Symptoms and Immune Competence in Patients with Chronic Intestinal Failure. Evidence−Based Complementary and Alternative Medicine, 2015;1−6.]

3. 허한(虛寒)으로 변증된 안전형 협심증 환자 60명이 참여한 중국의 한 무작위 대조 연구에서는 시험군에 배정된 30명에게 8주간 인삼탕 가미방(가 과루, 해박, 단삼, 천궁)을 투여하였고, 나머지 30명에는 복방단삼편을 투여하였다. 인삼탕을 투여한 시험군 환자들의 협심증 발작 호전 비율이 대조군에 비해 우수(93.3% 대 63.3%)하였으며, 가슴의 통증 및 답답함과 심전도 소견 등의 개선에서도 보다 나은 효과가 관찰되었다. 인삼탕은 관상동맥성 심장질환 환자의 협심증에 보다 신속한 효과(34.92±1.77 대 48.47±3.74분, P<0.01) 및 보다 장시간의 효과(6.43±0.13 및 3.53±0.28시간, P<0.01)를 보였다. 추가분석을 통하여 인삼탕이 총콜레스테롤, 중성지방, 고밀도 지단백 수치 및 혈류동태학적 지표의 개선 효과도 있음을 확인하였다. [范秉均, 吕志杰. 人参汤加味治疗冠心病心绞痛30例临床研究. 中医杂志, 2005(4):273−6.]

4. 일본의 한 연속증례연구에서는 만성 폐쇄성 폐질환 및 간질성 폐질환 환자 3명의 치험을 소개하였다. 이들 환자들은 심하비경, 심와부의 냉감, 설사 등 증상에 근거하여 인삼탕을 복용한 후 기침과 객담 등의 증상이 호전되었다. [福田秀彦, 渡辺哲郎, 长坂和彦. COPD, 間質性肺炎に伴なう諸症状に対して人参湯が有効だつた3症例. 日本東洋医学雑誌, 2012;63(4):261−5.]

5. 일본의 한 연속증례연구에서는 알러지성 비염 및 두드러기가 있는 환자 2명의 치험을 소개하였다. 환자들은 콧물, 오한, 묽은 변, 잦은 피로감, 수활(水

滑)한 설태, 맥세약(脈細弱) 등의 증상을 보였으므로 이를 바탕으로 인삼
탕을 투여하였으며, 이후 비염 및 두드러기의 증상이 모두 크게 호전되었다.
[岩田潤二郎, 中川良隆, 青木光秋. アレルギー性鼻炎に対する人参湯の治
驗. 日本東洋医学雑誌, 1984:34(3):189-91.]

6. 만성 두통환자 88명이 참여한 일본의 한 무작위 대조 연구에서는 각각 44
   명의 환자에게는 오수유탕, 다른 44명의 환자에는 계지인삼탕을 4주간 투
   여하면서 경과를 비교하였다. 연구 결과 두 군에서 현저한 효과가 나타난
   환자들의 비율은 각각 56.8%와 38.6%였고, 통상적인 효과의 발현 비율은
   79.5%와 61.4%로 나타났다. 추가분석에서는 오수유탕의 효과가 나타난 환
   자의 경우 비만, 변비, 팔다리의 냉증 경향이 관찰되었으며, 계지인삼탕이
   효과적이었던 환자는 마른 체격에 변비 경향이 있었음을 보고하였다. [関久
   友, 沖田直, 高瀬貞夫, ほか. 慢性頭痛に対する呉茱萸湯の効果封筒法によ
   る桂枝人参湯との比較. Pharma Medica, 1993(11):288-91.]

7. 일본의 한 연속증례연구에서는 외인성 표증(오한발열, 두통, 관절통, 콧물)
   에 복부의 불편감과 설사가 동반되는 4명의 인플루엔자 환자의 치험을 소
   개하였다. 이 증례에서는 환자의 증상이 비위허한(脾胃虚寒) 및 외감풍한
   (外感風寒)에 해당하는 변증소견을 겸한 것으로 판단하여 계지인삼탕을
   투약한 결과 증상이 호전되었다. [木下恒雄. かぜ証候群における桂枝人参
   湯証について. 日本東洋医学雑誌, 1995:45(4):935-9.]

인진호탕

경전에서의 황달치료 처방이며 청열이습(淸熱利濕)방으로 활용되어 왔다. 황달, 변비, 피부소양증을 치료하는 효능이 있다. 현대 연구에서는 간보호, 이담, 혈중지질수치 억제 등 작용이 확인되어 있다. 몸에 귤색처럼 선명한 황달이 뚜렷하며 한열왕래, 섭식장애 등이 동반되며 양이 적은 노란색 소변이 나오는 동시에 배가 그득하면서 설질은 붉고 설태는 누렇고 끈적이는 등 소견이 특징적인 질환에 적용한다.

[경전배방]

인진호 六兩, 치자 十四枚(擘), 대황 二兩(去皮). 이 세가지 약물을 물 一斗와 같이 六升이 될 때까지 달인 후 나머지 두가지 약물이 三升이 되도록 달인다. 찌꺼기를 제거하고 세 차례에 나누어 따뜻하게 복용한다.(《傷寒論》《金匱要略》)

[경전방증]

머리에만 땀이 나고 몸에는 땀이 나지 않으며 소변이 잘 나오지 않으면서 갈증이 나서 마실 것을 찾는 것은 어혈(瘀血)이 리(裏)에 있는 것이니 몸에 반드시 황달이 생기게 된다(《傷寒論》236조). 상한 7, 8일이 되어 몸이 귤같은 황색을 띠고 소변이 잘 나오지 않으며 배가 약간 그득하다(《傷寒論》260조). 곡달병(穀疸病)은 오한도 있고 열도 나서 음식을 먹을 수가 없고, 먹으면 어지러우면서 가슴이 불안해지는데 이런 상태가 오래되면 황달이 생기는 것이다 (《金匱要略》十五).

[추천 처방]

인진호 30 g, 치자 15 g, 법제대황 10 g, 물 1,000 mL와 같이 달여 탕액을 300 mL 취한다. 두세 차례에 나누어 따뜻하게 복용한다.[1]

[적용 환자군]

몸과 눈이 선명한 노란색으로 물들어 있으며 누런빛과 붉은빛이 은은하게 섞여 귤색 같다. 열이 나며 이 때문에 번조가 생기고 피부에는 가려움증이 있다. 입이 마르며 머리에 냄새가 심한 땀이 많이 나며 누렇고 붉은색의 소변이 나온다. 배가 그득하고 식욕이 없으며 기름진 음식을 싫어한다. 변비가 있고 설질은 붉고 설태는 두꺼우며 맥은 활삭(滑數)하다.

[적용 병증]

아래의 병증과 위에 서술한 환자군의 특징이 부합하는 경우에 처방의 투약을 고려할 수 있으며, 또한 근거기반의학적 근거에 따른 진단을 통해서도 처방을 활용할 수 있다.

1. 황달이 주요 소견인 질환. 급성 바이러스성 간염, 황달형 간염, 중증 간염, 신생아 용혈증, 신생아 고빌리루빈혈증(B)[2], 렙토스피라증, 간손상성 황달, 잠두중독증(favism), 임신 중 간내담즙정

체증, 폐쇄성 황달(A)[3-5], 담도폐쇄에 대한 담도 확장술 후 관리 (B)[6], 간절제술의 수술 전후 관리(B)[7]

2. 우측 옆구리의 통증과 불쾌감이 주요 소견인 간 및 췌장질환. 지방간, 급성화농성담낭염, 소아담즙정체증, 담석증, 담관염

3. 피부의 가려움증이 주요 소견인 피부병. 알러지성 피부염, 우피선, 담마진, 혈액투석과 관련한 피부소양증(B)[8] 등

[가감 및 합방]

1. 황달이 있으며 열이 나고 피부가려움증이 있는 경우 치자백피탕을 합방한다.

2. 담관의 감염으로 복통이 있고 배가 그득할 경우 대시호탕을 합방한다.

3. 피부 가려움증이 심하고 소변이 누렇고 붉은색이면 마황연교적소두탕을 합방한다.

4. 황달에 이 처방으로 사하법을 쓴 후에는 인진오령산을 투약할 수 있다.

[주의사항]

1. 현재 인진호로 활용되는 부위는 과거와 다르다. 張仲景은 늙은 가지와 잎을 썼기 때문에 선전(先煎)했으나 지금의 일본에서는 늙은 인진의 화실(花實)을 쓴다. 후세에는 3월에 채집한 면인진을 쓰는데 탕전시에는 후하(後下)해야 한다.

3. 얼굴색이 누렇고 생기가 없으며 정신적으로 피곤하고 무기

력하면서 빈혈, 식욕부진, 잦은 설사, 완맥(緩脈), 심부전 및 신부전이 있는 경우에는 신중하게 투약한다. 회색조를 띈 황달이 보이는 경우에도 투약을 재고한다.

[각주]

1. 한 연구에 따르면 모든 약물을 동시에 탕전한 인진호탕의 유효성분 함량은 각각의 약물을 개별적으로 탕전(전통적 방법)한 인진호탕에 비해 낮았다. 이는 전통적인 방법에 따라 탕전한 인진호탕의 우수성을 시사한다. [Tian Q, Liu F, Xu Z, et al. Evaluation of the chemical consistency of Yin−Chen−Hao−Tang prepared by combined and separated decoction methods using high−performance liquid chromatography and quadrupole time−of−flight mass spectrometry coupled with multivariate statistical analysis. J Sep Sci, 2019;42(9):1664−167.]

2. ABO 혈액형 부적합 임신 166례를 대상으로 이루어진 중국의 한 무작위 대조 연구에서는 시험군에 배정한 83명의 환자에 4주간 인진호탕가미방(인진호탕 가 황금, 금은화, 금전초, 황기, 당삼, 저마근, 감초, 비허증의 경우 가 회산약, 백출, 신허인 경우 가 상기생, 속단, 두충, 질출혈에는 가 선학초, 생지탄)을 투여하고 대조군 83명에 대해서는 임신 28주부터 동일한 기간 동안 통상적인 서양의학적 치료를 시행하였다. 이 연구에서는 인진호탕을 투여한 시험군의 유효율이 대조군에 비해 우수하였으며, 시험군에서의 신생아 황달 및 병리학적 황달은 현저한 감소를 보였다. [徐碧红, 李茂清. 加減茵陈蒿汤治疗母儿 ABO 血型不合81例. 中医杂志, 2011;52(16):1418−9.]

3. 담즙 배액술(경피경간 담도배액술)을 시술받은 폐쇄성 황달 환자 23명이 참여한 일본의 한 무작위 대조 연구에서는 이들 중 10명의 환자를 시험군에 배정하여 인진호탕을 투여하였다. 연구 결과 인진호탕은 ALT, AST, ALP, GGT 및 빌리루빈 등 수치를 개선하며 메스꺼움 및 기타 증상을 보다 신속하게 개선하는 효과가 있었다. [岡林孝弘, 田中紀章, 折田薫三. 閉塞性黄疸減黄処置後減黄率に及ぼす漢方製剤茵チン蒿湯の効果. 日本臨床外科学会雑誌, 1998(59):2495−500.]

4. 담낭암 및 담관폐색이 병발한 담관암 환자 27명이 참여한 일본의 한 무작위 대조 연구에서는 시험군에 배정된 13명의 환자에 인진호탕을 투여하였

다. 연구결과 인진호탕은 MRP2의 발현을 통한 담즙분비촉진효과를 발휘할 수 있음이 드러났다. [Watanabe S, Yokoyama Y, Oda K, et al. Choleretic effect of inchinkoto, an herbal medicine, on livers of patients with biliary obstruction due to bile duct carcinoma. Hepatology Research, 2009(39):247–55.]

5. 담즙 배액술을 시술한 37명의 담이 증가하고 담관폐쇄 환자가 참여한 일본의 한 단일군 연구에서는 인진호탕의 투여 후 혈중 게니핀(치자의 주요 성분중 하나)이 증가하고, 담즙의 총빌리루빈 및 담즙산 농도가 크게 증가한 것으로 나타났다. 추가분석에서는 게니핀의 혈액 흡수 정도는 장내세균총과 밀접한 관계가 있음이 발견되었는데, 구체적으로는 Clostridium leptum subgroup, Bacteroides fra gilisgroup, Bifidobacterium 및 Atopobium cluster 과는 양의 상관관계를 보였으며 Clostridium difficile, Enterobacteriaceae, and Enterococcus 음의 상관관계가 확인되었다. [Uji M, Yokoyama Y, Asahara T, et al. Does the intestinal microenvironment have an impact on the choleretic effect of Inchinkoto, a hepatoprotective herbal medicine? Hepatology Research, 2017;48(3):E303–10.]

6. 수술 후 1년간 인진호탕을 복용한 담도폐쇄 환자 18명의 경과를 관찰한 일본의 한 단일군 연구에서는 인진호탕이 간기능(환자의 45%에서 AST 개선, 72%에서 ALT 개선), 간내담관의 폐색(GGT 72% 개선, 총빌리루빈 72% 개선) 및 혈청 간섬유화 지표에 대한 개선효과가 있음을 보고하였다. [Kobayashi H, Horikoshi K, Yamataka A, et al. Beneficial effect of a traditional herbal medicine (inchin–ko–to) in postoperative biliary atresia patients. Pediatr Surg Int, 2001;17(5–6):386–9.]

7. 간절제술을 받은 61명의 환자가 참여한 일본의 한 무작위 대조 연구에서는 시험군에 배정한 30명의 환자에게 수술 일주일 전에 인진호탕을 투여하였다. 이 연구에서 인진호탕은 수술 후 간손상을 감소시키지는 못하였으나 항산화작용을 통한 간보호 효과가 관찰되었다. [Mizutani T, Yokoyama Y, Kokuryo T, et al. Does inchinkoto, a herbal medicine, have hepatoprotective effects in major hepatectomy? A prospective randomized study. HPB (Oxford), 2015;17(5):461–9.]

8. 피부소양증이 있는 혈액투석환자 29명의 경과를 관찰한 일본의 한 단일군 연구에서는 환자들에게 인진호탕을 8주간 투여한 결과 9명(31.0%)의 환자에서 현저한 효과가 관찰되었고, 13명(44.8%)의 환자도 일정한 수준의 개선

이 있었다. 다만, 복약을 중단한 후의 증상 재발율은 92.3%로 높게 나타났다. 추가분석에 따르면 효과가 있었던 환자는 투석 및 소양증 발현 시간이 짧았다. [郭佩玲. 茵陈蒿汤治疗血液透析患者顽固性皮肤瘙痒症29例临床观察. 中医杂志, 1998(9):551-2.]

ㅈ

자감초탕

경전의 허로폐위(虛勞肺痿)방으로 자음(滋陰)방으로 활용되어 왔다. 허증을 조리하고 맥을 돌아오게 하며 출혈을 멈추는 효능이 있다. 현대 연구에서는 지혈, 승압, 항부정맥, 심근손상의 억제, 항저산소증, 빈혈 개선, 영양상태 개선, 윤활성 배변 촉진 등 작용이 있다. 여위고 피부가 건조하며 빈혈과 결대맥(結代脈) 및 가슴 두근거림이 특징적인 질환 및 허약체질자의 조리에 적용한다.

[경전배방]

감초 四兩(炙), 생강 三兩(切), 인삼 二兩, 생지환 一斤, 계지 三兩(去皮), 아교 二兩, 맥문동 半斤(去心), 마자인 半升, 대조 三十枚(擘). 이들 아홉가지 약물을 청주 七升, 물 八升과 같이 달인다. 먼저 앞선 여덟가지 약물을 달여 三升을 취한다. 찌꺼기를 제거하고 아교를 넣어 섞은 뒤 一升을 따뜻하게 하루 세 차례 복용한다.(《傷寒論》《金匱要略》)

[경전방증]

상한에 맥이 결대(結代)하고 가슴이 두근거리면 자감초탕으로 치료한다(《傷寒論》 177조). 허로하고 부족하여 땀이 나고 가슴이 답답하며 맥이 결(結)하고 두근거림이 있다. 행동은 평소와 같으나 100일을 넘기지 못하고 급하면 10일만에도 죽는다(《金匱要略》

六). 폐위(肺萎)로 침거품이 많이 나오고 속이 메슥거려서 토하고 싶어한다(《金匱要略》七).

[추천 처방]

자감초 20 g, 인삼 10 g, 혹은 당삼 15 g, 맥문동 15 g, 생지황 15-30 g, 아교 10 g, 육계 15 g, 생강 15 g, 화마인 15 g, 홍조 60 g. 이들을 물 1,200 mL와 같이 달이고 황주나 미주 50 mL를 넣는다. 탕액이 300 mL가 될 때까지 달이고 아교를 넣어 섞은 뒤, 두세 차례에 나누어 따뜻하게 복용한다. 탕액은 짙은 갈색이고, 맛은 달고 맵다.[1]

[방증제요]

마른 체형으로 건조한 피부 및 빈혈 소견을 보이는 환자가 숨이 차고 가슴이 답답하며 기침과 함께 목소리가 탁해서 잘 나오지 않고 가슴이 두근거리며 결대맥(結代脈)이 보이는 경우

[적용 환자군]

여윈 체격으로 근육이 위축되어 있으며 피부는 건조하다. 얼굴에 표정이 없고 초췌하며 바랜듯한 누런빛이나 창백한 얼굴색이 보이기도 한다. 입술색은 옅은 흰색이고 설질도 옅은색이며 설태는 거의 없다. 맥은 세약(細弱)하면서 간헐적으로 끊기는 소견이 있으며 삭(數)했다가 완(緩)했다가 하는 양상을 보인다. 혈압은 낮으며 가슴이 두근거리고 숨이 차며 땀이 나면서 가슴이 답답하기

도 하고 얕은 숨을 쉬기도 하며 기침과 함께 가래와 흰거품이 나오는 경우도 있다. 대변은 마르고 덩어리져서 배변이 어려우며 이 때문에 변을 볼 때마다 숨이 차고 가슴이 뛰며 식은땀이 줄줄 흘러내린다. 중증질환 이후나 대량출혈 이후 또는 고령자나 영양실조, 극도로 피로한 경우, 말기암 등에서 많이 볼 수 있다. 여윈 체격의 고령자에게서도 비교적 많이 보인다.

[적용 병증]

아래의 병증과 위에 서술한 환자군의 특징이 부합하는 경우에 처방의 투약을 고려할 수 있으며, 또한 근거기반의학적 근거에 따른 진단을 통해서도 처방을 활용할 수 있다.

1. 출혈성 질환. 특히 객혈[2], 외상에 의한 대량 출혈, 자궁출혈, 혈변, 혈뇨 등으로 인하여 빈혈에 이른 경우

2. 여윈 체격과 빈혈이 나타나는 질환. 식도암, 위암, 신장암, 구강암 등 말기암 환자의 악액질 소견, 혹은 종양에 대한 방사선 및 화학요법 시술 후 극도로 허약해진 상태

3. 부정맥이 나타나는 질환(A)[3,4]. 바이러스성 심근염, 심장판막증, 동기능부전증후군, 갑상선기능항진(A)[5,6] 등

4. 기침을 하고 숨이 차오르는 소견이 나타나는 질환. 폐암, 인후암, 폐결핵, 폐기종, 폐성심 등

5. 영양실조가 특징적 소견인 재발성 아프타 구내염. 구강점막미란, 구강암 등

[가감 및 합방]

1. 설질이 붉고 쪼그라들어있으며 출혈소견이 있는 경우 건강과 계지를 제외할 수 있다.

2. 혈뇨에는 저령탕을 합방한다.

[주의사항]

1. 이 처방을 복용한 후 배가 그득하고 식욕이 떨어지는 등의 불쾌감이 나타날 수 있다. 이때는 하루분의 약을 2-3일에 걸쳐 복용하게 하거나 물에 탕액을 희석하여 투여하는 방식으로 복용량을 조절할 수 있다.

2. 이 처방을 복용하고 있을 때는 식사를 통한 영양보충이 필요하다. 콜라겐이 많이 함유된 육류음식으로 돼지족발이나 소의 힘줄 또는 물고기 부레 등이 권장된다.

3. 비만한 체격으로 부종이 있는 경우나 고혈압 또는 혈전이나 혈액점도 상승 소견이 있는 환자에게는 신중하게 투약한다.

[각주]

1. 중국의 한 무작위 대조 연구에서는 관상동맥 심장질환과 부정맥이 있는 46명의 환자를 대상으로 자감초탕의 용량에 따른 효과를 비교하였다. 23명의 환자에는 《傷寒論》의 원 용량에 기반한 자감초탕을 투여하였다(자감초 150 g, 아교 50 g, 인삼 45 g, 생지황 250 g, 계지 60 g, 맥문동 150 g, 마인 30 g, 대조 12개). 아교를 녹인 후 다른 약재를 넣어 따뜻한 물 1,500 mL에 시판되는 황주 500 mL를 넣어 30분간 침전한 후 약한불로 25분간 250 mL가 될 때까지 달인다. 상단 용량을 하루분으로 하여 세차례에 나누어 복용하도록 한다. 다른 23명에는 임상에서 흔히 널리 사용되는 용량으로 자감초

탕을 복용하도록 했다(자감초 50 g, 아교 15 g, 인삼 15 g, 생지황 25 g, 계지 20 g, 맥문동 15 g, 마인 15 g, 대조 6개. 전탕법은 위와 같다.). 치료 과정은 30일이었다. 연구 결과, 고용량 복용군의 완치율은 69.6%, 개선율은 17.4%였고, 기존용량 복용군의 완치율은 26.1%, 개선율은 39.1%였다. 고용량 투여군의 효능은 기존 투여군에 비해 현저히 우수했으며 뚜렷한 부작용은 관찰되지 않았다. [李艺辉, 王丽莉, 于景献, 等. 炙甘草汤不同剂量及煎服方法对冠心病心律失常疗效观察. 中国中西医结合杂志, 1994(9):552.]

2. 일본의 한 증례보고에서는 재발성 혈성객담 소견을 보이는 비결핵 항상균 폐질환 환자의 경과를 소개하였다. 환자는 혼혈 객담, 결대맥(結代脈), 건조한 피부, 촉박한 호흡, 배꼽 윗부분의 두근거림, 연약한 복력 등 소견을 보였으므로 이에 따라 자감초탕가의이인을 처방하였다. 증례의 환자는 자감초탕을 복용한 후 현저한 호전을 보였으며, 저자는 이에 따라 자감초탕이 호흡기질환, 특히 결대맥이 나타나는 호흡기 질환에서 잘 사용될 수 있을 것이라고 설명하였다. 또한, 증례의 경과는 《金匱要略》에서 폐위(肺痿)를 치료하는 자감초탕 조문과도 부합한다. [桑谷圭二, 貝沼茂三郎, 久保田正樹, 等.肺非結核性抗酸菌症の繰り返す血痰に炙甘草湯と薏苡仁の併用が奏功した1例. 日本東洋医学雑誌, 2013;64(2):115−8.]

3. 조기심실수축 2,441명을 대상으로 수행된 25건의 무작위 대조 연구를 분석한 2015년도의 메타분석에서는 자감초탕이 항부정맥제에 비하여 전반적인 유효율이 높으며, 자감초탕과 항부정맥제의 병용요법 또한 항부정맥제 단독 투여에 비해 보다 높은 유효율을 나타내며, 더 현저한 조기 박동수의 감소 효과가 있음을 보고하였다. [Liu W, Xiong X, Feng B, et al. Classic herbal formula Zhigancao Decoction for the treatment of premature ventricular contractions (PVCs): A systematic review of randomized controlled trials. Complement Ther Med. 2015;23(1):100−15.]

4. 혈액투석을 받는 환자 68명이 참여한 중국의 한 무작위 대조 연구에서는 일반적으로 혈액투석 후 QT간격 연장증후군이 나타나는데, 자감초탕을 4주간 투여한 환자들에서는 이 같은 소견이 관찰되지 않았음을 보고하였다. 장기간의 QT 연장은 치명적 부정맥과 관련성이 있다는 점에서, 이 연구의 결과는 자감초탕의 투석환자에 대한 심장보호 효과를 시사한다. [Tong Y Q, Sun M, Hu C J, et al. Changes of QT dispersion in hemodialysis patients after administrating Zhigancao Decoction. Chin J Integr Med, 2018;24(8):627−31.]

5. 일본의 한 증례보고에서는 원발성 갑상선기능항진증 환자의 경과를 보고하였다. 이 환자의 주요 소견은 가슴 두근거림, 과다발한, 피로감, 손가락의 떨림 등이었는데 자감초탕을 복용한 후 T3와 T4가 수치가 감소하고 손가락의 떨림도 호전되었다. 투약 중단 후에 T3 및 T4 수치가 상승하였는데, 복약을 재개한 후에 다시 개선되었다. [稲木一元, 高橋国海, 山田光胤.原発性甲状腺機能亢進症に炙甘草湯の有効であった一例. 日本東洋医学雑誌, 1983;33(4):217-21.]

6. 19명의 갑상선기능항진증 환자를 관찰한 일본의 한 임상연구에서는 메티마졸 및 프로프라놀롤과 함께 자감초탕을 병용투약한 결과 갑상선 기능이 크게 개선되었다고 보고하였다. [Yaichiro Y.Controlled Treatment Trial for Hyperthyroidism by Herbal Medicine. Kampo Medicine, 1984;35(2):123-30.]

작약감초탕

경전의 진통 처방이며 유간해경(柔肝解痙)방으로 활용되어 왔다. 복통과 경련 및 긴장, 변비를 치료하는 효능이 있다. 현대 연구에서는 항산화, 항염증, 신경보호, 혈중 테스토스테론 및 프로락틴 과다 억제 등의 작용이 확인되어 있다. 골격근과 평활근의 경련성 질환, 신경질환 및 내분비 질환에 적용한다.

[경전배방]

작약, 감초(炙), 각 四兩. 이 두 약물을 물 三升과 같이 달여 一升五合이 되게 한 뒤 찌꺼기를 제거하고 두 차례에 나누어 복용한다.(《傷寒論》)

[경전방증]

하지경련(《傷寒論》 29조), 종아리의 긴장과 당김(《傷寒論》 30조)

[추천 처방]

백작약 혹은 적작약 30 g, 자감초 10 g. 이 약물들을 물 500 mL 와 같이 달여 탕액이 250 mL가 되도록 한 뒤 두 차례에 나누어 따뜻하게 복용한다. 탕액은 담황색이며, 맛은 시고 약간 달다.

[방증 제요]

근육의 경련과 복통, 종아리의 통증 및 변비가 있는 경우

[적용 환자군]

비만한 체형과 마른 체형에 모두 투약할 수 있으나 대체로는 근육이 뻣뻣하게 굳어있고 특히 복벽의 근육이 긴장되어 누르면 비교적 단단하다. 다리에 통증이 있어 일어서서 이동할 때 굴신이 곤란한 경우가 많이 보인다. 통증은 대체로 발작성으로 일어나며 침으로 찌르거나 전기가 흐르는 것 같은 느낌이 든다. 다리 근육의 경련이나 냉증, 이상감각, 부종, 다리 피부의 궤양, 발바닥의 갈라짐 등이 나타나는 경우도 있다. 근육의 경련과 복통, 변비가 잦으며 건조하고 구슬처럼 덩어리진 대변을 보는 경우가 대부분이다.

[적용 병증]

아래의 병증과 위에 서술한 환자군의 특징이 부합하는 경우에 처방의 투약을 고려할 수 있으며, 또한 근거기반의학적 근거에 따른 진단을 통해서도 처방을 활용할 수 있다.

1. 다리의 통증이 나타나는 질환. 비복근경련(A)[1-5], 좌골신경통, 급성요추염좌, 허리 근육의 긴장, 요추질환, 당뇨발, 하지 정맥혈전증, 대퇴골두 무혈관성 괴사, 퇴행성 근골격 질환, 족저부통증

2. 복통이 나타나는 질환(B)[6]. 급성 위장염(B), 위, 십이지장궤양, 위경련, 장유착, 담석산통, 신산통(renal colic)[7,8], 월경통(B)[9],

임신 중 자궁수축[10] 등

3. 각종 신경통. 긴장성 두통(B)[11], 삼차신경통, 늑간신경통, 요통(A)[12,13], 좌골신경통, 치통 등. 당뇨병성 신경병증 근육통증, 경련(B)[14], 항암화학요법 후 신경손상에 의한 통증[15-17]에도 쓸 수 있다.

4. 근육의 경련이 나타나는 질환. 기관지천식, 난치성 딸꾹질, 하지불안증후군, 뇌손상 후 비복근경련(B)[18], 소아 수면 중 이갈이, 안면근육경련(A)[19], 안검경련, Writer cramp, 음경이상발기(강중), 발기부전, 질위축, 질경련 등. 파상풍에 효과적이라는 보고가 있다.[20,21] 향정신성의약품에 의한 추체외로증상(A)[22]에도 쓸 수 있다.

5. 변비가 나타나는 질환. 습관성 변비, 항열, 담즙정체성간경화 등

6. 소화기 검사 및 치료와 관련 통증이나 장의 경련된 위장바륨검사, 위내시경 중의 불쾌감(A)[23], 내시경 역행 췌담관 조영술[24-27]이나 장내시경 중 통증(B)[28], 장내시경 중 장벽(腸壁)의 경련(A)[29,30], 관장 중의 통증(A)[31], 치질수술 후 통증(A)[32,33]

7. 내분비 이상. 다낭성난소증후군(B)[34], 고프로락틴혈증(A)[35], 무월경[36], 자가면역성 임신이상으로 보조생식술을 받는 환자(A)[37]

[가감 및 합방]

1. 복통과 혈변에는 황금 15 g을 더한다.

2. 배에 간헐적인 냉통이 있는 경우 육계 10 g, 건강 10 g을 더한다.

3. 팔다리의 냉감을 호소하면서 흉협고만 및 복부 팽만이 관찰

되는 경우 시호 15 g, 지각 15 g을 더한다.

4. 요로결석의 급성 발작으로 참기 어려운 통증이 있을 경우 마황부자세신탕이나 대시호탕을 합방한다.

5. 허리와 대퇴부에 격렬한 통증이 있는 경우 마황부자세신탕을 합방한다.

[주의사항]

1. 근육이 힘없이 처지며 대변이 풀어지고 복통이 없는 경우에는 신중하게 투약한다.

2. 작약감초탕의 용량 비율은 조절 가능하다. 《傷寒論》에서는 1:1이지만 후세의 투약 경험을 살펴보면 다양한 비율이 활용되어 왔으며 12:1까지도 가능하다.

3. 일본의사들은 작약감초탕이 위알도스테론증을 유발할 수 있다고 보고하였다. 임상적으로 고령, 감초용량, 복약기간이 발생 위험에 관여하는 것으로 보고되었다.[38]

[각주]

1. 근육경련이 병발하는 15명의 당뇨병 환자가 참여한 일본의 한 무작위 대조 연구에서는 10명의 환자에게는 작약감초탕을 4주간 투약하였고, 5명의 환자에게는 중추성 근이완제인 에페리손을 투약하였다. 이 연구에서 작약감초탕은 에페리손 대비 열등하지 않은 치료 효과를 보였다. 작약감초탕을 투여한 환자의 10%에서 경련 중증도의 현저한 감소가 관찰되었으며, 40%의 환자는 중등도의 호전을 보였다. 한편, 경련 빈도의 경우 작약감초탕 투여 환자 중 20%에서 현저한 감소가 관찰되었고, 70%의 환자에서 중등도의 호전이 확인되었다. [吉田麻美, 北岡治子, 増井義一, ほか. 糖尿病患者におけ

る有痛性筋けいれん(こむら返り)に対する芍薬甘草湯の効果の検討. 神経治療学, 1995(12):529-34.]

2. 근육 경련이 병발한 간경변 환자 101명이 참여한 일본의 한 무작위 대조 연구에서는 시험군에 배정된 65명의 환자에게 2주간 작약감초탕을 투여하고, 나머지 61명에게는 위약을 투여하였다. 작약감초탕을 투여한 시험군의 전체 유효율은 대조군에 비해 현저하게 높았다(69.2% 대 28.6%). [熊田卓, 熊田博光, 与芝真, ほか. TJ-68 ツムラ芍薬甘草湯の筋痙攣(肝硬変に伴うもの)に対するプラセボ対照二重盲検群間比較試験. 臨床医薬, 1999(15):499-523.]

3. 83명의 무릎 관절염 환자가 참여한 일본의 한 무작위 대조 연구에서는 시험군에 배정된 42명의 환자에게는 작약감초탕을 투여하였고, 다른 41명에게는 작약감초탕을 투약하지 않았다. 연구결과 작약감초탕은 환자의 비복근 경련을 현저하게 개선하는 효과를 보였다. [戸田佳孝. 経験と考 察芍薬甘草湯が変形性膝関節症患者の腓腸筋の筋硬度に与える影響. 整形外科, 2015(66):521-4.]

4. 근육경련이 동반되는 투석 환자 61명의 경과를 관찰한 일본의 한 단일군 연구에서는 작약감초탕을 투약한 후 54명의 환자에서 경련이 호전되었으며, 통증 또한 5-10분 사이 소실되었다. [Hyodo T, Taira T, Takemura T, et al. Immediate Effect of Shakuyaku-kanzo-to on Muscle Cramp in Hemodialysis Patients. Nephron Clinical Practice, 2006;104(1):c28-c32.]

5. 일본의 연속증례연구에서는 열사병 후 근육경련 및 통증이 발생한 환자 5명의 경과를 소개하였다. 모든 환자는 작약감초탕의 복용 후 증상이 호전되었으며 횡문근융해증도 발생하지 않았다. [中水士師明. 熱中症に付随した有痛性筋痙攣に対する芍薬甘草湯の治療経験. 日本東洋医学雑誌, 2013;64(3):177-83.]

6 찬 음식의 섭취 또는 위장염에 의한 복통 환자 130명의 경과를 관찰한 일본의 후향적 연구에서는 40명의 환자에게 감초탕을 투약하였고, 14명의 환자에게는 작약감초탕을 투약하였다. 한편, 나머지 48명의 환자에게는 감초탕을 삼키지 않고 입만을 적시게 하였고, 28명의 환자 또한 작약감초탕을 활용한 가글링만을 수행하도록 하였다. 이 연구에서는 모든 환자들의 복통이 몇분만에 완화되었음을 보고하였다. [桂敏夫. 腹痛に対する甘草湯, 芍薬甘草湯の効き方. 日本東洋医学雑誌, 1995;46(2):293-9.]

7. 요로 결석에 따른 급성 신산통 환자 25명이 참여한 일본의 한 무작위 대조

연구에서는 11명의 환자에게 작약감초탕을 투여하고, 나머지 14명에는 비스테로이드성 소염진통제를 투여하였다. 약물 투여 후 15분이 경과한 시점에서 작약감초탕을 복용한 환자들의 통증 지수는 6.7±2.3에서 3.4±3.5로 감소했으며, 비스테로이드성 소염진통제 복용 환자들의 통증 지수는 8.3±1.8에서 7.0±1.9로 줄어들었다. 따라서, 이 연구에서는 작약감초탕의 통증 완화 효과가 비스테로이드성 소염진통제보다 뚜렷함이 확인되었다. [井上雅, 横山光彦, 石井亜矢乃, 等. 尿管結石による疝痛発作時の芍薬甘草湯の効果. 日本東洋医学雑誌, 2011;62(3):359−62.]

8. 체외 충격파 쇄석술을 받은 상부 요관결석 환자 61명이 참여한 일본의 한 무작위 대조 연구에서는 참여 환자의 결석을 총 72개로 식별하였다. 시험군(35개 결석)으로 배정된 환자에는 저령탕 합 사물탕, 작약감초탕을 최소 3개월 이상 투여하였으며, 대조군(37개 결석)에는 별도의 처치를 병용하지 않았다. 연구 결과 작약감초탕 복약 후 30일이 경과한 시점에서의 결석제거율은 시험군 65.7%, 대조군 47.2%였으며, 90일 경과 시점에는 시험군 82.9%, 대조군 61.1%로 확인되었다. [木下博之, 金谷治定, 山本省一, ほか. 上部尿路結石に対する体外衝撃波結石破砕術後の漢方製剤による排石促進効果の検討. 西日本泌尿器科, 1993(55):61−6.]

9. 17명의 월경곤란 환자가 참여한 일본의 전향적 단일군 연구에서는 자궁내막증 환자 9명(4명은 생식샘자극호르몬방출호르몬작용제 또는 다나졸 투여 후 재발) 및 자궁선근증 환자 2명(1명은 생식샘자극호르몬방출호르몬작용제 투여 후 재발)를 포함하는 모든 환자들에게 작약감초탕/당귀작약산 주기요법(월경 7일 전부터 월경 주기가 끝나는 날까지 작약감초탕 복용, 이외의 기간에는 당귀작약산 복용)을 시행하였다. 투약 후 모든 환자의 월경곤란이 완전히 소실되었으며, 별도로 체온측정을 실시한 12명의 환자 중 9명에게서 배란이 일어났다. 3건의 무배란 증례의 경우 모두 에스트로겐 수치가 낮았다. [Tanaka T.A novel anti−dysmenorrhea therapy with cyclic administration of two Japanese herbal medicines. Clin Exp Obstetgynecol, 2003;30(2−3):95−8.]

10. 일본의 실험연구에서는 작약감초탕에 포함된 임신 중 자궁평활근 경련을 완화시키는 성분은 수용성 성분이 아닌 지용성 성분에서 유래한 것이라고 보고하였다. [Sumig, Yasuda K, Tsuji S, et al. Lipid−soluble fraction of Shakuyaku−kanzo−to inhibits myometrial contraction in pre gnant women. J Obstetgynaecol Res, 2015;41(5):670−9.]

11. 급성 위장염 환자 12명 및 긴장성 두통 3명을 포함하는 응급실의 급성 통증 환자 30명이 참여한 일본의 한 단일군 연구에서는 모든 환자에게 작약감초탕을 투약한 후 30분 경과 시점의 반응을 관찰하였다. 연구 결과 급성 위장염 환자의 통증 지수는 61.41±9.76에서 13.50±22.16로 줄었고, 긴장성 두통 환자의 통증 점수는 67.00±7.87에서 8.33±5.31로 감소하였다. [櫻井貴敏, 青山幸生, 斎藤紀彦. 救急外来における疼痛軽減に対する芍薬甘草湯の有効性. 日本東洋医学雑誌, 2015;66(1):34-9]

12. 급성 요통 환자 70명이 참여한 일본의 한 무작위 대조 연구에서는 모든 환자에게 부비바카인 경막외 마취, 침치료, 온열요법을 시행함과 동시에 시험군에 배정된 35명의 환자에게 작약감초탕을 병용투여하였다. 그 결과 시험군에서는 10명의 환자에서 현저한 개선이 관찰되었고, 18명의 환자에서 중등도의 호전이 있었으며 7명의 환자는 효과를 보지 못하였다. 한편, 작약감초탕을 병용하지 않은 대조군 35명 중에서는 8명의 환자가 현저한 개선이 확인되었고, 12명의 환자는 중등도의 호전이 있었으며 15명의 환자가 치료에 반응하지 않았다. [玉川進, 小川秀道. 腰痛症に対する芍薬甘草湯と五積散の効果. 痛みと漢方, 1997(7):83-5]

13. 요추관 협착증 및 근육 경련에 의한 통증이 있는 58명의 환자가 참여한 일본의 한 무작위 대조 연구에서는 환자들 중 16명에게는 작약감초탕을 투여하였고, 14명에게는 에페리손을 투여하였다. 작약감초탕을 투여한 환자군에서는 통증 및 경련의 발작이 50% 이상 줄어든 반면, 에페리손 투여군에서는 4명의 환자만이 뚜렷한 효과가 있었다. 작약감초탕 투여 후 증상의 개선이 이루어진 환자들 중 11명은 3일 이내에 최대 효과가 나타났다. 연구진은 최저 유효 용량을 규명하기 위해 나머지 28명의 환자를 대상으로 서로 다른 용량의 작약감초탕을 투여했다. 그 결과 기존 용량(과립제, 1일 용량 7.5 g, 하루 세차례 복용)의 1/3만으로도 동일한 치료 효과를 얻을 수 있음이 확인되었다. [Takao Y, Takaoka Y, Su gano A, et al. Shakuyaku-kanzo-to (Shao-Yao-gan-Cao-Tang) as Treatment of Painful Muscle Cramps in Patients with Lumbar Spinal Stenosis and Its Minimum Effective Dose. Kobe J Med Sci, 2015;61(5):E132-7]

14. 통증성 근육경련이 나타나는 당뇨병성 말초신경병증 환자 12명이 참여한 일본의 한 단일군 연구에서는 4주간의 작약감초탕 투여 결과 모든 환자의 증상이 개선되었으며, 8명의 환자는 임상 소견이 완전히 소실되었다고 보고하였다. [三浦義孝. 糖尿病性神経障害による有痛性筋痙攣(こむらがえり)に

対する芍薬甘草湯の効果. 日本東洋医学雑誌, 1999;49(5):865−9]

15. 파클리탁셀+카보플라틴 항암화학요법을 받는 비소세포성 폐암 환자 50명이 참여한 일본의 한 무작위 대조 연구에서는 시험군에 배정된 25명의 환자에게 작약감초탕을 투여하였다 이 연구에서 항암화학요법은 중증의 근육통 및 관절통을 유발할 수 있음이 확인되었으며, 작약감초탕은 이 같은 통증의 중증도 및 이환기간을 크게 감소시키는 효과가 있었다. [Yoshida T, Sawa T, Ishi guro T, et al. The efficacy of prophylactic Shakuyaku−Kanzo−to for myalgia and arthralgia following carboplatin and paclitaxel combination chemo-therapy for non−small cell lung cancer. Support Care Cancer, 2009;17(3):315−20.]

16. 파클리탁셀 항암화학요법을 시행한 부인과 종양 환자 15명이 참여한 일본의 한 무작위 대조 연구에서는 작약감초탕 및 엘 글루타민의 투여가 파클리탁셀로 인한 관절과 근육 통증의 지속시간을 현저히 단축시킬 수 있음이 확인되었다. [長谷川幸清, 水谷靖司, 倉本博行, ほか. Paclitaxel 投与時の筋肉痛・関節痛に対する芍薬甘草湯, L−glutamine の効果. 癌と化学療法, 2002(29):569−74.]

17. 파클리탁셀+카보플라틴 항암화학요법을 시행한 부인과 종양 환자 7명이 참여한 일본의 한 무작위 대조 연구에서는 항암화학요법에 의한 신경손상으로 전류인지역치(current perception threshold)가 감소함을 확인하였다. 다만, 항암화학요법 전후 2주간 소경활혈탕 합 작약감초탕을 투여하면 이 같은 전류인지역치의 감소를 억제할 수 있었다. 이 연구결과는 소경활혈탕 합 작약감초탕이 항암화학요법 후 발생하는 말초신경의 손상을 줄일 수 있음을 시사한다. [宮部勇樹, 谷口千津子, 川島正久, ほか. タキソールによる末梢神経障害に対する漢方薬(疎 経活血湯, 芍薬甘草湯)の効果−電流知覚閾値検査NEUROMETER による評価. 産婦人科漢方研究のあゆみ, 2006(23):65−8.]

18. 뇌혈관 사고 이후 일주일에 1−3회의 빈도로 비복근 경련이 발생하는 8명의 환자를 대상으로 이루어진 일본의 한 단일군 연구에서는 모든 환자에게 매일 2.5 g의 작약감초탕을 투여하였다. 2주간의 복약 후 효과가 있었던 환자는 복약을 지속하되, 만약 이에 반응하지 않는 환자의 경우 1일 용량을 5 g으로 증량하고 2주간 추가로 복용하도록 하였다. 관찰 결과 작약감초탕을 복약을 지속적으로 유지한 환자 5명의 증상이 개선되었다. [阪本次夫, 星野昌伯. 脳血管障害者の腓腸筋痙攣に対する芍薬甘草湯エキス顆粒の効果. 日本東洋医学雑誌, 1995;45(3):563−8.]

19. 안면 경련 환자 20명이 참여한 일본의 한 무작위 대조 연구에서는 모든 환자에게 중추성 근이완제 및 저용량의 진정제를 투여함과 동시에 시험군에 배정된 10명의 환자에게 12주간 작약감초탕을 병용투여하였다. 연구결과 작약감초탕을 병용투여한 시험군의 경련 중증도는 대조군에 비해 현저하게 낮았다. [木村裕明, 大竹哲也, 石倉秀昭. 顔面痙攣に対する芍薬甘草湯の効果. 診断と治療, 1991(79):2505-8.]

20. 일본의 한 증례보고에서는 중증 파상풍 환자의 경과를 소개하였다. 환자는 전신 경련을 겪은 후 프로포폴 및 기타 표준적인 치료와 함께 작약감초탕(초기 용량 1일분 7.5 g, 최대 투여 용량 1일분 15 g)을 병용투여하였다. 치료가 진행됨에 따라 환자는 인공호흡기 및 근육이완제를 사용하지 않을 수 있게 되었으며 프로포폴의 투여용량도 줄어들었다. 결국 환자는 경련의 중증도와 지속시간이 모두 감소하여 발병 14일이 되는 시점에 순조롭게 퇴원하였다. 저자는 이 증례가 급성의 중증질환에 대해서도 한약 투약의 가치가 있음을 보여주는 좋은 예라 설명하였다. [中永士師明. 芍薬甘草湯の併用が症状の改善有効であった破傷風の1例. 日本東洋医学雑誌, 2009;60(4):471-6.]

21. 일본의 한 증례보고에서는 74세 남성 파상풍 환자가 갈근탕 합 작약감초탕을 복용한 후 개구불능증, 경항부의 강직감, 전신의 경련 등이 개선되었으며 근이완제를 투약하지 않을 수 있게 되었다고 보고하였다. 환자는 30일이 경과한 시점에 완전히 회복되어 퇴원할 수 있었다. [Nakae H, Saito Y, Okuyama M, et al. A case of tetanus treated with Kampo medicines such as Kakkonto and Shakuyakukanzoto. Acute Medicine & Surgery, 2017;4(2):217-20.]

22. 향정신성 약물 투약으로 추체외로 증상이 발현된 환자 20명이 참여한 일본의 한 무작위 대조 연구에서는 시험군에 배정된 환자 10명에게 2주간 작약감초탕을 투여했으며, 대조군 10명에게는 비페리덴을 투여하였다. 연구결과 두 군에서 모두 효과가 확인되었다. 작약감초탕은 특히 근긴장이상을 뚜렷하게 개선시킬 수 있었는데, 이는 도파민 D2수용체에 대한 영향과 연관이 있을 수 있다. [Ota T, Miura I, Kanno-Nozaki K, et al. Effects of shakuyaku-kanzo-to on extrapyramidal symptoms during antipsychotic treatment: a randomized, open-label study. Journal of Clinical Psychopharmacology, 2015(35):304-7.]

23. 위내시경을 시행하는 39명의 환자가 참여한 일본의 무작위 대조 연구에서는 11명의 환자에게 검사 전 작약감초탕을 투여했으며, 28명의 환자에게는 검사 전 항콜린제를 투여하였다. 연구 결과 위내시경 시행 시의 통증 완

화 효과는 작약감초탕과 항콜린제가 유사한 것으로 확인되었다. [杉原伸夫. 上部消化管内視鏡檢査の前処置としての芍葉甘草湯の有效性. 漢方診療, 1999(18):17-9.]

24. 내시경 역행 췌담관 조영술(ERCP)을 시행할 30명의 환자가 참여한 일본의 한 무작위 대조 연구에서는 십이지장의 연동운동을 억제하기 위해 10명의 환자에게는 내시경을 통해 십이지장에 작약감초탕을 분무하였으며 10명의 환자에게는 스코폴라민을 정주투여하였다. 대조군에 배정한 환자 10명에는 내시경으로 십이지장에 식염수를 분무하였다. 관찰 결과 십이지장의 연동 운동이 정지한 환자는 각 군별로 8명, 10명, 0명으로, 이 연구에서 작약감초 탕과 스코폴라민의 효과는 유사하였다. [Fujinami H, Kudo T, Nakayama Y, et al. Assessment of diminished peristalsis using Shakuyakukanzoto (TJ-68) as pre-medication for endoscopic retrograde cholan giopancreato graphy (ERCP): a randomized, placebo-controlled trial. gastrointestinal Endoscopy, 2010(71):AB227.]

25. 내시경 역행 췌담관 조영술(ERCP)을 시행할 19명의 환자가 참여한 일본의 한 무작위 대조 연구에서는 십이지장 연동운동 억제를 위해 10명의 환자 에게 십이지장에 내시경하 작약감초 탕 분무를 시행하였고, 대조군에 배정 한 9명의 환자에게는 동일 부위에 내시경하 생리식염수 분무를 시행하였다. 관찰 결과 십이지장 연동 정지가 확인된 환자는 시험군에서는 8명이었고, 대조군에서는 한명도 없었다. [Fujinami H, Kajiura S, Nishikawa J, et al. The influence of duodenally-delivered Shakuyakukanzoto (Shao Yaogan Cao Tang) on duodenal peristalsis during endoscopic retrograde cholangiopancreatography: a randomised controlled trial. Chin Med, 2017(12):3.]

26. 내시경 역행 췌담관 조영술(ERCP)을 시행할 36명의 환자가 참여한 일본의 한 무작위 대조 연구에서는 17명의 환자에게 작약감초탕(50 mL, 36℃ 생 리식염수에 용해시킨 작약감초탕 5 g)을 십이지장 유두에 내시경 분무하였 으며, 나머지 19명의 환자는 통상적인 검사 절차를 시행하였다. 이 연구에 서 작약감초탕의 분무는 오디 괄약근의 경련을 완화하고, 수술 후 췌장염 의 발생을 줄일 수 있음이 확인되었다. [Fujinami H, Kajiura S, Ando T, et al. Direct spraying of shakuyakukanzoto onto the duodenal papilla: a novel method for preventing pancreatitis following endoscopic retrograde cholan giopancreatography. Digestion, 2015;91(1):42-5.]

27. 내시경 역행 췌담관 조영술(ERCP)을 시행할 환자 50명을 관찰한 일본의 한

단일군 연구에서는 십이지장 경련 발생시에 작약감초탕을 십이지장 유두에 내시경을 통해 분무한 결과 38명(76%)의 환자가 증상이 완화되었다고 보고 하였다. 약물의 분무에서 경련 완화에 이르기까지 효과 발현에 소요된 시간 은 50-182초(평균 122±21초)였으며, 이 효과의 유지시간은 7.2-21분(평균 9.6±1.2분)이었다. [Sakai Y, Tsuyuguchi T, Ishihara T, et al. Confirmation of the antispasmodic effect of shakuyaku-kanzo-to (TJ-68), a Chinese herbal medicine, on the duodenal wall by direct spraying during endoscopic retrograde cholan giopan- creatography. J Nat Med, 2009;63(2):200-3.]

28. 대장내시경 검사를 받을 38명의 환자가 참여한 일본의 한 무작위 대조 연 구에서는 검사 전 모든 환자에게 10 mg의 디아제팜을 근주투여한 후 시 험군에 배정한 18명의 환자에게는 추가로 작약감초탕을 투여하고 나머지 20명에게는 별도의 추가 처치를 하지 않았다. 관찰 결과 작약감초탕은 검 사 시행 중의 통증 지수를 통계적으로 유의하게 감소시켰다(4.89±0.42 대 6.20±0.34; P<0.05). [新井信, 佐藤弘, 代田文彦. 芍薬甘草湯を用いた大腸 内視鏡検査時の苦痛除去の検討. 日本東洋医学雑誌, 1994;44:385-90.]

29. 대장내시경 검사를 받을 101명의 환자가 참여한 일본의 한 무작위 대조 연 구에서는 작약감초탕의 작경련 개선에 대한 효과를 확인할 목적으로 시 험군에 배정된 51명의 환자에게 내시경을 통해 작약감초탕을 장에 분무하 였고, 나머지 50명의 환자에게는 생리식염수를 분무하였다. 연구 결과 작 약감초탕은 생리식염수에 비해 현저한 장경련 완화 효과를 나타냈다. [Ai M, Yama guchi T, Odaka T, et al. Objective assessment of the antispasmodic ef- fect of Shakuyaku-kanzo-to (TJ-68), a Chinese herbal medicine, on the colonic wall by direct spraying during colonoscopy. World Journal of gastroenterology, 2006(12):760-4.]

30. 대장내시경을 받을 42명의 환자가 참여한 일본의 한 무작위 대조 연구에서 는 21명의 환자에게 작약감초탕을 직장 내 주사하였고, 다른 21명의 환자에 게는 스코폴라민을 정주투여하였다. 연구 결과 작약감초탕의 장내 투약의 효과 및 국소 경련 완화의 지속 시간 등이 스코폴라민에 비해 나은 결과를 나타냈다. [水上健, 丸山勝也, 山内浩, ほか. 芍薬甘草湯を大腸鏡前投与薬 として用いる試 み-浸水法を用いて-. 漢方と最新治療, 2006(15):69-76.]

31. 대장내시경 검사를 위한 바륨관장 시행을 앞둔 60명의 환자가 참여한 일본 의 한 무작위 대조 연구에서는 시험군에 배정된 30명의 환자에게 작약감초

탕을 검사 전일 저녁식사 후, 수면 직전, 검사 당일 아침에 3회 투여하였다. 연구 결과 관장 중 발생하는 복통의 개선(작약감초탕 투여군 환자의 96.7% 가 경미한 통증만을 호소하는 효과가 나타났으나, 무처치 대조군의 경우 46.7%의 환자만이 이 같은 효과가 있었음), 정상적인 수면(86.7% 대 6.7%), 심리적 스트레스의 개선(90% 대 66.7%) 등 효과가 관찰되었다. 작약감초탕 을 복용한 환자의 66.7%에서는 장정결제에 대한 순응도가 이전보다 높아 졌으며, 작약감초탕의 투여는 검사 자체에 어떠한 악영향도 미치지 않았다. [今里真, 甲斐俊吉, 小泉浩一, ほか. 注腸前処置における芍薬甘草湯の使用 効果. Therapeutic Research, 1997(18):5505−10.]

32. 치질 또는 직장탈출증으로 절제술을 받은 환자 39명이 참여한 일본의 한 무작위 대조 연구에서는 모든 환자에게 수술 후 통증 완화를 위해 디클로 페낙을 투여하는 동시에 시험군에 배정된 18명의 환자에게는 작약감초탕을 병용투여하였다. 연구 결과 작약감초탕을 병용투여한 시험군에서 수술 후 통증의 강도 및 진통제 사용량의 측면에서 대조군에 비해 현저한 개선효과 가 나타났다. [宮崎道彦, 安井昌義, 池永雅一, ほか. 結紮切除術術後疼痛 に対する芍薬甘草湯の NSAIDs 上乗せ鎮痛効果−無作為割付による比較 検討−. 日本大腸肛門病学会雑誌, 2012(65):313−7.]

33. 치질 수술을 받을 103명의 환자가 참여한 일본의 한 무작위 대조 연구에서 는 시험군에 배정된 34명의 환자에게 수술 전후 14일간 작약감초탕을 투여 하였다. 다른 37명의 환자에는 수술 후 7일간 작약감초탕을 투여하였으며, 나머지 32명의 환자는 무처치 대조군에 배정하였다. 연구 결과 수술 전후의 작약감초탕 복용이 수술 후 통증을 가장 뚜렷하게 줄일 수 있었다. [福田ゆ り, 東光邦. 結紮切除術の術後疼痛に対する芍薬甘草湯術前投与による鎮 痛効果の検討. 日本大腸肛門病学会雑誌, 2014(67):324−9.]

34. 34명의 다낭성난소증후군 환자의 경과를 관찰한 일본의 한 단일군 연구에 서는 작약감초탕을 24주간 투약한 후 내분비 지표를 검사한 결과 복약 개 시 후 4주 시점부터 안드로겐 수치가 뚜렷하게 감소하였음이 확인되었다. 이 연구에서 작약감초탕은 난소에 직접 작용하여 아로마타제 활성을 증가 시키고 안드로겐의 에스트로겐 전환을 촉진함으로써 안드로겐 수치를 낮 추며, LH/FSH 비율을 개선하였다. [Takahashi K, Kitao M.Effect of TJ−68 (shakuyaku−kanzo−to) on polycystic ovarian disease. Int J Fertil Menopausal Stud. 1994 Mar−Apr;39(2):69−76.]

35. 정신분열증으로 올란자핀을 복용한 후 고프로락틴혈증이 발현된 120명의 환자가 참여한 중국의 한 무작위 대조 연구에서는 시험군에 배정된 60명의 환자에게 8주간 작약감초탕을 투여하였다. 연구 결과 작약감초탕 복용 시작 후 4주 및 8주 시점에 환자의 프로락틴 수치는 뚜렷하게 감소하였으며, 정신증상에는 별다른 영향이 없었다. [顾培, 靳秀, 李雪, 等. 芍药甘草汤治疗奥氮平所致高催乳素血症的临床研究. 中国中西医结合杂志, 2016;36(12):1456-9.]

36. 일본의 한 증례보고에서는 28세 정신분열증 환자가 리스페리돈을 복용하여 발생한 무월경을 작약감초탕의 투여를 통해 치료할 수 있었다고 보고하였다. [Yamada K , Kanba S , Yagig, et al. Herbal medicine (shakuyaku-kanzo-to) in the treatment of risperidone-induced amenorrhea. Journal of Clinical Psychopharmacology, 1999, 19(4):380-1.]

37. 난임치료 시술을 받은 186명의 환자가 참여한 일본의 한 무작위 대조 연구에서 시험군에 배정된 94명의 환자에게 시험관 아기 시술에 따른 배아이식 기간 중 4일간 작약감초탕을 투여한 결과 임신성공률이 33%였으며 보조생식술만을 시행한 환자들의 임신성공률은 20%였다. 작약감초탕은 자궁평활근의 경련을 완화시키는데, 자궁평활근의 경련이 보조생식술의 실패 원인 중 하나일 수 있다. 그러나, 임신율 개선과 관련한 작약감초탕의 구체적인 작용기전은 완전히 밝혀지지 않았다. [星本和倫. 体外受精における胚移植時の芍薬甘草湯併用よる妊娠率改善効果についての検討. 日本東洋医学雑誌, 2007;58(3):475-9.]

38. 일본의 한 연구에서는 작약감초탕(1일분당 6 g의 감초 함유) 및 소시호탕(1일분당 1.5 g의 감초 함유)를 복용한 후 위알도스테론증이 나타난 37명의 환자 특성을 후향적으로 분석하는 동시에 작약감초탕 및 소시호탕을 복용하는 환자 56명의 혈중 칼륨 수치변화를 전향관찰하였다. 이 연구에 따르면 작약감초탕을 복용한 후 위알도스테론증이 나타난 환자들의 발병까지의 소요기간 중앙값은 35일이었으며, 소시호탕의 경우 45일이었다. 작약감초탕을 30일 이상 복용한 60세 이상 환자들은 저칼륨혈증 및 위알도스테론증이 나타날 확률이 약 80%였다. 따라서 60세 이상 환자가 30일 이상 작약감초탕을 복용하면서 저칼륨혈증을 유발할 수 있는 다른 약물을 병용하는 경우에는 저칼륨혈증 및 위할도스테론증 발병 위험에 주의를 기울일 필요가 있다. [Homma M, Ishihara M, Qian W, et al. Effects of long term administration of Shakuyaku-kanzo-To and Shosaiko-To on serum potassium levels. Yakugaku Zasshi, 2006;126(10):973-8.]

저령탕

경전의 임병(淋病)처방이며 청열이수(淸熱利水)방으로 활용되어
왔다. 배뇨이상 및 출혈과 번열을 치료하고 수면을 돕는 효능이
있다. 현대 연구에서는 이뇨, 전해질 평형 조절, 신결석 형성 억
제, 항종양생성 등 작용이 확인되어 있다. 빈뇨, 절박뇨, 배뇨통,
배뇨곤란, 요실금 등 일련의 요로자극증상이 특징적인 질환에 적
용한다.

[경전배방]

저령(去皮), 복령, 택사, 아교, 활석 각 一兩. 이 다섯가지 약물
을 물 四升과 같이 달인다. 먼저 네 약물을 달이고 二升을 취하고
찌꺼기를 제거하고, 아교를 넣어 녹인다. 七合을 따뜻하게 하루
세 차례 복용한다.(《傷寒論》《金匱要略》)

[경전방증]

맥이 부(浮)하고 열이 나며 갈증이 나서 물을 마시려 하고 소변
이 잘 나오지 않는다(《傷寒論》223조, 《金匱要略》十三). 양명병
으로 땀을 많이 흘리고 갈증이 날 때는 저령탕을 투여할 수 없다
(《傷寒論》224조). 소음병에 설사를 6, 7일간하며 기침과 구역질과
함께 입마름이 있으면서 가슴이 답답하여 잠을 잘 수 없으면 저령
탕으로 치료한다(《傷寒論》319조).

[추천 처방]

저령 15 g, 복령 15 g, 택사 15 g, 아교 15 g, 활석 15 g. 이들 약물을 물 1,000 mL와 같이 달여 300 mL가 되도록 한 뒤 아교를 넣고 섞어서 두세 차례에 나누어 따뜻하게 복용한다.

[방증제요]

배뇨장애가 있고 소변의 색이 누렇고 붉으며 방울방울 떨어지면서 껄끄러운 통증이 동반되는 경우. 열이 나거나 입이 말라 물을 마시려 하기도 하며 가슴이 답답해서 잠을 이루지 못하는 소견이 보이기도 한다.

[적용 환자군]

얼굴색은 누렇고 희며 부어있는 모습이다. 입이 마르고 물을 마시려 하며 더운 것을 싫어하고 땀이 많다. 빈뇨나 절박뇨 및 배뇨통 등 요로자극 증상이 잦다. 자궁출혈이나 혈변, 혈뇨 또는 피하출혈 등이 잘 생기며 빈혈경향이 있다. 수면장애가 있고 다몽증이 있거나 잠에서 잘 깨며 번조로 잠을 잘 이루지 못하는 경우도 있다.

[적용 병증]

아래의 병증과 위에 서술한 환자군의 특징이 부합하는 경우에 처방의 투약을 고려할 수 있으며, 또한 근거기반의학적 근거에 따른 진단을 통해서도 처방을 활용할 수 있다.

1. 빈뇨와 절박뇨 및 배뇨통이 나타나는 질환. 방광염, 요도염, 급·만성의 신우신염 , 수신증, 신결석(A)[1-3], 방광결석, 유미뇨, 전립선염, 방사성 방광염, 비특이적 하부요로증상(A)[4], 신염증후군, 신증후군, 신장 이식 후 발병한 중증 부종, 임신부종, 산후요저류 등

2. 설사를 나타내는 질환. 급성장염, 방사선 장염, 직장궤양, 궤양성대장염 등

3. 출혈이 나타나는 질환. 자궁출혈, 장출혈, 혈뇨(A)[5], 신장결핵으로 인한 혈뇨, 혈소판감소성자반증, 재생불량성빈혈 등

4. 번조와 불면 및 요로자극증상이 나타나는 질환. 불안장애, 우울장애, 갱년기증후군 등

[가감 및 합방]

1. 열이 나거나 감기의 재발이 있는 경우 소시호탕을 합방한다.

2. 요로결석과 복통 및 요통이 있는 경우 사역산을 합방한다.

3. 소변이 누렇고 무좀이나 습진 또는 누런색의 대하가 있는 경우 연교 30 g, 치자 15 g, 황백 10 g을 더한다.

4. 설질이 붉고 삭맥(數脈)과 번조가 있는 경우 황련아교탕과 백두옹탕, 황금탕을 합방한다.

5. 출혈이나 백혈구, 혈소판, 헤모글로빈 수치의 감소 소견이 있는 경우 묵한련 20 g, 여정자 20 g을 더하여 처방한다.

[주의사항]

1. 복부팽만 또는 식욕부진이 있는 환자에는 신중히 투여한다.

2. 일본에서는 있었던 이 처방의 부적절한 구성에 의한 납중독 보고에서는 이 처방의 조제에 대해서 《傷寒論》에 서술된 바와 같이 모든 구성 약물을 한꺼번에 함께 탕전해서는 안 된다는 점을 설명하였다.[6]

[각주]

1. 요로결석 환자 52명이 참여한 일본의 한 단일군 연구에서는 저령탕 복용 2주 경과 후의 결석 배출율이 28.8%, 4주 경과 후의 결석 배출율은 50%였다고 보고하였다. 4 mm 미만의 결석 제거율은 2주 시점에 63.2%였고, 4주 시점에는 78.9% 였다. 4~10 mm 크기의 결석 제거율은 2주 시점에 10%, 4주 시점에 33.3%였다. [鈴木明, 仁藤博. 尿管結石に対する猪苓湯の效果. 日本東洋医学雑誌, 1995;45(4):877–9.]

2. 체외 충격파 쇄석술을 받은 상부 요관결석 환자 61명이 참여한 일본의 한 무작위 대조 연구에서는 참여 환자의 결석을 총 72개로 식별하였다. 시험군(35개 결석)으로 배정된 환자에는 저령탕 합 사물탕, 작약감초탕을 최소 3개월 이상 투여하였으며, 대조군(37개 결석)에는 별도의 처치를 병용하지 않았다. 연구 결과 작약감초탕 복약 후 30일이 경과한 시점에서의 결석제거율은 시험군 65.7%, 대조군 47.2%였으며, 90일 경과 시점에는 시험군 82.9%, 대조군 61.1%로 확인되었다. [木下博之, 金谷治定, 山本省一, ほか. 上部尿路結石に対する体外衝撃波結石破砕術後の漢方製剤による排石促進效果の検討. 西日本泌尿器科, 1993(55):61–6.]

3. 체외 충격파 쇄석술을 받은 요로결석(직경 4 mm 이상) 환자 102명이 참여한 일본의 한 무작위 대조 연구에서는 쇄석술을 마친 환자들을 각각 탐스로신 복용군에 38명, 저령탕 복용군에 30명, 무처치 대조군으로 34명을 배정하여 경과를 관찰하였다. 세 군의 결석 제거율은 각각 84.21%, 90% 및 88.24%로 비슷하였다. 결석 제거에 걸린 소요시간은 각각 15.55± 6.14, 27.74±25.36, 35.47±53.70일로 탐스로신의 효과가 가장 뚜렷하였다.

[Kobayashi M, Naya Y, Kino M, et al. Low dose tamsulosin for stone expulsion after extracorporeal shock wave lithotripsy: Efficacy in Japanese male patients with ureteral stone. International Journal of Urology, 2008(15):495-8.]

4. 잔뇨, 배뇨장애, 야간 빈뇨 및 배뇨통 등을 호소하는 비특이적 하부요로증상 환자 321명이 참여하는 일본의 한 무작위 대조 연구에서는 각각 저령탕 투여군에 137명, 저령탕 합 사물탕 투여군에 134명, 위약 대조군에 50명의 환자를 배정하였다. 연구 결과 저령탕 합 사물탕 투여군에서 하부요로증상의 개선이 가장 뚜렷하게 나타났다. [大川順正, 戎野庄一, 渡辺俊幸. 泌尿器科疾患と漢方. 第23回日本医学会総会 サテライトシンポジウム日本東洋医学会臨床漢方研究会講演内容集, 1992.]

5. 동종 줄기 세포 이식후 BK바이러스 감염에 의한 출혈성 방광염이 발현된 14명의 영아를 대상으로 이루어진 일본의 한 무작위 대조 연구에서는 시험군으로 배정된 6명의 환아에게 저령탕을 투여하였다. 연구 결과 저령탕은 요중의 BK 바이러스 부하를 감소시켰으며, 혈뇨의 이완기간도 현저히 단축시켰다. [Kawashima N, Ito Y, Sekiya Y, et al. Choreito Formula for BK Virus-associated Hemorrhagic Cystitis after Allogeneic Hematopoietic Stem Cell Transplantation. Biology of Blood and Marrow Transplantation, 2015;21(2):319-25.]

6. Huijuan Y, Katsumata M, Minami M.gelatin potentiates lead toxicity due to improper preparation of a Chinese tea drug, choreito. A study based on our previously published case report of long-term choreito use. Environ Health Prev Med, 2001;5(4):167-72.]

죽엽석고탕

경전에서는 온열병 이후의 조리 처방이며 청열양음(淸熱養陰)방으로 활용되어 왔다. 허열과 이상발한, 구역감, 기침, 갈증 등을 치료하는 효능이 있다. 여윈 체격으로 식욕이 없으며 미열이 지속되고 땀이 많이 나는 소견이 특징적인 질환에 적용한다.

[경전배방]

죽엽 二把, 석고 一根, 반하 半升(洗), 맥문동 一升(去心), 인삼 二兩, 감초 二兩(炙), 갱미 半升. 이 일곱가지 약물을 물 一斗와 같이 달여 六升이 되도록 한 뒤 찌꺼기를 제거하고 갱미를 넣어 쌀을 익힌다. 탕이 완성되면 쌀을 제거하고 一升분량씩을 하루 세차례 따뜻하게 복용한다.(《傷寒論》)

[경전방증]

상한이 풀린 후에 허약하고 여윈 상태에서 숨이 짧고 기가 치밀어올라 토하려고 한다(《傷寒論》 397조).

[추천 처방]

죽엽 15 g, 생석고 30 g, 청반하 10 g, 맥문동 30 g, 생쇄삼 10 g, 자감초 10 g, 갱미 30 g. 이들을 물 1,000 mL와 같이 달여 앞선 여섯가지 약물을 먼저 30분 정도 선전하고 찌꺼기를 제거한 후 갱미를 다시 넣어 쌀을 익히고 이를 제거한 상태에서 탕액 300 mL를 취한다. 두세 차례에 나누어 따뜻하게 복용한다.

[방증제요]

미열이 지속되고 허약하고 여위었으며 기운이 없고 기가 치밀어올라 구역이 나오는 경우

[적용 환자군]

마른 체격으로 얼굴색이 창백하고 복벽은 얇으며 설태가 적다. 식욕이 좋지 않고 식사량도 많지 않으며 간혹 헛구역질을 한다. 대변은 마르고 덩어리가 지며 누런 소변이 나온다. 발열질환의 회복기나 암으로 인한 악액질과 영양실조 상태인 경우가 대부분이다.

[적용 병증]

아래의 병증과 위에 서술한 환자군의 특징이 부합하는 경우에 처방의 투약을 고려할 수 있으며, 또한 근거기반의학적 근거에 따른 진단을 통해서도 처방을 활용할 수 있다.

1. 미열과 입마름이 나타나는 질환. 발열 질환 회복기의 미열, 여름철 소아 섭식장애, 허약체질 환자의 폐렴, 여윈 환자의 재발성 구내염(B)[1], 암에 대한 방사선요법 또는 화학요법 후 미열과 구강건조증 및 방사선 식도염(B)[2]

2. 여윈체격 및 근위축 소견이 보이는 질환. 운동신경원질환, 다발성경화증, 척수염, 파킨슨병, 종양 말기 등

[가감 및 합방]

1. 암이 발병한 후 몸이 여위고 빈혈이 있는 경우 자감초탕을 합방한다.

2. 출혈이 있는 경우 아교 10 g, 생지황 30 g을 더한다.

3. 변비와 입마름 및 인후건조증이 있는 경우 현삼 15 g을 더한다.

4. 근육위축과 함께 혀와 근육의 떨림이 보이는 경우 생지황 20 g, 아교 10 g, 별갑 15 g, 모려 20 g 등을 더한다.

[주의사항]

1. 이 처방의 갱미는 양위지갈(養胃止渴)의 효능이 있다. 동시에 쌀과 다른 약물을 동시에 탕전하면 쌀 탕전액의 점성을 바탕으로 미세한 석고과립이 현탁되는 것을 돕기 때문에 탕액 중의 무기원소 함량이 증가한다.

2. 설질의 색이 옅고 풀어지는 변을 보는 경우에는 신중하게 투약한다.

[각주]

1. 재발성 아프타 구내염 환자 100명이 참여한 중국의 한 무작위 대조 연구에서는 50명의 환자에게 복방죽엽석고과립(죽엽석고탕 가 향다채(香茶菜), 사설초, 반지련, 아출)을 7–14일 동안 투약하였고, 대조군 50명에는 구염청(口炎淸) 과립을 투약하였다. 이 연구에서 복방죽엽석고과립은 구내염으로 발생한 궤양의 유합을 촉진하고 통증을 완화시켰다. 복방죽엽석고과립의 단기 유효율은 구염청 과립에 비해 우수(유효율 87.8% 대 70.8%; p<0.05)하였으며, 복약 중단 6개월 후의 재발율도 더 낮았다(34.7% 대 60.4%). [李明伟, 路军章, 杜岩, 沈辉, 张贤华, 张贤华. 复方竹叶石膏颗粒治疗发性口腔溃疡

49例疗效观察. 中医杂志, 2016, 57(22)：1939-42.]

2. 폐암, 식도암 및 종격동 종양으로 방사선 항암요법을 받은 환자 120명이 참여한 중국의 한 무작위 대조 연구에서는 60명의 환자에게 복방죽엽석고과립[죽엽석고탕 가 향다채(香茶菜), 사설초, 반지련, 아출]을 투여하였고, 대조군 60명에게는 강복신액(康復新液)을 투약하였다. 복방죽엽석고과립은 방사선성 식도염의 발생율, 중증도을 현저하게 감소시켰고, 발현시간을 늦추었으며 각종 증상 지수 및 환자의 체력 상태와 체중 등 지표에도 개선 효과를 보였다. [Wang LJ, Lu JZ, Cai BN, Li MW, Qu BL. Effect of compound Zhuye Shigao Granule (复方竹叶石膏颗粒) on acute radiation-induced esophagitis in cancer patients: A randomized controlled trial. Chin J Integr Med. 2017 Feb;23(2):98-104.]

지실작약산

경전의 진통 처방이며 파기산결(破氣散結)방으로 활용되어 왔다. 배가 아프거나 그득한 소견이 특징적인 질환에 적용한다.

[경전배방]

지실(燒令黑, 物太過), 작약을 등분으로 산으로 갈아서 방촌비분량씩 하루 세 차례 복용한다. 보리죽으로 약을 넘긴다.(《金匱要略》)

[경전방증]

출산 후에 복통이 있고 배가 답답하고 그득하여 누울 수 없다 (《金匱要略》21조).

[추천처방]

지각 30 g, 백작약 30 g. 이들을 물 1,000 mL와 같이 달여 탕액이 300 mL가 되도록 한다. 두세 차례에 나누어 따뜻하게 복용한다. 가는 가루로 갈아서 쌀죽이나 꿀에 개어서 복용할 수도 있다. 매번 5 g씩 하루 두세 차례 복용한다.

[방증제요]

복통이 있고 배가 그득한 경우

[적용 환자군]

배가 그득한 증상이 심해서 바로 누울 수가 없고 쥐어짜는 듯한 통증과 변비, 구토, 섭식장애 등이 동반된다. 복부의 근육은 긴장되어 있고 누를때 통증이 있다. 가슴통증이나 검상돌기 아래의 통증 또는 복강이나 골반강의 농양이 있는 경우가 있다. 설태는 두껍다.

[적용 병증]

아래의 병증과 위에 서술한 환자군의 특징이 부합하는 경우에 처방의 투약을 고려할 수 있으며, 또한 근거기반의학적 근거에 따른 진단을 통해서도 처방을 활용할 수 있다.

1. 위장관경련 및 담관산통
2. 기관지 경련이나 월경통 등
3. 뇌졸중에 의한 반신마비 및 경련 소견(A)[1]

[주의사항]

1. 무기력감이나 빈혈 등 소견이 보이는 경우 신중하게 투약한다.
2. 통증이 격렬하면 처방의 용량을 2배로 증량하여 투약할 수 있다.

[각주]

1. 중국에서의 한 임상연구는 뇌경색 후 편마비 경련이 있는 27명의 환자를
    대상으로, 치료군 18례에는 지실작약산과 현대적 재활요법을, 대조군 9례에
    는 재활요법만을 시행하였다. 둘 다 편마비성 상지 경련 완화에 좋은 효과
    가 있는 것으로 밝혀졌으며, 지실작약산과 재활치료의 병행은 편마비측 하
    지경련을 완화하고 상지와 하지의 관절 운동 기능을 개선하였다. [金熙哲.
    枳实芍药散结合康复训练治疗中风后偏瘫痉挛的研究. 北京中医药大学博
    士研究生学位论文. 2005.]

지실해백계지탕

경전의 흉비병(胸痺病) 처방이며 통양선비(通陽宣痺), 이기화담(理氣化痰)방으로 활용되어 왔다. 흉격에 질환이 있어 기침과 천식이 나타나며 복부팽만 및 변비가 동반되는 소견을 치료하는 효능이 있다. 현대 연구에서는 혈액응고 정도의 조절, 지질저하, 심근허혈 및 재관류 손상의 감소 등 작용이 보고되어 있다. 가슴이 답답하고 통증이 있으며 변비와 함께 설질이 어두운 보라색인 소견이 특징적인 심혈관계, 호흡기계 및 소화기계 질환에 적용한다.

[경전배방]

지실 四枚, 후박 四兩, 해백 半斤, 계지 一兩, 과루 一枚(搗). 이 다섯가지 약물을 물 五升과 같이 달인다. 먼저 지실, 후박을 선전하고 二升을 취하며 찌꺼기를 제거한다. 남은 약을 넣어 끓인 후 세 차례에 나누어 복용한다.(《金匱要略》)

[경전방증]

흉비(胸痺)로 가슴에 막힌듯한 답답한 기운이 있고 기가 뭉쳐 있어 가슴이 그득하며 옆구리 아래에서도 기가 가슴으로 치받아올라오는 듯한 느낌이 있다(《金匱要略》九).

[추천처방]

지각 40 g, 후박 20 g, 총백 40 g, 계지 20 g 혹은 육계 10 g, 전과루 30 g. 이들을 물 1,100 mL와 같이 달여 300 mL가 되도록 하여 두세 차례에 나누어 따뜻하게 복용한다.

[방증제요]

가슴에 통증과 답답함이 있고 배가 불러오르며 그득한 느낌이 드는 경우

[적용 환자군]

얼굴색이 푸르스름한 보라색이거나 푸른기가 도는 누런색이며 입술과 손발가락 끝이 모두 파랗게 질려있다. 혀는 통통하게 크고 어두운 빛이며 설하정맥이 멍든 것같은 보랏빛이다. 가슴이 답답하고 통증이 있으며 숨이 차고 기침과 가래가 나온다. 배가 그득하며 트림이 나오고 대량의 끈끈한 가래가 역류하는 증상이 자주 있으며 대변이 뭉쳐서 배변이 힘들다. 종종 증상의 경과는 정서적 불안정에 의해 유발되거나 가중된다. 복진시에 심하비경 및 늑골궁 아래의 저항감이 확인되는 경우가 많다. 맥은 침지약(沈遲弱)하다.

[적용 병증]

아래의 병증과 위에 서술한 환자군의 특징이 부합하는 경우에 처방의 투약을 고려할 수 있으며, 또한 근거기반의학적 근거에 따

른 진단을 통해서도 처방을 활용할 수 있다.

1. 가슴이 답답하고 통증이 나타나는 것이 주요 소견인 심장 및 폐질환. 관상동맥질환, 협심증(B)[1], 심근경색, 심부전, 만성기관지염, 만성 폐쇄성 폐질환, 폐동맥 고혈압, 기관지천식 등

2. 배가 그득하고 가슴이 답답한 것이 주요 소견인 상부위장관 질환. 식도염, 식도암, 분문이완불능증, 기능성소화불량 등

3. 기타 원인에 의한 가슴 및 등통증[2], 늑간신경통

[가감 및 합방]

1. 얼굴이 검붉고 설질이 어두운 보라색인 경우 계지복령환을 합방하거나, 여기에 추가로 당귀 15 g, 천궁 15 g을 더한다.

2. 식욕부진 및 설사의 경우 이중탕을 합방하거나, 여기에 추가로 부자 10-20 g을 더한다

3. 가슴이 답답하고 통증이 있으며 가래가 많이 나오는 경우 귤피지실생강탕을 합방하고 강반하 15 g을 더한다.

4. 기침으로 숨이 차고 누렇고 끈적이는 가래를 토하는 경우 소함흉탕을 합방한다.

5. 배가 그득한 소견이 뚜렷하고 윗배를 눌렀을 때 그득한 통증이 있으며 설질은 붉고 설태는 두꺼운 경우 대시호탕을 합방한다.

[주의사항]

이 처방에는 사하작용이 있으므로 풀어지는 대변을 보거나 허약체질인 경우에는 신중하게 투약한다.

[각주]

1. 연질 경동맥 플라크 소견이 동반된 불안정형 협심증 환자 136명이 참여한 중국의 한 무작위 대조 연구에서는 모든 환자에게 기존의 표준요법(스타틴 제외)을 시행하는 동시에 시험군에 배정된 69명의 환자에는 혈부축어탕 합 지실해백계지탕을 3개월 동안 투약하였다. 혈부축어탕과 지실해백계지탕의 병용은 협심증의 개선에 기존요법의 단독 활용에 비해 보다 유의한 영향이 있었으며(유효율: 95.7% 대 82.1%; P<0.05), 혈중 지질수치 및 경동맥 플라크(소실 10례, 부피감소 22례, 플라크 수량 감소 13례, 경질 플라크로의 변화 21례, 무효 2례, 악화 1례)에 대해서도 효과가 관찰되었다. [胡欣妍. 血府逐瘀汤合枳实薤白桂枝汤对不稳定型心绞痛患者颈动脉软斑块的影响. 中医杂志, 2011;52(4):333-4.]

2. 일본의 한 증례보고에서는 과루해백백주탕 및 과루해백반하탕을 투약하여 원인불명의 흉통 및 요통을 치료한 경과를 소개하였다. 두 증례 모두 단시간내에 양호한 효과가 관찰되었다. [石毛達也, 早崎知幸, 鈴木邦彦, 等. 胸背部痛に栝楼薤白白酒湯, 栝楼薤白半夏湯が奏効した二症例. 日本東洋医学雑誌, 2014;65(2):73-8.]

지출탕

경전의 파기(破氣) 처방이며 파기이수(破氣利水)방으로 활용되어 왔다. 비견(痞堅)을 해소하고 심하의 수기(水氣)를 치료하는 효능이 있다. 현대 연구에서는 강심, 이뇨, 위의 연동운동 촉진, 위점막의 보호, 자궁수축의 촉진 등 효능이 확인되어 있다. 상복부가 팽만하거나 단단해져서 답답한 증상이 있으며 소변이 잘 나오지 않고 식욕이 없는 등의 소견이 특징적인 질환에 적용한다.

[경전배방]

지실 七枚, 백출 二兩. 이 두가지 약물을 물 五升과 같이 달여 三升이 되도록 하여 세 차례에 나누어 따뜻하게 복용한다. 뱃속이 물러지면 자연스레 비기(痞氣)는 사라진다.(《金匱要略》)

[경전방증]

심하가 단단하여 큰 쟁반과 같고 주변은 선반 같은데 이는 수음(水飮) 때문이다(《金匱要略》十四).

[추천 처방]

지각 30-50 g, 지실 30-50 g, 백출 10-30 g. 이들을 물 1,000-1,100 mL와 같이 달여 300 mL가 되도록 한 후 두세 차례에 나누어 따뜻하게 복용한다.

[방증제요]

상복부가 부풀어오르고 답답하면서 타각적으로도 단단한 긴장이 확인되며 소변이 잘 나오지 않고 식욕부진이 있는 경우

[적용 환자군]

체격이 건장하고 충실하며, 때에 따라서는 마른 편인 경우도 있다. 다만, 복진 시에는 반드시 고정된 부위의 상복부 압통과 해당 부위에서 촉지되는 종괴가 있으며 뚜렷한 복직근 긴장 및 만질 수 있는 간장 및 비장의 종대가 확인된다. 가슴이 답답하고 숨이 차거나 식욕부진이 있기도 하며 음식을 먹은 후에 배가 아프고 그득한 느낌을 호소하기도 한다. 소변량이 적고 색은 누렇고 붉은빛이며 온몸이나 다리에 부종이 있다. 설태는 대부분 두껍게 껴있으며 맥은 활실유력(滑實有力)하다.

[적용 병증]

아래의 병증과 위에 서술한 환자군의 특징이 부합하는 경우에 처방의 투약을 고려할 수 있으며, 또한 근거기반의학적 근거에 따른 진단을 통해서도 처방을 활용할 수 있다.

1. 만성심부전, 울혈성간비종대증

2. 위하수, 위확장, 만성위염, 위십이지장궤양, 기능성 위장장애, 소화불량(B)[1], 만성 전정위염, 수술 후 소화기 기능 회복 촉진(A)[2]

3. 자궁하수, 탈항, 습관성 변비, 단순비만 등

[가감 및 합방]

1. 이환기간이 길며 몸이 여위고 허약한 경우 백출의 용량을 지각의 2배로 한다.

2. 심하비경(心下痞硬)과 함께 물을 토하거나 식욕이 부진한 증상이 동반되는 경우 복령, 인삼, 생강, 귤피를 더하는데《外臺》茯苓飲과 같은 처방이 된다.

3. 인후에 이물감이 있고 배가 그득하면서 기침과 많은 가래가 보이는 경우 반하후박탕을 합방한다.

4. 가슴 및 옆구리 통증이 있고 팔다리가 차가우며 복직근이 긴장되어 있는 경우 사역산을 합방한다.

5. 몸이 여위고 어지러우며 가슴이 두근거리는 경우 영계출감탕을 합방한다.

6. 안색이 검붉고 다리에 부종이 있으며 입술과 설질이 어두운 보라색인 경우 계지복령환을 합방한다.

[주의사항]

이 처방을 복용한 후 설사가 있을 수 있다.

[각주]

1. 비허기체로 변증된 기능성 소화불량 환자 160명이 참여한 중국의 한 무작위 대조 연구에서는 4주간 2종류의 지출환을 투약하였다. 두 지출환의 차이점은 지실의 성숙과 또는 미성숙과 사용 여부였다. 이 연구에서는 미성숙 지실의 활용이 보다 효과적임이 확인되었다(67% 대 45%). [Wu H, Jing Z, Tang X, et al. To compare the efficacy of two kinds of Zhizhu pills in the treat-

ment of functional dyspepsia of spleen−deficiency and qi−stagnation syndrome: a randomized group sequential comparative trial. BMC gastroenterol, 2011(11):81.]

2. 부분위절제술 후 비위관 또는 공장루관으로 경장영양을 공급받는 환자 40명이 참여한 중국의 한 무작위 대조 연구에서는 시험군에 배정된 20명의 환자에게 지출탕을 투약하였다. 연구 결과 지출탕은 수술 후 장기능 회복을 촉진하였으며(배기시간 51.5±6.5 시간 대 74.3±5.3시간; P<0.05), 경장영양으로 인한 복통, 복부팽만, 설사 및 기타 증상들을 감소시켰다. [吴超杰, 李建武, 陈君. 枳术丸煎剂在肠内营养支持中的调理作用. 中国中西医结合杂志, 2000(12):945−6.]

진무탕

경전의 수기병(水氣病) 처방이며 온양이수(溫陽利水)방으로 활용
되어 왔다. 부종과 어지러움, 떨림, 통증을 치료하고 몸을 가볍게
하는 효능이 있다. 현대 연구에서는 강심, 시상하부－뇌하수체－부
신 축의 흥분, 신장기능의 개선, 신경세포의 보호작용이 확인되어
있다. 무기력감을 호소하며 추운 날씨를 싫어하고 팔다리가 차가
우면서 맥이 침세무력(沈細無力)하고 붓거나 떨림이 생기는 소견
이 특징적인 질환에 적용한다.

[경전배방]

복령 三兩, 작약 三兩, 생강 三兩(切), 백출 二兩, 부자 一枚
(炮, 去皮, 破八片). 이 여덟가지 약물을 물 八升과 같이 달여 三
升이 되도록 한 뒤 찌꺼기를 제거한다. 七合을 따뜻하게 복용한
다. 하루 세 차례 복용한다.(《傷寒論》)

[경전방증]

태양병에 발한법을 써서 땀이 났는데도 증상이 풀리지 않고 여
전히 열이 나며 가슴 아래에 두근거림이 있고 머리가 어지러우면
서 근육이 떨리고 몸을 비틀거리며 쓰러질 것 같다(《傷寒論》. 82
조). 복통이 나고 소변이 잘 나오지 않으며 팔다리가 무겁고 아프
면서 저절로 설사가 나오면 이것은 수기(水氣)가 있기 때문이다.

환자가 기침을 하고 소변이 많이 나오거나 설사를 하거나 구역질이 난다(《傷寒論》316조).

[추천 처방]

법제부자 15-30 g, 백출 10 g, 백작약 혹은 적작약 15 g, 복령 15 g, 생강 15 g, 혹은 건강 5 g. 이들 약물을 물 1,000 mL와 같이 부자를 30-60분간 선전하고 다른 약을 다시 넣어 300 mL가 되도록 달인다. 두세 차례에 나누어 따뜻하게 복용한다. 탕액은 담갈색이며, 맛은 시고 약간 떫으며 맵다.

[방증제요]

상복부가 두근거리고 어지러우며 근육이 떨려 넘어지려고 하면서 복통이 있고 소변이 잘 나오지 않으며 팔다리가 무거우면서 아프고 설사가 나오는 경우

[적용 환자군]

얼굴색이 누렇거나 거무튀튀하고 광택이 없으며 얼굴이나 목덜미의 살이 처져있고 부종 소견이 보인다. 온몸의 피부가 건조하고 거칠며 머리카락이 잘 빠진다. 팔다리가 떨리고 걸음걸이가 불안정하며 심할 때는 서있지도 못한다. 어지러움과 가슴두근거림이 있고 땀이 많이 난다. 체중이 계속 늘면서 체력은 지속적으로 저하되어 극도의 피로감을 호소하고 기면과 기억력감퇴, 반응의 지연 등 소견이 보인다. 허리와 다리에 힘이 없고 무거우며 아프다.

배는 북처럼 크고 다리를 눌러보면 진흙처럼 쑥 들어가며 복통과 설사 또는 수양변 등을 호소하기도 한다. 남성은 성욕감퇴가 있을 수 있고, 여성은 월경불순이 나타나는 경우가 있다. 맥은 침세(沈細), 무력(無力), 지완(遲緩)하다. 설질은 통통하고 크며 치흔이 있고 설태는 희고 축축하다. 복벽은 부드러우며 피부 온도가 낮은데 배꼽과 아랫배에서 소견이 뚜렷하다. 중년층이나 고령층에서 많이 보인다.

[적용 병증]

아래의 병증과 위에 서술한 환자군의 특징이 부합하는 경우에 처방의 투약을 고려할 수 있으며, 또한 근거기반의학적 근거에 따른 진단을 통해서도 처방을 활용할 수 있다.

1. 탈진이 나타나는 질환. 쇼크, 심부전(B)[1], 저혈압, 발한과다 등

2. 어지러움과 떨림이 나타나는 질환. 고혈압, 뇌동맥경화, 운동실조, 파킨슨병 등

3. 부종과 체강 내의 삼출액이 나타나는 질환. 만성신질환(B)[2], 간경화복수, 울혈성심부전 등. 급성알러지 비염에도 쓸 수 있다 (B).[3]

4. 신체기능의 저하가 특징적 소견인 질환. 갑상선기능저하, 갱년기설사, 갱년기피로, 갱년기불면 등

5. 설사가 나타나는 질환. 갱년기설사, 궤양성대장염, 만성장염, 결핵성 복막염, 만성 충수염, 만성골반염 등. 한편, 밀로이병 (Milroy's disease)에서 나타나는 설사에도 쓸 수 있다.[4]

6. 감염성 질환이지만 발열이나 자각증상이 거의 보이지 않고 얼굴색이 창백한 경우. 충수염, 횡격막하 농양[5]

7. 정신, 신경증상. 두통[6], 흉민[7]

[가감 및 합방]

1. 혈압이 불안정하고 심부전이 있는 경우 홍삼 10 g, 육계 10 g을 더한다.

2. 갱년기증후군 등에서 땀이 나고 잠을 잘 이루지 못하며 꿈을 많이 꾸고 심리적인 공황이나 불안 소견 등이 있는 경우 계지가용골모려탕을 합방한다.

3. 신부전과 부종이 있고 얼굴이 누런빛인 경우 황기계지오물탕을 합방한다.

[각주]

1. 이 증례에서는 환자가 고령인 점, 약한 맥, 팔다리의 냉감, 부종, 배뇨장애 등을 고려하여 진무탕을 처방하였으며, 이후 환자의 심폐계수(cardiothoracic ratio), 흉막 및 심낭의 삼출물, BNP 수치 등이 감소하였으며 심부전 경과도 호전을 보였다. [山本昇伯, 蘭田将樹, 大田静香, 等. 真武湯が後期高齢者の心不全に有効であった2症例. 日本東洋医学雑誌, 2017;68(2):117–22.]

2. 만성 신부전 및 사구체 경화증 환자 20명의 경과를 관찰한 일본의 한 단일군 연구에서는 진무탕 및 방기황기탕을 3개월간 투여한 결과 혈청 크레아티닌이 2.04 mg/dL에서 1.72 mg/dL로 감소했으며, 6개월 경과 시점에는 1.59 mg/dL로 더 감소하였다. 사구체 여과율도 26.8 mL/min에서 3개월 투여 후 32.28 mL/min으로 개선되었으며, 6개월 후에는 35.38 mL/min까지 증가하였다. 이 연구의 결과는 진무탕 합 방기황기탕이 만성 신부전 환자의 신기능을 개선할 수 있음을 시사한다. [小路哲生, 高橋道也. 真武湯と防己黄芪

湯の併用は蛋白尿の少ない慢性腎臓病に進行抑制効果がある. 日本東洋医学雑誌, 2016;67(4):347-53.]

3. 일본의 한 연속증례연구에서는 소청룡탕, 오령산, 영감강미신하인탕에 반응을 보이지 않는 급성 알러지성 비염 환자 2명의 경과를 소개하였다. 증례의 환자는 수양성 콧물이 다량 분비되며 오한이 있고 감귤류를 좋아한다고 하였다. 복진상 심하비경, 상복부의 냉감 및 두근거림, 위 부위의 진수음 등 소견에 따라 진무탕을 투여한 후 증상이 개선되었다. [関矢信康, 地野充時, 小暮敏明, 等. 真武湯が奏 功したアレルギー性鼻炎の2症例. 日本東洋医学雑誌, 2006;57(2):213-6.]

4. 밀로이병(Milroy's disease)은 림프관 폐색으로 발생하는 유전성 림프 부종으로 장관의 림프액의 순환에 장애가 발생하면 수양변이 발생할 수 있다. 일본의 한 증례보고에서는 38세 밀로이병 환자의 증례를 소개하였다. 이 환자는 출생시 왼쪽 다리에 림프 부종이 있어 밀로이병 진단을 받았으며 경과관리를 위해 압박붕대를 활용한 보존적 치료를 받았다. 이 환자는 덥고 습한 날씨로 심한 온도변화를 경험한 후 몸이 차가워졌고, 일주일에 1시간씩 세차례 이상 지속되는 하복부 통증과 설사가 돌발성으로 발생하였으며, 구토가 동반되는 경우도 있었다. 이 소견은 기온이 떨어지면 더 악화되었으며, 식이와는 관련성이 없었다. 진무탕 투약을 시작한 후 복통과 만성 설사가 뚜렷하게 호전되었으며, 증상 발현의 빈도는 월 2회 정도로 줄어들었다가 3개월 내 기간 사이 완전히 소실되었다. [Horiba Y, Yoshino T, Watanabe K.Kampo Extract of Shinbuto Improved Refractory Diarrhea in Milroy's Disease. glob Adv Health Med, 2013;2(1):14-7.]

5. 일본의 한 증례보고에서는 식도정맥류 수술 후 횡격막하농양이 발생한 한 환자의 증례를 보고하였다. 이 환자는 간경변, 식도정맥류, 비장종대, 범혈구감소증 등을 앓고 있어 비장절제술을 받은 이후 횡경막하농양이 병발하였다. 이를 치료하기 위해 항생제 처치 및 경피적 농양배액술을 시행하면서 소시호탕, 보중익기탕, 시령탕 등을 투여하였으나 농양과 발열 증상의 뚜렷한 개선은 없었다. 저자는 환장 체온이 야간에 뚜렷하게 상승 경향을 보이는 점, 날씨가 추워지면 악화소견이 나타나는 발의 냉감, 복수를 동반하고 저력이 없는 복부 압진 소견 등을 고려하여 진무탕을 투약하는 동시에 항생제 투여는 중단하였다. 이후 환자의 체온이 점차 상승하여 정상으로 회복되면서 횡경막하 농양 또한 축소되어 퇴원할 수 있었다. [白尾一定, 前之原茂穂, 愛甲孝. 真武湯が有効であった食管静脈瘤術後横隔膜下膿瘍の1例.

日本東洋医学雑誌, 1996;47(2):261-5.]

6. 일본의 한 증례보고에서는 두통 환자의 치험을 소개하였다. 저자들은 환자가 두통을 호소하는 부위 (후두부 두통은 족소음신경, 양측 관자놀이에서 귀와 눈의 깊은 곳까지 이어지듯 발생하는 두통은 양명경 및 소양경과 관련), 동반 소견(쉽게 화를 내거나 옆구리의 통증을 호소하고 화를 낼 때 두통이 악화되면서 근축혈에 압통이 촉지되는 경우 간기울결 시사; 잔뇨감과 요실금 및 약뇨(weak stream) 등 증상이 있으면서 다리가 차갑거나 월경 후반기에 후두부의 두통이 악화되거나 밤에 하지부종이 악화되는 경향이 나타나는 경우 신허증 시사)을 장부와 경락의 관점에서 살펴본 결과 신양허수범(腎陽虛水犯) 및 간기상역(肝氣上逆)으로 분류할 수 있었다고 하였다. 이에 따라 진무탕에 자음지보탕을 합방하여 투여한 결과 임상효과가 뚜렷하게 나타났다고 보고하였다. [大沢正秀, 李康彦. 複数の臓腑経絡が関与する頭痛に対し真武湯で著効を得た一例. 日本東洋医学雑誌, 2009;60(3):357-63.]

7. 일본의 한 증례보고에서는 흉부압박감을 주소증으로 내원한 자율신경 실조증 환자의 경과를 소개하였다. 환자에게서 복진상 심하비경, 흉협고만, 극도로 약한 복력, 배꼽 위의 두근거림 등 소견이 보여 시호계지건강탕을 투여하였으나 효과가 없었다. 따라서 부약(浮弱)한 맥상, 눕기를 좋아하는 습관, 팔다리의 냉감, 오한 및 설사 등 소견이 소음병에 해당하는 것으로 분류하고 진무탕을 투여한 후 뚜렷한 효과가 있었다. 저자는 환자의 흉부압박감이 기역(氣逆)이 아닌 수음정체(水飲停滯)에 따른 기울(氣鬱)로 볼 수 있으며, 이 증례에서의 맥과 복증이 전형적인 진무탕증이 아니라는 점을 기억해 둘 필요가 있다고 설명하였다. [久水明人, 水島賁. 胸部圧迫感を主訴とする身体表現性自律神経機能不全に対して真武湯が著効した1例. 日本東洋医学雑誌, 2007;58(4):735-9.]

大

치자백피탕

경전의 황달 치료 처방이며 청열이습(淸熱利濕)방으로 활용되어
왔다. 황달 및 발열을 치료하는 효능이 있다. 열이 나면서 번조와
함께 눈이 붉어지고, 피부에 발적이나 부종 및 다량의 분비물 소
견이 보이면서 황달이 발생하는 것이 특징인 질환에 적용한다.

[경전배방]

비치자 十五个(擘), 감초 一兩(炙), 황백 二兩.이 세가지 약물
을 물 四升과 같이 달여 一升半이 되도록 하여 찌꺼기를 제거하고
두 차례에 나누어 먹는다.(《傷寒論》)

[경전방증]

상한으로 몸이 누렇게 되면서 열이 난다(《傷寒論》261조).

[추천처방]

치자 15 g, 황백 10 g, 자감초 5 g, 물 900 mL와 같이 달여 300
mL가 되도록 한 뒤 두 차례에 나누어 따뜻하게 복용한다.

[적용 환자군]

체격이 건장하고 충실하며 얼굴에 기름가 번들거리면서 몸에
열이 나고 땀도 많이 흐르며 번조가 있다. 황달이나 누런땀, 누런

소변 및 누런 분비물 등도 보인다. 여성에서는 누런 대하나 점적 뇨가 많이 보이며 남성은 무좀이 있고 땀이 많은 경우가 흔하다. 피부에 가려움증이 있거나 발적 또는 누런 분비물이 있다. 몸에 열이 나거나 관절이 붉게 부어오르면서 열감을 동반하는 통증이 있는 경우도 있다. 설태는 누렇고 질척거린다.

[적용 병증]

아래의 병증과 위에 서술한 환자군의 특징이 부합하는 경우에 처방의 투약을 고려할 수 있으며, 또한 근거기반의학적 근거에 따른 진단을 통해서도 처방을 활용할 수 있다.

1. 피부삼출액이 나타나는 피부질환. 습진, 피부염, 농포창, 모낭염, 각종 진균감염, 성병, 부스럼, 단독 등

2. 황달이 나타나는 간담도계 질환. 급성간염, 담도감염 등

3. 국소환부의 충혈 및 누렇고 찐득거리는 분비물이 나타나는 이비인후과 질환. 결막염, 각막염, 맥립종, 눈꺼풀염, 홍채염, 부비동염, 만성비염, 중이염 등

4. 신체 하부의 감염이 나타나는 질환. 자궁경부미란, 골반염, 질염, 방광염, 요로감염 등

5. 관절의 부종과 통증이 나타나는 질환. 류마티스관절염, 통풍성 관절염 등

6. 가슴의 번열감 및 답답함이 나타나는 정신질환. 공황장애(B) 등1

[가감 및 합방]

1. 피부의 가려움 및 분비물에는 마황 10 g, 행인 15 g, 의이인 30 g, 생석고 30 g, 연교 30 g을 더한다.

2. 간질환 또는 담도감염으로 황달이 발생한 경우 대시호탕 또는 인진호탕을 합방한다.

3. 누런대하, 점적뇨, 빈뇨, 절박뇨 및 배뇨통 등 소견이 보이면 저령탕을 합방한다.

[주의사항]

이 처방을 장기간 복용할 경우 눈 주변이 검게 변색되거나 얼굴색이 푸르스름해질 수 있다. 복용을 중단한 후에는 소실된다.

[각주]

1. 일본의 한 연속증례연구에서는 두근거림, 흉중불쾌감, 조열, 불안, 불면이 있는 공황장애 환자 4명에게 치자백피탕을 투여한 후 신속한 효과가 나타났다고 보고하였다. [関矢信康, 引網宏彰, 後藤博三, 等. 栀子柏皮湯が奏効したパニック障害の4症例. 日本東洋医学雑誌, 2005;56(1):97−101.]

치자후박탕

경전의 제번(除煩) 처방이며 청열이기(淸熱利氣)방으로 활용되어 왔다. 번열(煩熱)과 배가 그득한 소견 및 변비를 치료하는 효능이 있다. 현대 연구에서는 항우울과 항불안 작용이 확인되어 있다. 번열감이 있고 가슴이 답답하며 배가 그득한 소견이 특징적인 질환에 적용한다.

[경전배방]

치자 十四枚(擘), 후박 四兩(炙, 去皮), 지실 四枚(水浸, 炙令黃). 이 세가지 약물을 물 三升半과 같이 달여 一升半이 되게 한 뒤 찌꺼기를 제거하고 두 차례 나누어 따뜻하게 복용하며, 구토가 있을 경우 증상이 멈춘 후 복용한다.(《傷寒論》)

[경전방증]

가슴이 답답하고 배가 그득하여 눕고 앉아있는 것이 편안하지 않다.

[추천 처방]

산치자 15 g, 후박 15 g, 지각 15 g. 이들을 물 1,000 mL와 같이 달여 300 mL가 되도록 한 뒤 2번에 나누어 따뜻하게 복용한다.

[방증제요]

가슴이 답답하고 배가 그득한 경우

[적용 환자군]

영양상태가 비교적 좋다. 미간에 주름이 약간 잡혀있고 눈이 충혈되어 있으며 말이 빠르고 목소리가 크고 힘이 있다. 인후가 충혈되어 있고 입술과 혀끝이 붉으며 끈적끈적하고 질척이는 설태가 혀에 가득 덮혀있다. 설명하기 어려운 번조로 앉고 서는 것조차 불안하며 가슴속이 꽉 막힌 듯한 느낌이나 타는듯한 통증을 호소하며 기침으로 숨이 차오르기도 한다. 배가 그득하면서 통증이 있고 눌러보면 충실하며 두드렸을 때 북같은 소리가 난다. 대부분의 경우 위의 통증이나 더부룩한 배 및 속쓰림과 잦은 배고픔, 식욕부진, 변비가 동반 증상으로 나타난다.

[적용 병증]

아래의 병증과 위에 서술한 환자군의 특징이 부합하는 경우에 처방의 투약을 고려할 수 있으며, 또한 근거기반의학적 근거에 따른 진단을 통해서도 처방을 활용할 수 있다.

1. 번조와 불면이 나타나는 질환. 불안, 우울, 신경증, 수면장애, 정신분열증, 노인성 치매, 갱년기장애

2. 가슴통증이 나타나는 질환. 급성식도점막손상, 식도염, 급만성위염, 담낭염, 담도감염

3. 가슴통증이 나타나는 질환. 만성기관지염, 기관지천식 등

[가감 및 합방]

1. 가슴이 답답하고 번조가 있으며 땀이 많이 나는 경우에는 연교 30 g을 더한다.

2. 가슴이 답답하고 숨이 차면서 배가 그득하고 복통이 있는 경우 반하후박탕을 합방한다.

3. 윗배가 그득하면서 통증이 있고 구토가 나오는 경우 대시호탕을 합방한다.

4. 수면장애와 어지러움, 가슴두근거림이 있고 잘 놀라는 경우 온담탕을 합방한다.

5. 황달에는 인진호탕을 합방한다.

[주의사항]

1. 이 처방을 장기간 복용할 경우 눈 주변이 검게 변색되거나 얼굴색이 푸르스름해질 수 있다. 복용을 중단한 후에는 소실된다.

2. 치자를 복용한 후의 과민성 반응으로 두드러기나 속립상 구진이 나타났다는 보고가 있다.

3. 이 처방을 복용한 후 간손상이 발생하였다는 보고가 있으며, 주로 처방에 포함된 치자의 제니포사이드(geniposide)가 간세포에 축적된 것과 관련성이 있다.[1]

[각주]

1. Wang Y, Feng F.Evaluation of the Hepatotoxicity of the Zhi−Zi−Hou−Po Decoction by Combining UPLC−Q−Exactive−MS−Based Metabolomics and HPLC−MS/MS−Based geniposide Tissue Distribution. Molecules, 2019;24(3):51.

Ⅱ

풍인탕

고대의 열성 사지마비 및 경련 처방이며 청열식풍(淸熱熄風), 진경안신(鎭驚安神) 방으로 활용되어 왔다. 추축(抽搐)과 풍탄(風癱), 전간(癲癇)을 치료하는 효능이 있다. 경련과 과다발한 및 광란이 특징적 소견인 질환에 적용한다.

[경전배방]

대황, 건강, 용골 각 四兩, 계지 三兩, 감초 및 모려 각 二兩, 한수석, 활석, 적석지, 백석지, 자석영, 석고 각 六兩. 이 열두가지 약물을 가루내어 세 손가락정도 취해 정화수 三升과 같이 달여 세 번 끓인 뒤 一升을 복용한다.(《金匱要略》)

[경전방증]

성인의 풍인병(風引病)과 소아의 경간(驚癇), 계종(瘈瘲)을 치료한다. 하루에도 수십차례 경련이 발작하니 의사가 치료할 수 없다(《金匱要略》 5조).

[추천처방]

대황 10-20 g, 건강 20 g, 계지 15 g, 자감초 10 g, 용골 20 g, 모려 10 g, 한수석 30 g, 활석 30 g, 적석지 30 g, 백석지 30 g, 자석영 30 g, 생석고 30 g. 이들 약물을 물 1,200 mL와 같이 달여 300 mL

가 되도록 한 후 두세 차례에 걸쳐 나누어 복용한다. 혹은 위의 비율에 따라 산제를 만든 후 30 g씩 보자기에 넣어 끓는 물에 타서 복용한다. 탕액은 적벽돌색으로 혼탁하며, 가만히 놓아두면 층이 나뉜다(위층은 담갈색, 아래층은 적벽돌색). 맛은 맵고 달다.

[방증제요]

추휵(抽搐), 경광불안(驚狂不安)

[적용 환자군]

체격이 비교적 건장하고 더운것을 싫어하며 입마름, 다한과 함께 대변이 건조하고 덩어리진다. 추휵(抽搐), 경련, 두통, 사지의 감각이상이나 경광(驚狂), 번조가 있으면서 움직임이 많고 잠들기 어려운 증상 등을 있다. 맥은 부대현삭(浮大弦數)하며 빈맥 경향이 있고 복부의 대동맥 박동이 뚜렷하다. 환자에게는 보통 기질성 뇌손상이 있다.

[적용 병증]

아래의 병증과 위에 서술한 환자군의 특징이 부합하는 경우에 처방의 투약을 고려할 수 있으며, 또한 근거기반의학적 근거에 따른 진단을 통해서도 처방을 활용할 수 있다.

1. 고열과 혼수, 경련 등이 주요 소견인 감염성 질환. 고열에 의한 열성경련, 뇌염, 뇌수막염 후 후유증, 수족구병증 중추신경합병증 등

2. 비감염성 질환. 뇌전증, 소아뇌성마비, 소아뚜렛증후군, 뇌졸중 후 간질, 고혈압, 노인성 치매 등

[주의사항]

1. 식욕이 좋지 않고 풀어지는 대변을 보는 환자에게는 신중하게 투약한다.

2. 설질이 붉은색인 경우 계지와 생강을 제외하고 투약할 수 있다.

3. 이 처방의 제형은 자산제(煮散劑)이다. 가루낸 약물을 그대로 복약해서는 안되며, 탕전을 거친 후 복용해야 한다.

ㅎ

하어혈탕

경전에서는 사태(死胎)를 사하시키는 처방이며 활혈화어(活血化瘀)방으로 활용되어 왔다. 축어파결(逐瘀破結)의 효능이 있어 아랫배 통증이 뚜렷하고 만지면 통증을 동반하는 종괴가 촉지되며 변비가 있고 설질이 검보라빛이면서 맥삽(脈澁)한 소견이 특징적인 질환에 적용한다.

[경전배방]

대황 二兩, 도인 二十枚, 별충 二十枚(熬, 去足). 이 세가지 약물을 가루내어 꿀과 같이 빚어 환으로 만든다. 술 一升으로 一丸을 달여 一丸을 취한 뒤 바로 복용하면 돼지의 간 같은 새로운 혈이 나온다.(《金匱要略》)

[경전방증]

열이 있고 번만, 구건, 갈증이 있는데 맥에는 열이 없는 것은 음의 형태로 어혈이다. 하법을 쓴다(《金匱要略》十六). 출산한 부인의 복통에는 지실작약산을 써야 한다. 만약 낫지 않으면 배 안에 건혈(乾血)이 있어서 배꼽아래 붙어있는 것으로 하어혈탕으로 치료하는 것이 좋다. 또한 월경이 잘 나오지 않는 것도 치료한다(《金匱要略》二十一).

[추천처방]

법제대황 10 g, 도인 15 g, 지별충 15 g. 이들 약물을 물 700 mL, 황주 200 mL와 같이 달여 탕액을 300 mL 취해 두 차례에 나누어 따뜻하게 복용한다. 혹은 세 약물을 등분하여 가루로 만들어 꿀 한수저를 넣어 황주 250 mL와 같이 달여 찌꺼기와 함께 복용한다.

[방증제요]

산후에 배가 답답하고 그득하면서 아랫배가 아프고 입이 마르고 갈증이 있으며 때에 따라서는 월경불순이 있는 경우

[적용 환자군]

눈이 캄캄해서 잘 보이지 않고 피부가 건조하다. 아랫배는 충실하며 통증이나 변비가 보이는 경우도 있다. 설질은 푸르스름한 보라색이거나 어혈반 또는 어혈점이 있으며 현맥(弦脈)이나 삽맥(澁脈)이 보이고 맥에 힘이 있다.

[적용 병증]

아래의 병증과 위에 서술한 환자군의 특징이 부합하는 경우에 처방의 투약을 고려할 수 있으며, 또한 근거기반의학적 근거에 따른 진단을 통해서도 처방을 활용할 수 있다.

1. 질출혈과 무월경 및 복통이 특징적 소견인 부인과 질환. 산후오로부절, 산후복통, 태반잔류, 불완전유산, 자궁외임신, 자궁내막증, 자궁내막증식증, 자궁기능성출혈, 월경통, 골반염, 수란

관염, 자궁근종, 난소낭종, 유선증식증 등

2. 복통과 변비가 나타나는 비뇨기과 및 외과 질환. 비뇨기결석, 전립선염 또는 전립선비대로 유발된 요로폐색, 장염전, 충수주위 농양 등

3. 번조와 불안이 나타나는 뇌질환. 중풍후유증, 뇌진탕후유증, 번조, 산후의 감염성 정신질환(축혈여광), 정신이상, 광견병 등

4. 기타 난치성 만성 질환. 난치성 딸꾹질, 만성간경변, 요추추간판탈출증, 하지정맥혈전증 등

[가감 및 합방]

1. 비정상자궁출혈이 지속되는 경우 계지복령환을 합방한다.

2. 월경불순 또는 무월경이 있고 피부가 거칠면서 껍질이 일어나는 경우 수질 10 g을 더한다.

[주의사항]

이 처방의 복약 후 혈변이나 혈뇨 또는 덩어리나 막 형태의 조직이 섞인 질출혈 등이 나타날 수 있다.

형개연교탕

근대 일본의 한방 유파인 일관당의학의 경험방으로 청년기의 해독
증 체질을 조리하는 처방이다. 산풍(散風), 이기화혈(理氣和血),
사화해독(瀉火解毒)의 효능이 있다. 발적과 부종, 열감, 통증이
특징적 소견인 머리와 얼굴의 염증성 질환 및 열성 체질의 조리에
적용한다.

[원서배방]

당귀, 작약, 천궁, 지황, 황금, 황련, 황백, 치자, 연교, 형개,
방풍, 박하엽, 지각, 감초 각 1.5 g. 시호, 실경, 백지 각 2 g. 이들
약물을 물과 같이 달여 매일 세 차례 복용한다.(《新版 漢方後世療
方解說》)

[원서의 방증]

청년기의 선병(腺病) 질환에 많이 쓰인다. 일반적으로 피부색
이 약간 검고 광택이 있으며 손발에 끈적한 땀이 자주 나면서 비염
과 편도선염, 중이염, 만성부비동염 등이 잦다. 이외에 폐결핵 초
기, 얼굴의 모낭염, 코피 등에도 처방할 수 있다. 환자의 복직근과
맥상은 긴장되어 있는 경우가 많다.

[추천 처방]

형개 15 g, 연교 30 g, 방풍 15 g, 시호 15 g, 길경 10 g, 백지 10 g, 지각 10 g, 생감초 15 g, 박하 5 g, 황련 5 g, 황금 10 g, 황백 10 g, 산치자 10 g, 생지황 15 g, 당귀 10 g, 천궁 10 g, 백작약 10 g. 이들 약물을 물 1,500 mL와 같이 달여 탕액이 300 mL가 되도록 하여 두세 차례에 나누어 식후 따뜻하게 복용한다. 혹은 하루분을 2-3일에 나누어 복용해도 좋다.

[방증제요]

머리와 얼굴의 발적과 부종 및 열감을 동반한 통증, 피부의 발적과 부종 및 소양감이 있는 경우

[적용 환자군]

젊은 여성에게서 많이 보이는 소견으로 얼굴의 피부색은 홍조를 띠거나 검붉은색 또는 약간 검은빛이 돈다. 또한, 얼굴빛이 건강한 분홍색으로 윤기가 돈다. 머리카락이 검고 윤기가 있으며 입술이 붉고 도톰하며 인후가 충혈되어 있고 설질과 눈 주변이 모두 붉다. 흉협부에 저항감이나 압통이 있으며 복직근이 긴장되어 있다. 번조, 불안초조, 우울증이 자주 있으며 불면과 기면증, 두통, 어지러움, 피로감, 찬기운을 싫어하는 소견 등도 흔하다. 여드름, 인후통, 편도선 부종, 탁한 콧물에 의한 코막힘, 단순포진, 구강의 궤양, 잇몸출혈, 코피, 난청, 이명, 임파선 부종, 피부 소양증, 조조강직 등에도 흔하게 이환된다. 여성의 경우 희발월경이 많고 월

경량이 많은 편으로 점도가 높으면서 덩어리가 섞여 나온다. 대하는 황색이며 월경통과 자궁경부염, 자궁경부 미란, 질염 등 부인과 염증도 잦다. 남성의 경우 다한증, 액취증, 무좀 등이 많이 보인다.

[적용 병증]

아래의 병증과 위에 서술한 환자군의 특징이 부합하는 경우에 처방의 투약을 고려할 수 있으며, 또한 근거기반의학적 근거에 따른 진단을 통해서도 처방을 활용할 수 있다.

1. 국소 환부의 발적, 부종, 열감, 통증이 나타나는 피부질환. 여드름(A)[1], 주사비, 두드러기, 모낭염, 습진, 피부염, 다형성 홍반

2. 안이비인후과의 염증성 질환. 급성중이염, 급만성의 상악동 농양, 비염, 부비동염, 급만성의 편도선염

3. 여러 종류의 위장관 점막 질환(B)[2]. 구강궤양, 편평태선, 급만성인후염, 급성식도궤양, 만성위염, 위궤양, 십이지장궤양, 만성대장염

4. 폐의 감염성 질환. 폐결핵, 기관지확장, 폐렴

5. 류마티스성 질환. 경피증, 쇼그렌증후군, 류마티스관절염, 전신성 홍반성 루푸스

6. 부인과 질환의 염증 및 출혈. 골반염, 부속기염, 자궁경부미란, 월경과다, 자궁근종, 면역성 난임 등

7. 림프절 종대성 질환. 림프결핵, 종양 림프절 전이

[주의사항]

1. 이 처방은 맛이 쓰고 찬 성질이 있으므로 식욕부진, 고령자, 얼굴색이 푸르스름하고 눈 주위에 검은빛이 도는 환자에게는 신중히 투약한다.

2. 이 처방은 간손상을 유발할 수 있으므로 간기능이상 환자에게는 투여하지 않는다. 이 처방을 2개월 이상 투여하는 경우 간기능검사를 시행한다.

3. 이 처방은 장기간 투약하거나 고용량으로 복용해서는 안되며, 증상이 개선된 후에는 복용량을 점차 줄여나갈 수 있다.

4. 이 처방을 복용한 후 위의 불쾌감을 호소하는 소수의 환자에 대해서는 복용량을 줄이고 식후의 복용을 지도할 수 있다.

[각주]

1. 다양한 위장관 점막 병소가 확인된 환자 168명의 경과를 관찰한 중국의 한 단일군 연구에서는 변증 소견에 따라 형개연교탕을 1개월간 투약하였다. 연구 결과 114명(67.9%)의 환자가 증상이 완전 소실되었고, 12명(7.1%)의 환자에서도 현저한 효과가 관찰되었다. 22명(13.1%)의 환자는 일정 수준의 개선이 있었으며, 20명(11.9%)의 환자는 효과가 없었다. 각 질환별 유효율 결과는 다음과 같다(증상의 완전 소실+현저한 효과/총 참여환자): 만성 아프타 구내염(27+5/41), 편평태선(3+0/5), 급성인두염(5+0/5) 만성 인두염(4+0/8), 급성 식도 궤양(2+0/2), 만성 표재성 위염(12+1/18), 만성 위축성 위염(3+0/6), 만성 부식성 위염(5+1/8), 위궤양(7+2/12), 십이지장궤양(15+3/21), 유문관 궤양(2+0/2), 만성 대장염(29+0/40). [蔣庚太、陈宝田、孔炳耀、等. 荆芥连翘汤治疗消化道黏膜病—附168例临床疗效观察. 中医杂志, 1989(1):33-4.]

2. 64명의 여드름 환자가 참여한 일본의 한 임상연구에서는 32명의 환자에게는 기존의 표준요법(국소항생제 및 아다팔렌)을 시행하였으며, 나머지 32명의 환자에게는 표준요법과 함께 형개연교탕을 12주간 병용투여하였다. 이

연구에서 형개연교탕의 병용투여는 염증성 피부 발진에 효과적이었으며, 기존의 표준요법에 비하여 효과가 발현되기까지 소요된 시간도 더 짧았다. [Ito K, Masaki S, Hamada M, et al. Efficacy and Safety of the Traditional Japanese Medicine KeIgAirengyoto in the Treatment of Acne Vulgaris. Dermatol Res Pract. 2018;4127303.].

황금탕

경전의 열리(熱利) 처방이며 청리열(淸裏熱)방으로 활용되어 왔다. 번열, 복통, 출혈, 열비(熱痺)를 치료하는 효능이 있다. 현대 연구에서는 경련 및 진통의 해소, 항균, 항염증, 장내세균총 및 면역기능 조절 등 작용이 확인되어 있다. 복통, 설사, 출혈이 있으면서 맥이 삭(數)한 소견이 특징적인 질환에 적용한다.

[경전배방]

황금 三兩, 작약 二兩, 감초 二兩(炙), 대조 十二枚(擘), 이 네 가지 약물을 물 一斗와 같이 달여 三升의 약액을 취한 후에 찌꺼기를 제거하고 一升을 따뜻하게 낮에 두 차례, 밤에 한 차례 복용한다.(《傷寒論》)

[경전방증]

태양과 소양의 합병으로 저절로 하리가 나온다(《傷寒論》172조).

[추천 처방]

황금 15 g, 백작약 10 g, 생감초 10 g, 홍조 20 g. 이들을 물 1,000 mL와 같이 달여 탕액이 300 mL가 되도록 한 뒤 두세 차례에 나누어 따뜻하게 복용한다.

[방증제요]

설사를 하면서 설질이 붉고 삭맥(數脈)이 보이는 경우

[적용 환자군]

체형은 중간정도이며 근육이 충실하고 단단하며 식욕이 왕성한 청년들에게서 많이 보인다. 입술은 화장을 한 것처럼 붉고 건조해서 껍질이 일어나거나 부으면서 아픈 경우가 있다. 설질은 붉고 설첨에 붉은 점이 보이며 눈 주변도 진한 붉은 빛이고 인후도 붉다. 편도선이 잘 붓고, 잇몸이 붉은색이면서 피가 잘 난다. 빈맥이 있고 가슴의 두근거림 또는 답답함, 수면장애, 발열 등이 잦으며 땀도 잘 난다. 복통과 설사 및 냄새가 나는 대변, 항문의 작열감도 흔히 볼수 있으며 변비에 의한 항문 열상이나 치질로 인한 통증도 보인다. 배의 피부에 열감이 느껴지고 희발월경이 있으며 월경혈은 대체로 선홍색이면서 찐덕이는 성상을 보인다. 이상 질출혈이나 월경통이 나타나기도 하며 자궁근종, 자궁선근증 등을 많이 볼 수 있다.

[적용 병증]

아래의 병증과 위에 서술한 환자군의 특징이 부합하는 경우에 처방의 투약을 고려할 수 있으며, 또한 근거기반의학적 근거에 따른 진단을 통해서도 처방을 활용할 수 있다.

1. 설사가 나타나는 질환. 위장형 감기(B)[1], 세균성이질, 급성장염(B)[2], 궤양성대장염, 직장염 등

2. 자궁출혈이 나타나는 부인과 질환. 자궁내막염, 골반염, 부속기염, 월경과다, 조기유산 등

3. 복통이 나타나는 질환. 생리통, 자궁내막증, 과민성대장증후군, 장경련, 헤노호 쉰라인 자반증의 복부 증상, 변비, 항문 치열, 치질 등

4. 악성종양 치료프로그램의 참여. 골반종양의 방사선요법[3], 말기 대장암에 대한 항암화학요법[4], 췌장암에 대한 항암화학요법 (B)[5], 간암에 대한 보조요법[6], 자궁경부암 등

[가감 및 합방]

1. 구토에는 강반하 15 g, 생강 20 g을 더한다.

2. 월경량이 줄고 피부가 건조하며 누런빛인 경우 당귀 10 g을 더한다.

3. 대량의 출혈이 있는 경우 생지황을 30 g 더한다.

4. 관절이 붓고 통증이 있으며 피부에서 고름이 계속 흘러나오거나 황색 대하가 보이는 경우 황백을 10 g 더한다.

5. 대변이 건조하고 덩어리지며 복통이 있고 설태가 누렇고 두꺼운 경우 대황 10 g을 더한다.

6. 심번과 함께 불면이 있거나 설사를 하는 경우 황련 5 g을 더한다.

7. 발열이 멈추지 않거나 알러지가 있는 경우 또는 찬기운에 민감한 경우 시호 15 g을 더한다.

8. 자가면역질환으로 발열과 기침으로 숨이 찬 소견이 있는 경

우 소시호탕을 합방한다.

9. 피부가 거칠고 일어나며 질출혈이 있으면서 색이 어두운 경우 계지복령환을 합방한다.

10. 대량의 출혈과 자반증이 있거나 피부 손상이 있으면서 색이 붉은 경우 서각지황탕을 합방한다.

11. 흉협고만과 우울소견이 있고 찬기운을 싫어하는 경우 사역산을 합방한다.

[주의사항]

권태감을 느끼고 맥이 침완(沈緩)한 경우 신중히 투약해야 한다.

[각주]

1. 일본의 한 후향적 연구에서는 소화기 증상이 동반되는 감기에 황금탕을 투여한 12명 환자의 증례를 분석하였다. 이 연구를 통해 발견한 특성은 다음과 같다: 1) 설사는 서양의학의 기존 요법으로 완화되지 않는 경우가 있다. 2) 설사의 강도와 질환의 중증도는 일치하지 않는다. 3) 황금탕의 표적증상은 성인에서는 오심, 소아에서는 구토로 나타난다. 4) 환자의 체온은 대부분 37~38℃였으며 대체로 미열을 호소한다. 5) 환자들은 상복부의 불편감 또는 가벼운 복통을 호소한다. 6) 대부분의 환자는 체력적인 문제가 없었다. [山ノ内慎一. 黄芩湯の消化器症状をともなうかぜへの応用. 日本東洋医学雑誌, 1981;39-41.]

2. 노로바이러스로 구토와 설사가 발생한 고령 환자 20명의 경과를 관찰한 일본의 한 단일군 연구에서는 황금탕을 투약한 이후 관찰대상 환자의 85%가 입원 등의 조치없이 48시간 내에 회복되었다. [犬塚央, 野上達也, 木村豪雄. 高齢者施設で多発した嘔吐下痢症に対する黄芩湯の使用経験. 日本東洋医学雑誌, 2011;62(1):53-6.]

3. Rockwell S, grove T A, Liu Y, et al. Preclinical studies of the Chinese Herbal Medi-

cine formulation PHY906 (KD018) as a potential adjunct to radiation therapy. International Journal of Radiation Biology, 2012;89(1):16−25.

4. FOLFIRI 항암화학요법을 받은 진행성 대장암 환자 17명이 참여한 미국의 1상 임상시험에서는 황금탕의 투여가 이리노테칸의 위장관 독성(설사, 구토, 피로 및 메스꺼움)을 현저하게 감소시키고, 이리노테칸의 항종양 효능을 향상시킬 수 있음을 보였다. [Kummar S, Copur M S, Rose M, et al. A Phase I Study of the Chinese Herbal Medicine PHY906 as a Modulator of Irinotecan−based Chemotherapy in Patients with Advanced Colorectal Cancer. Clin Colorectal Cancer, 2011, 10(2):0−96; Lam W, Bussom S, guan F, et al. The Four−Herb Chinese Medicine PHY906 Reduces Chemotherapy−Induced gastrointestinal Toxicity. Science Translational Medicine, 2010;2(45):45]

5. 1차 젬시타빈 항암화학요법에 실패한 진행성 췌장암 환자 25명이 참여한 미국의 2상 임상시험에서는 2차 카페시타빈 1,500 mg/m^2 (7일간 하루에 2회) 및 황금탕(PHY906) 800 mg(4일간 하루 2회)의 병용요법을 14일 주기로 반복하였다. 이 연구에서 황금탕의 병용투약은 카페시타핀 효과 향상 및 약물 순응도 증가 효과를 보였다. [Saif M W, Li J, Lamb L, et al. First−in−human phase II trial of the botanical formulation PHY906 with capecitabine as second−line therapy in patients with advanced pancreatic cancer. Cancer Chemotherapy & Pharmacology, 2014;73(2):373−80]

6. Lam W, Jiang Z, guan F, et al. PHY906 (KD018), an adjuvant based on a 1800−year−old Chinese medicine, enhanced the anti−tumor activity of Sorafenib by changing the tumor microenvironment. Scientific Reports, 2015(5):9384.

황기계지오물탕

경전의 혈비병(血痺病) 처방이며 보기통양활혈(補氣通陽活血)방으로 활용되어 왔다. 혈비증, 중증의 궤양, 이상발한을 치료하는 효능이 있다. 현대 연구에서는 심혈관계 혈액순환 및 미세순환의 개선, 면역증강, 손상으로부터의 신경보호 및 신경수복의 촉진 등 작용이 확인되어 있다. 사지의 이상감각, 자한, 부종이 특징적인 만성질환에 적용한다.

[경전배방]

황기 三兩, 계지 三兩, 작약 三兩, 생강 六兩, 대조 十二枚. 이 다섯가지 약물을 물 六升과 같이 달여 二升이 되도록 달인 뒤 七合을 따뜻하게 복용한다. 하루 세 차례 복용한다.(《金匱要略》)

[경전방증]

혈비(血痺)는 음양이 모두 미약한데, 촌구맥과 관상맥이 미약하고 척중맥은 약간 긴(緊)하다. 외증으로는 신체가 불인(不仁)하여 풍비(風痺)의 증상 같은 것이 있다(《金匱要略》 六). 묻기를 혈비병은 어떻게 얻어지는가? 스승이 답하기를 부귀영화를 누리는 사람은 뼈는 약하고 살집은 풍성하므로 피로로 인하여 땀이 나고 누워있을 때 몸을 많이 뒤척이며 여기에 약한 바람이 계속 들면 얻게 된다(《金匱要略》 6조).

[추천 처방]

생황기 30-60 g, 계지 15 g, 적작약 15 g, 생강 30 g, 홍조 20 g. 이들 약물을 물 1,100 mL와 같이 달여 300 mL가 되도록 한 뒤 두 세 차례에 나누어 따뜻하게 복용한다.

[방증제요]

기육이 성기고 힘이 없으며 피로감이 있고 사지에 힘이 없고 무 거우며 관절에 이상감각이 있으면서 통증, 사지의 부종, 자한, 어 둡고 옅은 설질, 맥이 미(微), 삽(澁), 긴(緊)한 소견 등이 보이는 경우

[적용 환자군]

안색이 누렇거나 검붉고 광택이 없으며 피부는 이완되어 탄력 이 부족하면서 부어있는 듯한 모습을 보인다. 설질은 크고 통통하 며 어두운 보라색이고 입꼬리의 색도 어둡다. 배가 크고 연하여 누르면 저항감이 없고 식욕이 왕성하여 배고픔을 참지 못한다. 팔 다리 끝이 어두운 보라색이고 손톱이 누런색이면서 두꺼워지는 경 우가 많으며 하지에 부종이 흔히 보인다. 국소 피부가 메마르고 색조가 어두워지며 근육경련이나 궤양, 감각이상 또는 감각저하가 잦다. 맥은 무력하거나 침약(沈弱)하기도 하고 미세(微細)한 경우 도 있으며 부정맥이 많다. 피로감이 있고 몸이 무거우며 자한, 어 지러움, 숨참, 운동 후에 심해지는 배고픔 등이 자주 보인다. 당뇨 병, 순환기 질환, 신장질환 등을 흔히 앓고 있으며 중년층이나 고

령층에서 많이 관찰된다.

[적용 병증]

아래의 병증과 위에 서술한 환자군의 특징이 부합하는 경우에 처방의 투약을 고려할 수 있으며, 또한 근거기반의학적 근거에 따른 진단을 통해서도 처방을 활용할 수 있다.

1. 팔다리의 이상감각이 나타나는 순환기 질환. 당뇨, 고혈압, 관상동맥질환, 협심증, 척추뇌저동맥증후군, 뇌경색, 중풍후유증

2. 팔다리의 이상감각이 나타나는 말초신경병증. 경추질환, 말초신경염, 당뇨병성 말초신경병증[1,2], 항암화학요법에 의한 신경독성(A)[3] 등

3. 관절의 통증이 나타나는 질환. 류마티스관절염, 경추질환, 견관절주위염, 골증식증, 추간판탈출, 좌골신경통, 퇴행성관절염

4. 부종이 나타나는 질환. 비만, 고지혈증, 만성신염, 신증후군, 신기능부전, 요독증, 빈혈 등

[가감 및 합방]

1. 하지 통증과 이상감각이 있으면 회우슬 15 g을 더한다.

2. 고혈압, 관상동맥질환, 뇌경색, 어지러움 및 두통, 가슴의 답답함 및 통증이 보이는 경우 갈근 30 g, 천궁 15 g을 더한다.

3. 당뇨병성 신병증 등에서 눈꺼풀이 붉어지고 아랫배에 압통이 생기며 종아리의 피부가 건조해지는 등과 같은 어혈증후가 있는 경우 계지복령환을 합방한다.

[주의사항]

1. 순환기계와 관련이 없는 이상감각 및 근육경련에는 이 처방이 부적합하다. 운동뉴런질환, 척수염, 다발성 경화증 등에는 신중하게 투약한다.

2. 황기를 고용량으로 투약하면 식욕부진이 발생할 수 있다. 만약, 환자에게서 더부룩함 및 식욕부진 등이 발생하면 용량을 줄이면 된다. 심한 복부팽만이 있는 경우 환자가 번조를 호소하거나 신경질적이 될 수 있다.

3. 이 처방을 복약한 후에는 몸을 따뜻하게 하는 것에 유의해야 하며 생강탕을 복용하도록 하는 경우도 있다.

[각주]

1. 1,173명의 당뇨병성 말초신경병증 환자를 대상으로 이루어진 16개의 무작위 대조 연구를 분석한 2016년도 메타분석에서는 황기계지오물탕을 투여한 환자군이 대조군에 비해 운동 및 감각신경의 전도속도와 신경병증 관련 증상이 현저하게 개선되었음을 보고하였다. [Pang B, Zhao T Y, Zhao L H, et al. Huangqi guizhi Wuwu Decoction for treating diabetic peripheral neuropathy: a meta-analysis of 16 randomized controlled trials. Neural Regeneration Research, 2016;11(8):1347−58.]

2. 당뇨병성 말초신경병증 환자 68명이 참여한 중국의 한 무작위 대조 연구에서는 시험군에 배정된 환자 34명에게 8주간 고용량 또는 저용량의 황기계지오물탕을 투여하였다. 고용량(황기 45 g, 백작약 45 g, 계지 45 g, 생강 90 g, 계혈등 50 g)을 투여한 환자들에게서 관찰된 효과는 저용량(황기 27 g, 백작약 27 g, 계지 27 g, 생강 54 g, 계혈등 50 g)을 투여한 환자들에 비해 우수하였다 (유효율 91.2% 대 70.6%; P<0.01). 또한, 이 연구에서 황기계지오물탕은 비골신경의 전도 속도를 현저하게 향상시켰다. 저자들은 당뇨병성 말초신경병증의 치료를 목적으로 황기계지오물탕의 처방을 고려할 경우 ―

兩을 15 g으로 환산하여 투약할 것을 제안하였다. [宋凤林, 贾锐馨, 李国永, 等. 不同剂量的黄芪桂枝五物汤加减治疗糖尿病周围神经病变患者的对比研究. 中医杂志, 2011;52(7):570–1, 581]

3. 옥살리플라틴 포함 항암화학요법을 받은 진행성 대장암 환자 72명이 참여한 중국의 한 무작위 대조 연구에서는 시험군에 배정된 36명의 환자에게는 황기계지오물탕을 투여하였고, 대조군에 배정된 36명에게는 위약을 투여하였다. 이 연구에서 황기계지오물탕은 옥살리플라틴 유발 신경독성의 발현을 예방하고 중증도를 낮출 수 있었으며, 옥살리플라틴의 항종양 효과에는 영향을 미치지 않았다. [Cheng X, Huo J, Wang D, et al. Herbal Medicine AC591 Prevents Oxaliplatin–Induced Peripheral Neuropathy in Animal Model and Cancer Patients. Front Pharmacol, 2017(8):344]

황련아교탕

경전의 소음병 처방이며 자음청열(滋陰淸熱)방으로 활용되어 왔다. 번열(煩熱)을 해소하여 수면을 돕고 설사와 출혈을 멎게 하며 태동불안을 안정시키는 효능이 있다. 현대 연구에서는 항불안, 진정, 항균, 보혈(補血), 지혈, 안태 등 작용이 확인되었다. 심번(心煩), 불면, 심하비, 복통, 혈변, 질출혈 등 증과 함께 붉은 설질이 관찰되는 질환에 적용한다.

[경전배방]

황련 四兩, 황금 二兩, 작약 二兩, 계자황 二枚, 아교 三兩. 이 다섯가지 약물을 물 六升과 같이 달이는데 먼저 앞의 세가지 약물을 먼저 달여 二升의 약액을 취하여 찌꺼기를 제거하고 아교를 넣어 녹인 후 약간 식혀서 계자황을 넣어 잘 섞이도록 한 뒤 七合을 따뜻하게 하루 세 차례 복용한다.(《傷寒論》)

[경전방증]

소음병에 걸려 2, 3일이 되었는데 심중이 번(煩)하고 누워있을 수 없다(《傷寒論》 303조).

[추천 처방]

황련 5-20 g, 황금 15 g, 백작약 15 g, 아교 15 g, 계자황 2개. 이들을 물 1,100 mL와 같이 달여 300 mL가 되도록 하여 복용한다. 약 찌꺼기를 제거하고 아교를 넣어 녹인 후 탕액을 식히고 계자황을 넣어 잘 섞이게 한 뒤에 두세 차례에 나누어 따뜻하게 복용한다.

[방증제요]

가슴속에 번열(煩熱)이 느껴지고 누워있기 힘들며 혈변이 나오거나 농혈 등이 섞인 만성 설사, 질출혈, 쥐어짜는 듯한 복통이 있으면서 설질이 진한 붉은색인 경우

[적용 환자군]

중간정도의 체격으로 안색은 희거나 홍조를 띠며 피부는 건조하다. 입술색이 진한 붉은색이나 검붉은색이며 메말라서 껍질이 일어나고 갈라지는 경우도 있다. 머리카락이 건조하고 노랗게 변하면서 갈라지거나 잘 빠진다. 설질은 대체로 진한 붉은색이며 설면이 말라서 물기가 적은데, 이끼가 낀 것 같은 양상이나 거울처럼 번들거리면서 광택이 나는 소견이 보이기도 하고 혓바닥이 갈라지면서 지도설(地圖舌)이 나타나는 경우도 있다. 구강의 궤양이나 치은 출혈도 종종 보인다. 맥은 활삭(滑數)하거나 세삭(細數)하다. 가슴두근거림을 동반하는 빈맥이 있고 번열, 불안, 수면장애, 주의집중력과 기억력의 저하가 있다. 월경량은 적으며 선홍색이고

경간기 출혈이 있기도 하며 빈발월경과 질건조증, 성욕의 저하가 많이 보인다. 성인 여성에게서는 난임 및 잦은 유산도 흔히 관찰된다.

[적용 병증]

아래의 병증과 위에 서술한 환자군의 특징이 부합하는 경우에 처방의 투약을 고려할 수 있으며, 또한 근거기반의학적 근거에 따른 진단을 통해서도 처방을 활용할 수 있다.

1. 번조, 불면이 나타나는 질환. 발열질환 후기에 타나나는 번조, 불면, 불안, 우울증, 부정맥 등

2. 출혈이 나타나는 질환. 조기유산, 월경과다, 기능성자궁출혈, 이질, 장티푸스, 궤양성대장염, 혈소판감소성자반증 등

3. 피부의 손상 및 발적, 건조 등을 특징으로 하는 피부질환. 습진, 홍반, 균열 등

4. 입마름이 나타나는 질환. 당뇨, 구강궤양 등

[주의사항]

1. 이 처방에는 황련이 비교적 많은 용량으로 포함되어 있으므로 장기간 복약해서는 안되며 증상이 개선될 경우 용량을 줄여야 한다. 식욕부진이 있는 경우 신중하게 투약한다.

2. 계자황을 탕액에 섞지 않고 삶은 달걀 1-2개를 따로 섭취하게 해도 된다.

황련탕

경전의 위장질환 처방이며 청상온하(淸上溫下)방으로 활용되어
왔다. 화위강역(和胃降逆)과 함께 구토와 설사를 멈추고 수면을
돕는 등의 효능이 있다. 현대 연구에서는 혈당강하, 항부정맥, 위
배출능 향상, 진정 등 작용이 확인되어 있다. 복통과 구토, 한열착
잡(寒熱錯雜) 등에 적용한다.

[경전배방]

황련 三兩, 감초 三兩(炙), 건강 三兩, 계지 三兩(去皮), 인삼
二兩, 반하 半升(洗), 대조 十二枚(擘), 이 일곱가지 약물을 물 一
斗와 같이 달여 六升이 되도록 한 뒤 찌꺼기를 제거하고 따뜻하게
복용한다. 아침에 세 차례, 밤에 두 차례 복용한다.(《傷寒論》)

[경전방증]

상한으로 가슴속에 열이 있고 위중에 사기가 있어 뱃속이 아프
고 구토하려 한다(《傷寒論》173조).

[추천 처방]

황련 5-15 g, 육계 10-15 g, 당삼 15 g 혹은 인삼 10 g, 강반하
15 g, 자감초 5-15 g. 건강 15 g, 홍조 20 g. 이들 약물을 물 1,000
mL와 같이 달여 탕액 300 mL를 취한 뒤 2-5회에 나누어 따뜻하게

복용한다.

[방증제요]

뱃속이 아프고 구토하려 하며 가슴의 번열감과 불면이 있는 경우

[적용 환자군]

체형은 여윈 편으로 피부색은 어두운 누런빛이며 광택이 없고 성인 남성에게서 많이 보인다. 입술과 혀의 색깔은 어두운 옅은 빛이며 설태는 희고 두꺼우며 끈적거리거나 물기가 많아 축축하다. 배는 편평한 경우가 많고 복근은 얇으면서 탄성이 없다. 아랫배를 눌러보면 뻣뻣하게 긴장되는 느낌이 들기도 하고 속이 빈것처럼 힘이 없는 경우도 있다. 맥은 공대(空大)하거나 세약(細弱)하며 서맥이 대다수이다. 소화기 증상이 뚜렷하여 식욕부진, 속쓰림이 있고 배고픔을 자주 느끼며 구토나 복통 및 더부룩함이 있다. 복통의 경우 배꼽 주변이나 아랫배에 많이 생기는데 지속성이고 당기는 듯한 느낌이 있으며 찬기운이 있으면 심해진다. 입안이 쓰고 구취가 나거나 구강내 궤양이 있기도 하며 수면장애 및 우울증, 불안초조, 가슴답답함, 가슴두근거림, 자한 등이 나타나기도 한다. 음주 후 두드러기나 방광무력증, 남자의 발기부전, 조루증 등과 같은 비뇨생식기계 증상도 있을 수 있다.

[적용 병증]

아래의 병증과 위에 서술한 환자군의 특징이 부합하는 경우에 처방의 투약을 고려할 수 있으며, 또한 근거기반의학적 근거에 따른 진단을 통해서도 처방을 활용할 수 있다.

1. 복통과 설사가 나타나는 질환. 만성세균성 이질, 장결핵, 크론병, 궤양성 대장염, 장내 미생물 불균형(Dysbiosis), 과민성대장증후군, 담낭염 설사, 기능성 설사, 당뇨병성 설사, 약인성 설사 등

2. 구토가 나타나는 소화기질환. 급성 위장염, 식중독, 과도한 음주, 화학물질, 약물에 의한 자극, 급성위확장, 유문경색, 위저류, 당뇨병성 위마비, 역류성식도염, 위점막탈출증, 십이지장경색 등

3. 불면이 나타나는 질환. 신경증, 조루, 발기부전, 불안, 우울 등

4. 가슴두근거림이 나타나는 질환. 심근염, 부정맥 등

5. 얼굴의 홍반과 홍조증(B)[1]

6. 구강내 질환. 급성 괴사성 구내염(A)[2], 설통(B)[3]

[가감 및 합방]

1. 식욕부진이 있고 설질이 옅은 붉은색일 경우에는 육계가 황련보다 많은 용량이 되도록 처방한다.

2. 심번과 함께 활맥(滑脈)이 보이는 경우 황련이 육계보다 많은 용량이 되도록 처방한다.

[주의사항]

구토가 심하면 본 처방을 조금씩 자주 복용하도록 한다.

[각주]

1. 일본의 한 연속증례보고에서는 상열하한 증후군을 보이는 얼굴의 홍반 및 홍조 환자 5명의 치험을 소개하였다. 모든 환자는 황련해독탕의 투여로 증상이 완전히 호전되었다. 저자들은 '상열'에 해당하는 증상으로는 얼굴의 홍반이나 홍조, 열기에 의한 증상 악화, 발한, 누런 설태 등이 관찰되었고, '중한(中寒)' 소견으로는 뜨거운 음료의 선호, 찬 음료 섭취 시 악화되는 설사, 타각적으로 확인되는 상복부의 냉감 등을 제시하였다. [土仓润一郎, 前田ひろみ, 伊藤ゆい, 等. 黃連湯が有効であつた顔面紅斑·紅潮の5例. 日本東洋医学雑誌, 2015;66(3):236-43.]

2. 급성 아프타 구내염 환자 28명이 참여한 일본의 한 무작위 대조 연구에서는 18명의 환자에게 황련탕을 투여하였고, 5명에게는 경구 스테로이드 연고를 제공하였으며 다른 5명의 환자에는 별도의 처치를 시행하지 않았다. 각 군의 통증 완화시간은 황련해독탕군이 2.1일, 경구 스테로이드 연고군이 7.0일, 무처치 대조군이 17.0일이었으며 구내염 완화까지의 소요시간은 각각 황련해독탕군 5.5일, 경구 스테로이드 연고군 12.0일, 무처치 대조군 17.0일이었다. 저자는 급성 아프타 구내염에는 변증을 거치지 않고 황련탕을 투여할 수도 있다고 설명하였다. [岡進. 口内炎に対する黃連湯エキス剤の効果について. 日本東洋医学雑誌, 1995(46):439-45.]

3. 허증-허실중간증으로 변증된 설통 환자 28명을 관찰한 일본의 한 단일군 연구에서는 황련탕을 투여한 결과 9명의 환자가 현저한 효과를 보였고, 15명의 환자에서도 일정 수준의 증상 개선이 확인되었다. 추가 분석에 따르면 황련탕의 효능은 환자의 허실 또는 구강내의 건조 상태와는 무관하였다. [佃守, 古川滋, 松田秀樹, 等. 器質的病変のない舌痛症に対する黃連湯の臨床効果. 日本東洋医学雑誌, 1994;45(2):401-5.]

황련해독탕

고대의 온열병 처방이며 청열사화해독(淸熱瀉火解毒)방으로 활용되어 왔다. 열독(熱毒), 번열(煩熱)을 해소하고 출혈을 멈추는 효능이 있다. 현대 연구에서는 항균, 항내독소, 항염증, 해열, 혈당과 혈중지질 및 혈압의 강하, 인슐린저항성 개선, 위장운동 촉진, 위산분비 억제, 최면, 항응고, 혈소판 응집 및 혈액응고기전 활성화 억제, 뇌허혈 및 말초순환의 개선 등 작용이 확인되었다. 의식혼탁, 실어증, 번조, 불면, 가슴두근거림과 함께 설질이 붉고 입안이 마르며 맥이 활(滑)한 소견이 특징적인 질환에 적용한다.

[원서배방]

황련 三兩, 황금, 황백 각 二兩, 치자 十四枚(擘). 이 네가지 약물을 잘라 물 六升과 같이 달여 二升이 되도록 하여 두 차례에 나누어 복용한다.(《外臺秘要》)

[원서의 방증]

유행병이 걸리고 3일이 지나 이미 땀이 나서 증상이 호전되었는데 다시 술을 마시고 증상이 심해져 번조와 가슴답답함, 마른 구역질, 입마름, 신음, 착어 및 불면의 증상으로 힘들어한다(《外臺秘要》). 상한시기온병(傷寒時氣溫病)이 생기고 6, 7일이 지났는데도 극심한 열이 있고 가슴아래가 답답하고 괴로우며 이상한

말을 하고 귀신을 보이면서 일어나 날뛰고 싶어 한다. 구역감으로 괴로워 잠을 이루지 못한다(《肘後方》).

[추천 처방]

황련 5–15 g, 황금 10 g, 황백 10 g, 산치자 15 g. 이들 약물을 물 1,000 mL와 같이 달여 탕액이 300 mL가 되도록 한 뒤 두 차례에 나누어 따뜻하게 복용한다. 탕액은 귤색으로 맛은 쓰다.

[방증제요]

온몸에 심한 열이 나고 가슴이 답답하면서 괴로워하고 잠을 이루지 못하며 의식이 혼탁하고 착어증이 있으면서 입안과 혀가 말라있는 경우

[적용 환자군]

체격이 건장하며 안색은 붉게 달아올라 있거나 검붉은 색으로 기름기가 번들거린다. 안구가 충혈되어 있고 눈꼽이 많이 끼기도 하며 입술은 검붉거나 자홍색이다. 불안초조, 우울감, 불면, 다몽증, 어지러움, 두통, 기억력 및 주의집중력의 감퇴 등이 잦다. 평상시에 시원한 것을 좋아하고 뜨거운 기운을 싫어하며 찬음료를 즐겨마시고 땀이 많으며 입안이 마르고 쓴맛이 든다. 구강내 궤양과 인후통이 흔히 생기며 누런 소변이 조금씩 나오고 피부에는 항상 부스럼이 있다. 남성에게서는 무좀, 여성에게서는 황대하가 많이 보인다. 설질은 붉거나 검붉은 색이며 쪼그라들어 말라붙어서

혀를 움직이기가 힘들거나 뻣뻣하게 굳는 느낌을 호소한다. 설태는 대부분 누렇고 두껍게 껴있으며 맥상은 활리(滑利)하거나 삭맥(數脈)인 경우가 많다.

[적용 병증]

아래의 병증과 위에 서술한 환자군의 특징이 부합하는 경우에 처방의 투약을 고려할 수 있으며, 또한 근거기반의학적 근거에 따른 진단을 통해서도 처방을 활용할 수 있다.

1. 급성의 전염병이나 감염성 질환 경과 중 발생하는 감염성 뇌질환. 중추신경계 질환과 관련한 발열에도 투약할 수 있다(B).[1]

2. 비감염성 뇌질환. 자율신경장애(B)[2], 정신분열증(B)[3,4], 불안증, 알츠하이머

3. 대사증후군과 뇌혈관병변. 원발성고혈압(A)[5,6], 고피브리노겐혈증, 과다점성증후군, 복부비만(B)[7], 뇌경색(A)[8,9], 뇌출혈, 혈관성치매, 지주막하출혈

4. 소화기계 감염성 질환. 급성 간염, 급성 위장염, 세균성 이질 등. 중증질환에 대한 복부의 외과수술 후 기능성 위장장애에도 투약할 수 있다(B).[10]

5. 알러지성 및 화농성 피부질환. 모낭염, 습진, 특발성피부염(B)[11]. 농포성여드름, 진균감염, 성병, 절창, 단독, 여드름(A)[12], 교상(B)[13], 화농성 관절염, 장척농포증, 피부소양증(A)[14,15] 등

6. 자가면역질환. 류마티스성 관절염, 혈소판감소성자반증, 레이노병(A)[16], 전신성 홍반성 낭창[17] 등

7. 구강점막질환. 치주염(B)[18], 편평태선, 베체트병 등

8. 출혈소견이 보이는 질환. 혈우병, 혈소판감소증, 비출혈, 위장관 출혈(B)[19] 등

9. 하복부 통증이나 과다월경이 나타나는 부인과 질환. 골반염, 월경통, 월경과다, 자궁근종, 자궁선근증 등

[가감 및 합방]

1. 출혈과 변비가 있는 경우 대황 10 g을 더한다.

2. 구강내 궤양에는 생감초 10 g을 더한다.

3. 피부의 발적과 건조, 인설탈락이 있는 경우 사물탕을 합방한다.

4. 패혈증, 농혈증, 이질, 폐렴, 유행성 뇌척수막염, 일본 뇌염, 유행성 출혈열 등 발열성, 감염성, 출혈성 질환에는 통상 서각지황탕, 백호탕을 합방하여 투약하는데 이는 청온패독음(淸瘟敗毒飮)과 같은 처방이다.

[주의사항]

1. 평소 무기력감을 호소하며 따뜻한 것을 좋아하고 찬 것을 싫어하면서 빈혈이나 식욕부진, 간 및 신기능 장애 등이 있는 경우에는 모두 신중하게 투약해야 한다.

2. 이 처방의 오남용으로 눈 주변의 피부색이 청색이 되거나 안색이 어두워지고 식욕부진, 설사 등의 증상이 나타날 수 있다.

3. Arakawa K 등은 103명의 황련해독탕 복용자 중 7례에서 간기

능손상이 나타났고, 1례에서는 범발성 피부염이 나타났다고 보고
하였다.

4. 이 처방을 장기간 투여하는 경우 치자에 의해 특발성 장간막
정맥 경화증이 나타날 수 있다.[20,21]

[각주]

1. 심정지로 경도(32~34℃) 저체온요법을 받은 후 중추성 발열이 발현된 7명
   의 환자가 참여한 일본의 한 단일군 연구에서는 황련해독탕을 투약한 후
   모든 환자의 체온이 하강하였으며 특히 투여 초기에 하락폭이 컸다고 보고
   하였다. [坪崎仁, 西村雅之, 橋場英二, 等. 低体温療法后の中枢性発熱に対
   する黄連解毒湯の効果. 日本東洋医学雑誌, 2013;64(4):212-5.]

2. 자율신경장애로 어지럼증을 호소하는 14명의 환자(모든 증례에서 각기 다
   른 중증도의 정신과 증상 동반)가 참여한 일본의 한 단일군 연구에서는 10
   명의 환자에게 황련해독탕을 투여하고, 4명의 환자에게는 삼황사심탕을 투
   여한 결과 증상의 개선율이 80%였음을 보고하였다. 이 연구에서 어지럼증
   의 개선 정도와 정신 증상의 개선 정도는 양의 상관관계가 있었는데, 이는
   청열제가 정신 증상을 동반하는 자율신경장애를 치료할 수 있음을 시사한
   다. [尾崎哲, 下村泰樹. めまい感のストレス面からの考察. 日本東洋医学雑誌,
   1992;43(1):21-6.]

3. 정신분열증 환자 18명이 참여한 일본의 한 무작위 대조 연구에서는 모든 환
   자에게 진정제 치료를 투약함과 동시에 시험군에 배정된 9명의 환자에게 황
   련해독탕을 병용투여하였다. 연구 결과 황련해독탕의 병용은 정신 증상 및
   수면 상태의 개선에 효과를 보였다. [山田和男, 神庭重信, 大西公夫, ほか.
   精神分裂病および他の精神病性障害患者の急性期における睡眠障害に対
   する黄連解毒湯の臨床効果. 日本東洋医学雑誌, 1997;47(5):827-31.]

4. 회복기 정신분열증 환자 10명이 참여하는 일본의 한 단일군 연구에서는 기
   존에 시행하던 통상적 치료와 더불어 황련해독탕을 4주간 병용투여하였다.
   연구 결과 황련해독탕의 병용투여는 죄책감, 우울증, 피해망상, 흥분 등과
   같은 정신이상 소견을 보다 뚜렷하게 감소시킬 수 있었다. [山田和男, 神庭
   重信, 大西公夫, 等. 精神分裂病活動期の回復期における黄連解毒湯の臨

床效果. 日本東洋医学雑誌, 1997;47(4):603-7.]

5. 본태성 고혈압 환자 204명(한증 및 허증으로 변증된 환자와 BMI 수치가 낮은 환자 제외)가 참여한 일본의 한 무작위 대조 연구에서는 시험군에 배정된 103명의 환자에게는 8주간 황련해독탕을 투여하였고, 다른 101명에는 위약을 투여하였다. 이 연구에서 황련해독탕은 뚜렷한 혈압 개선 효과를 나타내지는 못하였으나, 안면부의 발적 및 안면홍조 등의 증상을 크게 개선하였다. [Arakawa K, Saruta T, Abe K, et al. Improvement of accessory symptoms of hypertension by TSUMURA Orengedokuto Extract, a four herbal drugs containing Kampo-Medicinegranules for ethical use: a double-blind, placebo-controlled study. Phytomedicine, 2006(13):1-10.]

6. 고혈압 환자 29명이 참여한 일본의 한 무작위 대조 연구에서는 15명의 환자에게는 황련해독탕을 투여하고, 나머지 14명에는 황련해독탕 합 홍삼말(末)을 투여하여 허실(虛實) 여부 및 치료효과와의 상관성을 확인하였다. 이 연구에서는 황련해독탕이 허증의 환자에서도 효과를 뚜렷하게 나타낸 반면, 실증이라고 하여 보다 현저한 효과를 나타내지는 않았다. 황련해독탕 가 홍삼말은 황련해독탕에 비해 혈압 및 관련증상의 회복에 보다 우수한 효과를 보였으며, 이 효과는 허실 증후와는 상관성을 보이지 않았다. [金子仁, 中西幸三, 村上光, ほか. 黃連解毒湯・紅参併用療法の検討. The ginseng Review, 1991(12):89-93.]

7. 복부 비만 환자 13명이 포함된 한국의 한 단일군 연구에서는 황련해독탕을 2개월간 투약한 결과 12명의 환자가 체중이 줄었으며, 모든 환자의 허리 둘레도 감소하였음을 보고하였다. [Kwon S, Jung W, Byun AR, et al. Administration of Hwang-Ryun-Haedok-tang, a Herbal Complex, for Patients With Abdominal Obesity: A Case Series. EXPLORE: The Journal of Science and Healing, 2015;11(5):401-6.]

8. 뇌졸중 후유증 환자 108명이 참여한 일본의 한 무작위 대조 연구에서는 시험군에 배정된 56명의 환자에게 황련해독탕을 12주간 투여하였으며, 다른 52명의 환자들은 무처치 대조군으로 배정하였다. 이 연구에서 황련해독탕은 뚜렷한 혈압 개선 효과를 나타내지는 못하였으나 두통, 현기증, 일과성 열감, 냉증, 사지마비, 어깨결림 등 증상의 호전에 기여하였다. [伊藤栄一, 高橋昭, 葛谷文男. 脳梗塞に対するツムラ黃連解毒湯の臨床効果. geriatric Medicine, 1991(29):303-13.]

9. 뇌혈관 사고 후 정신 증상이 발현된 환자 148명이 참여한 일본의 한 무작위 대조 연구에서는 시험군에 배정된 81명의 환자에게는 12주간 황련해독탕을 투여하였고, 나머지 67명에는 판토텐산칼슘을 섭취하도록 하였다. 연구결과 두 군에서 모두 정신 증상이 호전되었으나, 황련해독탕을 투여한 환자들의 증상 개선이 보다 뚜렷하였다. [大友英一, 東儀英夫, 小暮久也, ほか. 脳血管障害に対するツムラ黄連解毒湯の臨床的有用性 Cahopantenate を対照とした封筒法による Well controlled study. geriatric Medicine, 1991(29):121−51.]

10. 중증 질환 치료를 위한 개복 수술을 받은 56명의 환자가 참여한 중국의 무작위 대조 연구에서는 시험군에 배정된 28명의 환자를 대상으로 기존의 표준적 치료와 함께 7일간 가미황련해독탕(황련해독탕 가 대황)관장 및 전침 치료(양측 족삼리, 상거허, 지구)를 병용하였다. 연구 결과 병용치료군에서는 환자의 첫 배기 및 배변에 이르기까지의 소요시간이 현저히 감소하였으며, 위장기능 장애 및 장의 점막 장변 기능 등에서 개선을 보였으며 기계환기 요법의 적용 시간도 감소하였다. [王磊, 朱珲莹, 何健卓, 等. 加味黄连解毒汤灌肠联合电针干预对重症腹部外科术后患者胃肠功能障碍的影响. 中国中西医结合杂志, 2015;35(8):966−70.]

11. 습열(濕熱)로 변증된 아토피 피부염 환자 24명이 참여한 한국의 한 무작위 대조 시험에서는 12명의 환자에게 황련해독탕과 오령산을 4주간 병용투약 하고 다른 12명에는 같은 기간 동안 황련해독탕을 단독투약하였다. 연구 결과 두 군의 피부염 개선 결과에는 뚜렷한 차이가 나타나지 않았다. [Choi I, Kim S, Kim Y, et al. The effect of TJ−15 plus TJ−17 on atopic dermatitis: a pilot study based on the principle of pattern identification. The Journal of Alternativeand Complementary Medicine, 2012(18):576−82.]

12. 여드름 환자 268명이 참여한 일본의 한 무작위 대조 연구에서는 55명의 환자에게는 십미패독탕을 투약하고, 20명의 환자에게는 황련해독탕을 투약하였으며, 91명은 십미패독탕과 황련해독탕의 병용투약을 시행하였다. 다른 12명의 환자에게는 양약 외용제를 제공하였으며, 90명의 환자는 십미패독탕 합 황련해독탕과 양약 외용제를 병용하였다. 4주간의 치료기간 후 관찰 결과에서 황련해독탕의 복용여부와 상관없이 십미패독탕은 약 50% 가량에 해당하는 현저한 효과를 보였다. 한편, 황련해독탕 합 십미패독탕과 양약 외용제의 병용은 여드름 소실에 소요되는 시간을 뚜렷하게 단축하였다. [大熊守也. 尋常性ザ瘡の漢方内服, 外用剤併用療法. 和漢医薬学会誌, 1993(10):131−4.]

13. 일본의 한 연속증례 연구에서는 벌 및 지네 교상 환자 5명의 치험을 소개하였다. 환자들은 교상이 발생한 직후 짧은 간격(2–3시간)으로 황련해독탕 합 인진오령산을 복용하였으며, 1일 이내에 국소의 발적과 부종 및 통증이 소실되었다. [吉永亮, 前田ひろみ, 土仓润一郎, 等. 蜂刺症とムカデ咬症に対して黃連解毒湯と茵陈五苓散を中心とした漢方治療を行った5例. 日本東洋医学雑誌, 2016;67(4):383–9.]

14. 노인성 소양증 환자 96명이 참여한 일본의 한 무작위 대조 연구에서는 실증으로 변증된 환자에게는 황련해독탕을 투약하였고, 중간증 및 허증으로 변증된 경우에 우차신기환을 투약하였으며 대조군에는 항히스타민제를 투약하였다. 이 연구에서 한약을 복용한 환자군의 치료 효과는 대조군과 큰 차이가 없었다. 환자군별 유효율은 황련해독탕 투여군 68.8%, 우차신기환 투여군 72%, 항히스타민제 투여군 53.3%였다. [大河原章, 古屋和彦, 栗栖幸恵, ほか. 老人性皮膚ソウ痒症に対する TJ–15, TJ–107 の使用経験. 西日本皮膚科, 1991(53):1234–41.]

15. 겨울철 습진, 노인성 대퇴부 습진, 화폐상 습진 및 건피증으로 발현된 소양증 환자 168명이 참여한 일본의 한 무작위 대조 연구에서는 68명의 환자에게 당귀음자 합 황련해독탕을 투여하였고, 49명의 환자에게는 당귀음자를 투여하였으며, 10명의 환자에게는 황련해독탕을 투여하였다. 나머지 35명의 환자에게는 항히스타민제를 투여하였다. 이 연구에서는 4주간의 치료기간 후 당귀음자가 황련해독탕에 비해 나은 효과를 나타냈으며, 두 처방의 병용 투약은 각 처방의 단독투약에 비해 우수한 효과를 보였다. 당귀음자 합 황련해독탕의 효과는 항히스타민제의 효과와 큰 차이를 보이지 않았다. [大熊守也. 皮膚ソウ痒症の漢方薬による治療. 和漢医薬学会誌, 1993(10):126–30.]

16. 레이노병 환자 20명이 참여한 일본의 한 무작위 대조 연구에서는 모든 환자에게 사포그릴레이트를 투여함과 동시에 시험군에 배정된 환자에 황련해독탕이나 당귀작약산을 병용투여하였다. 이 연구에서 황련해독탕과 사포그릴레이트의 병용은 대조군 대비 임상적 유효율의 현저한 향상을 보였다(90% 대 52.5%, P〈0.02). 반면 당귀작약산 병용투여는 대조군 대비 유의한 효과의 차이를 보이지 않았다. 황련해독탕 및 사포그릴레이트 병용은 손가락 끝 부분의 온도를 현저히 증가시키는 효과도 아울러 나타내었다[(4.1±2.1)℃, P <0.005]. 추가분석에 따르면 황련해독탕은 실증 환자에게만 효과를 보였으며, 허증 환자의 경우 효과가 없을 뿐 아니라 부작용 발생률이 높았다. [秋山雄次, 大野修嗣, 浅岡俊之, ほか. レイノー現象に対する塩酸サルポグレラートと

漢方方剤(黄連解毒湯あるいは当帰芍薬散)の併用療法. 日本東洋医学雑誌, 2001(51):1101-8.]

17. 일본의 한 증례보고에서는 경증의 전신성 홍반성 루푸스 여성 환자에 대한 치료 경과를 소개하였다. 증례의 환자는 소시호탕 합 황련해독탕 가 의이인을 복용한 후 피부홍반, 탈모, 광과민성 증상이 사라지고 항핵항체 소견도 음성으로 전환되었다. 또한, 환자는 2년간의 치료를 마친 후 1년간 복약을 중단한 상태에서도 증상 및 항핵항체 소견이 잘 조절되는 상태라고 하였다. [新井信, 佐藤弘, 代田文彦. 小柴胡湯合黄連解毒湯加薏苡仁を用いて皮膚症状の改善とともに抗核抗体が陰性化した 전신성 홍반성 루푸스 の1例. 日本東洋医学雑誌, 2000;51(2):247-54.]

18. 급성 치주염 환자 20명이 참여한 일본의 한 단일군 연구에서는 중증의 발적이나 출혈이 보이는 환자 10명에게는 황련해독탕을 투여하고, 경증의 발적 또는 농이 확인되는 환자 10명에게는 배농산급탕을 투여하였다. 연구 결과 모든 환자에서 증상의 개선이 관찰되었다. [神谷浩. 炎症型歯周疾患の急性発作期に対する黄連解毒湯と排膿散及湯の効果. 日本東洋医学雑誌, 1993;44(2):191-5.]

19. 일본의 한 연속증례연구에서는 서양의학적 지혈요법에 반응을 보이지 않는 코피, 혈흉, 위장관 출혈 환자 8명의 경과를 보고하였다. 이 연구에서는 환자들에게 황련해독탕을 경구, 내시경하, 경장 등 다양한 투여경로를 활용하였는데, 모든 증례에서 만족스러운 지혈효과가 관찰되었다. 저자는 이 같은 효과의 기전은 혈관벽의 기능 향상과 관련이 있을 것이라 설명하였다. [坂田雅浩, 药师寺和昭, 黒川慎一郎, 等. 西洋 医学的アプローチでの止血困難例に対する黄連解毒湯の使用経験. 日本東洋医学雑誌, 2017;68(1):47-55.]

20. Hiramatsu K, Sakata H, Horita Y, et al. Mesenteric phlebosclerosis associated with long-term oral intake of geniposide, an ingredient of herbal medicine. Aliment Pharmacol Ther, 2012;36(6):575-86.

21. 渡辺哲郎, 永田丰, 福田秀彦, 等. 漢方専門外来の長期間通院患者における特発性腸間膜静脈硬化症罹患者に関する検討. 日本東洋医学雑誌, 2016;67(3):230-43.

황황경험방

1. 팔미해울탕

사역산과 반하후박탕의 합방이다. 정신질환 처방이며 이기해울(理氣解鬱)의 효능이 있어 팔다리가 차고 인후에 이물감이 있으며 배가 그득한 소견이 특징적인 환자에게 처방한다.

[처방]

시호 15 g, 백작약 15 g, 지각 15 g, 생감초 5 g, 강반하 15 g, 후박 15 g, 복령 15 g, 소경 15 g. 이들을 물 1,100 mL와 같이 달여 300 mL가 되도록 하여 2-5회에 나누어 따뜻하게 복용한다.

[적용 환자군]

체형은 중간정도이거나 여윈편에 가까우며 얼굴색도 누런편으로 광택이 없다. 손발이 항상 차며 양측 늑골궁 아래의 근육이 긴장되어 있다. 대다수 환자의 혈압이 낮은 편이고 천성적으로 민감하며 근심이 많다. 평소에 자신의 몸이나 먹으면 안되는 음식에 대해서 많은 관심을 갖고 있으나, 호소하는 증상도 매우 많다. 심리적으로 우울한 상태이며 가슴의 답답함과 인후의 이물감을 호소한다. 오심과 구토 및 배가 그득하면서 복통과 설사가 일어나는 증상 등이 잦으며 방귀를 뀐 후 편안해 한다. 간혹 두통이나 불면 등이 있다. 여성은 월경전에 유방이 붓고 통증이 생기며 월경통이 있다. 끈적끈적하고 질척이는 설태가 입안에 가득하다.

[활용병증]

우울, 불안초조, 기능성 위장장애, 심장신경증, 신경성구토, 신경성빈뇨, 신경성피부염, 과민성대장증후군, 심인성발기기능장애, 갱년기증후군, 트림, 간질, 진전, 마비, 혈관신경성두통, 월경통, 만성요로감염, 인후염, 편도체염, 식도염, 인후 기원성 기침, 급성 또는 만성 담낭염, 담석증, 급만성위장염, 위하수, 기능성소화불량, 늑간신경통, 늑연골염, 신장 및 요로의 결석 등

2. 팔미제번탕

반하후박탕과 치자후박탕의 가미방이다. 정신질환 처방이며 청열제번(淸熱除煩)의 효능이 있어 가슴이 답답하고 번조가 있으며 설질이 붉고 설태가 질척이는 소견이 특징적인 환자에게 처방한다.

[처방]

산치자 15 g, 황금 10 g, 연교 15 g, 지각 15 g, 강반하 15 g, 복령 15 g, 후박 15 g, 소경 15 g. 이들을 물 1,100 mL와 같이 달여 탕액이 300 mL가 되도록 하여 2-5회에 나누어 따뜻하게 복용한다.

[적용 환자군]

얼굴에 윤기가 있으며 눈썹을 찌푸리고 눈을 자주 깜빡인다. 입술과 인후부가 붉고 눈이 충혈되어 있다. 잠을 잘 이루지 못하고 가슴이 답답하며 배가 그득하다는 주소증이 많다. 번조와 불안초조와 함께 땀이 나거나 어지러우면서 두통이 난다는 증상도 잦으며, 인후통과 코피 및 배뇨통도 흔하게 보인다. 설첨에 붉은점이 있고 설태는 끈적끈적하고 질척거리는 경우가 많으며 맥은 대체로 활삭(滑數)한 소견을 보인다.

[활용병증]

불안증, 강박증, 우울증, 갱년기증후군, 혈관신경성두통, 월경통, 여드름, 인후염, 편도체염, 식도염, 급만성위장염, 인후 기원성 기침, 급만성기관지염, 기관지천식, 구강작열증후군, 소아식욕부진, 소아 알러지성 자반증 등

[주의사항]

산치자, 황련 등은 천연색소를 함유하고 있어 다량 복용 시 눈 주위가 검게 착색될 수 있으나 복약을 중단하면 호전된다.

3. 팔미활혈탕

사역산에 약물을 추가하고 혈부축어탕에서 약물을 줄여 만든 처방이다. 정신질환 처방으로 이기활혈(理氣活血)의 효능이 있다. 가슴통증과 두통 및 팔다리의 찬느낌을 호소하고 설질이 어두운 보라색인 소견이 특징적인 환자에 처방한다.

[처방]

시호 15 g, 백작약 혹은 적작약 15 g, 지각 15 g, 생감초 10 g, 당귀 15 g, 천궁 15 g, 도인 15 g, 홍화 10 g, 이들을 물 1,100 mL와 같이 달여 300 mL가 되도록 하고 2-3회에 나누어 따뜻하게 복용한다.

[적용 환자군]

얼굴색이 푸르거나 어두우며 간혹 기미가 보인다. 근육이 긴장되어 있고 피부는 건조하거나 인설이 일어나며 입술색은 검붉고 설질은 어두운 보라색이다. 항상 가슴이 답답해서 불편하며 정서적으로 불안정하고 잠들기가 어렵다. 양측 옆구리 아랫부분을 누르면 통증이 느껴지며 가슴통증, 두통, 복창통, 요통 등의 난치성 경련성 통증이 잘 나타난다. 여성은 흔히 월경불순이 관찰되며 월경량이 적고 월경전 유방통이나 월경통 등도 보인다.

[활용병증]

우울증, 불안증, 신경증, 난치성 불면, 혈관신경성두통, 고혈압, 동맥경화성두통, 외상성두통, 뇌진탕 후 두통, 편두통, 뇌전증, 관상동맥질환 협심증, 폐성심, 흉막염, 늑연골염, 흉부외상, 늑간신경통, 위신경증, 위궤양, 장경련, 유착성장폐색, 난치성 딸꾹질, 이갈이, 신경성구토, 만성간염, 간경화, 비장종대, 뇌경색, 피부질환, 동맥염, 정맥염, 안저출혈, 망막정맥주위염, 망막정맥폐쇄증 등

[주의사항]

허약체질이며 설사가 있는 경우 신중하게 투약한다. 이 처방을 오투약하는 경우 피로감과 무기력감이 나타날 수 있다.

4. 팔미통양탕

오령산과 반하후박탕을 합방한 것으로 소화기질환 및 대사질환 처방이다. 통양이기(通陽理氣)하는 효능이 있다. 입이 마르고 소변이 잘 나오지 않으며 인후부의 이물감과 함께 설질이 크고 통통하며 설태가 희고 질척거리는 소견이 보이는 환자에게 처방한다.

[처방]

백출 15 g, 복령 15 g, 저령 15 g, 택사 15 g, 계지 15 g, 후박 15 g, 소경 15 g, 강반하 15 g. 이들을 물 1,100 mL와 같이 달여 탕액이 300 mL가 되도록 하고, 2-3회에 나누어 따뜻이 복용한다.

[적용 환자군]

부종이 보이고 설질은 통통하게 커져있으며 설태는 희고 질척거린다. 피부가 축축하고 땀이 많이 나며 풀어지는 대변을 본다. 배가 그득하며 오심과 구토 및 인후이물감이 있으며 가래가 많이 나오기도 한다.

[활용병증]

노로바이러스 감염증, 장염, 습진, 피부염, 지방간, 통풍, 현훈 등

5. 사미건보탕

만성기 당뇨병 처방으로 혈관보호 및 양음활혈(養陰活血)의 효능이 있다. 다리의 말초혈관질환 및 혈전질환에 적용한다.

[처방]

적작약 30 g, 석곡 30 g, 회우슬 30 g, 단삼 20 g. 이들을 물 1,100 mL와 같이 달여 300 mL가 되도록 한 뒤 2−3회에 나누어 따뜻하게 복용한다.

[활용병증]

당뇨발, 당뇨병성 신증, 하지정맥혈전증, 다리의 골절 등으로 유발된 요통과 위약, 다리의 통증 및 이상감각, 근육경련, 부종 등

[가감 및 합방]

1. 여윈 체격으로 다리의 근육에 경련이 있으며 대변이 마르고 덩어리지는 경우 작약감초탕을 합방한다.

2. 비만한 체형으로 배가 부드럽고 팔다리의 이상감각이 있으며 땀이 많으면서 붓는 경우 황기계지오물탕을 합방한다.

3. 다리의 피부가 뱀껍질처럼 건조하고 혈전이 생긴 경우 계지복령환을 합방한다.

[주의사항]

이 처방은 활혈화어(活血化瘀) 효능이 있으므로 주로 허리에서 다리에 이르는 부위의 통증이 특징인 어혈성 질환을 치료한다. 어혈소견이 없는 경우에는 신중하게 투약한다.

6. 지경산

신경과질환 처방으로 해경지통(解痙止痛)의 효능이 있으며 각종 경련성 질환에 적용한다.

[처방]

강반하, 천마, 오공, 전갈의 비율을 2:2:1:1로 하여 가루를 내어 캡슐제로 하여 매번 3 g씩 하루 2회 복용한다.

[활용병증]

간질, 안면경련, 소아마비, 소아 주의력결핍 과잉행동장애, 뇌의 신경교종 등 경련이 특징적 소견인 질환

[가감 및 합방]

1. 간질 및 뇌신경교종의 경우 시호가용골모려탕을 합방한다.
2. 안면경련에는 온담탕, 시효가용골모려탕을 합방한다.
3. 소아의 주의력결핍과잉행동장애 및 뇌성마비에는 온담탕을 합방한다.

[주의사항]

오공과 전갈은 알러지 반응을 유발할 수 있으므로 증상이 나타나는 경우 투약을 중단하고 경과를 관찰한다.

7. 갱년방

계지가용골모려탕의 가미방으로 갱년기증상을 조절하는 처방이며 온양안신(溫陽安神)의 효능이 있다. 갱년기 여성의 다한증과 관절통 및 불면 등에 적용한다.

[처방]

법제부자 10 g, 계지 15 g, 백작약 15 g, 자감초 5 g, 용골 15 g, 모려 15 g, 선령비 15 g, 파극천 15 g, 생강 15 g, 홍조 20 g. 이들을 물 1,100 mL와 같이 달인다. 먼저 부자를 30분간 선전하고 나머지 약을 넣어 300 mL가 되도록 달인다. 2-3회에 나누어 따뜻하게 복용한다.

[적용 환자군]

얼굴색이 누렇고 어두우며 무기력하고 자주 피로를 느낀다. 관절에 찬 느낌의 통증이 있으며 가슴이 두근거리고 얼굴에 붉게 달아오르면서 땀이 많이 난다. 수면장애가 있고 맥은 침(沈)하다.

[활용병증]

갱년기증후군, 조기난소부전, 희발월경 또는 무월경 등

[가감 및 합방]

1. 어지러움과 부종에는 진무탕을 합방한다.

2. 월경불순이 나타나며 얼굴과 눈 및 다리의 부종과 함께 변비가 있는 경우 당귀작약산을 합방한다.

3. 얼굴이 누렇고 부종이 있으며 오한과 함께 땀이 나지 않고 자주 피로해하는 경우 마황부자세신탕을 합방한다.

[주의사항]

환자의 얼굴에 붉은 광택이 있고 맥이 부활(浮滑)한 경우 신중히 투약한다.

8. 생혈탕

작약감초탕과 이지환의 가미방으로 혈액병 처방이며 양혈지혈(養血止血)의 효능이 있어 범혈구감소증 환자에게 처방한다.

[처방]

백작약 15 g, 감초 5 g, 여정자 15 g, 묵한련 15 g, 구기자 15 g, 산약 15 g, 아교 10 g, 생지황 15 g, 맥문동 20 g. 이들을 물 1,100 mL와 같이 달여 탕액이 300 mL가 되도록 하고 아교를 넣어 섞은 후 2-3회에 나누어 따뜻이 복용하도록 한다.

[활용병증]

빈혈이나 암화학요법 및 방사선요법 이후의 적혈구와 백혈구 및 혈소판 감소증. 조기 백발이나 모발의 건조 및 탈모 등에도 투약할 수 있다.

[주의사항]

배가 그득하고 설태가 두꺼운 경우 아교와 생지황 및 맥문동을 제외한다.

9. 퇴열탕

소시호탕의 가감방이며 바이러스성 감기 처방으로 신량퇴열(辛涼退熱) 및 발한(發汗)의 효능이 있다. 상기도 감염으로 땀이 나고 해열이 되지 않는 환자에게 처방한다.

[처방]

시호 40 g, 황금 15 g, 생감초 10 g, 연교 50 g. 이들을 물 1,300 mL와 같이 달여 탕액이 500 mL가 되도록 한 뒤 매번 100-150 mL씩을 2-3시간마다 한번씩 복용하도록 한다. 소아에서는 반으로 줄여 복용토록 한다.

[활용병증]

바이러스성 감기에서 지속적으로 열이 나고 땀이 흐르면서 증상이 개선되지 않고 얼굴이 붉으면서 몸에 열감이 있고 간혹 인후통, 기침, 두통 등이 있는 경우

[주의사항]

땀이 나고 열이 내리면 복약을 중단할 수 있다. 3회의 복약 후에도 땀이 많이 나지 않으면 처방을 변경한다.

10. 계령가대황우슬방

계지복령환의 가미방이며 어혈병 처방으로 활혈화어(活血化瘀) 및 공하(攻下)의 효능이 있다. 어혈 소견이 보이는 부인과 질환에 적용한다.

[처방]

계지 15 g, 복령 15 g, 적작약 15 g, 목단피 15 g, 도인 15 g, 회우슬 30 g, 법제대황 10 g. 이들을 물 1,100 mL와 같이 달여 탕액이 300 mL가 되도록 한다. 2-3회에 나누어 따뜻하게 복용한다.

[적용 환자군]

희발월경이나 무월경, 질출혈, 월경통이 있는 환자로 얼굴빛이 검붉고 번조와 불안이 나타나며 변비와 허리 및 다리의 통증이 있고 아랫배가 충실하면서 압통이 있는 경우

[활용병증]

자궁내막증, 자궁선근증, 월경통, 무월경, 다낭성난소증후군, 조기난소부전, 과다월경, 골반염 등

11. 시귀탕

소시호탕과 당귀작약산의 합방으로 부인과 질환 처방이며 기혈을 조절하고 풍습과 한열을 치료하는 효능이 있다. 자가면역성질환, 내분비질환 및 여성의 체질 조리에 적용한다.

[처방]

시호 15 g, 황금 5 g, 강반하 10 g, 당삼 10 g, 자감초 5 g, 당귀 10 g, 천궁 15 g, 백작약 30 g, 백출 15 g, 복령 15 g, 택사 15 g, 건강 10 g, 홍조 20 g. 이들을 물 1,200 mL와 같이 달여 300 mL가 되도록 한다. 매번 150 mL씩 복용한다. 상기 하루분 용량을 1-2일에 나누어 복용한다.

[적용 환자군]

중년여성에게서 많이 보인다. 대체로 안색이 누렇고 피로감이 뚜렷하며 정서적으로 가라앉아있거나 우울감을 호소한다. 찬날 씨나 바람을 싫어하며 몸이 가렵고 아프다. 얼굴이나 양쪽 다리에 가벼운 부종이 있고 월경량이 작거나 없으며 성욕이 감퇴되어 있다.

[활용병증]

하시모토병, 자가면역성간염, 류마티스관절염, 류마티스성다발성근통, 만성두드러기, 면역성난임, 전신성 홍반성 루푸스, 기미, 습진 등

[주의사항]

1. 알러지나 두통, 팔다리의 감각저하와 통증이 있으면 형개 15 g, 방풍 15 g을 더한다.

2. 설사가 있는 경우 백작약을 줄인다.

3. 이 처방은 하루분을 이틀이나 격일 간격으로 복용하게 할 수 있다. 일반적으로 2–3개월 동안 복용한다.

12. 반장방풍통성산

방풍통성산의 가감방으로 피부병 처방이며 청열산풍(淸熱散風)의 효능이 있다. 잘 낫지 않는 소양성 피부질환에 처방한다.

[처방]

생마황 10 g, 생석고 30 g, 법제대황 10 g, 생감초 5 g, 형개 15 g, 방풍 15 g, 연교 30 g, 박하 10 g, 행인 15 g, 길경 10 g. 이들을 물 1,100 mL와 같이 달여 탕액이 300 mL가 되도록 한다. 매번 150 mL씩 복용한다. 매일 2-3회에 나누어 다 복용하되, 식후에 복용하는 것이 좋다. 아동에서는 1/3만을 투여하거나 매번 30-50 mL 정도 복용한다.

[활용병증]

아토피성 피부염, 두드러기, 광선피부염, 접촉성 피부염, 습진 등 알러지성 피부질환

[주의사항]

이 처방은 공복 시에 복용해서는 안 된다. 복약 후 설사를 하는 경우 대황의 용량을 줄일 수 있다.

13. 갈근금련가대황육계방

갈근금련탕의 가미방이며 당뇨병 처방으로 청열승청(淸熱升淸) 및 통양(通陽)의 효능이 있다. 제2형 당뇨병에 적용한다.

[처방]

갈근 40 g, 황련 5-15 g. 황금 15 g. 생감초 10 g, 법제대황 10 g, 육계 10 g. 이들을 물 1,000 mL와 같이 달여 탕액이 300 mL가 되도록 한다. 2-3회에 나누어 따뜻하게 복용한다.

[활용병증]

제2형 당뇨병에서 입마름이 있고 자주 배가 고프며 피로감이 있으면서 땀이 많이 나는 경우. 부정맥, 혈압 및 혈중지질, 혈액점도의 이상소견이 동반될 수 있다.

[주의사항]

1. 설사가 있는 경우 대황의 용량을 적당량 줄여 투약할 수 있다.
2. 황련의 용량은 혈당수치의 높낮이에 따라 조정할 수 있다.

14. 대황감초해독탕

황련해독탕과 대황감초탕의 합방이며 구강점막질환 처방이다. 청열해독(淸熱解毒)의 효능이 있으며 점막의 발적과 부종 및 미란이 있으면서 맥이 활삭(滑數)한 소견에 처방한다.

[처방]

황련 5 g, 황금 15 g, 황백 10 g, 치자 15 g, 대황 10 g, 생감초 20 g. 이들을 물 1,000 mL와 같이 달여 300 mL가 되도록 하여 2-3회에 나누어 따뜻하게 복용한다.

[적용 환자군]

체격이 건장하며 얼굴이 붉고 기름기가 돈다. 입안에 쓴맛이 돌고 건조하며 입냄새가 난다. 더운 것을 싫어하고 땀이 많으며 심번으로 잠을 이루지 못한다. 점막의 충혈과 미란, 발적 및 부종 등 소견이 있다. 입술과 설질이 붉고 맥은 활(滑)하거나 삭(數)하다.

[활용병증]

구강편평태선, 양성점막유천포창, 베체트병, 재발성 아프타 구내염, 치주염, 치은염, 당뇨, 대장항문질환 등

[주의사항]

이 처방은 매우 쓴맛이 나므로 증상이 개선되면 복약을 즉시 중단한다.

15. 삼황사역탕

사심탕과 사역탕의 합방이며 찬 체질의 사람에게 열병이 생겼을 때 활용하는 처방으로 청상온하(淸上溫下)의 효능이 있다. 번조와 출혈, 가슴아래의 답답함, 구내염, 설사 등 증상이 있으면서 무기력하고 설질은 옅으며 맥이 약한 소견 등이 특징적인 환자에 처방한다.

[처방]

대황 10 g, 황련 5 g, 황금 5 g, 법제부자 10 g, 건강 10 g, 감초 5 g. 이들을 물 1,000 mL와 같이 달여 300 mL가 되도록 하여 2-3회에 나누어 따뜻이 복용한다.

[적용 환자군]

장년층이나 고령 환자에서 많이 보인다. 환자의 피부는 칠흑처럼 검거나 어두운 누런색이다. 식욕이 왕성하지만 배가 그득해지거나 설사가 나오는 일이 잦다. 설질이 통통하고 크며 맥은 침약(沈弱)하다.

[활용병증]

상부소화기출혈, 혈소판감소성자반, 재생불량성빈혈, 코피, 심근경색, 만성위염, 위 및 십이지장궤양, 고혈압, 중풍, 불면, 두통, 여드름, 구강궤양, 다낭성난소증후군 등

경방의 탕액전탕법

경방은 일반적으로 탕액으로 활용하며, 탕액은 탕제라고도 한다. 탕제의 특징은 흡수가 잘 되고 효과가 빨리 나타난다는 점이다. 급성 및 열성 질환의 경우 일반적으로 탕제가 적합하다.

[전탕용기]

뚝배기나 항아리 또는 법랑 냄비(테라코타병)를 사용하는 것이 가장 좋다. 달이기 전에 약 20분 동안 냉수에 약재를 담가서 수용성 성분이 탕액으로 방출되고 동시에 탕액의 농도를 높이도록 한다. 겨울철에는 20-30℃의 따뜻한 물에 담그도록 한다. 그러나 일부 식물 세포의 단백질이 열에 의해 응고되는 것을 방지하기 위해, 끓인 물에 담그는 것은 바람직하지 않습니다. 끓는 물에 담그면 효과적인 성분 추출을 방해하는 콜로이드를 형성하게 된다. 따라서 탕전 시에는 약재를 적신 후 약재를 2-3 cm 물에 담그거나 약재를 손으로 가볍게 눌러 수면이 손등을 덮도록 한다. 달일 때는 물의 양을 한 번에 첨가해야하며, 탕전 후 물을 다시 넣고 재탕할 필요는 없다. 저자는 다음 공식을 따르는 것을 추천한다. 추가할 물의 양(mL) = 600 mL+1.5×약재 무게(g)+필요한 탕액의 양(mL). 통속적으로 끓인 물 6그릇에 탕액 2그릇이 나오도록 하는 것이 일반적이라 알려져 있다. 그러나 약재의 종류, 무게, 필요한 탕액의 양, 의사의 판단 등에 따라 물의 양을 늘리거나 줄일 수 있다.

[전탕 방법]

문화로 물을 끓인다. 끓기 시작한 후 30–40분 동안 천천히 불에 끓인다. 현재 일반적으로 사용되는 두 가지 탕전 방법이 있다. 첫 번째 탕전법은 고전적인 방식으로 달인 방법이다. 즉, 한 번 달이고 물을 넣은 후 작은 불로 다시 끓어 30–40분간 재탕하는 것이다. 걸러진 탕액은 2–3회에 나누어 복용한다. 이 방식은 급성질환, 중증질환 치료에 적합한 방식으로 계지탕, 마황탕, 대시호탕, 대승기탕, 이중탕 등이 그 대상이다. 두 번째 방법은 후세의 방법으로 두 번 달이는 방식이다. 먼저 30–40분 동안 달여 약액을 용출시키고, 다시 물을 더해 15분간 달여 약액을 용출시킨다. 두 번 만든 약액을 균등하게 혼합하여 2–3회 복용한다. 이 방식은 자감초탕, 온경탕 등 보익계통의 처방에 사용한다.

[복용법]

급성질환의 경우 공복에 복용해야 하며, 만성질환의 경우 식간에 복용해야 한다. 증에는 식전에 복용해야 하며, 허증에는 식후에 복용한다. 사하약은 식사 전에 복용해야 하며, 땀을 흘리는 약물은 식사 후에 복용해야 한다. 급성질환의 경우 1일 3회 이상, 만성질환의 경우 1일 2회 이상, 1일 또는 격일 또는 격주로 복용한다.

경방용량원칙과 계산법

경방의 용량은 매우 복잡하여 단일한 기준을 설정하기가 어렵다. 기본적인 원칙은 다음과 같다. 급성, 중증질환에는 많이 쓰고, 만성질환에는 적게 쓴다. 체질이 강건한 자에게는 많이 쓰고 허약한 사람에게는 적게 쓴다. 한편 경방은 약물간의 상대적 용량 및 비율을 중요하게 여기므로 절대적인 용량에 구애받을 필요가 없다.

경방의 용량 계산법은 다음과 같다.

[중량]

한대에는 6수를 1푼으로 하고 4푼을 1냥으로 정하였으며, 16냥을 1근으로 두었다. 한대의 중량에 대한 환산 원칙은 학자마자 의견이 다른데, 보통은 전국 표준교재에서 채택된 것처럼 1냥을 3 g으로 본다. 다만, 최근에는 1냥이 8 g, 13.67464 g, 13.92 g, 14.1666 g, 15.625 g 등으로 환산될 수 있다는 견해도 제시되고 있다. 필자는 통상의 투약 경험을 바탕으로 1냥을 5 g으로 간주한다.

[용량]

한대에는 10합을 1승으로 놓고, 10승을 1두로 보았다. 1승은 약 200 mL로 설정한다. 필자는 1승을 100 mL로 환산하고 있다.

[실제 약물의 용량 설정(건조 약재)]

대부자 1매 약 20-30 g, 반하 1매 약 2 g, 지실 1매 약 2 g, 지각 1매 약 30 g, 치자 1매 약 1 g, 파치자 1매 약 2 g, 행인 3매 약 1 g,

과루실 1매 약 50 g, 도인 3매 약 1 g, 대조 1매 약 2 g, 석고계자대
약 50 g

[특수용량]

방촌비는 식물약재 분말을 기준으로 1 g에 해당한다. 광물약재
분말로는 2 g이다.

다빈도 질환에 대한
처방 활용 제안

1. 정신신경계통 질환

우울증: 시호가용골모려탕, 소시호탕, 대시호탕, 사역산, 보중익기탕, 반하후박탕, 도핵승기탕, 마황부자세신탕, 감맥대조탕, 산조인탕, 사심탕, 치자후박탕

불안장애: 온담탕, 반하후박탕, 감맥대조탕, 산조인탕, 시호계지건강탕

외상 후 스트레스 장애: 온담탕, 시호가용골모려탕, 감맥대조탕, 산조인탕

신경증: 반하후박탕, 온담탕, 팔미제번탕, 팔미해울탕, 사역산, 감맥대조탕, 산조인탕, 시호계지건강탕, 오적산

불면: 시호가용골모려탕, 사역산, 혈부축어탕, 계지복령환, 계지가갈근탕, 계지가용골모려탕, 온담탕, 황련탕, 황련아교탕, 사심탕, 진무탕, 마황부자세신탕

정신분열증: 온담탕, 시호가용골모려탕, 도핵승기탕, 감맥대조탕

뇌출혈, 지주막하출혈: 사심탕, 황련해독탕, 대시호탕

뇌경색: 계지복령환, 도핵승기탕, 하어혈탕, 시호가용골모려탕, 혈부축어탕, 갈근탕, 황기계지오물탕, 속명탕

뇌손상: 시호가용골모려탕, 사심탕, 풍인탕, 속명탕

다발성경화증: 죽엽석고탕, 작약감초탕, 맥문동탕, 시호가용골모려탕, 풍인탕

뇌전증: 시호가용골모려탕, 계지가용골모려탕, 풍인탕, 소건중탕,

온담탕, 지정산

파킨슨: 시호가용골모려탕, 마황부자세신탕, 진무탕, 온담탕, 속명탕

노인성 치매: 당귀작약산, 시호가용골모려탕, 서여환

숙취: 오령산, 황련탕, 갈근탕, 마황탕

신경통: 작약감초탕, 사역산, 혈부축어탕 , 마황부자세신탕, 대황부자탕, 황기건중탕, 계지가부자탕, 당귀사역탕, 진무탕, 대시호탕, 형개연교탕

안면신경마비: 갈근탕, 소시호탕, 마황부자세신탕, 황기계지오물탕, 계지가갈근탕

근위축: 자감초탕, 서여환, 백호탕, 죽엽석고탕

두통: 마황부자세신탕, 대시호탕, 소시호탕, 사역산, 형개연교탕, 사심탕, 시호가용골모려탕, 온담탕, 반하후박탕, 산조인탕, 백호탕, 오령산, 대승기탕, 도핵승기탕, 오수유탕

현훈: 온담탕, 오령산, 당귀작약산, 대시호탕, 영계출감탕, 진무탕, 사심탕

2. 내분비대사질환

당뇨병: 백호가인삼탕, 갈근금련탕, 황련탕, 계지탕, 신기환, 제생신기환, 오매환, 황기계지오물탕, 계지복령환, 사미건보탕

혈액점도 상승: 계지복령환, 사심탕, 대시호탕, 황련해독탕

고지혈증: 대시호탕, 계지복령환, 오령산

통풍: 오령산, 대황부자탕, 계지복령환, 치자백피탕, 황련해독탕, 계지작약지모탕, 백출부자탕, 방기황기탕, 월비가출탕 등

특발성부종: 방기황기탕, 오령산, 월비탕

단순비만: 오령산, 월비가출탕, 오적산, 방기황기탕, 방풍통성산, 대시호탕, 온담탕

소수: 소건중탕, 자감초탕, 죽엽석고탕, 서여환

갑상선기능저하: 진무탕, 소건중탕, 대시호탕

갑상선기능항진: 백호탕, 소시호탕, 시호가용골모려탕, 자감초탕

3. 암

암환자의 경과관리: 소시호탕, 오령산, 사역산, 반하후박탕, 당귀작약산, 계지탕, 소건중탕, 서여환, 보중익기탕, 황금탕

항암화학요법 후의 설사: 오령산, 부자이중탕, 황금탕, 백두옹탕

암 환자의 체중감소: 자감초탕, 서여환, 십전대보탕

암환자의 빈혈: 자감초탕, 서여환, 생혈탕, 십전대보탕

극심한 암성 통증: 대황부자탕, 부자사심탕, 온비탕, 마황부자세신탕, 시호가용골모려탕

방사선성 장염, 방광염: 저령탕, 황금탕, 백두옹탕

암수술 이후 식욕부진: 소시호탕, 오령산, 계지탕, 부자이중탕, 맥문동탕, 육군자탕, 서여환

유방암으로 호르몬 억제제를 복용한 경우: 오령산

대장암: 황금탕, 백두옹탕, 온비탕

부인암: 백두옹탕, 황금탕, 시령탕, 황련해독탕 등

4. 감기

통상적인 발열: 소시호탕, 갈근탕, 퇴열탕, 계지탕

땀이 나지 않으면서 일어나는 고열: 마황탕, 대청룡탕, 대시호탕

한출, 땀이 흐르면서 지속되는 발열: 대시호탕, 백호탕, 계지가부자탕, 진무탕

명확한 폐질환: 마황부자세신탕

설사: 갈근금련탕, 시령탕, 오적산

기침, 천식: 마행감석탕

피부발진 및 관절통증: 시호계지탕, 소시호탕

허약체질 환자의 잦은 감기: 계지탕, 소시호탕, 옥병풍산, 보중익기탕, 서여환, 시호계지건강탕

5. 호흡기 질환

기관지염: 소시호탕, 반하후박탕, 마행감석탕, 소함흉탕, 소청룡탕, 사역산

기관지천식: 대시호탕, 소시호탕, 반하후박탕, 마행감석탕, 소청룡탕, 계지복령환, 배농산, 작약감초탕, 사역산, 소함흉탕, 치자후박탕

폐렴: 마행감석탕, 대시호탕, 소시호탕, 치자후박탕, 소청룡탕

감염성 폐질환: 대시호탕, 치자후박탕, 소함흉탕, 소시호탕

폐결핵: 소시호탕, 시호계지건강탕, 시호가용골모려탕, 형개연교탕, 서여환

만성폐쇄성폐질환: 계지복령환, 신기환, 대시호탕, 소함흉탕, 배농산, 소청룡탕, 지실해백계지탕

기관지확장출혈: 사심탕, 황련해독탕

6. 소화계통질환

만성위염, 위궤양: 반하사심탕, 감초사심탕, 황련탕, 사역산, 반하후박탕, 소건중탕, 황기건중탕, 대시호탕, 소시호탕, 사심탕, 부자사심탕, 황련사역탕, 이중탕, 부자이중탕, 온경탕

위하수: 복령음, 영계출감탕, 진무탕, 지출탕, 사역산

위식도역류, 분문이완불능증: 대시호탕, 반하사심탕, 황련탕, 오수유탕, 반하후박탕, 복령음, 오령산

상부소화기출혈: 사심탕, 부자이중탕, 부자사심탕, 삼황사역탕

과민성대장증후군: 사역산, 반하후박탕, 시호가용골모려탕, 시호계지건강탕, 대시호탕, 치자후박탕, 오매환

궤양성대장염, 크론병: 오매환, 황련탕, 감초사심탕, 백두옹탕, 황금탕

장폐색, 장유착: 대승기탕, 대시호탕, 대황부자탕, 대건중탕, 소건중탕, 온비탕

지방간: 오령산, 계지복령환, 대시호탕, 부자이중탕

간염: 소건중탕, 작약감초탕, 소시호탕, 당귀작약산, 오령산, 진무탕, 인진호탕

췌장염: 대시호탕, 소건중탕

담낭염, 담결석: 대시호탕, 사역산, 인진호탕, 시호계지건강탕, 시호계지탕, 오매환

황달: 인진호탕, 인진사역탕 인진오령산, 작약감초탕, 소건중탕,

오령산, 소시호탕, 당귀작약산

구토: 반하후박탕, 온담탕, 반하사심탕, 소시호탕, 황련탕, 오수유탕, 영계출감탕, 오령산, 대반하탕, 맥문동탕

변비: 대승기탕, 도핵승기탕, 온비탕, 작약감초탕, 소건중탕, 자감초탕, 계지복령환, 당귀작약산, 방풍통성산, 대시호탕, 소시호탕, 시호가용골모려탕, 마자인환

설사: 오령산, 이중탕, 부자이중탕, 사역탕, 갈근금련탕, 소시호탕, 황련탕, 감초사심탕, 오매환, 사역산, 반하후박탕

7. 순환기질환

심장질환: 계지복령환, 계지가용골모려탕, 황기계지오물탕, 황련탕, 부자이중탕, 복령계지백출감초탕, 복령계지오미감초탕

부정맥: 계지가용골모려탕, 시호가용골모려탕, 시호계지건강탕, 온담탕, 산조인탕, 황련아교탕

심부전: 사역탕, 진무탕, 계지복령환, 계지가용골모려탕, 생맥산, 복령계지오미감초탕, 지출탕

고혈압: 대시호탕, 황련해독탕, 사심탕, 온담탕, 진무탕, 황기계지오물탕, 시호가용골모려탕, 계지가갈근탕

뇌경색: 갈근탕, 계지복령환, 시호가용골모려탕, 마황탕, 황련해독탕, 사심탕, 혈부축어탕

8. 혈액질환

혈소판감소성자반증: 황련아교탕, 황련해독탕, 사심탕, 백호탕, 서각지황탕

혈소판증가증: 대황자충환, 계지복령환, 황금탕, 소시호탕

빈혈: 십전대보탕, 자감초탕, 서여환, 당귀작약산, 옥병풍산, 황기건중탕, 저령탕, 생혈탕

다발성골수종: 황기계지오물탕, 옥병풍산, 진무탕

만성림프구성백혈병: 시령탕

혈우병: 황련해독탕, 백호탕, 사심탕

9. 비뇨기계질환

신장질환: 마황연교적소두탕, 월비가출탕, 황기계지오물탕, 계지복령환, 신기환, 진무탕, 소시호탕, 당귀작약산, 사미건보탕

신부전: 도핵승기탕, 계지복령환, 황기계지오물탕, 진무탕, 제생신기환, 온비탕

방광염: 저령탕, 사역산, 치자백피탕, 백두옹탕

신경인성 방광: 사역산, 반하후박탕, 계지가용골모려탕, 팔미제번탕

요실금: 감강령출탕, 당귀작약산, 진무탕, 갈근탕, 마행감석탕, 계지가용골모려탕, 보중익기탕, 신기환

요도결석: 사역산, 저령탕, 마황부자세신탕, 대시호탕

10. 자가면역질환

전신성 홍반성 루푸스: 형개연교탕, 소시호탕, 황금탕
하시모토병: 소시호탕, 당귀작약산, 시귀탕, 진무탕
쇼그렌증후군: 시령탕, 황련아교탕
라이터병: 당귀사역탕, 시귀탕

11. 근골격계 질환

경추질환: 갈근탕, 계지가갈근탕, 황기계지오물탕, 시호계지탕, 갈근금련탕

요퇴통: 작약감초탕, 계지가부자탕, 계지복령환, 도핵승기탕, 하어혈탕, 황기계지오물탕, 사미건보탕, 마황부자세신탕, 감강영출탕, 신기환, 진무탕

어깨관절주위염: 도핵승기탕, 계지복령환, 시호계지탕, 대시호탕

무릎관절 통증: 마황가출탕, 월비가출탕, 방기황기탕, 계지복령환

조조강직: 소시호탕, 황금탕, 치자백피탕

관절 부종: 계지작약지모탕

12. 외과질환

충수염: 대황목단피탕, 의이부자패장산, 배농산, 도핵승기탕
급성유선염: 대시호탕, 소함흉탕, 마황탕, 갈근탕, 사역산
하지정맥혈전: 계지복령환, 사미건보탕, 작약감초탕, 하어혈탕
하지정맥류: 계지복령환
피부궤양: 계지탕, 황기건중탕, 당귀사역탕, 계지복령환

13. 남성 질환

발기부전, 조루: 계지가용골모려탕, 시호가용골모려탕, 황련탕, 계지복령환, 오령산, 신기환, 감강령출탕, 사역산, 작약감초탕, 사역탕, 당귀사역탕, 진무탕, 사심탕

남성난임: 계지가용골모려탕, 보중익기탕, 신기환

전립선염: 저령탕, 치자백피탕, 황련아교탕, 시호가용골모려탕, 백두옹탕

전립선비대: 계지복령환, 신기환

고환염: 도핵승기탕, 계지복령환, 당귀사역탕, 대황부자탕

정계정맥류: 계지복령환, 대황자충환, 당귀사역탕

14. 부인과 질환

다낭성난소증후군: 갈근탕, 계지복령환, 도핵승기탕, 다우기작약산, 부자사심탕, 방풍통성산, 오적산

조기난소부전: 온경탕, 황련아교탕, 하어혈탕, 대황자충환, 계지복령환

난임: 온경탕, 당귀작약산, 당귀생강양육탕, 계지복령환, 시귀탕, 오적산, 방풍통성산, 형개연교탕

조기유산: 황련아교탕, 황금탕, 교애탕, 당귀산

임신고혈압: 당귀작약산, 오령산

산후우울: 소시호탕, 온담탕

산후출혈: 계지복령환, 하어혈탕, 교애탕

월경전증후군: 사역산, 혈부축어탕, 팔미활혈탕, 도핵승기탕, 오령산, 계지복령환

생리통: 팔미제번탕, 온경탕, 갈근탕, 작약감초탕, 계지복령환, 황금탕, 당귀사역탕

월경과다: 황련해독탕, 황련아교탕, 사심탕, 형개연교탕, 시귀탕, 진무탕, 교애탕, 백호탕, 서각지황탕

월경과소: 온경탕, 시귀탕, 계지복령환, 대황자충환

갱년기증후군: 온경탕, 계지가용골모려탕, 진무탕, 시호가용골모려탕, 반하후박탕, 팔미제번탕, 갱년방

여성성기능장애: 시귀탕, 감강영출탕, 온경탕, 갈근탕, 당귀작약산

15. 대장항문질환

치질: 도핵승기탕, 계지복령환, 사심탕, 마황행인감초석고탕, 대황감초해독탕

항루: 황련해독탕, 마행감석탕, 당귀작약산

항문주위농양: 도핵승기탕, 대황목단피탕, 의이부자패장산

탈항: 당귀작약산, 감강영출탕, 지출탕, 보중익기탕, 계지복령환, 진무탕

습관성변비: 작약감초탕, 황금탕, 계지복령환, 당귀작약산, 사미건중탕

16. 피부질환

알러지성자반증: 소건중탕, 소시호탕, 형개연교탕, 팔미제번탕, 반하후박탕, 서각지황탕

건선: 계지복령환, 백호탕, 서각지황탕, 황련해독탕, 감초사심탕, 황금탕, 시호가용골모려탕, 마황탕, 마행감석탕, 방풍통성산, 도핵승기탕, 대황자충환

습진피부염: 반하후박탕, 감초사심탕, 월비가출탕, 오령산, 대시호탕, 소시호탕, 반장방풍통성산, 형개연교탕, 마황연교적소두탕, 백호탕, 온경탕, 황련아교탕

모낭염: 형개연교탕, 방풍통성산, 황련해독탕, 갈근탕, 계지복령환, 도핵승기탕

두드러기: 방풍통성산, 마황탕, 마황연교적소두탕, 계지탕, 소시호탕, 시호계지탕, 시귀탕, 당귀사역탕

탈모: 사심탕, 계지복령환, 계지가용골모려탕, 도핵승기탕, 서여환, 시호가용골모려탕, 오령산, 시귀탕, 황련아교탕

동상: 당귀사역탕, 계지탕

여드름: 계지복령환 갈근탕, 형개연교탕, 방풍통성산, 시호가용골모려탕, 마행감석탕, 온경탕, 오적산

유천포창: 황련해독탕, 대황감초해독탕, 감초사심탕

17. 소아질환

소아기침: 소시호탕, 계지탕, 반하후박탕, 소청룡탕, 마행감석탕, 소함흉탕

소아발열: 소시호탕, 대시호탕, 갈근탕, 마황부자세신탕, 진무탕, 백호탕, 죽엽석고탕

소아소화불량: 반하후박탕, 이중탕, 육군자탕

소아식욕부진: 반하후박탕, 소건중탕

소아 설사: 이중탕, 부자이중탕, 사역탕, 오령산, 소시호탕, 반하후박탕, 갈근금련탕

소아불면: 온담탕, 계지가용골모려탕, 시호가용골모려탕, 소건중탕

소아변비: 작약감초탕, 소건중탕, 소시호탕

소아뚜렛증후군: 온담탕, 감맥대조탕

소아경련: 풍인증, 시호가용골모려탕, 계지가용골모려탕

소아발육불량: 소건중탕, 계지가용골모려탕

18. 이비인후과 질환

망막염: 소시호탕, 감초사심탕, 형개연교탕, 마행감석탕, 소시호탕

녹내장: 대시호탕, 오령산, 오수유탕

눈부심: 오령산, 당귀작약산, 영계출감탕

시력혼탁: 계지가갈근탕, 계지복령환, 황기계지오물탕, 신기환, 갈근금련탕

산립종, 결막낭종, 익상노육: 마행감석탕, 계지복령환, 방풍통성산, 월비가출탕, 도핵승기탕

비염, 부비동염: 갈근탕, 소청룡탕, 마황부자세신탕, 옥병풍산, 마행감석탕, 계지탕, 계지가부자탕, 반하후박탕, 형개연교탕, 방풍통성산, 소시호탕

코피: 사심탕, 팔미제번탕, 부자사심탕

돌발성 난청: 갈근탕, 마황부자세신탕, 계지가갈근탕

중이염: 형개연교탕, 소시호탕, 치자백피탕, 오령산

급성인후염: 소시호탕, 길경탕, 부자이중탕

만성인후염: 반하후박탕, 길경탕, 대시호탕

발성장애: 마황부자세신탕, 길경탕, 소청룡탕, 마행감석탕, 반하후박탕

19. 구강점막질환

구강편평태선: 대황감초해독탕, 감초사심탕, 올여산, 자감초탕

재발성구강궤양: 감초사심탕, 자감초탕, 황련아교탕, 온경탕, 당귀사역탕

베체트병: 감초사심탕, 황련해독탕

수족구병: 감초사심탕, 소시호탕, 속명탕, 풍인탕

설통증: 반하후박탕, 치자후박탕, 마황부자세신탕, 시호가용골모려탕, 온담탕

치주염: 계지복령환, 부자이중탕, 사심탕, 황금탕

치통: 마황부자세신탕, 계지복령환, 도핵승기탕, 당귀사역탕

구강암: 자감초탕, 대황감초해독탕, 서여환

황황교수의 개원 한의사를 위한 상한금궤 처방 강의록

임상 한의사가 일차진료 현장에서 가장 흔하게 접할 수 있는 질환에 대한 상한금궤처방의 활용 지침서. 황황 교수는 이 책에서 가장 널리 활용되는 30개 처방에 대해 다양한 증례 및 개인의 경험을 곁들여 약물의 적응증, 용량, 주의사항 등을 상세하게 설명한다. 상한금궤방에 대해 처음 공부를 시작하는 한의과대학 학생 및 임상의에게 적절한 입문 강의이다.

저자 황황은 1954년 강소성 강음에서 태어났으며, 현재 남경중의약대학 기초의학원에서 박사과정 지도교수로 근무하고 있다. 주요 연구주제는 상한론 및 금궤요략 등 고전 처방의 적응증이며, 관련 한약 처방의 대중화 및 홍보에 전념하고 있다.

황황 편저 / 조희근 옮김 / 군자출판사